Bretagne

Pour découvrir
le meilleur
de la région

Édition écrite et actualisée par

Muriel Chalandre-Yanes Blanch, Olivier Cirendini
Christophe Corbel, Régis Couturier, Marie Dufay,
Bénédicte Houdré et Carole Huon

Sommaire

Avant le départ

Sur la route

Sommaire

Sur la route

La Loire-Atlantique 256

En savoir plus

Carnet pratique

Quelques mots sur la Bretagne

Degemer mat e Breizh ! Bienvenue en Bretagne ! La région enchante par ses couleurs et ses lumières. L'interminable bras de fer entre la mer et les terres suscite une marqueterie d'atmosphères jamais égales, vibrant sous la lumière océane : un véritable kaléidoscope de styles et d'ambiances d'où la région tire sa force. Bien que parmi les plus touristiques de l'Hexagone, elle échappe à l'uniformisation et n'a pas perdu une miette de son âme.

Des paysages entre terre et mer...

C'est peu de dire qu'en Bretagne, la nature se donne en spectacle. Et c'est bien sûr la mer qui magnétise avant tout les visiteurs. Plusieurs centaines de kilomètres de côtes y voient défiler chaos rocheux déchiquetés, immenses rubans de sable fin, rias et abers, falaises vertigineuses, criques secrètes et caps téméraires... Une diversité qui se poursuit jusque dans les îles, arborant chacune une personnalité propre : Belle-Île la coquette, Ouessant la sauvage et Bréhat la fleurie pour ne citer qu'elles. De son littoral taillé comme de la dentelle, les marcheurs empruntant le sentier des Douaniers (GR®34) n'en perdront pas une miette, les amateurs de sports nautiques n'auront que l'embarras du choix, et chacun trouvera plage à son humeur. Dans les terres, des minichaînes montagneuses, des étendues bocagères, quelques forêts, des lacs et des vallées mystérieuses prolongent cette symphonie naturelle.

De l'Argoat à l'Armor, une terre chargée d'histoire.

Partout, vous serez marqué par les traces profondes laissées par une histoire qui a, autant que les éléments, bouleversé les paysages. De Nantes, résolument tournée vers l'avenir, à Brest, métropole océane reconstruite après la guerre, en passant par Rennes, ville-campus au cœur médiéval, vous ferez escale dans de pimpantes stations balnéaires (La Baule, Dinard, Saint-Cast-le-Guildo...), dans de fières cités corsaires (Saint-Malo, Roscoff...), médiévales (Vannes, Fougères, Dinan...), ou épiscopales (Quimper, Tréguier, Saint-Pol-de-Léon...). Vous vous attarderez dans un petit port de pêche finistérien ou dans un paisible village armoricain avant de repartir à la découverte de chapelles perdues et de châteaux forts, de calvaires et d'enclos, de menhirs et de dolmens dissimulés entre l'Argoat et l'Armor.

« C'est peu de dire qu'en Bretagne, la nature se donne en spectacle. »

Spis, La Trinité-sur-Mer (p. 226)

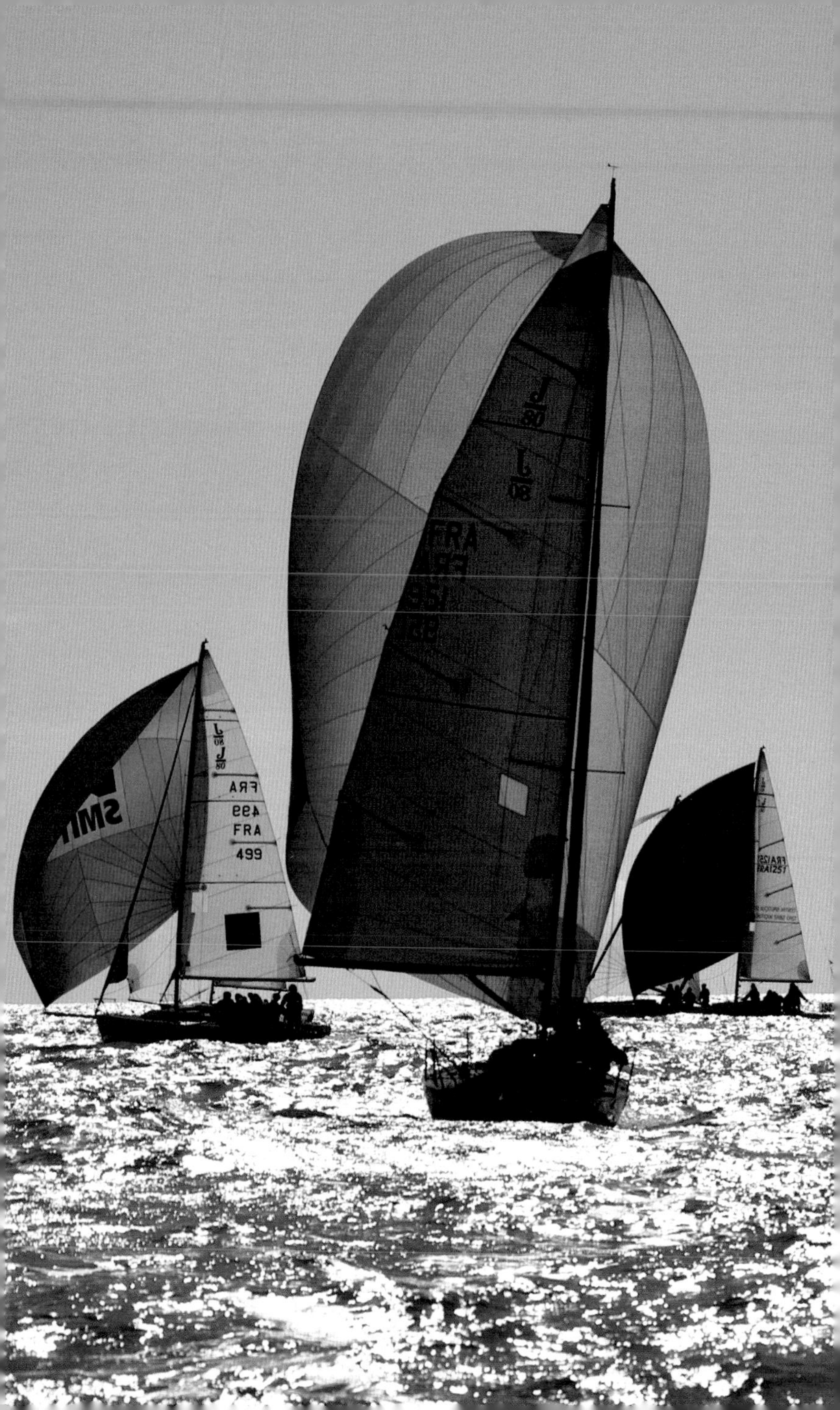
J 80
FRA
499
FRA1251

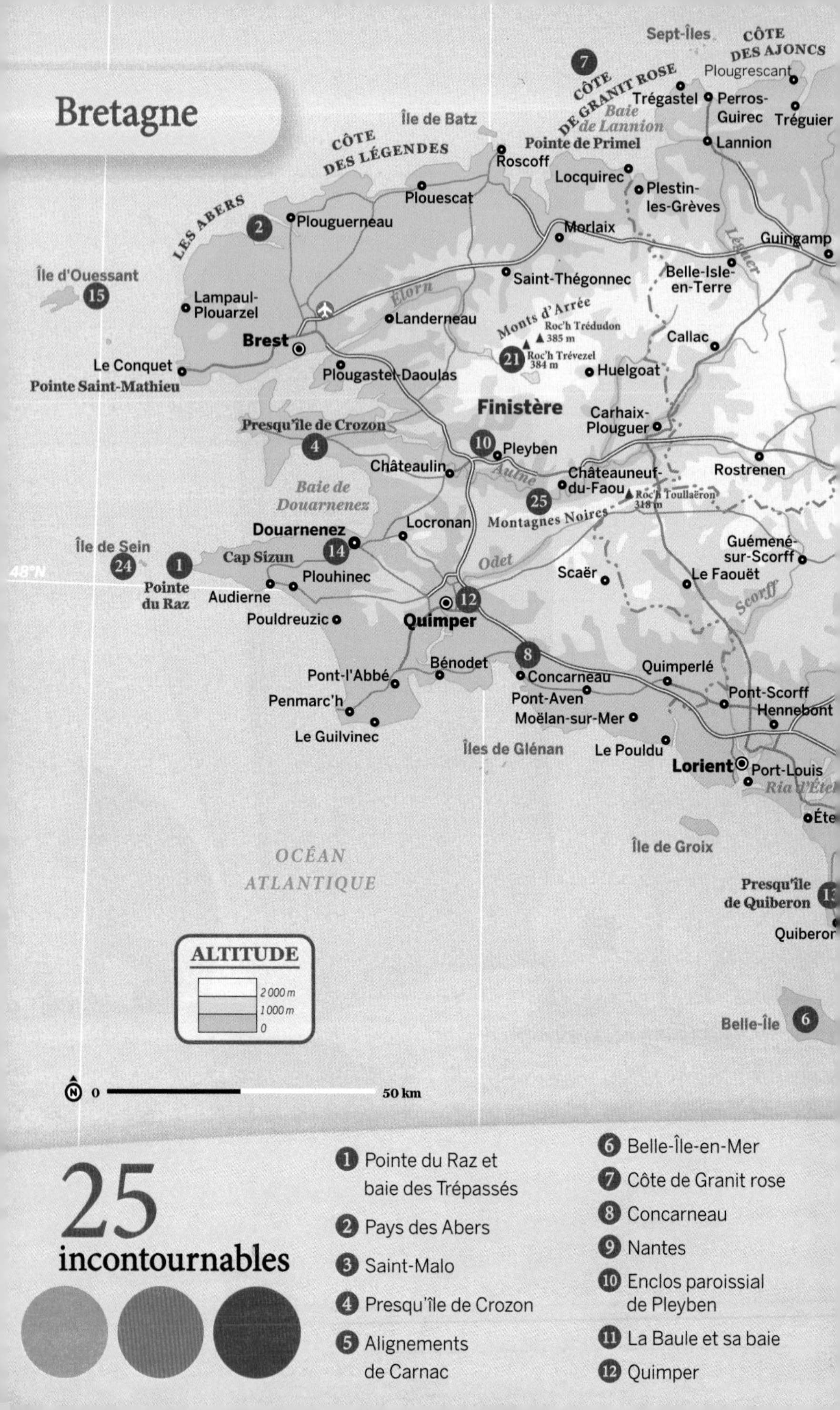

Bretagne
Sept-Îles
CÔTE DES AJONCS
Plougrescant
CÔTE DE GRANIT ROSE
Trégastel
Perros-Guirec
Tréguier
Baie de Lannion
Île de Batz
CÔTE DES LÉGENDES
Pointe de Primel
Lannion
Roscoff
Locquirec
Plestin-les-Grèves
Plouescat
LES ABERS
Plouguerneau
Morlaix
Guingamp
Léguer
Île d'Ouessant
Saint-Thégonnec
Belle-Isle-en-Terre
Lampaul-Plouarzel
Élorn
Landerneau
Monts d'Arrée
Roc'h Trédudon
385 m
Brest
Callac
Le Conquet
Roc'h Trévezel
384 m
Pointe Saint-Mathieu
Plougastel-Daoulas
Huelgoat
Finistère
Carhaix-Plouguer
Presqu'île de Crozon
Pleyben
Châteaulin
Rostrenen
Aulne
Châteauneuf-du-Faou
Baie de Douarnenez
Roc'h Toullaëron
318 m
Montagnes Noires
Locronan
Douarnenez
Île de Sein
Guémené-sur-Scorff
Cap Sizun
48°N
Odet
Scaër
Le Faouët
Plouhinec
Pointe du Raz
Audierne
Scorff
Quimper
Pouldreuzic
Bénodet
Quimperlé
Pont-l'Abbé
Concarneau
Pont-Scorff
Penmarc'h
Pont-Aven
Hennebont
Moëlan-sur-Mer
Le Guilvinec
Îles de Glénan
Le Pouldu
Lorient
Port-Louis
Ria d'Étel
Étel
Île de Groix
OCÉAN ATLANTIQUE
Presqu'île de Quiberon
Quiberon
ALTITUDE
2 000 m
1 000 m
0
Belle-Île
0
50 km
25 incontournables
1 Pointe du Raz et baie des Trépassés
2 Pays des Abers
3 Saint-Malo
4 Presqu'île de Crozon
5 Alignements de Carnac
6 Belle-Île-en-Mer
7 Côte de Granit rose
8 Concarneau
9 Nantes
10 Enclos paroissial de Pleyben
11 La Baule et sa baie
12 Quimper

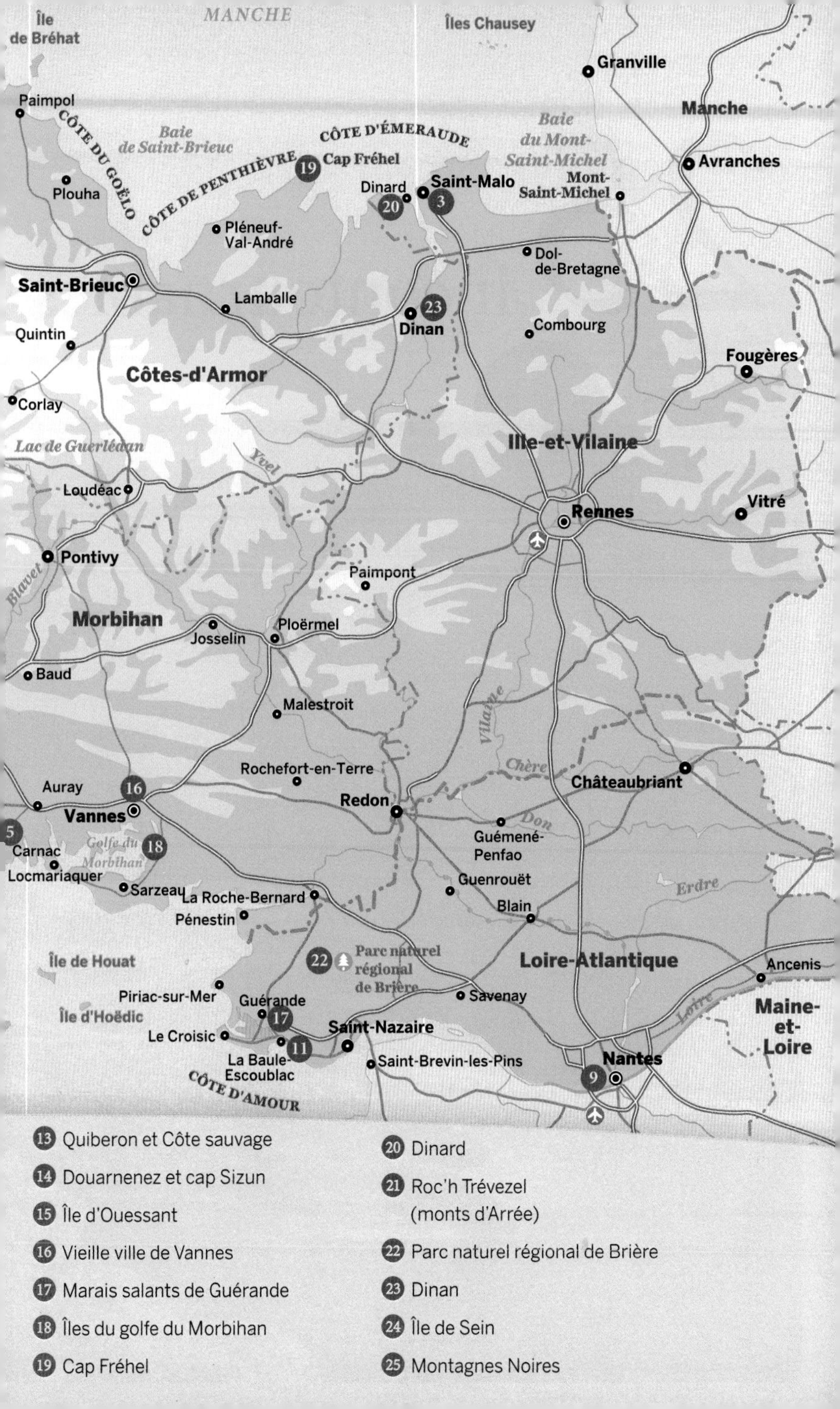
MANCHE
Île de Bréhat
Îles Chausey
Granville
Manche
Paimpol
CÔTE DU GOËLO
Baie de Saint-Brieuc
CÔTE DE PENTHIÈVRE
CÔTE D'ÉMERAUDE
Cap Fréhel
Baie du Mont-Saint-Michel
Avranches
Plouha
Dinard
Saint-Malo
Mont-Saint-Michel
Pléneuf-Val-André
Dol-de-Bretagne
Saint-Brieuc
Lamballe
Dinan
Combourg
Quintin
Fougères
Côtes-d'Armor
Corlay
Lac de Guerlédan
Yvel
Ille-et-Vilaine
Loudéac
Rennes
Vitré
Pontivy
Blavet
Paimpont
Morbihan
Ploërmel
Josselin
Baud
Malestroit
Vilaine
Chère
Rochefort-en-Terre
Châteaubriant
Auray
Redon
Vannes
Don
Guémené-Penfao
Golfe du Morbihan
Carnac
Locmariaquer
Guenrouët
Erdre
Sarzeau
La Roche-Bernard
Blain
Pénestin
Île de Houat
Parc naturel régional de Brière
Loire-Atlantique
Ancenis
Piriac-sur-Mer
Guérande
Savenay
Île d'Hoëdic
Maine-et-Loire
Loire
Le Croisic
Saint-Nazaire
La Baule-Escoublac
Saint-Brevin-les-Pins
Nantes
CÔTE D'AMOUR
13 Quiberon et Côte sauvage
14 Douarnenez et cap Sizun
15 Île d'Ouessant
16 Vieille ville de Vannes
17 Marais salants de Guérande
18 Îles du golfe du Morbihan
19 Cap Fréhel
20 Dinard
21 Roc'h Trévezel (monts d'Arrée)
22 Parc naturel régional de Brière
23 Dinan
24 Île de Sein
25 Montagnes Noires

25 incontournables

Pointe du Raz et baie des Trépassés

Au bout du cap Sizun, bordé au nord par la belle baie des Trépassés, l'éperon granitique aux airs de bout du monde que forme la mythique pointe du Raz (p. 194) offre un panorama splendide sur le phare de la Vierge et son chaos marin avec, en arrière-plan, l'île de Sein qui se profile.

1

2

Pays des Abers

Perles du Finistère, l'aber Benoît et l'aber Wrac'h (p. 150) offrent une physionomie tout en nuances. Ils composent des paysages versatiles, sans cesse redessinés par les marées et la lumière. Miroirs étincelants à marée haute, quand les flots frangent les champs, ils se transforment à marée basse en de vastes étendues de vase piquetées d'oiseaux. Les deux abers sont séparés par la presqu'île de Sainte-Marguerite, qui déroule ses dunes face à la Manche. Fréquenté en été, le pays des Abers conserve néanmoins une atmosphère d'éden préservé.

Saint-Malo

Ville du corsaire Surcouf, du découvreur du Canada Jacques Cartier et de François-Mahé de La Bourdonnais, célèbre amiral de la Compagnie des Indes, Saint-Malo (p. 72) connut la prospérité grâce à la mer. Flaubert disait de la ville qu'elle sentait "Terre-Neuve et la viande salée, l'odeur rance des longs voyages". Tout cela a certes disparu et la cité corsaire est devenue touristique, mais les remparts de la ville intra-muros, ses ruelles tortueuses et la vue sur le large au-delà de la tombe de Chateaubriand ont gardé leur magie. Ses plages, notamment celle de Bon Secours, sont réputées.

Les meilleures... Plages

SABLES-D'OR-LES-PINS, FRÉHEL
Une belle plage longue de 2 km, idéale pour les familles (p. 105).

BAIE DE LA BAULE
S'étirant sur 9 km, elle est réputée être la plus belle plage d'Europe (p. 282).

PRESQU'ÎLE DE RHUYS
Les plages émaillent ses côtes dentelées, qu'elles soient orientées vers l'océan ou vers le golfe du Morbihan (p. 249).

BELLE-ÎLE-EN-MER
Les rubans de sable fin et les criques paradisiaques sont omniprésentes (p. 222).

PRESQU'ÎLE DE CROZON
Allez dénicher une crique à votre convenance ; vous aurez l'embarras du choix (p. 177) !

Les meilleures... Côtes sauvages

QUIBERON
Des falaises bordées de dunes balayées par les vents (p. 219).

CROZON
Un trident fendant la mer d'Iroise (p. 177).

CAP SIZUN
Falaises déchiquetées et landes aplaties en préambule à la célèbre pointe du Raz (p. 187).

BELLE-ÎLE-EN-MER
Criques encaissées, plages dunaires et hautes falaises (p. 222).

POINTE DU GROUIN
Un panorama sublime entre le cap Fréhel, le Mont-Saint-Michel et les îles Chausey, à 50 m de hauteur (p. 85).

CAP FRÉHEL
Une zone naturelle protégée, vouée aux éléments (p. 104).

SYNTO/FOTOLIA ©

4 Presqu'île de Crozon

Fantastique éperon rocheux qui se termine en forme de trident, la presqu'île de Crozon (p. 177) offre un environnement somptueux, où des plages magnifiques aux configurations très diverses se succèdent, de la petite crique sablonneuse aux allures de calanque aux longues étendues de sable fin. Les Tas de Pois, pointe de Pen-Hir (p. 182)

DAMIEN BARRAULT ©

5 Alignements de Carnac

La plus grande concentration de mégalithes du monde se situe entre la presqu'île de Quiberon et le golfe du Morbihan. Ceux de Carnac (p. 230), avec au total 40 hectares d'alignements, sont les plus impressionnants. Une plongée dans l'histoire vieille de 6 000 ans, à coupler avec son excellent musée de la Préhistoire.

Belle-Île-en-Mer

6

De la côte douce à son pendant sauvage, criques encaissées, plages dunaires et hautes falaises se succèdent. Des maisons colorées du port de Sauzon aux colonies d'oiseaux de la réserve de Koh-Kastell, en passant par la citadelle Vauban au Palais et les petits villages qui émaillent son territoire, Belle-Île (p. 222) mérite qu'on lui consacre plusieurs jours.

La pointe des Poulains (p. 225)

7

Côte de Granit rose

Blanc de l'écume, déclinaisons de gris du littoral et demi-teintes de la lande : telle est l'habituelle palette de la Bretagne. Avec une exception : à l'ouest du Trégor, la roche prend des teintes ocre tirant par beau temps sur le rose. Alternant plages et paysages granitiques à la beauté spectaculaire, le littoral bordant Perros-Guirec (p. 125), Trégastel (p. 130), Trébeurden (p. 133) et une poignée d'autres localités attire ainsi les vacanciers et amateurs de nature. Les marcheurs trouveront leur bonheur au fil du superbe sentier des douaniers, qui suit la côte aux abords de Ploumanac'h (p. 127).

Concarneau

À la fois l'un des plus grands ports de pêche français et une ville d'art et d'histoire, Concarneau voit le décor bigarré de ses docks côtoyer celui de son étonnante ville close (p. 200), dont les remparts ont été élevés au XVIe siècle. Ville tout entière dédiée à la mer, dotée d'un excellent musée de la Pêche et d'un Marinarium, Concarneau offre également une agréable façade balnéaire faite de petites criques et de longues plages de sable blanc. Entrée dans la ville close

8

Les meilleurs... Forts et remparts

CITADELLE VAUBAN, BELLE-ÎLE-EN-MER
Un patrimoine historique militaire unique, sur un piton rocheux à l'entrée du port (p. 223).

FORT-LA-LATTE, CAP FRÉHEL
Un site fortifié au bord de la côte découpée (p. 104).

VILLE CLOSE, CONCARNEAU
Sur une île, au milieu du port (p. 200).

CHÂTEAU DU TAUREAU, CARANTEC
Vaisseau de pierre à l'entrée de la baie de Morlaix, bâti sur un îlot (p. 145).

Les meilleures... Rencontres avec l'Histoire

DINAN
Une plongée dans le Moyen Âge, au cœur des plus longs remparts de Bretagne (p. 100).

SAINT-MALO
La cité corsaire est emblématique de la Bretagne (p. 72).

DINARD
Le faste de la Belle Époque, avec plus de 400 villas accrochées aux falaises (p. 81).

LOCRONAN
Un décor de cinéma, et le reflet des grandes heures de l'industrie de la toile à voile (p. 183).

FOUGÈRES ET VITRÉ
Leurs châteaux sont emblématiques des Marches de Bretagne (p. 68 et p. 70).

Nantes

Ville aux multiples visages, Nantes (p. 264) possède un patrimoine architectural remarquable, dont le château des ducs de Bretagne. Ville d'histoire et de culture, Nantes est aussi tournée vers l'avenir et est entrée résolument dans le XXIe siècle ; la reconversion de sites historiques tels que l'ancienne usine LU ou le Hangar à bananes, sur l'île de Nantes, en est une belle démonstration.

Le château des ducs de Bretagne

9

10 Enclos paroissial de Pleyben

Entre les monts d'Arrée et les Montagnes Noires, l'enclos paroissial de Pleyben (p. 170) est l'un des plus beaux de Bretagne. Le calvaire (XVIe siècle), l'ossuaire (1550) et la remarquable église de construction mi-gothique, mi-Renaissance qui composent ce fleuron de l'architecture religieuse forcent l'admiration.

11 La Baule et sa baie

Station balnéaire mythique, La Baule (p. 283) s'ouvre sur les 9 km de sable blond formés par sa baie, délimitée par Le Pouliguen (p. 286) au nord-ouest et Pornichet (p. 282) au sud. Royaume du farniente et des sports nautiques, la baie de La Baule conserve quelques splendides villas de la fin du XIXe et du début du XXe siècle, témoins de ses débuts dans le beau monde balnéaire, au milieu de structures modernes – pas toujours du meilleur goût, il est vrai.

KANADEL/FOTOLIA ©

12

Quimper

Réputée autant pour sa vieille ville faite de maisons à pans de bois, d'hôtels particuliers et de ruelles étroites dominées par l'élégante cathédrale Saint-Corentin que pour son centre d'art contemporain (le Quartier), Quimper (p. 195) est une ville d'art et d'histoire bien inscrite dans le XXIe siècle, dont les rues remplies de commerces ne désemplissent pas en été.

La cathédrale Saint-Corentin

13

Quiberon et Côte sauvage

Langue de terre qui ne tient que par un fil au continent, la presqu'île de Quiberon (p. 216) offre un profil double : le versant ouest, bordé de falaises, est livré aux colères de l'océan ; la façade est, abritée, est ponctuée de plages. À son extrémité, Quiberon (p. 219), centre névralgique de l'animation estivale et principal port d'embarquement pour Belle-Île-en-Mer (p. 222).

Douarnenez et cap Sizun

Douarnenez (p. 184), ses trois ports au passé maritime toujours vivace, restés célèbres pour la pêche à la sardine, et sa baie aux belles étendues de sable sont aux portes du réputé très sauvage cap Sizun. La mythique pointe du Raz (p. 194) offre un panorama éblouissant, tandis que de minuscules ports-abris se dissimulent entre les plis de la côte déchiquetée. Mais tout n'est pas que tempêtes et falaises broyées par les flots : la façade sud, autour d'Audierne (p. 189) notamment, présente une physionomie balnéaire. Les quais de Douarnenez

14

Les meilleurs... Petits ports de pêche

ERQUY
Un port de pêche surtout dévolu à la coquille Saint-Jacques, encore bien actif (p. 106).

LANILDUT
Prises singulières pour les marins-pêcheurs de ce port goémonier : des algues fraîches (p. 155) !

SAUZON
Ce port de Belle-Île est aussi dédié aux bateaux de plaisance (p. 224).

PORT-NAVALO
Ce minuscule port traditionnel est enchanteur, tout comme la presqu'île de Rhuys (p. 250).

Les meilleurs... Caprices de la nature

CÔTE DE GRANIT ROSE
Des rochers à la couleur exceptionnelle et aux formes surréalistes (p. 124).

PLAGE DES GRANDS-SABLES, ÎLE DE GROIX
Une plage convexe qui se déplace, sur une île (p. 217).

AIGUILLES DE PORT-COTON, BELLE-ÎLE-EN-MER
Des rochers fouettés par les vents et un ballet de flocons d'écume (p. 227).

FORÊT DE HUELGOAT
D'énormes blocs de granit empreints de légendes (p. 176).

RÉGIS COUTURIER ©

RÉGIS COUTURIER ©

Île d'Ouessant

Plus grande île de la mer d'Iroise, Ouessant (p. 159) est un monde à part. Balisée par cinq phares, cette terre de marins au long cours, dont les épouses restées sur l'île travaillaient la terre, séduit les amoureux de nature vierge par ses côtes sauvages, ses falaises battues par les vents et les embruns, ses plages de sable ou de galets, ses landes tapissées de bruyères et d'ajoncs et son musée des Phares et Balises, unique en France. Lampaul (ci-dessus) ; phare du Créac'h (ci-contre)

Vieille ville de Vannes

16

Avec ses remparts, ses places médiévales et ses maisons à pans de bois, Vannes (p. 237), chef-lieu du Morbihan, n'a pas usurpé son titre de "ville d'art et d'histoire". Flâner dans les ruelles pavées de la vieille ville donne toute la mesure de la richesse de son patrimoine architectural, qui côtoie par ailleurs d'innombrables commerces de qualité. Résolument tournée vers la mer avec son port et ses plages environnantes, la ville prend un air de station balnéaire à la belle saison.

THIERRY RIO/FOTOLIA ©

Marais salants de Guérande

17

Sujet d'inspiration inépuisable pour les peintres et les photographes, cette immense marqueterie de damiers liquides (p. 295) dans laquelle le ciel se reflète, miroirs naturels aux teintes changeantes sculptés il y a plus de 1 000 ans, produit l'"or blanc de la Bretagne". Observer les paludiers récoltant le sel au soleil couchant est l'occasion d'un magnifique spectacle.

Îles du golfe du Morbihan

Le golfe du Morbihan est parsemé d'une cinquantaine d'îles et d'îlots. La verdoyante île aux Moines (p. 244), la paisible et sauvage Arz (p. 247), Gavrinis (p. 248) et ses beautés archéologiques sont autant de joyaux où accoster, de sentiers où flâner, et de criques adorables à découvrir. L'île aux Moines

18

MARIE DUFAY ©

Les meilleures... Stations balnéaires

DINARD
Des plages paradisiaques ancrées dans le faste de la Belle Époque et des Années folles (p. 81).

LA BAULE
La station balnéaire la plus célèbre de la façade atlantique (p. 283).

PERROS-GUIREC
Ouverte sur les fameux rochers de granit rose (p. 125).

CARNAC
L'une des stations les plus courues de Bretagne, pour le farniente et les sports nautiques (p. 230).

Les meilleurs... Spots pour observer les oiseaux

CAP FRÉHEL
Une colonie d'oiseaux de mer à observer d'avril à juillet (p. 104).

LES SEPT-ÎLES
Le repaire des fous de Bassan (p. 128).

OUESSANT
Une halte migratoire de nombreux oiseaux rares (p. 159).

KOH KASTELL, BELLE-ÎLE-EN-MER
Avec la sublime pointe des Poulains en ligne de mire (p. 226).

PARC NATUREL RÉGIONAL DE BRIÈRE
Une zone humide à la faune et à la flore très riches (p. 300).

Cap Fréhel

19

Pointé vers le nord entre Saint-Malo et Saint-Brieuc, le cap Fréhel (p. 104) offre l'un des paysages naturels les plus grandioses du nord de la Bretagne : celui d'une langue de terre battue par les vents et couverte d'une lande rase, qui semble comme suspendue 70 m au-dessus des flots. Réserve ornithologique, le cap fait le bonheur des amateurs de promenades iodées grâce au sentier qui en fait le tour. Quant à son phare, il se visite d'avril à octobre.

JEAN-PHILIPPE DELISLE/FOTOLIA ©

20 Dinard

Surnommée la "Nice du Nord" à la Belle Époque, Dinard (p. 81) a vu sa réputation monter en flèche lorsque les visiteurs anglo-saxons, sans oublier quelques aristocrates et têtes couronnées, découvrirent ses plages. Enclave BCBG d'une Bretagne ailleurs volontiers canaille, elle réunit chaque été des familles d'habitués grâce à ses quatre belles plages, à sa situation idéale pour découvrir la région et à ses belles villas de vacances. Cette ville à l'atmosphère un peu surannée est labellisée *Ville d'art et d'histoire*.

Roc'h Trévezel (monts d'Arrée)

21

Avec un (très !) modeste 384 m, Roc'h Trévezel (p. 174) parvient à s'élever au rang de troisième point culminant des monts d'Arrée. Quinze minutes de marche dans la bruyère mènent à ce sommet venteux qui offre un splendide panorama s'étendant, par temps clair, de la rade de Brest à la baie de Morlaix.

RÉGIS COUTURIER ©

MARITE74/FOTOLIA ©

22

Parc naturel régional de Brière

Paradis naturel tissé de canaux, de marais et de roselières à la lisière de l'océan, le parc naturel régional de Brière (p. 300) est un espace privilégié pour l'avifaune et la flore. Imprégnez-vous de cet univers sauvage lors d'une balade en barque à fond plat, visitez les chaumières typiques de l'île de Fédrun et les superbes chaumières restaurées du village de Kerhinet (photo ci-dessus).

Dinan

Un petit port surplombant l'estuaire de la Rance, des demeures médiévales qui confèrent une ambiance particulière au centre-ville, une histoire commerciale et religieuse dont la trace remonte jusqu'à l'an Mil : Dinan (p. 100) est un concentré des charmes des villes bretonnes. La basilique Saint-Sauveur, le château érigé entre les XIIIe et XVIe siècles et les remparts les plus longs de Bretagne sont les atouts maîtres de cette ville qui se découvre au fil d'une agréable balade. La contrepartie, on s'en doute, est une évidente surfréquentation en haute saison.

23

Les meilleures... Visites avec de jeunes enfants

GRAND AQUARIUM, SAINT-MALO
Un spectacle féerique au cœur du monde sous-marin (p. 76).

ESPACE DES SCIENCES, RENNES
Participer au très ludique Labo de Merlin (p. 60).

LES MACHINES DE L'ÎLE, NANTES
Une balade sur le dos d'un éléphant... articulé ! (p. 272).

AQUARIUM ET JARDIN AUX PAPILLONS, VANNES
Pour s'émerveiller dans une même journée devant les poissons et les fragiles insectes (p. 241).

Île de Sein

Battu par les vents et cerné de courants imprévisibles, ce ruban de granit posé sur la mer, de prime abord austère, livre quelques-uns de ses mystères pour peu qu'on lui consacre plus d'un jour. Car l'île de Sein (p. 191), c'est aussi la chaleur de ses habitants, de somptueux couchers du soleil et des façades colorées qui s'égrènent le long des quais. Ambiance de bout du monde garantie. Le phare de Goulenez

Les meilleures... Escapades au vert

LE CANAL DE NANTES À BREST
Naviguer au rythme de l'eau ou parcourir ses berges à pied ou à vélo (p. 39 et p. 173).

BRIÈRE
Ce site naturel tissé de canaux se parcourt en barque (p. 300).

MONTS D'ARRÉE
Un paradis pour les randonneurs : le plus haut sommet culmine à 385 m (p. 172).

LAC DE GUERLÉDAN
Un lac long de 12 km en plein centre Bretagne (p. 112).

FORÊTS D'HUELGOAT ET DE BROCÉLIANDE
Idéales pour faire le plein d'essences forestières sur fond de légendes (p. 176 et p. 60).

24

25

Montagnes Noires

Cette chaîne montagneuse (p. 173) miniature aux doux sommets aplatis, traversée par la vallée de l'Aulne, témoigne d'une Bretagne profonde et intimiste. Émaillée de charmants petits villages et de jolies chapelles, elle est notamment l'écrin de l'enclos paroissial de Pleyben (p. 170), l'un des plus somptueux de Bretagne. L'écotourisme y occupe une place privilégiée, avec de nombreuses activités tournées vers la nature.

Les meilleurs itinéraires de Bretagne

De la baie du Mont-Saint-Michel au parc de Brière

La Bretagne côté nature

Sur la côte ou dans les terres, la Bretagne offre une nature sauvage, préservée ou maîtrisée, qui n'attend que vous pour des vacances au vert ou des bols d'air iodé, à la découverte d'écosytèmes exceptionnels.

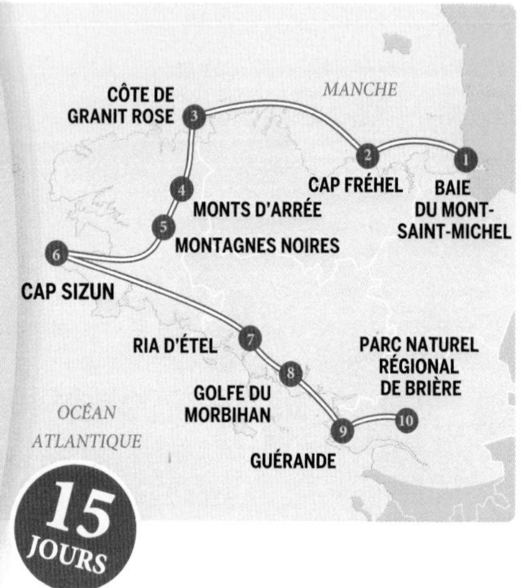

❶ Mont-Saint-Michel (p. 90)

Admirez le Mont-Saint-Michel se détachant au loin, au cœur de paysages uniques au monde, où les marées jouent avec les coefficients les plus élevés, et pénétrez ses murs en fin de journée, pour un coucher du soleil mémorable, loin des foules.

MONT-SAINT-MICHEL ➜ FRÉHEL

🚗 **1 heure 30** via la N176

❷ Cap Fréhel (p. 104)

Le lendemain, gagnez ce site emblématique, suspendu à 70 m au-dessus de la mer. Quelle que soit la couleur du ciel, gris ardoise ou bleu azur, vous aurez certainement du mal à vous extraire de cette terre. Accordez-vous 2 jours de découverte.

FRÉHEL ➜ PERROS-GUIREC

🚗 **1 heure 45** via la N12 et la D767

❸ Côte de Granit rose (p. 124)

Découvrez les rochers de granit rose sculptés depuis des millénaires par les vagues et le vent qui font la renommée de cette portion de côte. À mi-chemin entre les stations balnéaires de Perros-Guirec et de Trégastel, le site naturel de Ploumanac'h en dévoile les couleurs les plus fameuses. Pensez à vous offrir une sieste sur un rocher chauffé par le soleil.

PERROS-GUIREC ➔ HUELGOAT

1 heure 40 via la D11 et la D42

4 Monts d'Arrée (p. 172)

Les monts d'Arrée, ultimes rescapés du massif armoricain et points culminants de la Bretagne, se dressent au cœur de paysages sauvages et austères qui tiennent une place de choix dans le folklore breton.

HUELGOAT ➔ PLEYBEN

30 minutes via la D14

5 Montagnes Noires (p. 173)

Une invitation à vous mettre au vert dans une chaîne de montagnes de faible altitude, traversée par la vallée de l'Aulne, reflet d'une Bretagne intimiste. De belles balades fluviales et randonnées en perspective.

PLEYBEN ➔ AUDIERNE

1 heure via la D7

6 Cap Sizun (p. 187)

Gagnez le très sauvage cap Sizun et l'éperon granitique aux airs de bout du monde que forme la mythique pointe du Raz. Elle offre un panorama splendide sur le phare de la Vierge et son chaos marin, ainsi que l'île de Sein. Vous pourrez aussi profiter des nombreuses plages de son versant sud.

AUDIERNE ➔ ÉTEL

1 heure 40 via la N165

7 Ria d'Étel (p. 219)

La ria est une vallée encaissée aux rives très découpées, dans laquelle s'écoule la rivière d'Étel, envahie par la mer lors des marées. Elle est connue pour la richesse de son écosystème ; explorer en kayak ses recoins ou plonger dans ses fonds marins permet d'en prendre toute la mesure, l'espace d'une journée.

ÉTEL ➔ VANNES

40 minutes via la N165

8 Golfe du Morbihan (p. 244)

Abritée des houles atlantiques mais traversée de violents courants, cette "petite mer" intérieure est un paradis d'une grande richesse écologique et culturelle. Le golfe surprend avec sa végétation aux accents méditerranéens, ses réserves ornithologiques, et l'activité incessante de ses pêcheurs et ostréiculteurs. Découvrez ses îles et îlots le temps d'une excursion en vedette à la journée, au départ de Vannes.

VANNES ➔ GUÉRANDE

1 heure via la N165

9 Marais salants de Guérande (p. 295)

Observez le soir les paludiers à l'œuvre dans cette immense marqueterie de damiers liquides. Un spectacle magique, au soleil couchant.

GUÉRANDE ➔ SAINT-LYPHARD

15 minutes via la D51

10 Parc naturel régional de Brière (p. 300)

Paradis naturel tissé de canaux, de marais et de roselières à la lisière de l'océan, le parc naturel régional de Brière, le plus grand marais de France après la Camargue, est un espace privilégié pour l'avifaune et la flore. Imprégnez-vous la dernière journée de cet univers sauvage, lors d'une balade en barque à fond plat.

De Nantes à Rennes
Le grand tour du patrimoine

Voyage dans le temps et dans l'espace : du château des ducs de Bretagne à Nantes au Mont-Saint-Michel en passant par la ville close de Concarneau et les remparts de Saint-Malo, les témoins d'une histoire millénaire sont nombreux.

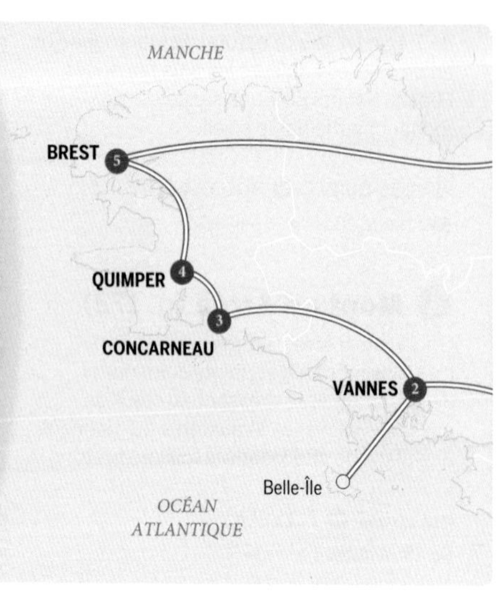

❶ Nantes (p. 264)

Château des ducs de Bretagne, musée d'Histoire et mémorial à l'abolition de l'esclavage, réhabilitation des infrastructures portuaires de l'île de Nantes, Nantes sait honorer son histoire tout en regardant l'avenir en face. Consacrez lui 2 jours et imprégnez-vous de sa poésie urbaine.

NANTES ➲ VANNES

1 heure 30 via la N165

❷ Vannes (p. 237) et Belle-Île-en-Mer (p. 222)

Pour commencer, une visite de la coquette ville de Vannes s'impose. Autrefois tournée vers le commerce maritime, elle a su préserver un riche patrimoine architectural. Ne manquez pas un tour des îles du golfe pour observer le cairn de Gavrinis et, le lendemain, partez à la découverte de la citadelle Vauban sur Belle-Île-en-Mer (2 heures 15 de trajet, avril-septembre).

VANNES ➲ CONCARNEAU

1 heure 15 via la N165

❸ Concarneau (p. 200)

Grand port de pêche et ville d'art et d'histoire, Concarneau est célèbre pour sa ville close, ville dans la ville postée sur une île au milieu du port. Mais Concarneau, c'est aussi la découverte des océans et de la biologie marine au Marinarium, le musée de la pêche, l'alternance de grandes plages et de petites criques qui caractérisent son littoral et où vous aurez plaisir à poser votre serviette.

CONCARNEAU ➲ QUIMPER

30 minutes via la N165

❹ Quimper (p. 195)

Quimper, capitale historique de la Cornouaille située à l'extrémité de l'estuaire de l'Odet, est une ville dynamique, bien inscrite dans son temps, qui recèle des trésors d'architecture. Il est aisé de découvrir en une journée le vieux Quimper à pied, son patrimoine ancien et ses musées, dont le musée des Beaux-Arts, l'un des plus éblouissants de la région.

QUIMPER ➲ BREST

50 minutes via la N165

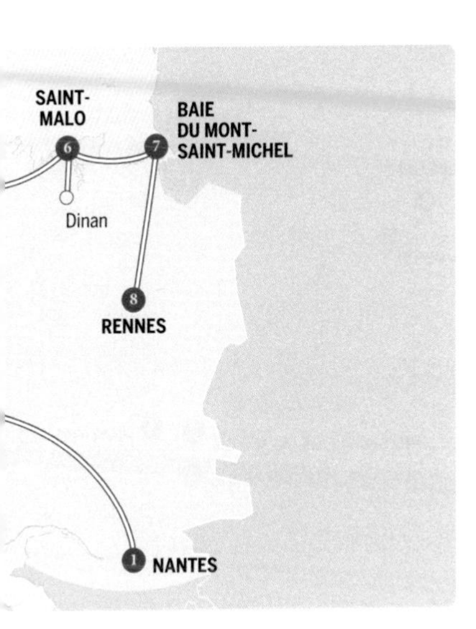

5 Brest (p. 162)

Brest n'a pas toute été rasée pendant la guerre (et l'architecture de la reconstruction a aussi son intérêt). Le château et la tour de la Motte-Tanguy veillent toujours sur la Penfeld, et Recouvrance conserve la mémoire ouvrière de la ville. La vie maritime est indissociable de Brest, à la fois port militaire, port de commerce et port de plaisance ; ne manquez pas de la découvrir à travers Océanopolis, le musée de la Marine ou des Beaux-Arts. Comptez 2 jours.

BREST ➜ SAINT-MALO

2 heures 30 via la N12

6 Saint-Malo (p. 72), Dinard (p. 81) et Dinan (p. 100)

Consacrez quelques jours au tryptique Saint-Malo-Dinard-Dinan, à l'emblématique ville intra-muros de la première, aux villas Belle Époque accrochées à la côte et aux plages paradisiaques de la deuxième, et, enfin, au joyau d'architecture médiévale que représente la dernière.

SAINT-MALO ➜ MONT-SAINT-MICHEL

30 minutes via la N176

7 Mont-Saint-Michel (p. 90)

Lumineuse et envoûtante, la baie du Mont-Saint-Michel propose une large palette d'impressions qui se déclinent à toute heure de la journée. Mais c'est bien l'abbaye, site exceptionnel aux portes de la Bretagne, qui concentre tous les regards. Profitez de la proximité de Dol-de-Bretagne pour aller admirer l'étonnante cathédrale Saint-Samson.

MONT-SAINT-MICHEL ➜ RENNES

1 heure 10 via la D175

8 Rennes (p. 56)

Superbes exemples de maisons à colombages, d'architecture classique ou Art déco, mosaïques d'Isidore Odorico... **Rennes** concentre sur sa rive nord un patrimoine exceptionnel. Les vestiges des portes Mordelaises rappellent le temps où les ducs de Bretagne venaient se faire couronner dans la cathédrale et le Parlement est emblématique du rôle de capitale provinciale donné à la ville au milieu du XVIe siècle. Deux excellents musées sont consacrés à la petite et la grande histoire de la région, l'écomusée du pays de Rennes et le musée de Bretagne. Vous n'aurez pas trop de 2 jours pour découvrir les multiples facettes de la capitale bretonne.

Des îles du Golfe à Bréhat
La Bretagne insulaire

Entre terre et mer, la Bretagne joue une partie de bras de fer avec les flots, et lance ses pointes rocheuses tel un doigt vengeur vers l'océan, avec, bien souvent, pour prolongement une île ou un archipel.

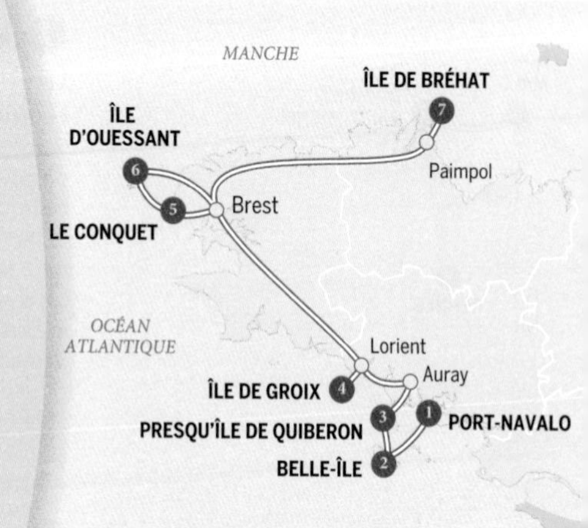

Golfe du Morbihan

GILLES ROBVEILLE/FOTOLIA ©

❶ Port-Navalo (p. 250) et les îles du Golfe (p. 214)

À la pointe ouest de la presqu'île de Rhuys, Port-Navalo, minuscule port traditionnel enchanteur, est idéal pour partir, le temps d'une journée, à la découverte de la cinquantaine d'îles et îlots qui parsèment le golfe du Morbihan. Vous pourrez accoster notamment sur l'île d'Arz et l'île aux Moines, les plus courues d'entre elles.

PORT-NAVALO ➔ BELLE-ÎLE-EN-MER

1 heure, départs d'avril à septembre

❷ Belle-Île-en-Mer (p. 222)

Ses criques encaissées, ses hautes falaises percées de grottes, ses plages secrètes, les maisons colorées du port de Sauzon, les colonies d'oiseaux de la réserve de Koh-Kastell et la citadelle Vauban au Palais méritent qu'on lui consacre 3 jours de visite.

BELLE-ÎLE-EN-MER ➔ QUIBERON

45 minutes, départs toute l'année

❸ Presqu'île de Quiberon (p. 216)

Idéal pour découvrir la région, le train touristique le *Tire-Bouchon* relie Quiberon à Auray en faisant escale sur la presqu'île à Saint-Pierre-Quiberon, Kerhostin, L'Isthme, Penthièvre, Les Sables-Blancs. Vous pourrez y embarquer votre vélo et partir à la découverte de la Côte sauvage.

AURAY ➔ GROIX

30 minutes jusqu'à Lorient via la N165 puis **45 minutes** jusqu'à Groix

❹ Île de Groix (p. 217)

Face à Lorient, l'île de Groix montre sa silhouette élégante aux accents encore sauvages. Vous arrivez sur un territoire qui conjugue falaises massives, lande et plages sublimes. Ancien port thonier, Groix s'est peu à peu ouverte au tourisme, tout en conservant son identité.

GROIX ➔ LE CONQUET

45 minutes jusqu'à Lorient puis **2 heures** jusqu'au Conquet via la N165

❺ Le Conquet (p. 156)

Ce pittoresque port de pêche, embarcadère pour l'île d'Ouessant, se prévaut de l'une des plus belles plages bretonnes. En chemin de Brest au Conquet, des escales au fort de Bertheaume et à la pointe Saint-Mathieu font prendre toute la mesure d'un littoral caractérisé par un relief accidenté et des falaises entrecoupées de criques et de plages sublimes.

LE CONQUET ➔ OUESSANT

1 heure, départs toute l'année

❻ Île d'Ouessant (p. 159)

Consacrez 2 jours à ce microcosme au mode de vie singulier, plus grande île de la mer d'Iroise, environnée d'une nature grandiose mais parfois hostile. Une beauté sauvage à découvrir à pied, à vélo ou à cheval. Pensez à réserver tôt votre hébergement en été.

OUESSANT ➔ BRÉHAT

2 heures jusqu'à Brest puis **2 heures** jusqu'à la pointe de l'Arcouest, embarcadère pour l'île de Bréhat, à **5 minutes**

❼ Île de Bréhat (p. 120)

Celle que l'on surnomme l'île aux fleurs est réputée pour son microclimat et constitue un véritable paradis pour se détendre et profiter d'un paysage incomparable. De l'île Sud à l'île Nord, partie la mieux préservée, elle s'explore aisément à pied ou à vélo en une journée. Gare à la foule en été.

Les voies vertes de Bretagne
Au calme

Imaginez un instant que vous circulez, à pied ou à vélo, sans croiser une seule voiture sur des dizaines de kilomètres. Le bonheur ! La région Bretagne dispose d'un réseau de véloroutes et de voies vertes de près de 1 500 km dont 600 km en site propre.

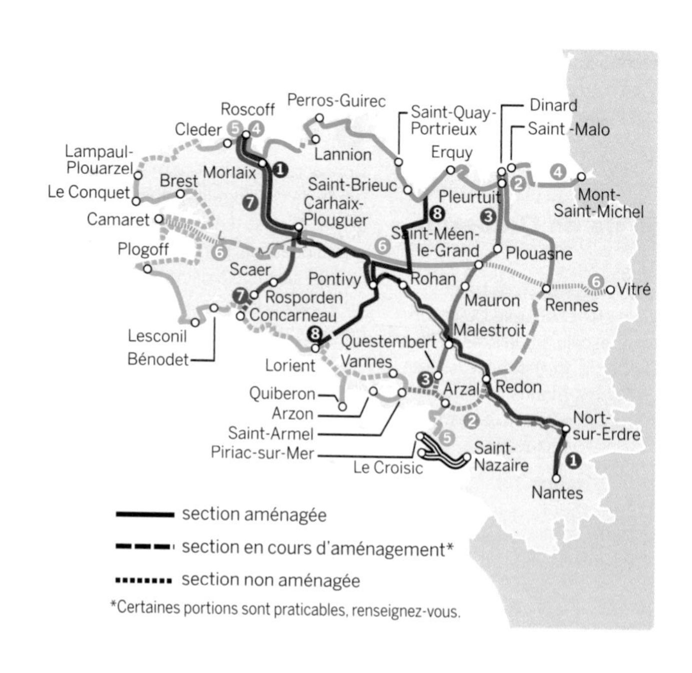

Huit itinéraires traversent la Bretagne. Plus de la moitié de ce réseau utilise les chemins de halage des canaux et rivières, mais également des voies ferrées abandonnées ou encore des sentiers forestiers. Certains itinéraires peuvent se faire à vélo et à pied ou même en rollers et à cheval, selon le revêtement de la piste. Le réseau est dense dans l'intérieur des terres. En revanche, il reste insuffisant pour ceux qui souhaitent longer la côte. À terme, le réseau des véloroutes devrait compter 2 000 km de voies, dont 1 000 en site propre. Nous vous indiquons la liste des 8 véloroutes dans leur portion finalisée ou en voie d'achèvement. Plus d'informations sur l'aboutissement des voies sur le site velo.tourismebretagne.com.

❶ Véloroute 1

Roscoff-Pontivy-Nantes, en grande partie le long du canal de Nantes à Brest (voir ci-contre). Section bretonne de la Vélodyssée®, qui longe ensuite la côte jusqu'au Pays basque (www.lavelodyssee.com).

Saint-Pabu

❷ Véloroute 2

Saint-Malo-Rennes-Arzal. Également appelée la liaison Manche-Océan.

❸ Véloroute 3

Saint-Malo-presqu'île de Rhuys. Pour l'essentiel sur une ancienne voie ferrée.

❹ Véloroute 4

Mont-Saint-Michel à Roscoff. Également appelée le tour de Manche.

❺ Véloroute 5

Roscoff-Saint-Nazaire, en passant par Brest (la Littorale).

❻ Véloroute 6

Camaret-Vitré. La plus grande partie le long d'une voie ferrée. La voie royale pour explorer le Centre Bretagne, à la découverte de l'Argoat.

❼ Véloroute 7

Roscoff-Concarneau. Le long d'une ancienne voie ferrée de Morlaix et Rosporden.

❽ Véloroute 8

Saint-Brieuc-Lorient. Le long de la rigole d'Hilvern et du Blavet.

À cela il faut ajouter la Vélocéan qui relie par la côte le Morbihan à la Vendée (actuellement aménagée entre Piriac-sur-Mer et Saint-Nazaire, au nord, et Saint-Brévin-les-Pins à Bourgneuf-en-Retz, au sud) et le canal de Nantes à Brest qui permet, le long de ses chemins de halage (360 km), d'agréables promenades à vélo ou à pied – itinéraire et renseignements sur le site www.tourismebretagne.com/a-faire/naviguer/canaux-de-bretagne.

Pour plus d'informations, vous pouvez vous procurer le dépliant des voies vertes de Bretagne, édité par le Comité régional du tourisme (www.tourismebretagne.com/a-faire/bouger/voies-vertes), ou les ouvrages des Éditions Ouest-France *La Bretagne par les voies vertes* et *La Bretagne à vélo*.

2-3 JOURS

La Bretagne en quelques jours
Idées week-end

Grâce au TGV et aux compagnies aériennes low cost, la Bretagne est rapidement accessible et il est aisé de venir y passer un week-end. Pour la description des sites ou des promenades et les transports, reportez-vous aux chapitres régionaux et au chapitre Transports.

MANCHE
1 LA LOIRE-ATLANTIQUE
2 VANNES ET LES ÎLES DU GOLFE
3 LA PRESQU'ÎLE DE QUIBERON ET BELLE-ÎLE-EN-MER
4 RENNES
5 SAINT-MALO ET DINARD
6 PAIMPOL ET L'ÎLE DE BRÉHAT
7 ROSCOFF ET L'ÎLE DE BATZ
8 BREST ET OUESSANT
OCÉAN ATLANTIQUE

❶ La Loire-Atlantique

1er jour – **Nantes**, le château des ducs de Bretagne, la cathédrale avec les cours Saint-Pierre et Saint-André, le Jardin des plantes (petit zoo), les riches demeures des anciens négriers du quai de la Fosse, le port (vue depuis l'église Sainte-Anne). **2e jour** – **La Baule** et ses belles demeures nichées dans les allées bordées de pins, **Le Croisic**, les **marais salants** et les remparts de **Guérande**, le port de pêche authentique de **La Turballe**.

❷ Vannes et les îles du Golfe

1er jour – **Vannes**, son centre historique et sa cathédrale, ses musées et ses nombreux restaurants. **2e jour** – Découverte de l'**île aux Moines** et de l'**île d'Arz** à partir de la presqu'île de Conleau.

❸ La presqu'île de Quiberon et Belle-Île-en-Mer

1er jour – S'adonner aux sports nautiques et découvrir la **Côte sauvage** avant de rejoindre **Quiberon**, port d'embarquement pour Belle-Île-en-Mer. **2e jour** – Accoster au Palais à **Belle-Île-en-Mer** et partir à la découverte de la citadelle Vauban avant de flâner sur les quais animés de la "capitale" de l'île et de profiter de ses plages adjacentes.

❹ Rennes

1er jour – Le marché des Lices le samedi matin, une balade dans le **vieux Rennes** pour découvrir ses maisons à pans de bois, la visite du parlement de Bretagne et du jardin du Thabor. **2e jour** – Les Champs libres, dans lesquels est établi l'Espace des sciences et le centre d'art contemporain de La Criée.

❺ Saint-Malo et Dinard

1er jour – Découverte de la ville intra-muros de **Saint-Malo**, le tour des remparts, le château, le musée d'Histoire situé dans la tour Solidor et une balade dans le port marchand, situé face aux remparts ouest. **2e jour** – Le grand aquarium de Saint-Malo et la visite de l'usine marémotrice de la Rance qui utilise le flux et le reflux de la mer pour produire de l'électricité. **3e jour** – **Dinard**, ses plages et ses quartiers des pointes de la Malouine et du Moulinet, arborant de somptueuses villas.

❻ Paimpol et l'île de Bréhat

1er jour – **Paimpol**, ses ruelles, son port animé et la visite de l'abbaye maritime de Beauport. **2e jour** – Découverte de l'**île de Bréhat**, surnommée l'"île aux fleurs", depuis la pointe de l'Arcouest.

❼ Roscoff et l'île de Batz

1er jour – **Roscoff**, l'église Notre-Dame-de-Croas-Batz, la chapelle Sainte-Barbe, le retour de pêche sur le vieux port et la criée. **2e jour** – Rejoindre l'**île de Batz** depuis Roscoff et longer ses 10 km de côtes. **3e jour** – L'exploration de la **baie de Morlaix**, et notamment du château du Taureau et de l'île Callot.

❽ Brest et Ouessant

1er jour – **Brest**, son château à l'embouchure de la Penfeld, le quartier de Recouvrance et le parc océanographique d'Océanopolis. **2e et 3e jours** – Découverte d'**Ouessant** à partir du **Conquet**, port du bout du monde.

Dinard (p. 81)

L’agenda

Les grands rendez-vous

- **La Folle Journée**, février
- **Étonnants Voyageurs**, mai
- **Troménies de Locronan**, juillet
- **Festival interceltique**, août
- **Les Rendez-Vous de l’Erdre**, septembre

Janvier

Les Hivernales du Jazz

Vannes et environs (mi-janvier à mi-février). Durant un mois, artistes confirmés et futurs grands noms du jazz (mais aussi de la pop et de la folk) se succèdent sur les scènes de Vannes et de ses environs.

Février

La Folle Journée

Nantes et Saint-Nazaire (1re semaine). Un festival de musique classique à ne pas rater ; des dizaines de concerts accessibles à tous, avec un thème chaque année. Mot d’ordre : populaire et exigeant ! Les places partent très vite : pensez à acheter vos places dès l’ouverture des réservations.

Route du Rock

Saint-Malo et Rennes (fin février). La session hivernale du festival malois mélange artistes renommés et talents en devenir, pour une programmation rock/pop.

Mars

Jazz à Vitré

(1re semaine). Pour se réchauffer en attendant la fin de l’hiver, Vitré swingue. Programmation de qualité, mais pas trop pointue, concerts dans la rue et dans les bars.

Avril

Fête de la coquille Saint-Jacques

Erquy, Loguivy-de-la-Mer, Saint-Quay-Portrieux (dernier

Août Festival interceltique, Lorient
YANNICK DELONGLEE/FOTOLIA ©

week-end). La baie de Saint-Brieuc est un haut lieu de la coquille Saint-Jacques. Pour fêter la fin de la saison de pêche, les marins-pêcheurs vous donnent rendez-vous dans l'un de leurs principaux ports d'attache (à tour de rôle).

Fête médiévale

Pont-Croix (années impaires, mi-avril). Reconstitutions historiques, spectacles de rue, banquet médiéval sont organisés pour plonger les spectateurs et les participants dans une ambiance moyenâgeuse, celle du temps des Rosmadec.

Mai-juin

Pardon de saint Yves

Tréguier (3e dimanche de mai). Un des pardons les plus importants de Bretagne. Parmi les milliers de pèlerins, de nombreux avocats, dont saint Yves est le patron.

Étonnants Voyageurs

Saint-Malo (week-end de Pentecôte). L'un des plus importants festivals de littérature de France se déroule en Bretagne ! Plus de 60 000 festivaliers viennent rencontrer des auteurs qui ne parlent pas que de voyage mais qui font voyager. Au programme, café littéraire, cinéma, rencontres...

Semaine du golfe du Morbihan

(années impaires, une semaine mi-mai). Mille bateaux, 15 communes-escales et des dizaines d'animations permettent de redécouvrir le patrimoine maritime breton, le golfe du Morbihan en toile de fond. Un événement à ne pas manquer.

ArtRock

Saint-Brieuc (4 jours en mai ou juin). Le plus important des festivals briochins invite des artistes connus ou moins connus de la scène rock. Expositions, également.

Juillet

Festival des Vieilles Charrues

Carhaix (4 jours, mi-juillet). Ce festival musical rassemble plus de 200 000 personnes chaque année. C'est aujourd'hui l'un des plus grands festivals français.

Grande et Petite Troménie

Locronan (2e et 3e dimanches pour la grande, 2e dimanche pour la petite). L'un des pardons les plus étonnants de Bretagne, la Grande Troménie, a lieu tous les 6 ans (prochaine édition en 2019). Les pèlerins, en costumes traditionnels, effectuent un parcours étape par étape (il y en a 12, sur 12 km), tout au long de la semaine. Une Petite Troménie (6 km) a lieu tous les ans. La Grande Troménie réunit des milliers de personnes.

Festival de Cornouaille

Quimper (3e semaine). Temps fort du calendrier quimpérois, ces journées célèbrent musique et traditions bretonnes.

Fête des remparts

Dinan (3e week-end, les années paires). La petite ville de Dinan est véritablement prise d'assaut pour cette fête médiévale qui voit défiler à l'ombre de ses remparts des centaines de comédiens et des milliers de figurants costumés.

Jazz à Vannes

(une semaine fin juillet). Depuis plus de 30 ans que ce festival a lieu, il s'est enrichi de grands noms du jazz : Stéphane Grappelli, Claude Nougaro, Dee Dee Bridgewater et plus récemment Marcus Miller, Yuri Buenaventura et Manu Dibango. Têtes d'affiche et révélations.

Forum de l'algue

Lanildut (4e dimanche). Dans le premier port goémonier d'Europe, on parle beaucoup d'algues en juillet. Expositions, conférences, animations, dégustations et chansons !

Le Voyage à Nantes

Nantes (de début juillet à fin août). Durant 2 mois, l'art investit la capitale ligérienne lors de ce festival, avec un parcours d'une quarantaine d'étapes pour découvrir la ville sous un angle différent.

Août

Route du Rock

Saint-Malo (1er week-end). Ce n'est sans doute pas celui qui draine le plus de monde mais il jouit d'une solide réputation parmi les passionnés. La programmation est toujours de qualité et les concerts sur la plage du Sillon sont mythiques.

Festival du bout du monde

Crozon (3 jours début août). Trois scènes et une trentaine de concerts dédiés à la musique du monde, avec, comme toile de fond, la magnifique presqu'île.

Les Escales

Saint-Nazaire (3 jours début août). Ce festival de musiques internationales voit se succéder les concerts sur plusieurs scènes installées sur le port, pour la plupart en plein air. La programmation, en général excellente, associe des têtes d'affiche à de nouveaux talents.

Festival interceltique

Lorient (10 jours début août). C'est l'événement de l'année à Lorient, qui rassemble des centaines de milliers de personnes. Le monde celte fait la fête, avec jazz, rock, électro, œuvres symphoniques, chants traditionnels...

Fête des Tisserands

Quintin (début août). Une fête qui met en lumière l'industrie toilière qui faisait vivre la région autrefois. Défilés et démonstrations marquent l'événement.

Les Celtiques de Guérande

(2e semaine). Chants, musiques, danses bretonnes, mais aussi ateliers et contes ; voici une belle plongée dans la culture bretonne, pendant 6 jours.

Festival de la voile

Îles aux Moines (week-end autour du 15 août). Chaque année, ce festival est l'occasion durant trois jours de célébrer la pratique de la voile. Des régates autour des îles sont organisées chaque jour, avec plusieurs centaines de participants. Le cadre du golfe donne une aura particulière à ces courses.

Festival du chant de marin

Paimpol (mi-août, années impaires). Le long du port sont dressées plusieurs scènes qui voient se succéder des groupes du monde entier. La foule est au rendez-vous et l'ambiance bon enfant.

Festival des filets bleus

Concarneau (mi-août). Cette fête traditionnelle est l'une des plus célèbres de Bretagne, avec concerts, défilés et spectacles de danse.

 **Fête de l'oignon de Roscoff**
(3e week-end). Un vaste marché à l'oignon est organisé pour fêter l'AOC de cet oignon produit depuis des siècles. On le retrouve dans de nombreux plats à déguster sans modération...

 **Festival international du film insulaire**
Port-Lay, île de Groix (fin août). Projections de films (documentaires ou fictions), soirées et concerts gratuits ponctuent ce festival qui célèbre les îles de toute la planète.

Septembre

 **Grand pardon du Folgoët**
(1er week-end). Il y a foule pour cette fête religieuse. La Vierge noire en pierre de Kersanton lourde de 350 kg est sortie de la cathédrale et portée en procession pour l'occasion.

Les Rendez-Vous de l'Erdre
Nantes, Nort-sur-Erdre, Sucé-sur-Erdre, La Chapelle-sur-Erdre (fin août). Une célébration du jazz, en plein air, avec rassemblement nautique et concerts gratuits sur une scène flottante. Des animations sont organisées autour des scènes et le long de l'Erdre. Un magnifique "mariage du jazz et de la Belle Plaisance" !

Octobre

 **Festival du film britannique**
Dinard (début octobre). Ce festival permet de découvrir en avant-première les succès made in Britain.

 **Le Grand Soufflet**
Ille-et-Vilaine (1ère semaine). À travers tout le département, l'accordéon est à l'honneur. L'occasion de constater que le "piano à bretelle", comme son aristocratique frère à touches, peut s'accommoder à toutes les notes.

Novembre

 **Festival des Trois Continents**
Nantes (fin novembre-début décembre). Ce festival de cinéma très attendu programme des dizaines de films (fictions ou documentaires) venus d'Afrique, d'Amérique latine et d'Asie.

Décembre

 **Transmusicales**
Rennes (1ère semaine). Un festival à la forte renommée pour tout ce qui touche aux musiques actuelles : hip-hop, techno, rock. Rien n'échappe à ce festival polymorphe à la programmation excitante.

À gauche : Août Défilé du Festival des filets bleus, Concarneau
À droite : Mi-mai Semaine du golfe du Morbihan
(À GAUCHE ET CI-CONTRE) YANNICK DELONGLEE/FOTOLIA ©

En avant-goût

Livres

Mémoires d'un paysan bas-breton (An Here, 1998) est le journal de Jean-Marie Déguignet, un Breton ordinaire mort en 1905.

Dictionnaire amoureux de la Bretagne (Plon/Fayard, 2013). Yann Quéffelec, prix Goncourt pour *Les Noces barbares* en 1985, évoque ici la Bretagne actuelle et celle d'antan.

Mémoires d'outre-tombe (1849), de François-René de Chateaubriand. Le plus illustre talent de la littérature bretonne évoque son enfance au château de Combourg.

Magies de la Bretagne, tomes 1 et 2 (Robert Laffont, 1994 et 1997). Légendes, traditions populaires et folklore de la Bretagne par l'écrivain régionaliste du XIXe siècle Anatole le Braz.

Films

Les Vacances de Monsieur Hulot (1953), de Jacques Tati. Les vacances les plus hilarantes du cinéma français dans la station de Saint-Marc-sur-Mer, près de Saint-Nazaire.

Tess (1979), de Roman Polanski. Le château de Beaumanoir (Côtes-d'Armor) et les rues de Locronan (Finistère) y prennent des allures de demeures anglaises.

Chouans ! (1988), de Philippe de Broca. Le cadre préservé de Locronan lui offrit un décor de rêve, de même que Fort-La-Latte, Belle-Île et Poul-Fétan.

Un long dimanche de fiançailles (2009), de Jean-Pierre Jeunet. Le réalisateur fait vivre et évoluer Mathilde (Audrey Tautou) sur la superbe côte rocheuse de Plougrescant.

Musique

Blanche Hermine (1972), de Gilles Servat. Grand succès d'un ardent défenseur de la culture bretonne.

Héritage des Celtes (1994), de Dan Ar Braz. Soixante-dix musiciens d'origine celte réunis.

Tri Yann an Naoned (2001), réédition en CD du premier album des Tri Yann (1972).

Sites Internet

Ouest-France (www.ouest-france.fr). Le site Internet du journal.

Le Télégramme (www.letelegramme.fr). Actualités locales, agenda...

Sur le départ ?

Si vous deviez n'en choisir qu'un...

Un livre *Œuvres poétiques* (Éditions Rougerie, 2010) de Xavier Grall. Un grand poète breton. Magnifique.

Un film *Conte d'été* (1996) d'Éric Rohmer, pour un avant-goût des vacances sur la côte nord.

Un disque *Boire* de Miossec, son premier album.

Un site Internet www.tourismebretagne.com, le site officiel du tourisme en Bretagne.

Ci-dessus : calvaire de Plougastel (Finistère). Ci-contre : Saint-Pabu (Finistère)
RÉGIS COUTURIER ©

L'Ille-et-Vilaine

L'Ille-et-Vilaine, département le plus oriental de la région Bretagne, tiraillé entre la Côte d'Émeraude et la baie du Mont-Saint-Michel, au nord, et la large et puissante vallée de la Vilaine, au sud, est un concentré d'histoire et de merveille architecturale. Entre les deux il y a Rennes et les Marches de Bretagne, les majestueuses cathédrales et les maisons à colombages, les châteaux de Vitré et de Fougères, aux allures de forteresses, les forêts mythiques associées aux contes... Côté mer, certains des plus beaux lieux de villégiature du littoral de la Bretagne Nord, dont l'écho dépasse bien souvent nos frontières. Qu'il s'agisse de Saint-Malo, ville corsaire aux remparts fortifiés, de Dinard et de ses somptueuses maisons Belle Époque accrochées aux falaises, ou de stations balnéaires plus modestes, le charme de la côte tient autant à ses nuances de vert qu'à son patrimoine architectural et à l'histoire de ses eaux.

Plage à Saint-Malo (p. 74)

Place Sainte-Anne, à Rennes (p. 56)
CAROLE HUON ©

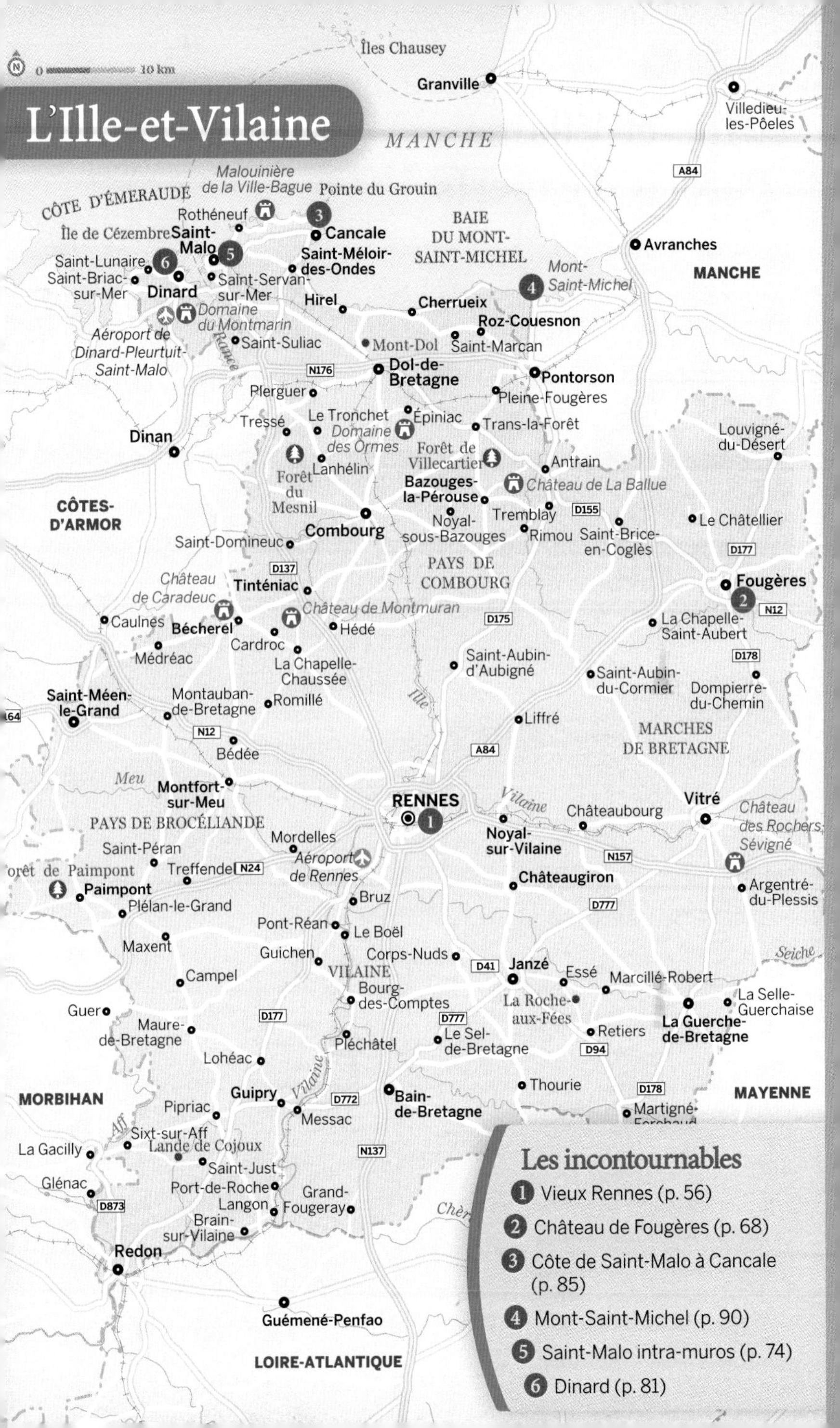

L'Ille-et-Vilaine
0 10 km
Îles Chausey
Granville
Villedieu-les-Pôeles
MANCHE
A84
Malouinière de la Ville-Bague
Pointe du Grouin
CÔTE D'ÉMERAUDE
Rothéneuf
Île de Cézembre
Saint-Malo
Cancale
BAIE DU MONT-SAINT-MICHEL
Avranches
MANCHE
Saint-Lunaire
Saint-Briac-sur-Mer
Dinard
Saint-Servan-sur-Mer
Saint-Méloir-des-Ondes
Hirel
Cherrueix
Mont-Saint-Michel
Roz-Couesnon
Saint-Marcan
Domaine du Montmarin
Aéroport de Dinard-Pleurtuit-Saint-Malo
Rance
Saint-Suliac
Mont-Dol
N176
Dol-de-Bretagne
Pontorson
Pleine-Fougères
Plerguer
Le Tronchet
Épiniac
Tressé
Domaine des Ormes
Trans-la-Forêt
Dinan
Forêt de Villecartier
Louvigné-du-Désert
Antrain
Lanhélin
Forêt du Mesnil
Bazouges-la-Pérouse
Château de La Ballue
CÔTES-D'ARMOR
Combourg
Noyal-sous-Bazouges
Tremblay
D155
Rimou
Saint-Brice-en-Coglès
Le Châtellier
Saint-Domineuc
D137
PAYS DE COMBOURG
D177
Château de Caradeuc
Tinténiac
Fougères
Château de Montmuran
N12
Caulnes
Bécherel
Hédé
D175
La Chapelle-Saint-Aubert
Cardroc
Médréac
La Chapelle-Chaussée
Saint-Aubin-d'Aubigné
D178
Saint-Aubin-du-Cormier
Dompierre-du-Chemin
Saint-Méen-le-Grand
Montauban-de-Bretagne
Romillé
Ille
Liffré
MARCHES DE BRETAGNE
N12
Bédée
A84
Meu
Montfort-sur-Meu
RENNES
Vilaine
Châteaubourg
Vitré
Château des Rochers-Sévigné
PAYS DE BROCÉLIANDE
Noyal-sur-Vilaine
Mordelles
Saint-Péran
Aéroport de Rennes
N157
Forêt de Paimpont
Treffendel
N24
Châteaugiron
Argentré-du-Plessis
Paimpont
Plélan-le-Grand
Bruz
D777
Pont-Réan
Le Boël
Maxent
Guichen
Corps-Nuds
Seiche
VILAINE
D41
Janzé
Essé
Marcillé-Robert
Campel
Bourg-des-Comptes
La Roche-aux-Fées
La Selle-Guerchaise
Guer
D777
Retiers
La Guerche-de-Bretagne
Maure-de-Bretagne
D177
Le Sel-de-Bretagne
Pléchâtel
D94
Lohéac
Thourie
MORBIHAN
Guipry
Vilaine
D772
Bain-de-Bretagne
D178
MAYENNE
Pipriac
Messac
Martigné-Ferchaud
Aff
Sixt-sur-Aff
La Gacilly
Lande de Cojoux
N137
Saint-Just
Glénac
Port-de-Roche
Grand-Fougeray
D873
Langon
Brain-sur-Vilaine
Chère
Redon
Guémené-Penfao
LOIRE-ATLANTIQUE
Les incontournables
1 Vieux Rennes (p. 56)
2 Château de Fougères (p. 68)
3 Côte de Saint-Malo à Cancale (p. 85)
4 Mont-Saint-Michel (p. 90)
5 Saint-Malo intra-muros (p. 74)
6 Dinard (p. 81)

L'Ille-et-Vilaine
Paroles d'experts

Ci-dessus : plage de l'Écluse (p. 83), Dinard. **Ci-contre en haut :** cathédrale Saint-Pierre (p. 57), Rennes.
Ci-contre en bas : tour Solidor (p. 75), Saint-Malo.

Notre sélection

L'Ille-et-Vilaine

PAR CHRISTOPHE BADEL
ET CANDICE GREGGI-BADEL,
ENSEIGNANTS-CHERCHEURS
EN HISTOIRE

1 FESTIVAL DU FILM BRITANNIQUE, DINARD

Le charme anglais de Dinard (p. 81) n'est jamais plus prégnant qu'à l'occasion de ce festival, début octobre. L'ambiance y est très chaleureuse et familiale. Baignée par les lumières d'automne, la plage de l'Écluse est idéale pour déjeuner ou prendre un café entre deux films.

2 MARCHÉ DES LICES, RENNES

Il se tient tous les samedis matin sur la place des Lices (p. 57), au cœur de la vieille ville. Nous y achetons poisson, fruits et légumes en direct des producteurs locaux. Un moment ludique, et une bonne façon d'aborder le week-end de façon festive, en prenant l'apéritif après nos courses.

3 ANSE SOLIDOR, SAINT-MALO

Dans le quartier de Saint-Servan, cette anse (p. 75) exposée sud, regardant Dinard et la Rance, abrite une petite plage protégée des vents, idéale pour se baigner à marée haute avant d'aller prendre l'apéritif au **Cancalais (1 quai Solidor)**, l'un de nos cafés préférés. La tour Solidor veille sur ce petit havre de paix, magnifique au coucher du soleil. L'anse Solidor est aussi notre point de départ pour faire le tour de la cité d'Alet. La balade offre une belle vue sur la baie et la ville intra-muros.

4 ANSE BESNARD, ENTRE SAINT-MALO ET CANCALE (COMMUNE DE SAINT-COULOMB)

Cette promenade qui débute à l'extrémité de la plage de la Guimorais, sur un petit sentier douanier, a beaucoup de charme. Elle allie l'impétuosité de la mer, avec parfois la possibilité de voir les îles Chausey (côté nord de la balade), au calme et à la sérénité du havre de Rothéneuf (côté sud). Nous y allons souvent hors saison, lorsque nous avons besoin de nous retrouver en communion avec la nature.

5 MALOUINIÈRE DE LA VILLE-BAGUE, SAINT-COULOMB

L'une des plus belles malouinières (p. 80) de la région ! La visite permet notamment de découvrir le salon, dont les murs sont recouverts d'un beau papier peint datant de 1820 représentant l'arrivée du conquistador Francisco Pizarro chez les Incas.

Suggestions d'itinéraires

Près de la côte ou dans les terres, en Ille-et-Vilaine l'eau n'est jamais bien loin, et la Manche autant que la Vilaine réservent, tantôt teintées d'essences forestières, tantôt de crème solaire, de magnifiques escapades.

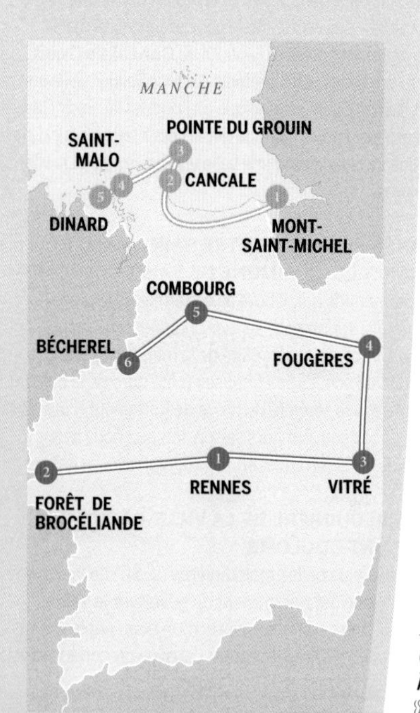

4 JOURS

DU MONT-SAINT-MICHEL À DINARD

L'ILLE-ET-VILAINE PAR LA CÔTE

Le premier jour, cap sur le 1 **Mont-Saint-Michel** auquel vous consacrerez une journée entière pour prendre le temps de l'admirer sous toutes les coutures. En fin de journée, rejoignez le port de 2 **Cancale** et offrez-vous un festin d'huîtres plates à même le sable. Au matin du deuxième jour, arpentez le sentier côtier jusqu'à la 3 **pointe du Grouin**, une pointe rocheuse qui offre un magnifique spectacle lors des grandes marées. Poursuivez jusqu'à la pointe du Meinga ou, pour les plus téméraires, jusqu'à celle de la Varde, à 4 km de Saint-Malo. Vous découvrirez en chemin certaines des plus belles plages de la Côte d'Émeraude, avant de revenir vers Cancale par les terres. Le troisième jour, cap sur 4 **Saint-Malo**, la prestigieuse cité corsaire, sa ville intra-muros et les superbes points de vue sur le large que ménagent ses remparts. Le lendemain, rejoignez 5 **Dinard** par les eaux, pour vous prélasser sur ses plages bordées de somptueuses villas Belle Époque.

Ci-dessus : le Mont-Saint-Michel (p. 90)
À droite : terrasse dans le vieux Rennes (p. 56)

4 JOURS

DE RENNES À BÉCHEREL

L'ILLE-ET-VILAINE PAR LES TERRES

Avec ses superbes exemples de maisons à colombages, d'architecture classique ou Art déco, ❶ **Rennes** concentre sur sa rive nord un patrimoine exceptionnel ; restez-y deux jours pour visiter sa vieille ville et ses musées, goûter à ses soirées festives, et faire un détour vers la mythique ❷ **forêt de Brocéliande**, pour une escapade forestière teintée de légendes, à la découverte de l'abbaye de Paimpont et de son architecture remarquable. Consacrez votre troisième jour à ❸ **Vitré** et à ❹ **Fougères**, à leurs châteaux et leurs vieilles villes, emblématiques des Marches de Bretagne. Terminez votre périple par la visite du château de ❺ **Combourg** et ses accents romantiques, et par le charme bucolique des chemins de halage qui filent à proximité, puis par une incursion à ❻ **Bécherel**, petite cité de caractère entièrement dédiée aux livres.

Découvrir l'Ille-et-Vilaine

RENNES (ROAZHON)

La capitale historique et administrative de la Bretagne arbore un visage riant, auquel les milliers d'étudiants qui arpentent ses rues (et font vivre ses nombreux bars !) ne sont pas étrangers. Rennes, de fait, n'est pas marquée par les rides que supposerait son âge vénérable.

Le vieux Rennes capte d'abord l'attention : pimpantes façades à colombages des XVe et XVIIe siècles, grandeur imposante des hôtels particuliers de la ville classique, rues pavées bordées de petits restaurants et de cafés et rues commerçantes aux belles boutiques. Le cœur battant en est la place des Lices, le week-end, et la place du Parlement, en semaine. De l'autre côté de la Vilaine s'étend la facette plus moderne de la ville, mais non moins délurée : autour des halles centrales se déploie une activité qui fleure bon la vie de quartier ; on y trouve un savoureux mélange de bistrots aux accents gastronomiques, d'épiceries fines, de caves à bières ou à vins et de grandes institutions qui rythment la vie culturelle locale. Ces deux visages du centre-ville se complètent avec bonheur !

À voir et à faire

RIVE NORD

Rennes demeure une "ville de bois" jusqu'au XVIIIe siècle. L'absence de carrières de pierre dure alentour et la présence de forêts touffues expliquent l'emploi du bois et du torchis dans son architecture. Mais, en 1720, un grand incendie ravage la cité et l'usage de la pierre est alors privilégié pour la reconstruction. Au vieux Rennes, partie rescapée de l'incendie, s'adjoint dorénavant la ville dite classique. La restauration entamée dans les années 1980 a remis en valeur le patrimoine du vieux Rennes : les façades sont nettoyées, débarrassées des enduits et le bois repeint de couleurs soutenues.

Rue du vieux Rennes
CAROLE HUON ©

Le marché des Lices

Réputé, haut en couleur et immense (le 2e de France, dit-on), le **marché de la place des Lices** (sam 7h-13h ; M Sainte-Anne) est le rendez-vous incontournable du samedi matin. Les halles couvertes rassemblent les étals de poissons et de crustacés, de volailles ou de viandes, de pain bio, tandis que les primeurs (pour beaucoup des petits producteurs) envahissent l'esplanade. Des courses réussies commencent par un petit-déjeuner dans l'un des cafés qui bordent la place, suivi d'une déambulation dans les allées, et se concluent par une galette-saucisse achetée auprès d'une camionnette. **Fleuristes** (près de la pl. Saint-Michel) et **bouquinistes** (pl. Sainte-Anne ; mer et sam 9h-18h) prolongent le marché, ainsi qu'un splendide **manège ancien**, tout droit sorti de l'univers fantastique de Jules Verne.

Cathédrale Saint-Pierre — Néogothique

(cathedralerennes.catholique.fr ; pl. de la Cathédrale ; tlj 9h30-12h et 15h-18h ; M Sainte-Anne). De style néogothique (essentiellement), la cathédrale Saint-Pierre s'élève dans le quartier le plus ancien de Rennes. Commencée en 1780, arrêtée durant la Révolution, reprise en 1812, consacrée en 1844, elle a été érigée à l'emplacement d'une cathédrale gothique, attestée au XIVe siècle et qui menaçait de s'effondrer totalement. Seule la façade, édifiée entre 1541 et 1704, fut conservée. À l'intérieur, admirez le retable du XVIe siècle réalisé à Anvers, qui évoque la vie de la Vierge, et la fresque de la seconde moitié du XIXe siècle retraçant le Tro Breiz (pèlerinage en l'honneur des sept Saints fondateurs de la Bretagne).

Les **petites rues autour de la cathédrale**, bordées de maisons à colombages, sont l'occasion d'une courte balade évocatrice de la ville du XVIe siècle. Au 3 rue Saint-Sauveur, la **maison Ty-Coz** ("vieille maison", en breton) est ornée de sculptures de saint Sébastien et de saint Michel, curieusement représenté en archer. Restaurée suite à un incendie en 1994, cette ancienne demeure de chanoines est l'une des plus belles de la ville.

Vestiges des trois enceintes qui assuraient la protection de la ville au XVe siècle et ancienne entrée principale de la cité, les **portes mordelaises** sont situées dans une ruelle face à la cathédrale. Après avoir prêté serment devant la herse de la grande porte, les ducs de Bretagne entraient dans leur bonne ville de Rennes par cette dernière et allaient se faire couronner dans la cathédrale.

Chapelle Saint-Yves — Architecture et musée

(11 rue Saint-Yves ; juil-août tlj 9h-19h sauf dim et jours fériés 11h-13h et 14h-18h, hors saison lun 13h-18h, mar-sam 10h-18h, dim et jours fériés 11h-13h et 14h-18h). GRATUIT C'est un bel exemple d'édifice gothique. Bâtie en 1494, la chapelle faisait alors partie de l'hôpital Saint-Yves, édifié au XIVe siècle, et en est le seul vestige. Aujourd'hui restaurée, elle accueille une exposition permanente sur le patrimoine et l'architecture de Rennes (dont un film de 7-8 minutes sur la restauration du Parlement) – on y accède aux horaires d'ouverture de l'office du tourisme (voir p. 65) qui fait aussi fonction de porte d'entrée.

Hôtel de ville et Opéra — Architecture classique

Ils encadrent la **place de la Mairie** qui date de la même époque que celle, tout proche, du Parlement de Bretagne (voir p. 59). Le majestueux **hôtel de ville** (visite guidée gratuite de 1 heure de mi-juil à fin août ; rdv sur place) GRATUIT a ainsi été édifié à partir de 1734 par Jacques Gabriel, l'architecte du quartier du Parlement. Au XXe siècle, des travaux viendront modifier l'édifice. L'**Opéra** (02 23 62 28 28 ; www.opera-rennes.fr ; pl. de la Mairie ; 6-49 € ; billetterie mar-sam

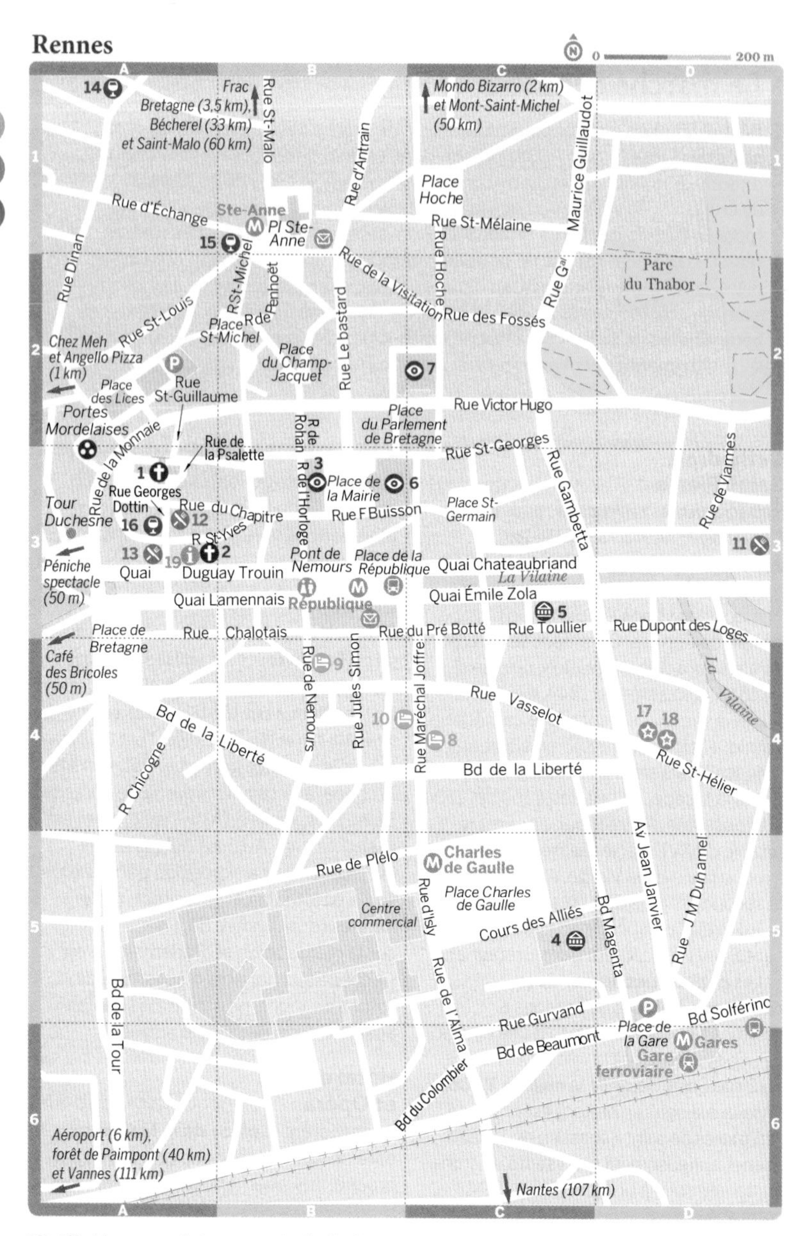

12h-19h, 1 heure avant chaque spectacle dim-lun et jours fériés, fermé mi-juil à début sept) en face et qui est aussi l'ancien théâtre de la ville est un ensemble néoclassique inauguré en 1836. Il englobe un théâtre en rotonde et des immeubles d'habitation, avec passages couverts et boutiques en rez-de-chaussée. Il privilégie l'ouverture de l'art lyrique à un large public et propose notamment des concerts-découverte d'une heure, appelés "Révisez vos classiques" au tarif unique de 4 € (à 18h et 20 h), assurés par des solistes en résidence ou en visite à l'Opéra.

Rennes

À voir

1 Cathédrale Saint-Pierre A3
2 Chapelle Saint-Yves A3
3 Hôtel de ville B3
4 Les Champs libres C5
5 Musée des Beaux-Arts C3
6 Opéra B3
7 Parlement de Bretagne C2

Où se loger

8 Balthazar C4
9 Hôtel de Nemours B4
10 Hôtel Maréchal Joffre C4

Où se restaurer

11 L'Arsouille D3
12 La Saint-Georges A3
13 Le Café du Port A3

Où prendre un verre

14 Couleurs Café A1
15 L'Atelier de l'Artiste B1
16 Oan's Pub A3

Où sortir

17 L'UBU D4
18 Théâtre national de Bretagne (TNB) D4

Renseignements

19 Office du tourisme A3

Parlement de Bretagne — Architecture classique

(**rés. 02 99 67 11 66 ; www.tourisme-rennes.com ; pl. du Parlement-de-Bretagne ; visites guidées uniquement, à réserver auprès de l'office du tourisme tarif plein/réduit 7,20/4,60 € ; M République/Sainte-Anne**). L'actuel **palais de justice** est emblématique du rôle de capitale provinciale joué par Rennes à partir de 1561 – le Parlement est alors une institution civile, dotée de pouvoirs judiciaires, administratifs et politiques. Ce n'est qu'en 1618 que les magistrats, riches représentants de la nouvelle noblesse de robe, entament les travaux de construction du palais qui doit symboliser leur puissance. Ils confient l'entreprise à Salomon de Brosse, maître d'œuvre du palais du Luxembourg à Paris. Le bâtiment du Parlement, terminé en 1655, est de granit au rez-de-chaussée, de tuffeau (pierre calcaire blanche) à l'étage, et coiffé d'un toit d'ardoise. Après l'incendie de 1720, le palais est légèrement modifié : le grand escalier qui menait directement à la salle des Pas-Perdus (ou salle des Procureurs, l'étage actuel) est supprimé et l'on entre dans le palais par le rez-de-chaussée. La décoration intérieure est remarquable pour ses plafonds suspendus, à caissons, ses peintures (dont certaines du XVIIe siècle) et ses tapisseries. La salle des Pas-Perdus est ornée d'une voûte entièrement restaurée après un incendie en 1994. La salle d'apparat du palais (Grand'Chambre) est la pièce maîtresse du bâtiment pour ses plafonds et boiseries du XVIIe siècle, signés Charles Errard ; elle est aussi ornée d'une tapisserie des Gobelins (début du XXe siècle) représentant la mort de Du Guesclin. Le palais du Parlement se visite en compagnie d'un guide-conférencier – comptez près de 2 heures.

Ancienne "place royale" d'architecture classique, la **place du Parlement-de-Bretagne** a été dessinée après l'incendie de 1720, qui détruisit la plupart des maisons autour du Parlement. La reconstruction du quartier, confiée à l'architecte Jacques Gabriel, se poursuivit jusqu'au milieu du XVIIIe siècle. Gabriel opta pour une place délimitée par des hôtels particuliers, dont la construction reprenait les mêmes matériaux que le palais du Parlement (granit, tuffeau et ardoise) dans une optique d'unité.

De mi-juillet à la troisième semaine d'août, **Rendez-vous place du Parlement** (**rendez-vous-parlement.com ; gratuit ; 23h**), un spectacle son et lumière féerique et hors du temps pour tous les âges, se déroule sur la façade du bâtiment à partir de 23h.

Parc du Thabor — Parc

(**entrée principale pl. Saint-Melaine ; tlj horaires variables selon saison**). Proche du centre historique, il s'étend sur un vaste plateau, en hauteur. Créé sous le Second Empire, il présente de vastes pelouses, un jardin paysager planté de belles essences d'arbres, un jardin botanique, une roseraie et des serres, auxquels s'ajoutent

Vaut le détour
Brocéliande

Bienvenue au pays de Merlin, de la fée Morgane et des chevaliers de la Table ronde ! À une trentaine de kilomètres à l'ouest de Rennes, la forêt de Paimpont revendique d'être la mythique Brocéliande, pays légendaire du roi Arthur et de Merlin l'enchanteur. À la limite entre l'Ille-et-Vilaine et le Morbihan, le site exploite largement la légende tout en offrant de belles possibilités de balades.

Le village de **Paimpont** constitue une bonne base pour l'explorer. Il est bâti autour de sa remarquable **abbaye** (**02 99 07 83 20 ; www.abbayedepaimpont.org ; 3 esplanade de Brocéliande ; audioguide à l'office du tourisme 2 € ; juil-août lun-sam 10h-12h30 et 15h-18h30, dim 10h-12h30, Pâques à fin sept sam-dim 15h-18h30**) GRATUIT, fondée au XIIIe siècle. En forme de croix latine, elle affiche un beau style gothique du XIIIe siècle. Ce qui détonne le plus est la nef garnie de boiseries, de confessionnaux, de retables, de lambris et de chaires magnifiquement ouvragées de style baroque français, qui traduit une grande richesse ; la statue polychrome de Notre-Dame de Paimpont, placée au beau milieu, date de la fin du XIVe siècle. Au XVIIe siècle furent bâtis les bâtiments conventuels – appelés le Grand Logis.

L'**office du tourisme de Paimpont** (**02 99 07 84 23 ; www.tourisme-broceliande.com ; 5 esplanade de Brocéliande**) vend une brochure (4 €) détaillant les itinéraires sillonnant la forêt et ses environs.

un kiosque et une volière. L'entrée principale du parc se situe au niveau de l'**église Notre-Dame-en-Saint-Melaine** qui fait cohabiter plusieurs styles, du XIe au XVIIe siècle, et dont d'infimes détails témoignent encore de l'art roman.

RIVE SUD

Au sud de la Vilaine, la ville moderne a pu se développer lorsque le fleuve a été endigué au XIXe siècle. Là où s'étendaient d'anciens marécages, un quartier très vivant a vu le jour, dont le principal intérêt réside, pour les visiteurs, dans ses musées et ses espaces culturels.

Musée des Beaux-Arts Beaux-Arts

(**02 23 62 17 45 ; www.mbar.org ; 20 quai Émile-Zola ; tarif plein/réduit 5/3 € ; mar 10h-18h, mer-dim 10h-12h et 14h-18h, fermé lun et jours fériés ; M République**). Le fonds du musée a été constitué, au départ, par des biens saisis à la Révolution, notamment le "cabinet de curiosités" de Christophe-Paul de Robien, président du Parlement de Bretagne au XVIIIe siècle. Il s'est depuis considérablement enrichi et renferme, côté peinture, des pièces magnifiques : *Le Nouveau-Né* de Georges de La Tour, *Effet de vagues* de Georges Lacombe, une nature morte de Chardin, *Baigneuse à Dinard* de Picasso... ainsi que des toiles d'artistes régionaux, comme Yves Laloy. Le musée des Beaux-Arts fait également une très belle place à l'art contemporain grâce notamment à son rattachement au CNAP (Centre national des arts plastiques), qui lui permet de renouveler régulièrement ses œuvres.

Les Champs libres Musée, espace des sciences

(**www.leschampslibres.fr ; 10 cours des Alliés ; juil-août mar-ven 13h-19h, sam-dim 14h-19h, sept-juin mar 12h-21h, mer-ven 12h-19h, sam-dim 14h-19h, fermé lun et jours fériés ; M Charles-de-Gaulle**). GRATUIT Ce vaste centre culturel rassemble trois entités : une immense bibliothèque, un **Espace des sciences** (**02 23 40 66 40 ; Salle Eurêka, Salle de la Terre et Labo de Merlin tarif plein/réduit 4,50/3 €, planétarium 4,50/3 €**), surtout destiné aux enfants, et le **musée de Bretagne** (**02 23 40 66 00 ; 1er étage ; tarif plein/réduit 4/3 €**). Son dessein : jeter des passerelles entre création artistique et recherche, questionnement citoyen et connaissance du passé. L'ensemble prend place dans un bâtiment conçu par Christian de Portzamparc.

NORD-OUEST DE RENNES

FRAC Centre d'art contemporain
(**02 99 37 37 93 ; www.fracbretagne.fr ; 19 av. André-Mussat ; tarif plein/réduit 3/2 €, visite guidée gratuite à 16h tlj en été, sam-dim hors saison ; mar-dim 12h-19h ; ligne 4 arrêt Beauregard**). Excentré, le fonds régional d'art contemporain est un lieu de découverte et d'échange qui vaut autant pour son contenu que son contenant. Mélange de béton banché et d'acier, le bloc monolithique que forme le bâtiment et que l'on doit à l'architecte Odile Decq fait face aux colonnes de *L'Alignement du XXIe siècle* d'Aurélie Nemours. Il comprend une aire d'exposition, un auditorium, un espace de documentation et un autre éducatif.

Où se loger

Hôtel Maréchal Joffre Bon plan **€**
(**02 99 79 37 74 ; 6 rue du Maréchal-Joffre ; d sans/avec sdb 25,50-32/40 €, lits jum/tr avec sdb 39/45 € ; fermé 3 semaines en été et vacances de Noël ; M République**). L'adresse a ses inconditionnels, et pas forcément les plus petites bourses ! C'est que ce petit hôtel une étoile à prix imbattable, qui partage la même rue que le Balthazar (voir p. 62), n'est pas dénué de charme. Ne vous fiez pas à la cage d'escalier (accueil au 2e étage) : les 22 chambres, certes petites, ont bien meilleure mine. Au moment de notre passage, de grands travaux de mise aux normes étaient prévus, et l'hôtel devrait avoir un peu monté en gamme et en prix. Renseignez-vous au préalable.

Hôtel de Nemours Sobre et chic **€€**
(**02 99 78 26 26 ; www.hotelnemours.com ; 5 rue de Nemours ; 63-150 € selon ch et saison ; tte l'année ; ; M République**). Un hôtel trois étoiles à la décoration sobre et élégante, qui a malheureusement un peu perdu de sa superbe. Dommage, car le

Le Parlement de Bretagne (p. 59), Rennes

CAROLE HUON ©

petit rafraîchissement qu'il mériterait ne tient qu'à de menus détails qui, pourtant accumulés, peuvent laisser une impression mitigée. Les 28 chambres restent néanmoins tout confort, et la literie de très bonne qualité. Jolie salle de petit-déjeuner. Une option qui reste bonne, au cœur de la ville et à deux pas de la place de la République.

Balthazar Hôtel et spa **€€€**
(**02 99 32 32 32 ; www.hotel-balthazar.com ; 19 rue du Maréchal-Joffre ; d à partir de 160 € ; tte l'année ; ; M République).** Il manquait à Rennes un hôtel exceptionnel, c'est chose faite avec l'ouverture, en juin 2014, du Balthazar. Ce quatre étoiles au décor non standardisé, à la fois design et cosy, est un régal de beauté et de confort. Ici, rien n'est laissé au hasard en termes d'architecture d'intérieur. Sur place, petit patio intérieur, un spa de 300 m², un bar et même un restaurant semi-gastronomique, **La Table de Balthazar** (**02 30 97 02 87 ; www.latabledebalthazar.fr ; 28 rue Vasselot**). Aucune fausse note et accueil chaleureux en accord avec les murs. Évidemment, le luxe se paie.

Où se restaurer

Chez Meh Thaï **€**
(**02 99 54 59 18 ; www.chezmeh.com ; 37 bd de Verdun ; menus midi 10-15 €, menu soir 17-21 €, plats 11,90-15,90 € ; mar-sam midi et soir sauf sam le soir seulement ; M Anatole-France**). Un peu excentré, à 10 minutes à pied de la place des Lices mais à seulement 5 minutes du métro Anatole-France, Chez Meh est un minuscule restaurant thaï qui ne désemplit pas. Du classique bo bun au wok de saint-jacques au basilic thaï, tout est frais, merveilleusement assaisonné et diablement bien présenté. Un régal pour les yeux et les papilles. Vente à emporter.

Angello Pizza Italien **€**
(**06 74 74 74 89 ; www.angello-pizza-rennes.fr ; 37 bis bd de Verdun ; pizzas 26/29 cm 6,50-10,50/8-12,30 €, pizzas chausson 10,80-11 € ; tlj sauf sam midi et dim midi ; M Anatole-France**). Si les places venaient à manquer chez Meh (ci-dessus), reportez-vous les yeux fermés sur son voisin italien. Le cadre ne paie pas de mine, mais l'adresse est en passe de devenir la meilleure pizzeria de Rennes. Seul bémol : l'endroit est, lui aussi, toujours bondé. Si vous n'arrivez pas à trouver une place, vous pourrez toujours emporter votre commande.

Le Café du Port Traditionnel **€**
(**02 99 30 01 43 ; 3 rue le Bouteiller ; plats 11,50-15,50 € ; lun-sam 12h-1h ; M République**). Un bar à vins-brasserie où les habitués et la faune branchée de Rennes se bousculent. Cuisine raffinée, inventive et d'un excellent rapport qualité/prix. Sa grande terrasse (chauffée) face à la chapelle Saint-Yves est idéale à l'heure de l'apéro.

Café des Bricoles Bar-restaurant **€€**
(**02 99 67 23 75 ; 17 quai de la Prévalaye ; menus midi 16/19 €, soir entrées/plats/desserts 7-9,50/13-18/6-7 € ; mar-ven midi et soir, sam soir ; M République**). Superbe bistrot à l'ancienne avec parquet, banquettes en cuir et horloge d'un autre temps, devenu l'adresse tendance du midi et du soir pour sa délicieuse cuisine, et ce qui compte parmi les meilleurs desserts de Rennes. Excellents rhums et whiskies à déguster le soir en fin de repas, sur fond de musique jazzy, blues ou cubaine.

La Saint-Georges Crêperie **€€**
(**02 99 38 87 04 ; www.creperie-saintgeorges.com ; 11 rue du Chapitre ; galettes et crêpes 2,90-17,90 €, menus déj 8,70-12 € ; mar-sam ; M République**). Mention spéciale pour cette crêperie hors norme située dans une maison à pans de bois du vieux Rennes, rajeunie par une déco intérieure audacieuse, et qui fait preuve d'une belle inventivité dans l'assiette (ce qui est assez rare dans le domaine !).

L'Arsouille Traditionnel **€€€**
(**02 99 38 11 10 ; 17 rue Paul-Bert ; menus déj 17/21 €, soir entrées/plats/desserts 5-10/15-20/5-7 € ; mar-ven midi et soir, sam soir ; M République**). Raffinement, fraîcheur et créativité sont les maîtres mots de ce bar à vins-restaurant excentré, à la très belle déco type bistrot des années 1950, qui flirte avec l'étiquette gastro. Vaste choix de vins, introuvables ailleurs, et excellents conseils en la matière. Une merveille !

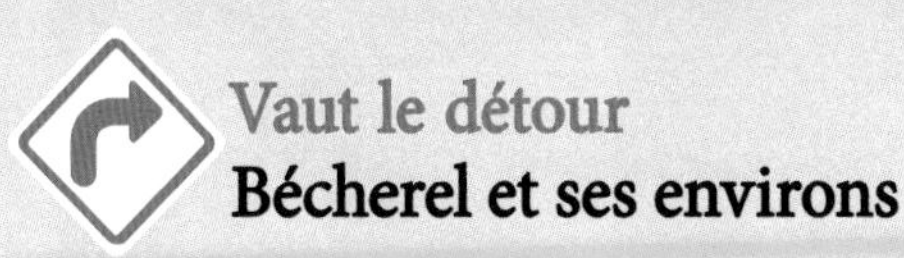

Vaut le détour
Bécherel et ses environs

Pôle textile du XVIe siècle jusqu'à la Révolution, **Bécherel**, à 30 km au nord-ouest de Rennes, est devenu en 1989 une cité du livre. On compte des dizaines de librairies ainsi que des ateliers de reliure disséminés dans les ruelles de ce village de caractère. La **Maison du livre et du tourisme** (02 99 66 65 65 ; becherel.com/cite-du-livre/maison-du-livre-et-du-tourisme ; 4 route de Montfort ; juin-août lun-dim 10h-12h30 et 13h30-18h30, avr-juin et sept mar-dim 9h30-12h30 et 13h30-17h30, oct-mars mar-ven et 1er dim du mois 9h30-12h30 et 13h30-17h30) en constitue une merveilleuse porte d'entrée. Un marché du livre se tient le 1er dimanche de chaque mois.

Plusieurs sites des environs sont également dignes d'intérêt, au nombre desquels le **château de Caradeuc** (02 99 66 81 10 ; www.caradeuc.com ; à 1 km à l'ouest de Bécherel par la D20 ; 7 €, gratuit -15 ans ; juil-août tlj 12h-18h), bel édifice de style classique doté d'un magnifique parc de 40 ha, dessiné en 1898 par l'architecte-paysagiste Édouard André. À 7 km au sud-est de Bécherel par les D27 et D221, ne manquez pas non plus le **château de Montmuran** (02 99 45 88 88 ; www.chateau-montmuran.com ; adulte/5-10 ans 5/3 € ; juin-sept tlj sauf sam 14h-19h).

Des passionnés ont donné une seconde vie à la **gare de Médréac** (02 99 07 30 48 ; www.lagaredemedreac.fr ; place de la Gare, Médréac ; à partir de 6/3 € par adulte/enfant ; juillet-août tlj 10h-17h, dim, vac sol, jours fériés et en sem sur réservation de début avril à fin juin et de début sept à mi-oct) en proposant une activité originale, le vélo-rail, permettant de circuler sur les anciennes voies.

Où prendre un verre

Ayez la "culture bar" chevillée au corps à Rennes, sinon, vous raterez forcément quelque chose ! Les hauts lieux aux terrasses prises d'assaut dès 18h se concentrent essentiellement sur la rive nord : la place Sainte-Anne et les rues alentour – dont la mythique rue Saint-Michel, dite **rue de la soif** (M Sainte-Anne) –, la place Saint-Michel ainsi que le haut et le bas de la place des Lices.

Couleurs Café — Rhumerie

(02 23 40 07 13 ; www.couleurscafe.com ; 27 rue Legraverend ; lun-ven 15h-1h, sam 16h-1h ; M Sainte-Anne/Anatole-France). Adresse prisée des Rennais pour la qualité de ses rhums et de ses cocktails, son ambiance estudiantine, son personnel sympa et décontracté, sa sélection musicale de qualité et son chaleureux cadre façon bistrot-paillote.

L'Atelier de l'Artiste — Bar à vins

(02 99 79 60 98 ; www.atelierdelartiste.fr ; 2 rue Saint-Louis ; lun-ven 8h-1h, sam 12h-1h, dim 16h-21h ; M Sainte-Anne). Attenant à la place Sainte-Anne, ce bar à vins, également café-théâtre et café-concert, ne désemplit pas. Les fumeurs apprécieront le patio intérieur chauffé en hiver, ou la terrasse sur la rue en été. Une exposition différente proposée par mois. Lors de notre passage, L'Atelier de l'Artiste se lançait dans des travaux.

Oan's Pub — Pub

(02 99 31 07 51 ; 1 rue Georges-Dottin ; lun-sam 15h-1h ; M République/Sainte-Anne). Un excellent pub, assez sombre comme il se doit, aux murs de vieilles pierres apparentes, dont la terrasse régulièrement bondée fait face à la chapelle Saint-Yves. Vaste choix de bières, mais vous pouvez aussi goûter à l'hypocras (vin au miel et aux épices). Ambiance bretonnante ou jazzy, c'est selon.

Où sortir

Un temps surnommée le "laboratoire du rock", Rennes reste une ville où s'épanouissent les musiques actuelles. En témoignent les TransMusicales (voir p. 45), in et off, la vitalité de nombreux bars et leur programmation informelle, ou celle des salles de concert. Côté danse, théâtre et musique classique, Rennes est particulièrement bien pourvue, avec des salles de qualité, dont l'**Opéra** (voir p. 57), de nombreuses compagnies et une programmation novatrice auxquelles font écho ses nombreux festivals.

L'UBU Musiques actuelles

(**02 99 31 12 10 ; www.ubu-rennes.com ; 1 rue Saint-Hélier ; M Gares**). Dans l'orbite des TransMusicales, un incontournable pour les amateurs de sons en tous genres ! Attenant au Théâtre national de Bretagne (voir ci-contre). Le programme est disponible sur le site Internet ; billetterie en ligne.

Théâtre national de Bretagne Théâtre, danse, cinéma

(**TNB ; 02 99 31 12 31 ; www.t-n-b.fr ; 1 rue Saint-Hélier ; billetterie mar 11h-19h, mer-sam 13h-19h ; M Gares**). Né en 1990 de la réunion de la Maison de la culture de Rennes et du Centre dramatique, le TNB est à la fois un lieu d'innovation artistique, une école d'art dramatique et un organisme de soutien à la création contemporaine. Ouvert sur le monde, il est devenu en 2002 le Centre européen de Production théâtrale et chorégraphique. Outre le théâtre et la danse, le TNB abrite un cinéma d'art et d'essai.

Péniche Spectacle Cabaret-théâtre, musique

(**02 99 59 35 38 ; www.penichespectacle.com ; 30 quai Saint-Cyr**). Il s'agit en fait de deux péniches, *L'Arbre d'eau* et *La Dame blanche*, amarrées l'une à l'autre. La compagnie résidente à l'origine du projet, le Théâtre du Pré perché, reçoit d'autres artistes à son bord et, aux beaux jours, part sur les canaux d'Ille-et-Vilaine pour de nouvelles

À gauche : maisons dans le vieux Rennes (p. 56)
Ci-dessous : château de Fougères (p. 68)

expériences. Le reste de l'année, lectures, expositions, soirées cabaret ou contes et concerts de musiques du monde se succèdent sur le quai Saint-Cyr, tout près de la place de Bretagne (en plein centre-ville).

Mondo Bizarro Musiques actuelles (☎ 02 99 87 22 00 ; mondobizarro.free.fr ; 264 av. du Général-Patton ; ⏲ 18h-1h, 17h-3h les soirs de concert, fermé lun-dim sauf si concert ; 🚌 bus 5, arrêt Rochester/Armorique). Un peu excentré, le Mondo Bizarro est une institution pour un programme très rock !

Renseignements

Office du tourisme (☎ 02 99 67 11 11 ; www.tourisme-rennes.com ; 11 rue Saint-Yves ; Ⓜ République). Plan commenté de la ville (0,20 €) à retirer sur place. Propose des **visites guidées** (tarif plein/réduit 7,20/4,60 €, gratuit -7 ans) – le départ s'effectue en général de la chapelle Saint-Yves (voir p. 57). Il est possible de louer sur place un **audioguide** (4,50 €) et d'acheter un pass touristique, le **City Pass** (15 €, valable 72 heures : accès gratuit aux musées de la ville et des alentours, droit à une visite guidée de la ville ou du Parlement et réductions sur les transports en commun). Consigne pour les bagages.

Depuis/vers Rennes

Avion

L'aéroport de Rennes (☎ 02 99 29 60 00 ; www.rennes.aeroport.fr) est à 7 km au sud-ouest de la ville. En vol direct, il dessert plusieurs villes en France (Bordeaux, Lyon, Marseille, Nice, Toulouse et Paris), et Southampton à l'international.

Train

Le TGV relie la gare de Rennes (19 pl. de la Gare) à Paris en un peu plus de 2 heures en moyenne, à raison d'une liaison toutes les heures, voire toutes les 30 minutes aux périodes de pointe, en journée. Le réseau TER rayonne à partir de Rennes vers plusieurs destinations bretonnes : Saint-Malo, Vitré, Châteaubriant, Redon ou Saint-Brieuc. Étonnamment, il n'existe pas de liaison ferroviaire rapide entre Rennes et Nantes ; comptez au mieux 1 heure 20 de trajet.

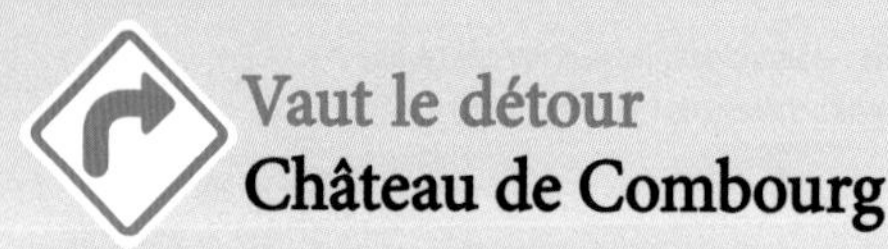

Vaut le détour

Château de Combourg

Les aficionados du romantisme, les férus de littérature ou tout simplement les amateurs de belles demeures ne peuvent manquer la visite de ce **château** (☎02 99 73 22 95 ; www.chateau-combourg.com ; 23 rue des Princes, Combourg ; visite guidée du château 45 min + visite du parc adulte/étudiant/enfant 8,30/6,70/4,20 €, gratuit -5 ans, visite du parc seul 3,70 € ; ⏲juil-août tlj, parc 10h-12h30 et 14h-18h, château 10h45 et 14h-17h30 ; avr-juin et sept dim après-midi au ven et certains sam parc 10h-12h30 et 14h-18h, château 14h-17h30 ; fév-mars pendant les vac scol dim après-midi au ven 14h-17h), nimbé de l'aura de Chateaubriand, qui y séjourna durant sa jeunesse. Les quatre tours d'allure massive sont reliées par des courtines, avec une élégante façade du XVe siècle agrémentée d'une galerie couverte, de mâchicoulis et de six minuscules lucarnes ajourant les combles. Le château fut tout d'abord une forteresse au XIIe siècle, d'où l'épaisseur des murs (de 3 à 5 m). L'actuel perron, édifié au XIXe siècle (Chateaubriand ne l'a pas connu), desservant l'entrée par un escalier en granit, montre la profondeur des anciens fossés. Le château fut acquis par le père de Chateaubriand en 1771. François-René y résida à partir de 1776, pendant deux ans. Austère, sombre, auréolé de légendes fantasmagoriques, le château inspira le futur écrivain qui puisa dans le souvenir de ses jeunes années passées ici l'atmosphère des *Mémoires d'outre-tombe*. Abandonné puis dessaisi de son mobilier lors des troubles révolutionnaires, le château fut restauré en 1876 par Viollet-le-Duc. Il appartient encore aujourd'hui aux descendants de l'écrivain.

ℹ Comment circuler

Bus et métro

Star (☎09 70 821 800 ; www.star.fr ; agence 12 rue du Pré-Botté ; ⏲lun-ven 7h-19h30, sam 9h-18h30 ; Ⓜ République) gère le réseau de **bus**, efficace, et l'unique ligne de **métro** (une 2e ligne devrait voir le jour en 2018) qui traverse la capitale bretonne selon un axe nord-sud. Les tickets de bus et de métro (valable 1 heure) coûtent 1,50 € à l'unité et 13,70 € le carnet de 10 tickets. Le titre journée coûte 3,80 €.

Taxis

Pour commander un taxi (www.taxisrennais.fr), appelez le ☎02 99 30 79 79.

Vélos

De nombreuses stations de vélos en libre-service, VéloStar (☎09 69 365 007 ; www.levelostar.fr , 8 rue du Maréchal-Joffre ; ⏲mar-sam 12h-18h), sont disséminées dans toute la ville. Les usagers occasionnels peuvent se servir directement de leur carte bancaire dans les 10 principales stations ou souscrire à des abonnements de 1 ou 7 jours (adhésion 1-5 €, avec caution de 150 €, puis 1/2/10 € pour 30 minutes-1 heure/1-2 heures/3-6 heures) ; il est aussi possible de s'abonner via Internet.

FOUGÈRES (FELGER)

Si Fougères est avec Vitré, La Guerche-de-Bretagne et Châteaubriant (Loire-Atlantique), l'une des "portes" fortifiées de la Bretagne, elle en fut également la plus importante – l'ampleur de son château, digne des plus beaux romans de cape et d'épée, en témoigne. La ville, constituée de deux entités reliées par la rue de la Pinterie, s'est enrichie grâce au commerce des draperies, de la verrerie et des bestiaux, ainsi qu'à la fabrication de chaussures. La ville basse, établie au pied du château, est arrosée par le Nançon, affluent du Couesnon. La ville haute, développée sur le plateau, concentre aujourd'hui l'essentiel du tissu urbain.

À voir

Incontournable élément patrimonial de Fougères, le **château** (voir l'encadré p. 68) offre un résumé de l'histoire de la Bretagne. Sa visite, bien mise en scène par de petits films et audioguides fournis gratuitement (visite guidée également possible), fait en effet revivre toute l'histoire de la rivalité entre les rois bretons et le royaume de France.

Intégrées à l'**espace-accueil du château** et récemment rénovées, les 4 roues des moulins à eau, appelés dans leur ensemble Moulin de la Tranchée, qui tournent de nouveau, sont chacune alimentées par un bief provenant du Nançon. Dans l'ordre, on trouve un moulin à farine, à tan (écorces d'arbres broyées utilisées en tannerie), à foulon (pour extraire les fibres de chanvre et de lin pour les drapiers) et enfin à papier, établi à partir du XVe siècle. Le quartier Saint-Sulpice et l'église qui lui a donné son nom s'étendent au pied du château.

Des **visites guidées (sans/avec le ticket du château 2 €/gratuit ; départs 14h30 et 17h)** de la ville haute (départs de l'office du tourisme) et de la ville basse (départs du château) sont réalisées par des guides conférenciers. Renseignements auprès de l'office du tourisme (p. 69) ou de l'espace-accueil du château.

Église Saint-Sulpice — Gothique tardif

(02 99 99 05 52 ; rue de Lusignan). Situé au pied du château, l'édifice d'origine fut bâti dès le XIe siècle et agrandi au XIIIe. L'édifice actuel est typique de la région, avec un alignement de pignons latéraux de différentes envergures, correspondant à diverses époques de construction (XIVe et XVe siècles). De style gothique tardif, le sanctuaire est agrémenté d'une décoration de végétaux, d'animaux, de figures (y compris des caricatures de moines) ou de gargouilles. La baie flamboyante percée au-dessus de la porte centrale date du milieu du XVe siècle. Quant au clocher-tour, il remonte à la fin du XVe siècle. La porte du chœur, côté sud, est richement ornée de lobes floraux et de moulures en saillie. À l'intérieur, on remarquera surtout deux magnifiques retables en granit datant du XVe siècle. Le chœur fut reconstruit au XVIIIe siècle avec un décor d'inspiration baroque : profond, paré de nombreuses boiseries, il est élevé d'une voûte décorée d'arabesques. On verra également des pierres tombales au sol, deux tableaux du XVIIIe siècle représentant l'Annonciation et l'Adoration des Mages, et un retable en bois sculpté, savamment décoré de près de trois mille feuilles d'or.

Église Saint-Léonard — Patrimoine religieux

(pl. de l'Hôtel-de-Ville). L'origine de cet édifice, dont de larges parties datent des XVe et XIXe siècles, remonte au XIIe siècle ; le clocher-tour fut élevé au XVIIe siècle à droite de la façade. Le XIXe siècle a empreint l'église d'un style néogothique flamboyant avec rosace, pinacles et choux sur le pignon. La nef abrite un beau vitrail du XVIe siècle éclairant la fenêtre sud de la chapelle du Sacré-Cœur, située à gauche en entrant dans l'église. On verra également deux fragments de vitrail du XVIe siècle dans la fenêtre est de cette même chapelle. Du sommet du clocher (accessible en juillet et août uniquement, du mardi au dimanche de 14h à 19h moyennant 2 €) se déploie une très belle vue sur la ville, ainsi que sur la campagne environnante.

Place du Marchix — Ville ancienne

Elle fut le premier emplacement du marché de la ville médiévale. Sur cette belle place enjolivée par des maisons à pans de bois du XVIIe siècle se tenait le marché de l'aumaillerie (bestiaux). Prenez le temps de la découvrir, ainsi que ses proches abords, notamment la **maison de Savigny** (expositions artistiques temporaires) et le **lavoir** sous appentis du cours du Nançon. La rue des Tanneurs ravive le souvenir des tanneries établies le long du cours d'eau, dès le XIIe siècle, mais aussi celui des teinturiers et des drapiers qui y officiaient.

RICHARD CUMMINS/LONELY PLANET IMAGES ©

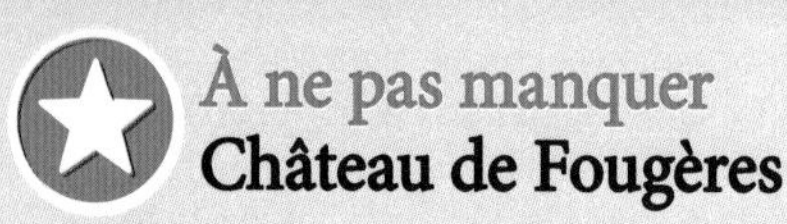

À ne pas manquer
Château de Fougères

Édifié en bois, au carrefour de deux routes gallo-romaines et détruit en 1166 par Henri II Plantagenêt, roi d'Angleterre, l'édifice fut reconstruit en pierre par le roi Raoul II.

La **première enceinte** est accessible par la tour carrée de La Haye-Saint-Hilaire, flanquée de deux tours du XIIIe siècle. L'ensemble est précédé par un pont dormant (et non mobile), la ville parée de remparts étant déjà protégée par un pont-levis. La défense était assurée par deux herses, deux portes et par un pont étroit qui limitait la puissance des éventuels assauts. Les meurtrières permettaient de circonscrire l'édifice et de couvrir de flèches la première enceinte si celle-ci venait à être forcée.

C'est dans la **basse cour** que s'organisait la vie quotidienne du château et que les paysans venaient se réfugier en temps de guerre. Des bâtiments originels ne subsistent que les fondations du logis seigneurial de style roman, qui en supportait un deuxième, de style gothique, et les deux tours d'artillerie, Surienne et Raoul.

La **haute cour** est bâtie sur un bloc rocheux ; on remarquera la base d'une tour qui n'a jamais été édifiée. La tour des Gobelins, au nord, est légèrement conique, et la tour Mélusine, cylindrique, est constituée de schiste et de granit. La poterne, située derrière les deux donjons, date du XVe siècle ; le pont-levis qui en permettait l'accès fut détruit au XVIIIe siècle pour le percement du boulevard de Rennes.

Le château a maintenu son rôle de défense jusqu'au XVe siècle. Il fut occupé par une garnison dès le XVIe siècle et servi de prison jusqu'au XVIIIe siècle.

INFOS PRATIQUES

☎02 99 99 79 59 ; www.chateau-fougeres.com ; pl. Pierre-Symon ; tarif plein/réduit 8/5 €, -6 ans gratuit ; ⏲juin-sept tlj 10h-19h, mai tlj sauf lun non fériés 10h-19h, oct-avr mar-dim 10h-12h30 et 14h-17h30, fermé jan

Beffroi Patrimoine civil

(rue du Beffroi). Avec celui de Dinan (voir p. 101), le beffroi de Fougères est l'un des deux seuls visibles en Bretagne. Bâti au XIVe siècle, de forme octogonale, il était jadis le symbole de la ville nouvellement créée sur le plateau, au-dessus du château, qui allait devenir le centre politique, économique et administratif de Fougères. Édifice civil sur lequel s'appuyait le pouvoir, il assurait un rôle de surveillance, d'alarme, d'horloge, mais aussi social, proclamant la prospérité économique de la ville.

Où se loger et se restaurer

Balzac Hôtel Hôtel €

(☎ 02 99 99 42 46 ; www.balzac-hotel.fr ; 15 rue Nationale ; d /lits jum et tr/qua 58-62/67-72/82 € selon ch ; ⏲ tte l'année ; wifi). Idéalement placé au cœur de la ville haute, le Balzac est installé dans une belle demeure en pierre à quelques pas de l'office du tourisme. Il décline un style au charme tout à fait unique, à base de papiers peints et de moquettes d'une autre époque, et d'association de couleurs incertaines. Pour tout vous dire : on adore ! La petitesse des chambres est compensée par une belle hauteur sous plafond. Sdb avec porte accordéon d'un autre âge : dans le ton.

Tivabro Crêperie €

(☎ 02 99 17 20 90 ; 13 pl. du Marchix ; crêpes et galettes 3,20-9,20 € ; ⏲ juil-août fermé lun, reste de l'année fermé lun, mer soir et dim soir). Voici ni plus ni moins que la meilleure crêperie de Fougères, installée dans le joli cadre d'une maison ancienne avec terrasse sur l'arrière. Galettes et crêpes font la part belle aux produits locaux. Bonne carte de cidres également. Pensez à réserver.

Renseignements

Office du tourisme (☎ 02 99 94 12 20 ; www.ot-fougeres.fr ; 2 rue Nationale). Plan détaillé de la ville doublé d'un itinéraire proposant un circuit découverte. Dans la ville et le long du circuit, vous trouverez des plaques de rues légendées. Également **visites guidées** (sans/avec le ticket du château 2 €/gratuit ; ⏲ départs 14h30 et 17h) de la ville haute (départs de l'office du tourisme) et de la ville basse (départs du château).

VITRÉ (GWITREG)

À mi-chemin entre Rennes et Laval, Vitré concentre un remarquable patrimoine. Elle le doit à l'époque où elle formait la ligne de défense de la Bretagne, avec Fougères, La Guerche-de-Bretagne et Châteaubriant. Vitré, l'une des portes fortifiées du duché, était alors une ville de carrefour, d'échanges et de commerce avec le Maine et, par extension, avec le royaume de France. Son château et son centre historique composé d'étroites ruelles abritant de très nombreuses maisons à pans de bois font de Vitré une étape de charme où règne une ambiance sympathique.

Traces de remparts

Au XIIIe siècle, la ville de Vitré est entourée de remparts et de fossés. La **porte d'En-Bas** est une ancienne barbacane en forme de fer à cheval, aujourd'hui disparue, mais matérialisée au sol par un pavage bien distinct au bas de la rue du même nom. La **rue du Bas-Val** était gardée par la poterne Saint-Pierre, petite porte de ville qui donnait sur la Vilaine. Au bout de la rue Notre-Dame se trouve la **porte d'En-Haut** ; non loin se dresse la tour de la Bridolle, tour circulaire d'artillerie du XIVe siècle, défendue par une bouche à feu. Les vestiges de l'ancienne tour des Claviers, tour défensive de la fin du XVe siècle, sont visibles à travers une vitre, au n°16 de la rue de la Borderie.

À voir

Château Architecture médiévale

(02 99 75 04 54 ; pl. du Château ; tarif plein/réduit 4/2,50 € ; juil-août tlj 10h-18h, avr-juin et sept tlj 10h-12h30 et 14h-18h, oct-mars tlj 10h30-12h30 et 14h-17h sauf mar et les matins de sam-dim). Situé sur un promontoire rocheux au cœur de la ville, le château semble toujours dominer cette dernière de sa toute-puissance. On le découvre après avoir emprunté d'étroites ruelles chargées d'histoire (voir ci-après) et débouchant sur son esplanade actuelle. Tel qu'on peut le voir aujourd'hui, le château a été successivement remanié et agrandi jusqu'à la fin du XVIe siècle. Il s'agit d'un remarquable ensemble défensif de forme triangulaire qui a accueilli le Parlement de Bretagne lors des épidémies de peste au XVIe siècle. Avant de pénétrer dans la place forte par le pont-levis à contrepoids, on remarquera la composition du châtelet et ses deux tours du XIIIe siècle, bâtis en moellons de schiste. Seules les tours Saint-Laurent, de l'Argenterie et de l'Oratoire se visitent. Elles accueillent le **musée du Château de Vitré**, fraîchement repensé. La tour Saint-Laurent, la plus grosse, qui faisait office de donjon, remonte au début du XVe siècle. Elle abrite la partie la plus intéressante du musée, de la salle dédiée aux Marchands d'Outre-Mer au chemin de ronde offrant de magnifiques vues sur Vitré. Dans la cour d'honneur se trouvent un portail roman en granit roux et schiste noir, un logis néogothique orné de mâchicoulis et de gargouilles ponctuant de façon fantaisiste la petite tour (bâtiments municipaux), et la façade gothique du châtelet, pourvue de corbeaux qui soutenaient une galerie de bois. La tour de la Madeleine, du XVe siècle, est prolongée par la tour de Montafilant, du XIIIe siècle. La tour de l'Oratoire présente une remarquable loggia exagérément sculptée, de style Renaissance, bâtie en tuffeau.

Demeures anciennes Patrimoine

Quelque 75 maisons à pans de bois – dont certaines ont été crépies –, disséminées dans le centre ancien, sont l'un des éléments les plus caractéristiques du patrimoine vitréen. Elles ont été construites pour la plupart

Château des Rochers-Sévigné (ci-contre)

HERVÉ MILON ©

au cours du XVIIe siècle, et certaines sont élégamment revêtues d'un parement d'ardoise. La rue d'En-Bas, axe historique par lequel transitaient les personnes et les marchandises, est jalonnée de nombreuses habitations de caractère.

Au n°30 se tient l'**hôtel de la porte d'En-Bas**, de style gothique, bâti aux XVe et XVIIIe siècles (on remarquera sur le côté un mur coupe-feu édifié en pierre). Échoppes, pierres d'étal, pigeâtres décorés et pans de bois moulurés agrémentent les autres maisons anciennes de la rue, parfois coiffées de toitures à coyau. On verra au coin des rues les pierres "écarte-charrettes" qui servaient à protéger les façades.

L'**hôtel de la Butte Dorée**, au n°20 de la rue d'En-Bas, a été édifié au XVIe siècle. Son étroite façade, dite pignon sur rue, permettait de limiter le coût de l'impôt. La ruelle de la Butte-Dorée donne la profondeur de la maison, parée de nombreuses fenêtres à meneaux. L'hôtel particulier du n°13, caractérisé par deux petits pavillons, remonte au XVIIe siècle.

Au n°12 se dresse l'**hôtel du Bol d'Or**, datant de la fin du XVe siècle. Bâti en pierre, il arbore un escalier extérieur et trois toitures différentes parées de motifs. La rue de la Baudrairie, dont le nom rappelle les artisans qui travaillaient le cuir, présente de grandes maisons à encorbellements qui les font se rapprocher et parfois s'épauler.

L'**hôtel de Ringues de La Troussannais** est une demeure de caractère édifiée en équerre, remontant au XVIe siècle. Remaniée aux XVIIIe, XIXe et XXe siècles, elle est agrémentée de lucarnes décorées, de pilastres élevés et de modillons.

Si vous aimez... les châteaux

Si vous aimez les châteaux aux allures de forteresse comme ceux de Fougères (p. 68) et de Vitré (p. 70), aux accents littéraires comme celui de Combourg (p. 66) ou encore celui de Caradeuc (p. 63), célébré pour son jardin, découvrez également :

1 SAINT-BRIAC-SUR-MER

Du port de cette station balnéaire, profitez d'une vue superbe sur la presqu'île de Nessay et son château de la fin du XIXe siècle. La ligne 16 des cars Illenoo (www.illenoo-services.fr) relie Saint-Malo à Saint-Briac-sur-Mer.

2 CHÂTEAU DES ROCHERS-SÉVIGNÉ

À 6 km au sud de Vitré, ce joli **manoir** (**02 99 75 04 54 ; tarif plein/réduit 4/2,50 € ; avr-sept tlj 10h-12h30 et 14h-18h)** du XVe siècle fut la demeure favorite de la marquise de Sévigné.

3 CHÂTEAU DE LA BALLUE

Une belle **propriété** (02 99 97 47 86 ; www.laballuejardin.com ; adulte/enfant 9,50/7,50 €, gratuit -10 ans ; mi-mars à mi-nov 10h-18h30) privée des XVIIe et XVIIIe siècles , à 3 km au nord-est de Bazouges-la-Pérouse, qui mérite une visite pour ses magnifiques jardins à la française.

4 CHÂTEAUGIRON

Découvrez son **château** (visites guidées adulte/enfant 3/2 €, gratuit -6 ans ; juil-août tlj 14h et 16h), fondé au XIIe siècle, et ses maisons à colombages.

Quartier du Rachapt

Ancien faubourg

Ancien faubourg des déshérités de Vitré, mais aussi des tanneurs et des artisans, la rue du Rachapt, qui mène à la rive droite de la Vilaine, intéressera les amateurs de patrimoine. Installé dans la chapelle du même nom, le **musée Saint-Nicolas** (**02 99 75 04 54 ; rue du Rachapt ; tarif plein/réduit 4/2,50 € ; mai-sept 10h-12h45 et 14h-18h tlj, oct-avril 10h-12h15 et 14h-17h30, fermé mardi et dim matin)** met l'accent sur l'art sacré. En haut de la rue se dresse la chapelle des Trois-Maries, petit édifice de plan rectangulaire relevé au XVIIIe siècle. Un lavoir de forme courbe borde la Vilaine dans le bas du quartier.

Église Notre-Dame Gothique flamboyant

L'église actuelle, de style gothique flamboyant, fut construite aux XVe et XVIe siècles, en grès de Vitré. Le sanctuaire se distingue par sa **chaire à prêcher extérieure**, accolée à un contrefort sud au XVIe siècle, et par sa décoration. La chaire de style gothique est ornée de deux têtes sculptées, l'une représentant la gourmandise et l'autre la luxure. Les inscriptions portées sur les contreforts sont dues aux riches marchands vitréens ayant financé la construction de l'église. En sortant, faites quelques pas dans le **jardin des Bénédictins** pour apprécier le panorama de la Vilaine et du pays vitréen.

Où se loger et se restaurer

Minotel Hôtel €

(02 99 75 11 11 ; www.leminotel.fr ; 47 rue Poterie ; s/d/tr/f 50/60-70/74/78-82 € ; tte l'année ;). Idéalement placé au cœur de la vieille ville, cet hôtel deux étoiles installé dans une haute maison en pierre et tout juste rénové est une affaire ! Chambres sur lino imitation parquet ou sur moquette arborant des teintes naturelles impeccables. Toutes sont pourvues d'une baignoire, sauf une chambre triple, la seule à ne pas avoir été modernisée, et occasionnellement louée en chambre double. Les variations de prix sont fonction de la spaciosité des chambres. Entrée et bar avec salle parquettée pour prendre le petit-déjeuner. Terrasse sur la rue. Le bar ferme à 21h.

Le Potager de Louise Terroir au goût du jour **€€**

(02 99 74 68 88 ; www.lepotagerdelouise.com ; 5 pl. du Général-Leclerc ; formules midi 11,70-15,50 €, menus 19,50-33,10 € ; fermé dim et lun). Cette adresse du centre-ville fait l'unanimité grâce à sa cuisine du terroir goûteuse et fine : carpaccio de lotte, pommes de ris de veau aux girolles fraîches, millefeuille aux fraises-crème pistache... Excellent rapport qualité/prix et très belle salle lumineuse aux couleurs douces sur parquet. Clientèle d'habitués.

Renseignements

Office du tourisme (02 99 75 04 46 ; www.ot-vitre.fr ; pl. du Général-de-Gaulle). Installé devant la gare, à l'entrée de la vieille ville, il délivre un plan (0,50 €) légendé et commenté qui permet de découvrir les sites et les rues les plus remarquables de Vitré. Des **visites guidées** (adulte/12-18 ans 6/3 €, gratuit -12 ans) de la ville sont organisées tous les jours en juillet-août à 15h, ainsi que des visites nocturnes parfois les vendredi et samedi (sur réservation). En mai, juin et septembre les horaires sont les mêmes, mais les dates varient.

SAINT-MALO (SANT-MALOÙ)

Lors de son passage à Saint-Malo en 1847, Gustave Flaubert écrit : "Dans l'intérieur de la ville vous passez par de petites rues tortueuses, entre des maisons hautes, le long de sales boutiques de voiliers ou de marchands de morue [...]. Ça sent Terre-Neuve et la viande salée, l'odeur rance des longs voyages." Les parfums malodorants ont depuis disparu, mais l'attrait de la mer et la mémoire des remparts font toujours de Saint-Malo un endroit unique.

"Malouin d'abord, Breton peut-être, Français s'il en reste" : cette devise résume bien l'histoire de la cité corsaire. Évangélisée par un moine gallois (Malo, Maclow ou Maclou en 541), la ville se fortifie pour se protéger des invasions normandes et anglaises. Son rattachement à la France dès 1395 marque le début de sa prospérité. Elle devient alors l'un des principaux ports du royaume : l'acheminement d'armes à Terre-Neuve, le commerce de la toile et la pêche à la morue sont florissants. Mais Saint-Malo est aussi connue à travers le monde par ses habitants. Le plus célèbre d'entre eux, Jacques Cartier, découvre le Canada en 1534. Citons aussi René Duguay-Trouin qui s'empare en 1711 de Rio, Bertrand-François Mahé de La Bourdonnais qui colonise l'archipel des Mascareignes (Madagascar, Réunion, Maurice...), Robert Surcouf, le plus célèbre des corsaires français, sans oublier l'écrivain François-René de Chateaubriand.

Saint-Malo intra-muros

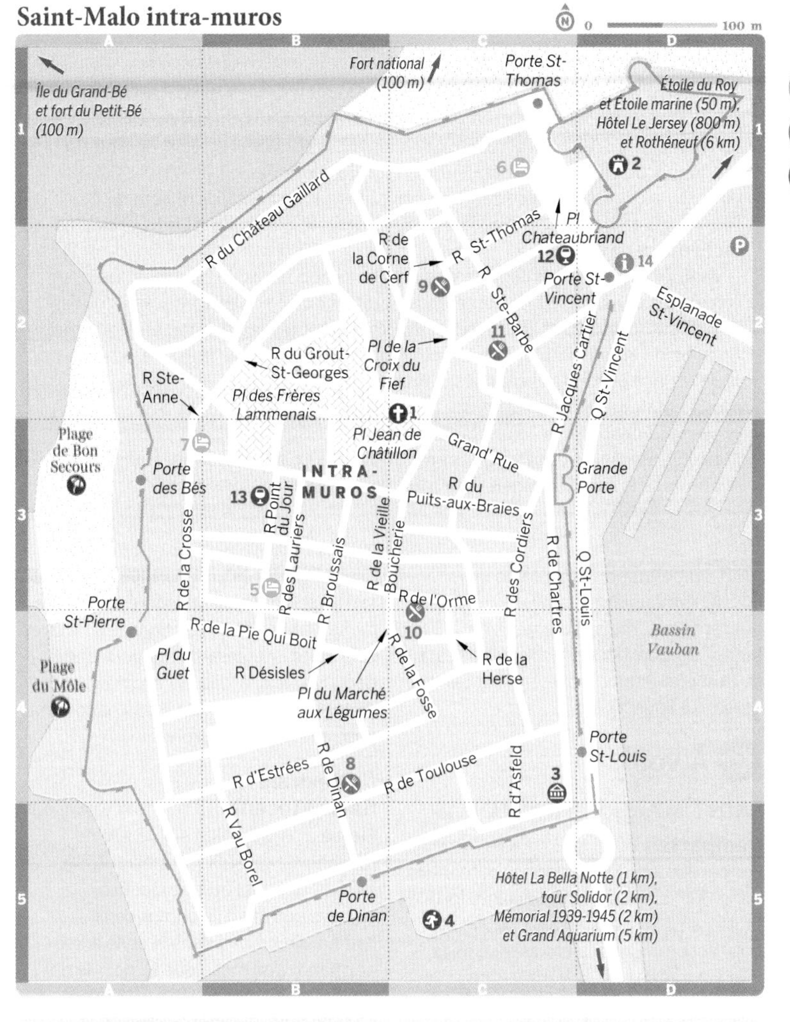

Saint-Malo intra-muros

À voir

1 Cathédrale Saint-Vincent C2
2 Château D1
3 La Demeure de Corsaire – Hôtel d'Asfeld C4

Activités

4 Compagnie Corsaire C5

Où se loger

5 Chambres d'hôtes AccrocheCoeur B3
6 Hôtel France et Chateaubriand C1
7 Hôtel San Pedro A3

Où se restaurer

8 Le Bistrot du Rocher B4
9 Le Chalut C2
10 Le Comptoir Breizh Café C4
11 Tanpopo C2

Où prendre un verre

12 Bar de l'Univers C2
13 L'Aviso B3

Renseignements

14 Office du tourisme D2

Histoire d'un port

À la fin du XVIIe siècle, le port de Saint-Malo était le plus important de France grâce à la pêche à la morue sur les bancs de Terre-Neuve, ainsi qu'aux négoces de fourrure, de toile et de métaux précieux. Les corsaires avaient obtenu du roi de tels privilèges qu'ils étaient devenus les hommes les plus riches de la ville. On partait vers l'Amérique du Sud, les Indes orientales, le Yémen, que l'on appelait encore l'"Arabie heureuse". L'activité était débordante, et la ville tout entière enviée.

Aujourd'hui, avec seulement deux millions de tonnes de marchandises échangées dans le port de commerce, Saint-Malo ne se situe plus, malgré des importations massives d'engrais et de bois, qu'au troisième rang en Bretagne. Il est bridé en particulier par sa proximité avec la ville, ce qui l'empêche de recevoir des produits chimiques. Dans la tradition de la grande pêche, la société malouine Compagnie des pêches exploite toujours deux bateaux, au large de l'Islande pour le merlan bleu, et vers le Spitzberg pour le cabillaud. Mais la criée ne résonne plus comme autrefois. Le port de Saint-Malo reste néanmoins le lieu de transit d'un million de passagers tous les ans.

La dénomination Saint-Malo inclut non seulement la vieille ville, à l'intérieur des remparts, mais également, entre autres, les quartiers de Paramé (à l'est), de Rothéneuf (au nord-est) et de Saint-Servan (à l'ouest).

À voir

SAINT-MALO INTRA-MUROS

Remparts Patrimoine

Les parties les plus anciennes datent des XIIe et XIIIe siècles, mais l'enceinte fortifiée fut largement modifiée au XVIIe siècle, pour accompagner la croissance de la ville. Épargnée par les bombardements alliés de 1944, elle permet de faire le tour de la vieille ville sur 2 km environ. La visite débute habituellement à partir de la porte Saint-Vincent (1709), qui marque l'entrée principale de la vieille ville, et longe les remparts dans le sens des aiguilles d'une montre jusqu'à la porte Saint-Thomas.

Château Histoire et patrimoine

Cet édifice, construit entre le XVIe et le XVIIIe siècle, abrite le **musée d'Histoire de la ville** (**02 99 40 71 57 ; www.ville-saint-malo.fr/culture/les-musees ; tarif plein/réduit 6/3 €, billet combiné avec le musée du Long-Cours cap-hornier de la tour Solidor ; avr-sept tlj 10h-12h30 et 14h-18h, oct-mars 10h-12h et 14h-18h sauf lun et jours fériés**) consacré à l'histoire de Saint-Malo et de ses hommes illustres. Une visite intéressante qui permet de découvrir le château, notamment les 4 étages de son donjon. Beau panorama depuis le chemin de ronde.

Cathédrale Saint-Vincent Patrimoine religieux

Élevée à partir du XIIe siècle, elle ne fut achevée qu'au XVIIIe siècle. Après 1238 et l'exil de l'évêque Geoffroy en pays normand, le chœur de la cathédrale fut bâti dans le style anglo-normand. Une mosaïque témoigne du lieu où le navigateur Jacques Cartier s'est agenouillé avant sa deuxième expédition vers le Canada, le 16 mai 1535. Au XIXe siècle, Napoléon III offrit à l'édifice une flèche néogothique qui fut détruite lors des bombardements alliés d'août 1944. Seules la chaire et les stalles du XVIIe siècle résistèrent à l'incendie. La flèche a été restaurée et remontée en 1971 en haut du bâtiment.

La Demeure de Corsaire – Hôtel d'Asfeld Histoire au long cours

(**02 99 56 09 40 ; www.demeure-de-corsaire.com ; 5 rue d'Asfeld ; adulte/7-12 ans**

Remparts de Saint-Malo
SIMON GREENWOOD/LONELY PLANET IMAGES ©

5,50/4,50 € ; juil-août et vacances scolaires tlj sauf dim matin 10h-11h30 et 14h30-17h30, hors saison visite à 15h sauf lun, fermé déc-jan). L'hôtel Magon-Asfeld – l'une des rares demeures à avoir échappé au bombardement de 1944 – appartenait à Magon de la Lande, l'un des directeurs de la Compagnie des Indes orientales au XVIIIe siècle. Dotée de plus de 50 pièces, cette authentique maison de corsaire se visite aujourd'hui (comptez 1 heure 15) au rythme des explications des propriétaires.

Tombe de Chateaubriand Romantisme

C'est sur l'île du Grand Bé que repose François-René de Chateaubriand (1768-1848), natif de Saint-Malo, enterré debout afin de pouvoir regarder la mer éternellement. L'endroit est sobre : une croix en granit, une sépulture sans nom et une plaque sur laquelle on peut lire : "Un grand écrivain français a voulu se reposer ici pour n'y entendre que la mer et le vent. Passant, respecte sa dernière volonté."

Fort national Patrimoine

(06 72 46 66 26 ; www.fortnational.com ; adulte/6-16 ans 5/3 €, visite guidée 35 min ; juin-sept, vac de Pâques et jours fériés, horaires variables selon marées). Sur la plage, face au château, ce monument, construit dès 1689 par Vauban et Garangeau, et ressemblant à un navire de guerre, résista à de nombreuses attaques à travers le temps. Le fort n'est accessible qu'à marée basse et n'est ouvert que lorsque le drapeau français est hissé !

Étoile du Roy Frégate corsaire

(02 99 40 48 72 ; www.etoile-marine.com ; 41 quai Dugay-Trouin, adulte/enfant 6/3 € ; variable). Ne manquez pas la visite de ce 3 mâts, réplique d'une frégate corsaire du XVIIIe siècle, s'il est à quai et ouvert au public : ce musée flottant part souvent en représentation et n'est pas toujours à son port d'attache. Renseignez-vous auprès de l'office du tourisme. Sorties en mer également (voir p. 77).

SAINT-SERVAN-SUR-MER ET SUD DE SAINT-MALO

Tour Solidor Musée

L'ensemble formé par la tour Solidor et l'anse et le port éponyme qu'elle ferme offre une image de carte postale. Construite en 1382, puis restaurée au XVIIe siècle, elle domine l'estuaire de la Rance. Autrefois utilisée comme prison, elle accueille aujourd'hui le **musée du Long-Cours cap-hornier** (**02 99 40 71 58 ; tarif plein/réduit 6/3 €, billet combiné avec le musée d'Histoire de la ville du château ; avr-sept tlj 10h-12h30 et 14h-18h, oct-mars mar-dim sauf jours fériés 10h-12h et 14h-18h)**. Ce dernier, un peu daté, se compose d'une galerie de portraits des grands navigateurs depuis le XVIe siècle et des témoignages de leurs

Petit mais costaud

Saint-Malo se protégeait des invasions anglaises derrière ses remparts mais également grâce à ses 4 forts construits sur des îlots tels des bastions sur la mer. Le plus proche est le fort national (appelé fort de l'Islet). Viennent ensuite le fort de la Conchée, le fort de l'île Harbour et enfin le **fort du Petit-Bé** (**06 08 27 51 20 ; www.petit-be.com ; adulte/enfant 5/3 €**). Ce dernier a été racheté en 1999 par un particulier passionné qui organise des visites de 30 minutes. Pour signaler sa présence et les heures de visite, le propriétaire hisse un pavillon ; mais il sera toujours préférable de téléphoner auparavant ! Accès à pied ou en navette gratuite entre la cale des Bés et la plage du Petit-Bé.

aventures. Le panorama offert au sommet de la tour Solidor est magnifique.

Mémorial 1939-1945 Blockhaus

(**02 99 82 41 74 ; fort de la cité d'Alet ; tarif plein/réduit 6/3 € ; juil-août tlj, visite guidée uniquement 10h15, 11h, 14h, 15h, 16h et 17h, avr-juin et sept tlj sauf lun 14h30, 15h15 et 16h30, 10h également en juin et sept, fermé nov-mars**). Ouvert à l'occasion du 50e anniversaire du débarquement allié, ce mémorial, installé dans un blockhaus allemand à l'intérieur même du fort de la cité d'Alet, propose, sur 500 m², des photographies, des objets et un film historique, *La Bataille de Saint-Malo* (45 min), consacré à la période de la Seconde Guerre mondiale.

Grand Aquarium de Saint-Malo Aquarium

(**02 99 21 19 00 ; www.aquarium-st-malo.com ; av. du Général-Patton ; adulte/4-12 ans 16/12 € ; juil-août 9h30-20h ou 21h, jan-mars et oct-déc 10h-18h, avr-juin et sept 10h-19h**). Situé à la périphérie de Saint-Malo, à La Ville-Jouan, cet imposant complexe moderne, tout en acier, présente le monde marin dans sa plus grande diversité à travers de multiples galeries et aquariums où évoluent de nombreuses espèces aquatiques des mers froides ou chaudes. L'Anneau des mers, un gigantesque aquarium circulaire, sert d'habitat à des mérous géants, des tortues et des requins. Pour la séquence grands frissons, descendez à bord du "sous-marin" Nautibus, en hommage au monde de Jules Verne, pour une plongée abyssale à la rencontre de plus de 5 000 poissons...

ROTHÉNEUF

Manoir Jacques-Cartier Demeure historique

(**02 99 40 97 73 ; www.musee-jacques-cartier.fr ; rue David-MacDonald-Stewart ; adulte/+8 ans et étudiant 6/3 €, -8 ans gratuit ; tlj juil-août 10h-11h30 et 14h-30-18h , lun-sam sept-juin sauf jours fériés**). Le manoir de Limoëlou, ancienne demeure de celui qui a découvert le Canada en 1534, était une ferme au XVe siècle – elle retrouva sa vocation première à partir du XVIIe siècle, et ce jusqu'en 1978. Les lieux, admirablement rénovés, évoquent aujourd'hui la vie quotidienne au XVIe siècle et offrent un regard particulier sur les voyages du grand navigateur. Hors saison, des visites sont organisées à 10h et à 15h, ainsi que sur réservation. Une projection multimédia complète la visite.

Rochers sculptés Curiosité

(**02 99 56 23 95 ; www.lesrocherssculptes.com ; 4 chemin des Rochers-Sculptés ; 2,50 €/gratuit -10 ans ; juin-sept 9h-19h, 10h-12h et 14h-18h le reste de l'année, fermé le mer en dehors des vacances scolaires**). Si leur histoire est plus saisissante que les rochers en eux-mêmes, le site sur lequel ils s'installent, en surplomb de la mer, n'en demeure pas moins très beau. L'abbé Fouré (1839-1910), jeune recteur de Paimpol, fut victime d'une maladie qui le laissa sourd et muet. Pendant 25 ans, tous les matins, les gens du village virent la silhouette de l'ermite, comme on l'appelait à cette époque, se diriger vers le bord de mer pour sculpter le granit et composer, sur plus de 500 m², un ensemble de portraits et de scènes.

Saint-Malo et la plage de Bon-Secours (ci-dessous), vus depuis le fort du Grand-Bé

SIMON GREENWOOD/LONELY PLANET IMAGES ©

Il semblerait qu'il se soit inspiré des membres d'une vieille famille locale, les Rothéneuf. Quoi qu'il en soit, l'œuvre de l'abbé, réalisée avec ses seuls marteau et burin, résiste depuis plus d'un siècle au temps et à la mer. En plus de ses contemporains, les thèmes des saints et des légendes, de la colonisation et de Jacques Cartier ont été ses sources d'inspiration. Aujourd'hui, les rochers sont situés sur une propriété privée.

Activités

EXCURSIONS EN BATEAU

L'**Étoile Marine** (**☎ 02 99 40 48 72, 06 77 08 62 54 ; www.etoile-marine.com ; 41 quai Dugay-Trouin ; 35 € la demi-journée, 80 € la journée ; ⏲ tte l'année)** gère, entre autres, *Le Renard*, la réplique du dernier navire de Surcouf (1812). On peut participer aux manœuvres.

La **Compagnie Corsaire** (**☎ 0825 138 100 ; www.compagniecorsaire.com ; gare maritime de la Bourse ; ⏲ tte l'année)** permet de rejoindre Dinard en bus de mer (10 min) et également d'effectuer des excursions vers le cap Fréhel ou la pointe du Grouin (voir encadré p. 79). L'embarcadère se trouve sur la cale de Dinan, face à la porte du même nom.

PLAGES

Vous aurez l'embarras du choix pour vous baigner à Saint-Malo. L'immense **plage du Sillon** est la plus connue. Pour les plus petits, vous trouverez un club à la **plage de la Hoguette** (Surf School), qui prolonge la précédente vers l'est. La SNBSM propose également en été des activités pour les enfants à partir de 6 ans sur 2 sites. Les plages au pied des remparts (plages de l'Éventail, de Bon-Secours et du Môle) sont très fréquentées. Si la **plage de l'Éventail** ne doit pas son nom au hasard, la **plage du Môle** est, au contraire, bien abritée et fait le bonheur des culottes courtes en vacances. La **plage de Bon-Secours**, plébiscitée par la jeunesse du coin (adolescente, étudiante ou en colo dans la région), dispose d'une piscine d'eau de mer sur la plage. La **plage des Bas-Sablons**, à Saint-Servan, est agréable et abritée. Le sable est fin et doux, mais gare aux bouts de verre. Il est interdit de se baigner dans l'anse Solidor.

Vers les îles Anglo-Normandes

Les îles de l'archipel Normand sont à moins de 2 heures de Saint-Malo... Option peu romantique mais rapide, **Condor Ferries** (02 99 0825 135 135 ; www.condorferries.fr ; terminal ferry du Naye ; tte l'année) dessert Jersey et Guernesey, mais également Poole, Weymouth et Portsmouth. N'oubliez pas d'emporter votre carte d'identité ou votre passeport.

En voiture, on peut se rendre sur les plages entre la **pointe du Meinga** et la **pointe du Grouin**. Elles sont plus sauvages, et toutes plus sublimes les unes que les autres. En pleine saison, le parking est difficile d'accès. Il faut trouver une place le long de la route et la marche pour accéder aux plages peut être dangereuse avec des enfants. La **plage des Chevrets** (pointe du Meinga, accessible par La Guimorais) est une plage naturiste, autorisée par la municipalité.

THALASSOTHÉRAPIE

Saint-Malo abrite le plus ancien centre de thalassothérapie de France, les **Thermes marins** (02 99 40 75 00 ; www.thalassotherapie.com ; grande plage du Sillon). Si le bâtiment principal date de 1867, il faut se souvenir qu'au XIXe siècle des chaudières roulantes permettaient aux vacanciers de prendre des bains d'eau chaude dans de grands bacs. Aujourd'hui, les Thermes marins accueillent chaque année près de 27 000 curistes. L'espace soin représente 5 000 m² et on compte plusieurs hôtels (dont le Grand Hôtel des Thermes) et restaurants. Vous pouvez profiter des soins sans être hébergé aux Thermes (comptez de 80 à 165 € le soin).

Où se loger

Hôtel San Pedro Intra-muros €
(02 99 40 88 57 ; www.sanpedro-hotel.com ; 1 rue Sainte-Anne ; s/d 53-69/66-83 selon ch et saison ; fermé déc-jan). Une bonne option économique intra-muros que ce petit hôtel tout simple à deux pas de la plage de Bon-Secours. Un escalier étroit mène aux 12 chambres, tout aussi exiguës, mais lumineuses et bien entretenues. Certaines ont vue sur la mer.

Hôtel La Bella Notte Saint-Servan €
(02 99 81 60 55 ; myrtilledelorme@hotmail.fr ; 8 rue Godard ; d 75-82 € selon ch et saison ; tte l'année ;). Une très belle adresse au cœur de Saint-Servan et de sa vie de quartier. Ce petit hôtel fraîchement repris et entièrement rénové est l'un des meilleurs rapports qualité/prix de Saint-Malo. Les chambres, petites mais pimpantes, affichent une décoration identique, dans les bleu turquoise. Certaines donnent sur la rue, d'autres sur le petit patio herbeux. L'adresse se double d'un restaurant haut de gamme, **O'Tour des Délices**, un nouveau venu faisant la part belle au sucré-salé.

Hôtel Le Jersey Plage du Sillon €€
(02 99 56 10 41 ; www.antineahotel.com ; 53 chaussée du Sillon ; d sans/avec vue 68-119/82-161 € ; tte l'année ; P). L'une des options les plus économiques donnant sur la plage du Sillon, cet hôtel deux étoiles de 19 chambres, qui offre de jolies vues sur la mer, vient d'être en grande partie rénové. Et c'est une réussite. Chambres petites et simples, mais impeccables. Demandez-en une rénovée.

Chambres d'hôtes AccrocheCœur Intra-muros €€€
(02 99 40 43 63, 06 07 10 80 22 ; www.accrochecoeursaintmalo.fr ; 9 rue Thévenard ; d 88-145 €, suite 190-240 € selon ch et saison ; tte l'année). Authentique maison de corsaire du XVIIe siècle, intra-muros, mais au calme d'une ruelle. Rachetée en 2011 suite à un coup de cœur, les nouveaux propriétaires ont rénové, avec beaucoup de goût, ce qui était alors devenu un

Le bonheur est dans le port

La Compagnie Corsaire (voir p. 77) propose différentes excursions en bateau au départ de Saint-Malo (ainsi que de Dinard ; comptez 10 minutes de plus sur l'horaire). La plupart des liaisons sont actives de Pâques à début novembre.

- **Dinard** 10 minutes de traversée, départ toutes les 40 minutes ; adulte/enfant 7,50/4,90 €.
- **La côte ouest** Vers le cap Fréhel et le Fort-la-Latte, 2 heures 30 ; adulte/enfant 30,30/18,20 €.
- **La côte est** Pointe du Grouin et baie de Cancale, 2 heures 30 ; adulte/enfant 30,30/18,20 €.
- **Îles Chausey** Départ le matin et retour l'après-midi ; adulte/enfant 33,70/20,20 €.
- **Dinan et la rivière de la Rance** Traversée 2 heures 45, retour en bus ou en bateau ; adulte/enfant 32,50/19,50 €.
- **Baie de Saint-Malo** Traversée de 1 heure 30 ; adulte/enfant 20,50/12,30 €.
- **Île de Cézembre** Traversée de 20 minutes ; adulte/enfant 15/9 €.

hôtel pour constituer ces chambres d'hôtes haut de gamme, les seules de la vieille ville. Du sol au plafond et au gré des 5 chambres, sobres et chics, vous découvrirez la marque des charpentiers de marine. Un lieu chargé d'histoire. Très belles sdb.

Hôtel France et Chateaubriand Intra-muros €€€

(☎02 99 56 66 52 ; www.hotel-fr-chateaubriand.com ; 12 pl. Chateaubriand ; d 60-205 € ; ⌚tte l'année). C'est un peu un hommage rendu à l'écrivain lorsqu'on séjourne ici. Et pour cause : François-René de Chateaubriand y est né le 4 septembre 1768. De l'hôtel, de même que dans la brasserie qui prend place dans un superbe bistrot d'époque Napoléon III, émerge une indéfinissable sensation de temps suspendu. Les chambres, toutes catégories confondues, dispersées dans différentes ailes, sont belles et cossues. La brasserie ne valant le détour que pour son cadre, préférez-y prendre un verre plutôt que d'y déjeuner. Également un restaurant panoramique à l'étage.

Où se restaurer

Le Comptoir Breizh Café Crêperie €

(☎02 99 56 96 08 ; www.breizhcafe.com ; 6 rue de l'Orme ; galettes 4,50-14,50 €, crêpes 3,80-7,50 € ; ⌚fermé lun-mar hors saison). Après Cancale, Tokyo et Paris, c'est à Saint-Malo que Bertrand Larcher a implanté son concept de crêperie japonisante. Que les galettes s'y dégustent en *rolls* ou de manière traditionnelle, les bons produits du terroir breton sont à l'honneur, du beurre Bordier aux épices Roellinger. Nombre de table limité, mais quantité de places au comptoir avec vue sur les cuisiniers à l'œuvre.

Le Bistrot du Rocher Bistrot-gastro €€

(☎02 99 40 82 05 ; 19 rue de Toulouse ; menu déj 18 €, plats 17-25 € ; ⌚mar-dim midi et soir). Voici la nouvelle bonne adresse de Saint-Malo ! Les anciens propriétaires du restaurant gastronomique Les Carmes, à Rennes, ont migré à Saint-Malo et ouvert ce bistrot pour revenir à leurs fondamentaux : confectionner une cuisine de marché goûteuse et abordable. Excellent.

Tanpopo Japonais €€€
(02 99 40 87 53 ; www.tanpopo-stmalo.fr ; 5 pl. de la Poissonnerie ; menu déj 21 €, menu unique du soir 41 € ; fermé lun, mar midi, sam midi et le midi les jours fériés). La cuisine y est aussi délicate que son nom ("fleur de pissenlit", en japonais). Un couple franco-japonais propose dans un cadre zen une cuisine japonaise traditionnelle et créative, à base de produits du marché. L'adresse n'est pas donnée, mais le voyage culinaire vaut le détour. Formule plus abordable le midi (formule bento complète : boîte de 4 compartiments avec riz, soupe et dessert) mais resto limité à 10 couverts : réservation impérative.

Le Chalut Traditionnel €€€
(02 99 56 71 58 ; 8 rue de la Corne-de-Cerf ; formule semaine 28 €, menus 28-78 € ; fermé lun-mar). L'une des adresses les plus courues de Saint-Malo. On vient ici surtout pour les plats de poissons et de crustacés, hyperfrais et merveilleusement cuits. Réservation indispensable.

Où prendre un verre

Bar de l'Univers Intra-muros
(02 99 40 89 52 ; pl. de Chateaubriand ; tlj 8h-2h en saison, 9h à minuit-1h hors saison). Un bar emblématique de Saint-Malo où tous les marins de France et d'ailleurs ont dû un jour s'accouder. Depuis qu'une terrasse y a été ajoutée, l'endroit a vu sa population quelque peu changer. S'il est désormais un peu moins "typique", le bar n'en demeure pas moins un incontournable de la ville.

L'Aviso Bières et cocktails
(02 99 40 99 08 ; 12 rue du Point-du-Jour ; juil-août tlj 18h-3h, hors saison tlj 17h-2h). Le paradis des amateurs de bières (on en dénombre plus de 300) servies au son du jazz et de la salsa. Cocktails également.

Achats

Jean-Yves Bordier Beurre et fromages
(02 99 40 88 79 ; www.lebeurrebordier.com ; 9 rue de l'Orme). Cette fromagerie réputée produit un beurre de baratte fameux... Vous y trouverez également ses déclinaisons (demi-sel, sel fumé, algues, piment d'Espelette, vanille de Madagascar etc.), ainsi qu'un Bistro Autour du Beurre qui s'atelle à en exprimer toutes les saveurs. Une seconde fromagerie Bordier se trouve avenue du Révérend-Père-Umbricht.

Les malouinières

C'est entre 1650 et 1730, époque prospère du pays malouin, que la plupart de ces maisons appelées "malouinières" ou "vide-bouteilles" furent construites. Elles servaient de résidences secondaires aux riches armateurs et corsaires malouins et permettaient d'échapper un temps à la cité corsaire. Les malouinières sont, avant tout, des "maisons des champs" qui servaient de lieu de villégiature et de réception, de poste (toutes ces demeures étaient dotées de pigeonniers qui permettaient de communiquer avec les différents ports de France) et de jardin, dont les produits étaient rapportés à Saint-Malo intra-muros.

Une centaine sont encore debout ; les plus connues – la celle du **Montmarin** (www.domaine-du-montmarin.com ; Pleurtuit), de la **Ville-Bague** (www.la-ville-bague.com ; Saint-Coulomb), du **Bos** (www.le-bos.fr ; Quelmer, Saint-Malo), du **Puits-Sauvage** (lepuitssauvage.blogspot.fr ; Saint-Malo)... – sont situées dans un rayon de 12 km autour de Saint-Malo, distance moyenne parcourue en 2 heures par un cavalier. Sauf très rares exceptions, les malouinières ne devaient surtout pas offrir de vue sur la mer. L'**office du tourisme de Saint-Coulomb** (02 99 56 12 19 ; pl. de l'Église) fournit gratuitement les plans de 5 circuits à vélo permettant de les découvrir.

Malouinière de la Ville-Bague, à Saint-Coulomb (ci-contre)

HERVÉ MILON ©

Renseignements

Office du tourisme (☎ 0825 135 200, 0,15 €/min ; www.saint-malo-tourisme.com ; esplanade Saint-Vincent ;). Situé hors les murs, face à la porte Saint-Vincent, près du port, il propose des visites guidées de la ville intra-muros (6 € ; à partir de 12 ans), des brochures et des plans des différents quartiers de Saint-Malo. Pour découvrir la ville et les remparts en vous amusant avec vos enfants, achetez le *Carnet de bord du petit corsaire* (1,50 €).

La Demeure de Corsaire – Hôtel d'Asfeld (voir p. 74 ; 12 € pour 2 heures de visite environ). Loue des audioguides pour visiter la ville.

Depuis/vers Saint-Malo

La gare TGV (rue Moka-Marville) est située à environ 2 km des remparts (20 minutes à pied).

Comment circuler

Vélo

Ty Boost (☎ 02 99 56 47 18 ; 49 quai Duguay-Trouin ; mar-sam 9h-12h et 14h-19h) loue vélos et scooters. Comptez 12 € la journée pour un vélo et 30 à 60 € pour un scooter. Au bout du quai Duguay-Trouin, à l'est des remparts.

Voiture

Un conseil : laissez votre véhicule au parking Paul-Féval (3,30 €/jour) qui se trouve à environ 4 km de la ville intra-muros. Une navette gratuite (15 min) vous déposera devant les remparts.

Il existe aussi des parkings situés à proximité des principales portes de la ville dont un vaste parking souterrain sous l'esplanade Saint-Vincent ; tarifs exorbitants.

DINARD (DINARZH)

Elle est parfois appelée la "Nice du Nord", car, à son instar, les premiers touristes venus s'étendre sur ses plages étaient britanniques. Elle partage aussi avec d'autres villes chics du littoral un nombre incroyable de maisons de vacances qui, pour certaines, ont des allures de petits châteaux. Dinard a connu entre les deux guerres une période faste lorsqu'on y comptabilisait quelque 100 hôtels et 4 casinos. Elle fut même la coqueluche des têtes couronnées européennes et des aristocrates anglais. Le **Festival du film britannique de Dinard** (festivaldufilm-dinard.com), tous les ans au mois d'octobre, fait écho à ce prestigieux passé.

À voir

Le charme de Dinard tient à son ambiance Belle Époque, où les réminiscences du Second Empire sont encore perceptibles. Lieu de villégiature depuis le XIXe siècle, la ville présente une physionomie particulière, comparable à celle de La Baule ou de Pornichet, en Loire-Atlantique, ou à celle de Biarritz dont Dinard serait la petite sœur. Les quartiers balnéaires offrent l'occasion d'une plongée dans le passé, avec des visions étonnantes. Il faut impérativement flâner du côté de la **pointe de la Malouine** et de la **pointe du Moulinet**, qui encadrent la **plage de l'Écluse**, et se laisser impressionner par les villas balnéaires à l'architecture si exubérante, juchées sur ces deux éperons rocheux qui se font face.

Pour découvrir quelques-unes de ces 400 superbes demeures, suivez l'un des 7 "circuits découverte" proposés par la ville de Dinard et très bien conçus (itinéraires disponibles à l'office du tourisme, avec petit exposé sur chaque promenade). La ville recèle également un nombre incalculable de galeries d'artistes dont il faut absolument pousser les portes.

Activités

EXCURSIONS EN BATEAU

D'avril à novembre, le Bus de Mer permet de rejoindre Saint-Malo depuis Dinard par la mer en seulement 10 minutes. Des excursions sur la côte et dans les îles voisines sont également possibles. À Dinard, l'embarquement a lieu à la cale située sur la promenade du Clair-de-Lune, au niveau du Yacht Club. Adressez-vous à la **Compagnie Corsaire** (**0825 138 100 ; www.compagniecorsaire.com ; promenade du Clair-de-Lune ; avr-sept, week-end d'oct et vac scol de la Toussaint 9h-18h**) à laquelle on accède par l'escalier situé en face du Grand Hôtel.

À gauche : tour Solidor, quartier de Saint-Servan-sur-Mer (p. 75)
Ci-dessous : plage de l'Écluse (ci-dessous), Dinard

PLAGES

Côté mer, Dinard est bien nantie avec 4 grandes plages de sable fin. La **plage de l'Écluse**, face aux casinos, est souvent choisie par les vacanciers de passage. Les familles de Dinard préfèrent se replier sur les **plages de Saint-Briac** et de **Saint-Lunaire** ou, plus proches, sur celles **du Prieuré** et **de Saint-Énogat**. La **plage de Port-Blanc** accueille généralement les vacanciers étrangers installés au camping tout proche. Enfin, on ne peut pas oublier la superbe plage de sable fin orientée plein sud de l'**île de Cézembre**, accessible en bateau (20 min ; voir l'encadré p. 79) de Dinard. Les enfants trouveront des clubs sur les plages de l'Écluse et de Saint-Énogat. Hors saison, ou lorsque le temps est frisquet, rejoignez la **piscine municipale olympique d'eau de mer** (**☎ 02 99 46 22 77 ; digue de l'Écluse ; adulte/enfant 4,90/3,90 €, gratuit pour les -5 ans ; ⏲ horaires variables)** chauffée et couverte : saunas, Jacuzzi et espace pour les enfants.

RANDONNÉES

La marche est bien sûr le meilleur moyen d'apprécier la côte. Le GR®34C qui vient de **Minihic-sur-Rance** longe la Rance et rejoint Dinard. Les plus pressés ou paresseux peuvent se contenter de la **promenade du Clair-de-Lune**, au milieu d'un jardin exotique composé de fleurs et de palmiers sur un coteau rocheux, entre la plage du Prieuré, au sud, et la pointe du Moulinet, illuminée à partir de la tombée de la nuit de début juillet à fin septembre.

THALASSOTHÉRAPIE

Dinard abrite un beau centre de thalassothérapie implanté sur les hauteurs de Saint-Énogat, qui a fait peau neuve il y a quelques années.

Le Prince Noir

La maison du Prince Noir (propriété privée) est l'un des rares témoins du passé dinardais. Cette demeure de caractère, qui daterait du XIVe siècle et aurait appartenu au fils d'Édouard III d'Angleterre, affiche deux petites tourelles jumelées. Elle abrite désormais la **galerie d'art du Prince Noir** (**02 99 46 29 99 ; 70 av. George-V ; mai-sept tlj sauf mar 11h-12h30 et 15h-19h).**

Où se loger

Hôtel Saint-Michel Hôtel éco **€**
(**02 99 73 81 60 ; www.hotel-saintmichel-dinard.com ; 54 bd Lhotelier ; s/d/tr/f 55-65/60-75/65-85/80-115 € selon saison ; mi-avr à mi-nov**). Cet hôtel deux étoiles légèrement excentré (10 minutes à pied du centre-ville et de la plage de l'Écluse) de 18 chambres constitue de loin le meilleur rapport qualité/prix de Dinard. Les nouveaux propriétaires l'ont entièrement rénové, et en ont fait un endroit cosy et pimpant. Très beaux espaces communs et chambres simples façon bord de mer. Petit-déjeuner sous forme de buffet à prendre dans le jardinet ou dans la grande salle séparée du salon-bibliothèque par une verrière. Seul petit bémol : la taille des sdb.

Hôtel de la Plage Vue mer **€€**
(**02 99 46 14 87 ; www.hoteldelaplage-dinard.com ; 3 bd Féart ; d sans vue mer/avec petite vue mer/pleine vue mer 59-97/79-105/94-118 € selon saison, d pleine vue mer avec terrasse ou tr ou suite 107-138 € selon saison ; tte l'année ;**). La meilleure affaire de la ville avec vue sur la mer a été entièrement rénovée, et c'est une réussite. Idéalement situé, presque en face de l'office du tourisme et à deux pas de la plage de l'Écluse, l'hôtel se dote d'une belle terrasse sur bois au 1er étage surplombant le centre-ville et tournée vers la pointe de la Malouine. Aménagées dans une villa d'époque et son annexe, les 18 chambres tout confort font la distinction entre petite vue mer et pleine vue mer. Une bonne option abordable en plein centre.

Villa Reine Hortense Villa Belle-Époque **€€€**
(**02 99 46 54 31 ; www.villa-reine-hortense.com ; 19 rue de la Malouine ; d sans vue/avec vue mer 168/205-268 €, suite 299-405 € selon ch et saison ; mi-avr à fin sept ;** **P**). Parmi les nombreuses et très british adresses chics de Dinard, celle-ci siège dans une splendide villa Belle Époque classée à l'orée de la pointe de la Malouine, dont les propriétaires, absolument charmants, ont eu à cœur de conserver l'esprit d'origine. Terrasse sur mer en surplomb de la plage de l'Écluse (accès direct) et jardin taillé au cordeau. À l'intérieur, un salon Napoléon III avec piano à queue. Pour la petite histoire, l'édifice fut construit en hommage à Hortense de Beauharnais, reine consort des Pays-Bas, par le prince russe Nicolas Vlassov en 1901.

Où se restaurer

Sur le front de mer, face à la plage de l'Écluse, les snacks de plage et leurs terrasses se disputent les touristes. Les meilleures adresses sont ailleurs...

Le Petit Port Vue mer **€€**
(**02 99 46 16 41 ; quai de la Perle, port de Plaisance ; menus déj 15-18 €, plats 18-26 € ; tlj**). Une adresse appréciée des Dinardais pour sa vue imprenable sur les flots et la plage du Prieuré, en surplomb de la rue et du port, et son menu du midi au tarif très attractif. Jolie petite terrasse et intérieur à la déco design agencé pour servir de cadre à la vue. Très bonne ambiance et clientèle éclectique, un rien branchouille. Côté saveur : un mélange d'influence du monde et de produits régionaux plutôt réussi : thon mi-cuit "algues et pistaches", Moqueca de lotte à la brésilienne, sashimi de poissons, etc. Également foie gras maison et fruits de mer.

Plage paradisiaque

Comment se prélasser sur une plage orientée plein sud en Bretagne Nord ? Facile : prenez le bateau de Saint-Malo ou de Dinard, direction l'**île de Cézembre**, située à 20 minutes environ de la côte et qui bénéficie d'une superbe plage de sable fin. L'endroit est vraiment magique et jouit d'une vue imprenable sur les deux stations et le littoral. L'île est inhabitée, mais elle possède un bar-restaurant ouvert en saison, **Le Repaire des Corsaires** (☎02 99 56 78 22). Pour vous rendre à l'île de Cézembre, contactez la **Compagnie Corsaire** (voir p. 77 et p. 82).

Bistro-Resto Oliver Bistrot gastro **€€**
(☎02 99 16 07 95 ; www.bistro-resto-oliver.fr ; 25 bd Féart ; plats 18,50-21,50 € ; ⏱ mar-dim soir uniquement). Cuisine digne d'un gastro pour ce bistrot qui n'assure le service que du soir. Carte réduite à seulement quelques plats dont une divine escalope de foie gras poêlé accompagnée d'un mijoté aux morilles et de tagliatelles fraîches. Excellent service, jeune et sympathique, et lumière tamisée sur des tons violines côté cadre. Une table d'habitués qui monte.

Où prendre un verre

Le Darling Piano-bar et salon de thé **€€**
(☎02 99 46 10 77 ; 1 bd Albert-1er ; cocktails 10 € ; ⏱ tte l'année). Le Royal Emeraude, un hôtel à deux pas de la plage de l'Écluse, ouvre à tous son lounge bar très british et sa verrière Belle-Époque. Le soir venu, le salon de thé se transforme en piano-bar à l'ambiance feutrée.

Renseignements

Office du tourisme (☎02 99 46 94 12 ; www.ot-dinard.com ; 2 bd Féart). Visites guidées avec 14 thématiques différentes (les villas de la pointe du Moulinet ou de la pointe de la Malouine, etc.) selon un calendrier précis de mars à décembre. Réservation nécessaire. Départ à l'office du tourisme à 15 heures.

Comment circuler

Le vélo est une bonne option pour partir à la découverte des belles villas de la côte. Vous pourrez en louer chez Breiz Cycles (☎02 99 46 27 25 ; 8 rue Saint-Énogat ; 10 € la journée).

CANCALE ET LA POINTE DU GROUIN

Cancale est l'étape par excellence des amateurs de fruits de mer. Situé à une quinzaine de kilomètres de Saint-Malo, ce petit port de charme vit au rythme de l'ostréiculture, qui occupe plus de la moitié de la ville. L'office du tourisme organise de passionnantes **visites des parcs** (adulte/-12 ans 3,50 €/gratuit ; 1 heure 30 de visite guidée, bottes obligatoires ; ⏱ avr-sept).

Cancale est divisée en deux parties : le bourg, sur les hauteurs, qui appartenait aux notables, aux armateurs et aux commerçants aisés, et le port de la Houle, avec ses maisons accolées les unes aux autres, qui était le lieu de vie et de travail des pêcheurs de morue. En descendant de l'un à l'autre vous passerez devant plusieurs galeries d'artistes. L'**Atelier-galerie Kalvez** (www.kalvez.com ; 6 rue George-V ; ⏱ tlj 10h30-19h sauf mer hors saison), niché dans une ruelle sur le port, vaut particulièrement le détour. L'artiste, un ancien assistant réalisateur de dessin animé, travaille derrière son comptoir et prend plaisir à partager l'univers marin de ses toiles.

À l'abordage !

On connaît l'histoire des pirates qui attaquaient les navires marchands pour s'emparer de leur cargaison. On sait moins que de ces attaques sont nés la "guerre des courses" et le concept de corsaire, qui consistait pour un navire marchand et son capitaine à s'emparer d'autres vaisseaux. Ici réside toute la différence entre pirate et corsaire. Le corsaire participait à une "guerre" devenue officielle sous le règne de Louis XIV car encadrée par un édit royal. L'objectif visait à ruiner le commerce de nations concurrentes comme l'Angleterre et la Hollande. Elle se poursuivit jusqu'à Napoléon Ier et permettait l'enrichissement du roi sans qu'il en assume la responsabilité si l'assaut échouait. C'était aussi un moyen de former d'excellents futurs officiers du roi.

Le corsaire qui décidait de se livrer à ces actes de piraterie devait bien entendu partager son butin et le produit de la vente des prises avec le roi. Le partage ? Un cinquième pour le roi, un dixième pour l'amiral de France, deux tiers pour l'armateur et le restant pour l'équipage. Les deux corsaires malouins les plus connus sont Duguay-Trouin et Surcouf. Le premier finit commandant du port de Toulon, tandis que le second fut fait baron d'Empire.

Depuis Cancale, il est possible de rejoindre la **pointe du Grouin**, une pointe rocheuse qui s'élève à près de 50 m de hauteur et qui permet, par temps dégagé, de profiter d'un magnifique panorama entre le cap Fréhel, le Mont-Saint-Michel et les îles Chausey. Au large, l'île des Landes, réserve naturelle ornithologique depuis 1961, constitue aujourd'hui le plus important lieu de nidification des 6 principales sortes d'oiseaux de la baie du Mont-Saint-Michel. Plusieurs espèces de cormorans et de goélands – sans oublier le tadorne de Belon – se retrouvent sur l'île au milieu de l'hiver pour s'y reproduire. Mais c'est entre avril et août que vous en verrez le plus grand nombre sur les flancs de l'île. L'accès à celle-ci est interdit.

On peut parvenir à la pointe par la D201, mais les randonneurs privilégieront le sentier des douaniers, qui se poursuit jusqu'à la **pointe de la Varde**, à 4 km de Saint-Malo. De belles découvertes en perspective, notamment de jolies plages (Port-mer, la plage du Verger, La Guimorais, les Chevrets) et criques, qui ne sont toutefois pas toujours faciles d'accès. Ne soyez pas étonné si, au cours de votre promenade, vous apercevez une maison sur un îlot à peine relié à la terre. Il s'agit du fort du Guesclin, ancienne propriété de Léo Ferré. De Cancale, comptez environ 30 km et 6 bonnes heures de marche avant la pointe de la Varde.

Où se loger et se restaurer

Les restaurants où déguster les célébrissimes huîtres de Cancale et autres fruits de mer abondent sur les quais. Rien ne vaut cependant une **dégustation d'huîtres** directement auprès des producteurs, en surplomb des parcs ostréicoles. Vous les trouverez du matin au soir postés au bout du quai Thomas, derrière la jetée de la Fenêtre. L'ambiance y est excellente.

Le Querrien

Hôtel-restaurant vue mer **€€**

(02 99 89 64 56 ; www.le-querrien.com ; 7 quai Duguay-Trouin ; d sans/avec vue mer 69-99/109-169 € selon ch et saison ; formule midi 12 €, menus 15-35 €, menu enfant 10 €,

plateaux de fruits de mer 24,50-39,50 € ; ⏲tte l'année). Les vieilles affiches des anciens patrons, marins-pêcheurs, y ornent encore les murs. Cet hôtel de belle facture sur les quais propose 15 chambres cossues et lumineuses à l'ambiance marine. Entièrement moquettées, celles avec vue sur la mer ont aussi l'avantage d'être bien plus spacieuses. Également un restaurant qui affiche toute une panoplie d'assiettes de la mer.

La Table Breizh Café Gastro, crêperie et chambres d'hôtes **€€€, €, €€**

(☎café 02 99 89 56 46, chambres d'hôtes 02 99 89 61 76 ; www.breizhcafe.com ; 7 quai Thomas ; menus déj 38-48 €, d 98-108 € selon saison ; ⏲restaurant fermé mar-mer). Ici, le Breizh Café (voir p. 79) se double dans les étages d'une table étoilée et de belles chambres d'hôtes épurées offrant une vue imprenable sur le large. Le chef Raphaël Fumio Kudaka y propose une cuisine japonaise inventive à base de produits locaux largement plébiscitée alentour.

ENVIRONS DE CANCALE

Château Richeux et restaurant Le Coquillage Gastro **€€€€**

(☎02 99 89 64 76 ; www.maisons-de-bricourt.com ; Le Buot, Saint-Méloir-des-Ondes ; menu déj 31 €, menus 65-139 €, d 195-335 € ; ⏲tlj). Située sur la commune voisine de Saint-Méloir-des-Ondes, sur la D155 ralliant le Mont-Saint-Michel, le château Richeux et le restaurant Le Coquillage, sis dans une grande villa des années 1920 qui surplombe la baie du Mont-Saint-Michel, sont les établissements d'Olivier Roellinger. Étoilée au Michelin, la table qui s'est autoproclamée "bistrot marin" fait la part belle aux épices (voir ci-dessous). Service charmant et efficace sans être guindé. Le menu déjeuner permet d'accéder sans trop se ruiner à cette table réputée.

Achats

Épices-Roellinger Épices

(☎02 23 15 13 91 ; www.epices-roellinger.com ; 1 rue Duguesclin ; ⏲10h-12h30 et 14h30-18h30). Il serait dommage de quitter la Côte d'Émeraude sans pénétrer dans l'un des "entrepôts" consacrés aux épices d'Olivier Roellinger. En voici la maison mère, installée dans la très belle maison de Bricourt. Une balade olfactive qui se double d'un voyage dans le temps et l'espace.

Renseignements

Office du tourisme (☎02 99 89 63 72 ; www.ville-cancale.fr, www.cancale-tourisme.fr ; 44 rue du Port). Dans les hauteurs de Cancale : pas forcément pratique si vous êtes garé au port de la Houle.

Cancale

DOL-DE-BRETAGNE ET SES ENVIRONS

Sa cathédrale, ses ruelles moyenâgeuses, ses petits commerces et sa situation, à équidistance du Mont-Saint-Michel et de Saint-Malo, en font une étape agréable pour la journée. Fondée au VIe siècle par saint Samson, à la lisière de la Bretagne, Dol-de-Bretagne n'a été épargnée ni par la guerre de Succession de Bretagne ni par la guerre de Cent Ans ou celle de la Ligue lors des guerres religieuses du XVIe siècle. Malgré cette histoire mouvementée, la ville a gardé son charme, en particulier grâce à ses maisons à pans de bois, comme celles que l'on trouve au 17 et au 27 de la **Grande-Rue-des-Stuarts**, deux anciens hôtels particuliers des XIe et XIIe siècles.

L'office du tourisme (voir p. 89) remet gratuitement un plan de la ville qui s'agrémente d'un circuit commenté intitulé "un tour dans la cité".

À voir et à faire

Cathédrale Saint-Samson — Patrimoine

Ne vous fiez pas à son aspect extérieur quelque peu austère et disparate, c'est assurément l'un des monuments les plus étonnants de Bretagne. Longue de près de 100 m et haute de 20 m, elle fut comparée à la cathédrale de Salisbury par Stendhal en 1837. Édifiée dans un style roman, elle fut incendiée en 1203 par Jean sans Terre, roi d'Angleterre. Sa reconstruction s'étala sur plusieurs siècles. À l'intérieur, on s'étonne de son caractère gothique. Le vitrail situé dans le chœur est le plus ancien de Bretagne (XIIIe siècle). Des visites guidées gratuites de la cathédrale sont organisées directement au départ de cette dernière (dim après-midi au ven 10h à 12h30 et de 14h30 à 18h).

Médiévalys — Patrimoine

(☎ 02 99 48 35 30 ; www.medievalys.fr ; 4 pl. de la Cathédrale ; tarif plein/réduit 6,80/5,50 €, enfant 5 € ; ⏲ 1er mars à mi-mars tlj 14h-18h, début avril à fin juin tlj 10h-13h et 14h-18h, juil-août 10h-19h, sept tlj 10h-13h et 14h-18h, oct-nov sam-dim 14h-18h, Toussaint tlj 14h-18h). Partageant la même place que la cathédrale et que l'office du tourisme, ce musée est entièrement dédié au monde des cathédrales, à leur construction et à leurs constructeurs, ainsi qu'à leur symbolique. Un compagnon tailleur de pierre y officie de Pâques à septembre et des ateliers créatifs sont proposés aux enfants (inclus dans le prix du billet d'entrée).

Insolite ! Les cabanes sur l'eau et dans les arbres du Domaine des Ormes

Situé entre Combourg et Dol-de-Bretagne, le **Domaine des Ormes** (**☎ 02 99 73 53 00 ; www.lesormes.com ; sur la D795 reliant Combourg à Dol-de-Bretagne**) est un complexe touristique de 250 ha unique en son genre, dominé par la figure de son château épiscopal. Noyé dans un espace de verdure, le domaine comprend, entre autres activités, un golf, un centre équestre, un parcours aventure dans les arbres et un espace aquatique, tous ouverts également aux non-résidents. Son autre particularité tient à ses **cabanes** (**d 119-145 € selon période, f 180-300 € selon cabane et période**) : dans les arbres ou plus récemment sur l'eau, les unes sont libres de dériver quand les autres sont perchées entre 4 et 20 m de haut. Ne comptez ni sur l'électricité ni sur l'eau courante, mais vous disposerez néanmoins de toilettes sèches. Un très bel endroit, pour une passionnante expérience.

Pique-nique en famille sur le mont Dol

DAVID TOMLINSON/LONELY PLANET IMAGES ©

Mont Dol Panorama

(à 2 km au nord de Dol-de-Bretagne par les D155 et D123). De Dol, vous ne pourrez manquer le mont Dol, cette curieuse colline qui se dresse dans un paysage uniformément plat. Le village, blotti au pied d'une butte qui culmine à plus de 60 m d'altitude, abrite l'église Saint-Samson, qui recèle des peintures des XIIe et XIVe siècles. Un beau panorama s'ouvre depuis le sommet.

 Où se restaurer

Le Porche au Pain Spécialités locales **€€**

(02 99 48 37 57 ; 1 rue Ceinte ; formule midi 12 €, menus 18-32 € ; fermé mar soir et mer). Ambiance décontractée dans ce restaurant qui divulgue une cuisine copieuse et traditionnelle dans un cadre historique : la maison qui l'abrite est l'une des plus anciennes de Dol (remarquez la superbe cheminée du XVe siècle). Formule du midi au rapport qualité/prix imbattable et poissons et viandes aussi bien représentés, avec une préférence pour la cuisson au feu de bois.

 Renseignements

Office du tourisme du Pays de la baie du Mont-Saint-Michel **(02 99 48 15 37 ; www.pays-de-dol.com ; 5 pl. de la Cathédrale).** Organise en été des **visites guidées de la ville** (+12 ans/- 12 ans 5 €), le mardi à 10h30 (visite à thème) et le jeudi à 15h (visite traditionnelle). Possibilité d'acheter un topoguide aux 12 circuits de randonnées à faire à pied, à vélo et/ou à cheval (2 €).

À ne pas manquer Mont-Saint-Michel

Avec plus de trois millions de visiteurs par an, le Mont-Saint-Michel est le premier site touristique français en dehors de Paris. Face à cette surfréquentation et à son environnement naturel sensible, de grands travaux ont été entrepris pour lui restituer son insularité d'origine. Si les ruelles du Mont sont combles dès le matin, elles se vident au coucher du soleil. Ne restent alors que quelques dizaines d'habitants dont une poignée de religieuses, et des touristes qui ont décidé d'y passer la nuit. Un conseil : venez tôt le matin ou tard le soir. Promenez-vous sur les remparts, un bel exemple de réalisation défensive militaire médiévale, parfaitement conservée. C'est un vrai spectacle que de se retrouver face à l'îlot de Tombelaine ou à l'estran découvert lors des fortes marées !

Office du tourisme ☎ 02 33 60 14 30 ; www.ot-montsaintmichel.com ; sur la gauche du corps de garde des Bourgeois

Abbaye tarif plein/18-25 ans/-18 ans 9 €/5,50 €/gratuit avec visite guidée de 1 heure, audioguide 4,50 € ; visites-conférences 2 heures tarif plein/réduit/-12 ans 13 €/9 €/gratuit

Abbaye ⏲ mai-août tlj 9h-19h, dernière entrée 18h, sept-avr tlj 9h30-18h, dernière entrée 17h

Découverte de l'abbaye

Après avoir franchi la salle des gardes, vous parcourrez les escaliers du Grand Degré jusqu'à la terrasse ouest. Sur le parvis, les pierres sont marquées de lettres et de numéros. Cette identification permettait à chaque tailleur de pierre d'être payé selon sa tâche.

La **façade** de l'église abbatiale date de 1780. On peut voir, à son sommet, la statue de saint Michel, haute de 4 m, qui a été restaurée et recouverte de feuilles d'or en 1987. Elle domine le niveau de la mer à 152 m de hauteur. À l'intérieur de l'église, la nef et le transept sont caractéristiques de l'art roman, tandis que le chœur est d'un gothique flamboyant des XVe et XVIe siècles.

La visite se prolonge dans le **monastère gothique de la Merveille**. Cette magnifique construction en granit abrite sur 3 étages des bâtiments claustraux : au niveau supérieur, le cloître et le réfectoire ; au-dessous, la salle des hôtes ; en bas, l'aumônerie et le cellier. Le cloître est ouvert sur la baie et semble comme suspendu dans le vide. À l'étage inférieur, on trouve la salle des chevaliers et la salle des hôtes, ainsi qu'une crypte soutenue par dix énormes piliers dont les pierres proviennent des îles Chausey.

Visites guidées

Découvrir le Mont-Saint-Michel la nuit, marcher en écoutant les contes et les légendes de la baie : les visites guidées proposées pour découvrir le Mont et sa baie sont nombreuses, variées et le plus souvent passionnantes. Voici les coordonnées de quelques organismes :

La Maison du Guide (☎ 02 33 70 83 49 ; www.decouvertebaie.com ; 1 rue Montoise, Genêts)

Chemins de la Baie du Mont-Saint-Michel (☎ 02 33 89 80 88 ; www.cheminsdelabaie.com ; 34 rue de l'Orillon, Genêts)

Maison de la Baie (☎ 02 99 48 84 38 ; www.maison-baie.com ; port est Le Vivier/Cherrueix, Le Vivier-sur-Mer)

Rejoindre le Mont-Saint-Michel

On accède au Mont-Saint-Michel via un espace d'accueil situé à 2,5 km de ce dernier. Il se compose d'une aire de stationnement (12,30 €/véhicule par jour) et d'un centre d'information touristique. De là, vous pourrez, pour rejoindre le Mont, soit emprunter les navettes gratuites (toutes les 10 minutes environ en saison), soit vous y rendre à pied (comptez 35 minutes). Quel que soit le mode choisi, vous emprunterez le tout nouveau pont-passerelle (côté gauche réservé aux piétons, côté droit aux navettes) remplaçant l'ancienne route-digue. Rendez-vous sur www.bienvenueaumontsaintmichel.com pour de plus amples renseignements.

Saint Michel et le Mont

Une légende prétend qu'en 709 l'archange saint Michel commanda à Aubert, évêque d'Avranches, de fonder un monastère sur ce qui était alors le mont Tombe. En 966, Richard Ier, duc de Normandie, plaça des moines bénédictins dans les murs. Au XIIIe siècle, le roi de France, Philippe Auguste, finança la construction de l'ensemble gothique de la Merveille qui s'élève sur trois niveaux. Les Anglais assiégèrent le Mont-Saint-Michel à trois reprises durant la guerre de Cent Ans. En vain. De la Révolution au Second Empire, l'abbaye servit de prison aux détenus politiques et de droit commun. Ce n'est véritablement qu'au XIXe siècle qu'elle devint un lieu de pèlerinage.

Les Côtes-d'Armor

Les Côtes-d'Armor sont un formidable condensé de la Bretagne. Quelle que soit la couleur du ciel, gris ardoise ou bleu azur, vous aurez certainement du mal à vous en extraire. Des falaises vertigineuses du cap Fréhel aux rochers surréalistes de la Côte de Granit rose, le littoral décline ici une étonnante palette, rappelant au passage les mutations de la région. Il y a encore quelques décennies, on vivait ici au rythme de la grande pêche vers Terre-Neuve et l'Islande. Aujourd'hui, le pouls des Côtes-d'Armor bat pour une large part au gré de la migration estivale des vacanciers vers les stations balnéaires côtières.
Au détour de chaque échancrure, la région raconte son histoire : ici le Fort-la-Latte et l'abbaye maritime de Beauport, là les joyaux d'architecture de Dinan et de Tréguier, plus loin Binic et Erquy et leur patrimoine de pêche à la morue et à la coquille Saint-Jacques... Et puis il y a les îles – Bréhat et la douceur de son climat, les Sept-Îles et ses nuées d'oiseaux – et le superbe fil rouge entre les merveilles des Côtes-d'Armor que constitue le sentier des Douaniers.

Maisons au bord de la Rance, à Dinan (p. 100)
SIMON GREENWOOD/LONELY PLANET IMAGES©

Bateaux au mouillage, Trégastel (p. 130)
HERVÉ MILON ©

Les Côtes-d'Armor

Les incontournables

1. Dinan (p. 100)
2. Cap Fréhel (p. 104)
3. Ploumanac'h (p. 127)
4. Sentier des Douaniers (p. 104, 114, 129, 133)
5. Île de Bréhat (p. 120)
6. Les Sept-Îles (p. 128)

0 — 10 km

MANCHE
Réserve naturelle des Sept-Îles
Île Rouzic
Île Plate
Île Malban
Île aux Moines
Île Bono
CÔTE DES AJONCS
Sillon de Talbert
CÔTE DE GRANIT ROSE
Île Renote
Île Saint-Gildas
Plougrescant
Larmor-Pleubian
Ploumanac'h
Perros-Guirec
Île Grande
Port-Blanc
Pleubian
Île de Bréhat
Trégastel
Trévou-Tréguignec
Trébeurden
Île Milliau
Pleumeur-Bodou
Tréguier
Lézardrieux
Ploubazlanec
Paimpol
CÔTE DU GOËLO
Pointe de Bihit
Aéroport de Lannion
Lannion
Château de la Roche-Jagu
Abbaye de Beauport
Plouézec
Primel-Trégastel
Baie de Lannion
TRÉGOR
D786
Bréhec
Saint-Efflam
Ploubezre
Lanloup
Saint-Michel-en-Grève
D767
Jaudy
Pontrieux
Trieux
D7
Plouha
Pointe de Plouha
Lanmeur
Plestin-les-Grèves
Tonquédec
Tréveneuc
Saint-Quay-Portrieux
CÔTE DE PENTHIÈVRE
Cap Fréhel
CÔTE D'ÉMERAUDE
Bégard
Lanvollon
Cap d'Erquy
Sables-d'Or-les-Pins
Pointe de Saint-Cast
Saint-Malo
Morlaix
Étables-sur-Mer
Baie de Saint-Brieuc
Erquy
Fréhel
Île Ébihens
Dinard
N12
Binic
Le Verdelet
Saint-Cast-le-Guildo
Lancieux
Guingamp
Aéroport de Saint-Brieuc
Le Val-André
Château de Bienassis
Aéroport de Dinard-Pleurtuit-Saint-Malo
Belle-Isle-en-Terre
Pointe du Roselier
Pléneuf-Val-André
Saint-Jacut-de-la-Mer
Plougonven
D787
Ploubalay
Pointe des Guettes
FINISTÈRE
Forêt de Beffou
Saint-Brieuc
D768
Plancoët
Bourbriac
Rance
D137
Parc naturel régional d'Armorique
Lamballe
ILLE-ET-VILAINE
Plourac'h
Hyère
Bulat-Pestivien
Callac
PAYS DE SAINT-BRIEUC
Dinan
Quintin
N176
Huelgoat
Forêt de Duault
Saint-Gilles-Pligeaux
D790
D700
Jugon-les-Lacs
Gorges de Toul-Goulic
Gouessant
Gorges du Corong
Saint-Nicolas-du-Pélem
Moncontour
Carhaix-Plouguer
Aulne
Kergrist-Moëlou
Blavet
Corlay
Arguenon
N164
PAYS FISEL
ARGOAT
Oust
Uzel
Lié
Landes du Ménez
Rostrenen
Gorges du Daoulas
Rigole d'Hilvern
Glomel
Gouarec
Lac de Guerlédan
Caurel
Saint-Thélo
Forêt de Loudéac
Les Forges-des-Salles
Mûr-de-Bretagne
Plémet
Merdrignac
Meu
Gourin
Forêt de Quénécan
Loudéac
Gomené
Hivet
Ninian
MORBIHAN

Les Côtes-d'Armor
Paroles d'expert

Ci-dessus : Fête de la mer dans le port de Paimpol (p. 116). **Ci-contre en haut :** Plougrescant (p. 124). **Ci-contre en bas :** Loguivy-de-la-Mer (p. 118).

Ma sélection

Les Côtes-d'Armor

PAR GUY PRIGENT, ETHNOLOGUE, SPÉCIALISTE DES HÉRITAGES MARITIMES EN BRETAGNE, NATIF DES CÔTES-D'ARMOR

1 PLOUGRESCANT

Avec la presqu'île de Saint-Jacut-de-la-Mer, c'est pour moi l'une des merveilles naturelles de la région. Le long d'un littoral sauvage et déchiqueté (p. 124), on y voit des maisons blotties contre les rochers, des champs cultivés en bord de mer, des curiosités géologiques… Un paysage de légende aux portes de Tréguier, non perturbé par un habitat parasite.

2 BINIC

C'était le port des terre-neuvas, indissociable de l'ensemble qu'il formait avec Étables-sur-Mer et Saint-Quay-Portrieux. Ce que je trouve avant tout admirable à Binic (p. 115), c'est sa superbe digue du Penthièvre. D'autres ports racontent à leur manière l'histoire de la région : Erquy avec ses 3 ports du XVe au XXIe siècle témoigne de cinq siècles d'évolution maritime, Dahouët a préservé son intégrité architecturale…

3 PAIMPOL

À la fin du XIXe siècle, quelque 80 bateaux pratiquant la grande pêche en Islande étaient rattachés au port de Paimpol (p. 116). Le dernier, *La Glycine*, a quitté ses quais en 1936. La ville s'est reconvertie dans le tourisme, la plaisance, l'ostréiculture et la petite pêche, mais on peut encore y voir, outre le très beau centre historique, une jolie cale de radoub et un intéressant musée de la mer.

4 LOGUIVY-DE-LA-MER

Il faut y aller en repensant à ce que l'on a appelé "l'épopée des Loguiviens" : depuis ce petit port de l'embouchure du Trieux, les marins de Loguivy-de-la-Mer (p. 118) ont étendu leur zone de pêche du Conquet aux îles Scilly anglaises, où ils ont souvent initié leurs confrères à la pêche au casier. Et l'histoire continue : au XXIe siècle, Loguivy perpétue la pêche au homard !

5 LE SILLON DE TALBERT

Jadis, cette langue de sable et de galets (p. 122) était un lieu de travail pour les goémoniers, qui y faisaient sécher leur récolte en meules. Aujourd'hui, c'est un grand site naturel protégé merveilleux (réserve naturelle), avec en ligne de mire le phare des Héaux-de-Bréhat, le premier grand phare en mer bâti dans les Côtes-d'Armor.

Suggestions d'itinéraires

Les Côtes-d'Armor déclinent tous les visages de la Bretagne : balnéaire, sauvage et vertigineuse, douce ou fouettée par les vents, historique, rurale, huppée ou confidentielle. Voici deux itinéraires pour ne rien rater de ses sites phares.

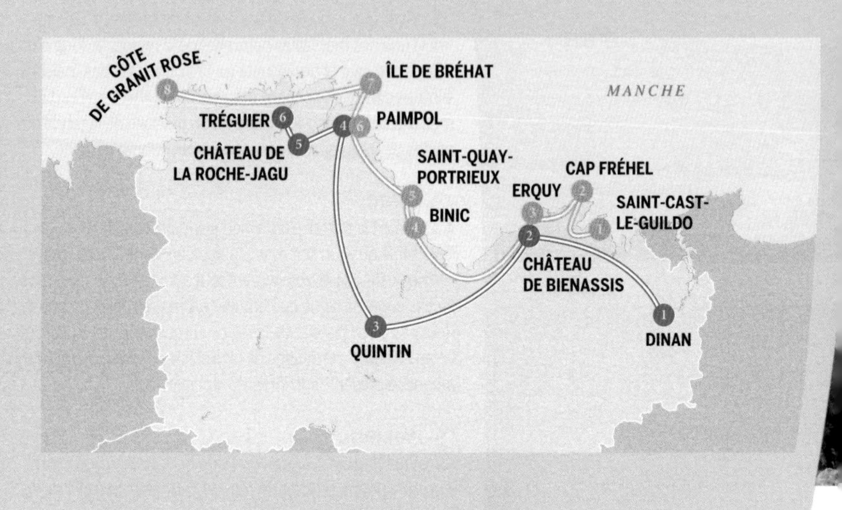

DE SAINT-CAST-LE-GUILDO À LA CÔTE DE GRANIT ROSE

PLAISIRS BALNÉAIRES ET CAPRICES DE LA NATURE

Le premier jour, détendez-vous sur la Grande Plage de 1 **Saint-Cast-le-Guildo** sans rater le spectacle qu'offre la pointe de la Garde. De là, rejoignez les landes et les falaises de granit du 2 **cap Fréhel** et faites une balade le long du sentier des Douaniers jusqu'au Fort-la-Latte. Longez ensuite la côte de Penthièvre pour découvrir ses superbes étendues de sable et le 3 **port d'Erquy**, "capitale" de la coquille Saint-Jacques. Le troisième jour sera placé sous le signe du farniente avec les stations balnéaires de la baie de Saint-Brieuc, 4 **Binic** et 5 **Saint-Quay-Portrieux** en tête. Le quatrième jour, partez à la découverte de la légendaire 6 **Paimpol** et de ses environs, notamment l'abbaye maritime de Beauport. Consacrez ensuite une journée entière à 7 **Bréhat** pour profiter de son micro-climat, et terminez votre périple par Ploumanac'h et la 8 **Côte de Granit rose**, renommée pour ses splendides rochers sculptés par la nature.

DE DINAN À TRÉGUIER, L'INTÉRIEUR DES TERRES

CITÉS DE CARACTÈRE ET PATRIMOINE HISTORIQUE

Commencez votre périple par ❶ **Dinan**. Consacrez une journée entière à ce joyau architectural dominant l'estuaire de la Rance, en prenant le temps de découvrir son chemin de ronde, son minuscule port, ses ruelles et son beffroi. Faites ensuite un crochet par le ❷ **château de Bienassis** puis percez les terres jusqu'à ❸ **Quintin**, au riche patrimoine architectural provenant du commerce des toiles. Le lendemain, gagnez ❹ **Paimpol** et ses belles maisons d'armateurs, puis l'abbaye maritime de Beauport, toute proche : un ensemble exceptionnel d'architecture religieuse bordé par la mer. Terminez votre voyage par la découverte du ❺ **château de la Roche-Jagu**, dominant l'estuaire du Trieux, et ❻ **Tréguier**. La capitale historique du Trégor est dotée d'une magnifique cathédrale et parsemée de maisons à pans de bois et d'hôtels particuliers en granit, à découvrir au gré de ses ruelles étroites et pentues.

Ci-dessus : île de Bréhat (p. 120)

Découvrir les Côtes-d'Armor

DINAN

Sise sur une colline qui domine l'estuaire de la Rance, pelotonnée à l'intérieur de ses magnifiques remparts, la très touristique Dinan doit son indéniable charme et son ambiance particulière à son patrimoine médiéval, impeccablement conservé, et à son petit port qui s'étire le long du fleuve. Postée stratégiquement sur l'axe Normandie-Bretagne, la ville s'est développée dès l'an mille et a vu sa vocation défensive et commerciale se confirmer à la fin du XIIIe siècle, lorsqu'elle passa sous le contrôle des ducs de Bretagne.

À voir

Basilique Saint-Sauveur Patrimoine religieux
Édifiée au XIIe siècle à l'initiative de Rivallon le Roux, un croisé qui s'était juré d'accomplir une bonne œuvre s'il revenait vivant à Dinan, la basilique Saint-Sauveur domine la place du même nom. Sa principale caractéristique tient dans l'alliance hardie de différents styles architecturaux. On distinguera des influences byzantines, gothiques, classiques et baroques. Son agréable jardin anglais était jadis un cimetière paroissial tandis que son esplanade offre un joli panorama de la vallée de la Rance. À l'intérieur, l'aile nord du transept abrite le cénotaphe où fut déplacé, au XIXe siècle, le cœur de Bertrand du Guesclin (1320 env. -1380), connétable de France.

Château Patrimoine historique
(**02 96 39 45 20, 02 96 87 58 72 ; adulte/12-18 ans 4,60/1,90 €, gratuit - 12 ans ; juin-sept tlj 10h-18h30, Pâques à mai et oct à la Toussaint tlj 13h30-17h30**). Érigé au XIVe siècle à l'initiative du duc Jean IV, le donjon est l'un des trois ouvrages – avec la porte du Guichet (XIIIe siècle) et la tour de Coëtquen (XVe siècle) – réunis au XVIe siècle qui forment le château de Dinan. Culminant à 34 m – soit 150 marches à monter ! –, il se compose

Basilique Saint-Sauveur (ci-contre), à Dinan
DAVID TOMLINSON/LONELY PLANET IMAGES ©

de deux tours que relie une courtine et est garni d'une jolie couronne de mâchicoulis. Mercœur fit du château l'une des places fortes bretonnes lors de la Réforme au XVIe siècle. À l'origine forteresse et résidence, il servit de prison de 1823 à 1904 et abrite aujourd'hui le **musée d'Art et d'Histoire**, qui retrace l'histoire de la ville et de la région. L'exposition n'est pas exceptionnelle mais on a une belle vue depuis le sommet.

Tour de l'horloge — Patrimoine historique

(rue de l'Horloge ; adulte/enfant 4/3 €, ⏲avr-juin 14h-18h, juin-sept 10h-18h30). Sentinelle de la ville surplombant Dinan de sa toiture à pans coupés depuis le XVe siècle, le beffroi est à la fois un bâtiment historique et un excellent observatoire. Vous toiserez en effet tout Dinan après avoir gravi les 159 marches qui mènent au sommet.

Vieux Dinan — Promenade

De la place Duguesclin, esplanade bordée d'hôtels particuliers, empruntez la rue Sainte-Claire jusqu'à la rue de l'Horloge, son beffroi (voir ci-dessus) et la maison de la Harpe (voir p. 102), puis tournez à gauche dans la **rue de l'Apport**. Vous débouchez alors sur la **place des Cordeliers** et la **place des Merciers**, centre commerçant de la ville, flanquées de ravissantes habitations à pans de bois – des maisons dites "à porche", avec un étage en encorbellement reposant sur des piliers de bois – des XVe, XVIe et XVIIe siècles. À proximité, parallèles les unes aux autres, les **rues de la Mittrie**, **du Petit-Pain**, **de la Cordonnerie** et **de la Chaux** accentuent ce sentiment d'immersion dans le passé. Très étroites, elles alignent des maisons en granit. À la jonction entre la rue de l'Apport et la rue Haute-Voie, l'**hôtel Beaumanoir** est doté d'un élégant portail, d'un corps de logis et d'un escalier remarquables. Plus loin, en suivant la Grand-Rue, l'**église Saint-Malo**, de style gothique flamboyant, dresse sa délicate silhouette de pierre claire et son élégante volée d'arcs-boutants. Commencée à la fin du XVe siècle, elle fut terminée quatre siècles plus tard. Revenez rue de la Poissonnerie pour emprunter la pittoresque **rue du Jerzual**, que prolonge, passée la porte du Jerzual, la **rue du Petit-Fort**, probablement la plus emblématique de

Le bord de la Rance à Dinan

la ville. Pentue et pavée, elle descend jusqu'au port et est ponctuée de superbes maisons à pans de bois, dont la **maison du Gouverneur**, au n°24.

Chemin de ronde Patrimoine

(jusqu'à 21h). Dinan est bordée des remparts les plus longs de Bretagne (3 km). Vous pourrez les découvrir à pied, à partir du chemin de ronde accessible à proximité de la porte du Jerzual, dans la rue Haute-Voie, ou de la porte Saint-Malo. On admirera la succession de portes et de tours, dont les plus anciennes datent du XIIIe siècle. La tour Sainte-Catherine (XIIIe siècle), au nord du Jardin anglais, offre une magnifique vue sur la vallée, le port et le viaduc.

Port Bords de Rance et musée

Le sillon paisible de la Rance, un petit pont en pierre, les berges bucoliques, quelques voiliers nonchalants, les restaurants et leurs terrasses fleuries font du port une étape obligée, sous les hautes arches d'un viaduc bâti au XIXe siècle. À pied, depuis la ville haute, descendez la rue du Jerzual puis la rue du Petit-Fort. Jadis, le port de Dinan était très actif. Les navires en provenance de Saint-Malo acheminaient diverses marchandises alimentaires et rapportaient cuirs, toiles, draps et matériaux de construction navale. Au passage, vous pourrez visiter le **musée Yvonne Jean-Haffen** (Maison d'artiste de la Grande Vigne ; 02 96 87 90 80 ; 103 rue du Quai, port de Dinan ; adulte/enfant 3,10 €/2 € ; mi mai-sept tlj 14h-18h30), qui présente le travail de cette artiste peintre (1895-1993) inspirée par la nature bretonne, qui vécut à Dinan.

Musée du Rail Trains et modélisme

(02 96 39 81 33 ; www.museedurail-dinan.com ; gare de Dinan ; adulte/enfant 4,50/3,50 € ; juin à mi-sept tlj 14h-18h, vacances de Pâques, Toussaint et Noël tlj 15h-17h). Au sein de la gare de Dinan, flanquée d'une horloge perchée en haut d'une étonnante tour, ce musée passionnera les enfants et les fans de matériel ferroviaire et de modélisme avec ses maquettes, reconstitutions et affiches du début du XXe siècle. On peut même y voir un poste d'aiguillage miniature.

Maison de la Harpe Musée

(02 96 87 36 69 ; 6 rue de l'Horloge ; www.harpe-celtique.fr ; adulte/enfant 2/1 € ; mi-août à sept mar-ven 14h-17h30). Ce centre unique en son genre permet d'en savoir un peu plus sur cet instrument en vogue auprès des musiciens locaux. Si vous n'aimez pas la harpe (on n'est pas obligé !), on ne peut en revanche être insensible à la beauté de la demeure, à la superbe façade sculptée. Elle accueille chaque année les Rencontres internationales de harpes celtiques, durant la 2e semaine de juillet.

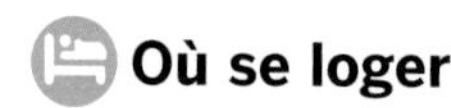

Où se loger

Hôtel de la Porte Saint-Malo Hôtel €€

(02 96 39 19 76 ; 35 rue Saint-Malo ; www.hotelportemalo.com ; s/d/t 55-71/64-90/80-101 € ;). À 200 m de la porte Saint-Malo, cet établissement familial a l'avantage d'être à la fois situé dans une rue calme et proche du cœur de la ville. Il est par ailleurs possible de se garer facilement aux alentours. Les chambres, d'un bon rapport qualité/prix, sont moquettées, peintes de blanc et bien entretenues. Certaines sont mansardées. Bon petit-déjeuner (8,50 €/pers.).

Hôtel Arvor Hôtel de charme €€

(02 96 39 21 22 ; www.hotelarvordinan.com ; 5 rue Pavie ; s/d/t 72-98/78-145/105-150 € ; fermé jan ; P). Cette belle adresse est installée au cœur du vieux Dinan, dans une demeure du XVIIIe siècle bâtie sur l'ancien site du couvent des Jacobins. Chacune des 24 chambres, joliment agrémentées de meubles anciens, possède sa propre teinte dominante (les moins chères sont plus petites ou mansardées) et l'établissement mérite une mention spéciale pour sa belle salle de petit-déjeuner et son bar chaleureux. Il dispose de 12 places de parking, à réserver impérativement (6 €).

Où se restaurer

La Fleur de Sel Maritime **€€**
(02 96 85 15 15 ; www.restaurantlafleurdesel.com ; 7 rue Sainte-Claire ; plats 12,50-22 €, menus 26-36 € ; fermé dim soir et lun). Dos de cabillaud au beurre d'agrumes, saint-jacques "juste saisies", pastilla de canard… la carte illustre l'inventivité de cette table qui remporte de bons suffrages avec une cuisine mêlant produits de la mer et touche créative. L'ensemble vous attend en plein cœur du vieux Dinan, derrière une façade d'un bleu très maritime.

L'Ami Louis Poissons et grillades **€€**
(02 96 87 96 70 ; 78 rue du Petit-Fort ; plats 14,50-55 €, menus 19,50-42 € ; fermé lun et mar). À deux pas du port – ce qui nécessite de descendre les pavés de la rue du Jerzual –, L'Ami Louis vous accueille dans une salle chaleureuse ou sur quelques tables en terrasse, autour d'une cuisine misant sur les poissons et fruits de mer et sur d'appétissantes grillades cuites à la cheminée. On peut faire s'envoler l'addition avec les plateaux de fruits de mer ou se contenter du "petit" menu, très honorable.

Renseignements

Office du tourisme (02 96 87 69 76 ; www.dinan-tourisme.com ; 9 rue du Château). Dans un bel espace moderne au pied du château-musée, personnel efficace ; Wi-Fi gratuit et ordinateur connecté à disposition.

SAINT-CAST-LE-GUILDO (SANT-KAST-AR-GWILDOÙ)

Assoupie l'hiver, fébrile l'été : c'est la rude loi du tourisme balnéaire qui s'applique à Saint-Cast-le-Guildo. En effet, la ville réunit tous les ingrédients essentiels d'une station balnéaire : port de plaisance, immenses plages de sable fin, villas cossues, centre nautique… La localité voit sa population décupler en saison, avec des familles intergénérationnelles, très "bon chic bon genre", qui viennent ici chaque année depuis des décennies. Dernière précision : le nom de la ville se prononce "saint ca".

Sables-d'Or-les-Pins (p. 105)

JOHN ELK III/LONELY PLANET IMAGES ©

JOHN ELK III/LONELY PLANET IMAGES ©

À ne pas manquer
Cap Fréhel et Fort-la-Latte

Pointé vers le large, le cap Fréhel est l'un des sites naturels les plus emblématiques des Côtes-d'Armor. Sa visite, incontournable, peut se doubler de celle du Fort-la-Latte, de l'autre côté de l'anse des Sévignés. Ces deux sites remarquables ne s'apprécient jamais mieux qu'en empruntant le sentier des Douaniers (GR® 34) en un itinéraire facile d'une heure aller simple. Notez que le parking du cap Fréhel est payant en saison.

Le **cap Fréhel** (voiture/moto 2/1 € du 1er juin au 30 sept, gratuit le reste de l'année) est le deuxième site le plus visité en Bretagne après la pointe du Raz et incontestablement l'un des plus grandioses. Dans cet univers minéral suspendu au-dessus de la mer, tanné par les vents, l'usage du superlatif est de mise. Partez à la découverte de la lande, site classé de 400 ha qui s'étend sur un vaste plateau de grès rose, culminant à 70 m au-dessus de la mer où règnent ajoncs et bruyères. Au printemps, le paysage est sublime, illuminé par une explosion de couleurs. Le **phare** (adulte/enfant 2/1,50 €, gratuit -10 ans ; juil-août tlj 11h-18h30, avril-juin et sept-oct tlj 14h30-17h), mis en service en 1950, est ouvert à la visite. D'intéressantes expositions sont organisées au rez-de-chaussée.

Dressé sur sa pointe rocheuse, le **Fort-la-Latte** (02 96 41 57 11 ; www.castlelalatte.com ; adultes/- 12 ans 5,30/3,20 € ; début avril tlj 14h-18h, mi-avril à juin et sept tlj 10h30-18h, juil-août tlj 10h30-19h, hors saison sam, dim, jours fériés et vacances scolaires 14h-18h) a été érigé au XIVe siècle mais fut démantelé puis transformé en fort de défense côtière à la fin du XVIIe siècle – il visait à empêcher les Anglais de mouiller dans l'anse des Sévignés. Avec son donjon, son pont-levis et ses remparts, il a tout du château-fort.

INFOS PRATIQUES

Office du tourisme (02 96 41 57 23 ; www.paysdefrehel.com ; pl. Chambly, Fréhel Bourg)

Activités

Magnifique, la **Grande Plage** est le principal atout de Saint-Cast-le-Guildo avec la **pointe du Sémaphore**, au nord, et la **pointe de la Garde**, au sud, qui offrent un panorama s'étendant du cap Fréhel à la baie de Saint-Malo. La péninsule de Saint-Jacut-de-la-Mer, sur l'autre rive de l'estuaire de l'Arguenon, abrite également de très belles étendues de sable.

Le **centre nautique** (**02 96 41 86 42 hors saison, 02 96 41 71 71 au Point Plage en juil-août ; www.centre-nautique-saint-cast.fr ; Pâques-Toussaint)** propose un ensemble complet de prestations liées aux activités nautiques : raids en kayak, stages de planche à voile...

Plusieurs **itinéraires de VTT** sont balisés à Saint-Cast et dans les environs. Vous pouvez vous renseigner à l'office du tourisme (voir p. 108) et louer des vélos toute l'année chez **Cycles Page** (**02 96 41 87 71 ; www.patrick-page.fr ; 9 rue de l'Isle ; 11 € la journée ; mar-sam)**, qui propose aussi des vélos électriques.

Pour se dégourdir les jambes, une **promenade** permet de rejoindre à pied le port de plaisance et ses terrasses, en quelques centaines de mètres en bord de l'eau depuis l'extrémité de la plage.

Où se loger et se restaurer

Villa Blanc-Marine, Chez M. Husson

Chambres d'hôtes **€€**

(**02 96 81 05 36, 06 30 06 73 63 ; chambredhotesaintcast.gitesdarmor.com ; 26 av. de Pen-Guen ; s/d/t/q 50-60/60-70/85/100 € petit-déj inclus ; fermé mi-déc à fin jan ;**). En bordure de l'avenue reliant le quartier de Pen Guen au centre-ville, à 300 m de la plage du même nom mais à l'écart du centre, cette superbe maison d'architecte, agrémentée de bois et de grandes baies vitrées, offre une prestation imbattable. Rémy Husson, ancien réalisateur de dessins animés, y a aménagé 4 chambres dont une familiale, bénéficiant toutes d'une décoration sobre et lumineuse, inspirée du monde maritime, mais aussi d'un confort et d'une propreté irréprochables. Jardin et transats à disposition. Le sentier des Douaniers (GR®34) passe par l'avenue de Pen-Guen.

Sables-d'Or-les-Pins

Les très belles plages de sable qui se succèdent à l'ouest du cap Fréhel connaissent leur apothéose à Sables-d'Or. Cette station balnéaire de la commune de Fréhel, créée de toutes pièces dans les années 1920, est en effet bordée d'un ruban de sable de près de 2 km. Une grande dune fut rasée pour céder la place à des hôtels, un casino, une large avenue, un golf, des villas cachées dans les pinèdes et des clubs hippiques, alors prisés d'une clientèle internationale fortunée. L'élan immobilier fut cassé net lors de la crise de 1929. L'essor reprit par la suite, mais la station laisse une impression d'inachevé.

Hôtel Port-Jacquet

Hôtel-restaurant **€€**

(**02 96 41 97 18 ; www.port-jacquet.com ; 32 rue du Port ; d/t/q 41-60/54-73/72-84 € ;**). Son principal atout est son emplacement, à deux pas du centre-ville, surplombant la mer entre la plage et le port de plaisance. Derrière une salle de restaurant à ambiance maritime, à l'image de l'hôtel, il dissimule des chambres d'un bon rapport qualité/prix, au confort simple mais claires et impeccables. Les plus chères donnent sur la mer, d'autres sont situées à l'arrière dans un bâtiment récent (ces dernières sont les plus calmes mais ont moins de charme à nos yeux). Label rando accueil et location de vélos.

Le Jardin Délice

Frais et de saison **€€**

(**02 96 81 05 27 ; 23 bd Duponchel ; formules à partir de 13,90 €, menus 27-56 € ; juil-août tlj, fermé mer hors saison)**. Dans un agréable

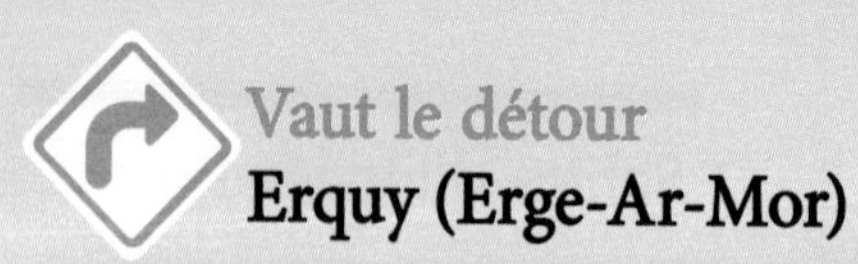

Erquy (Erge-Ar-Mor)

La côte de Penthièvre se montre sous son meilleur jour au **cap d'Erquy** et ses 170 ha de zone protégée. Des itinéraires de randonnée balisés, en boucle, permettent de découvrir ses falaises et ses rochers taillés à la serpe, ses jeux de couleurs sur les landes sauvages et ses longues grèves.

La **ville d'Erquy** (office du tourisme ✆ 02 96 72 30 12 ; www.erquy-tourisme.com ; 3 rue du 19-Mars), bordée de sa plage, se partage entre un visage résolument balnéaire et son activité de "capitale de la coquille Saint-Jacques" de la baie de Saint-Brieux. Une halte prolongée s'impose sur son **port**, où la flottille de bateaux de pêche débarquant leurs prises, essentiellement des coquilles Saint-Jacques d'octobre à fin avril, constitue un spectacle à part entière. Pour en savoir plus sur cette activité, inscrivez-vous à une visite matinale de la **criée d'Erquy** (✆ 02 96 41 50 83 ; grandsite-capserquyfrehel.com ; adulte/6-12 ans 6/3 €, gratuit -6 ans ; mardi à 6h30, durant les vacances scolaires uniquement) organisée par le syndicat des caps.

Erquy compte une dizaine de plages, dont la **plage du Caroual**, longue de 2 km et bordée par la lande. Surveillée en juillet et août, c'est l'une des plus belles de cette partie de la côte.

patio ou une salle à la décoration fraîche et soignée, on se régale d'une cuisine fine, goûteuse et de saison, privilégiant les produits frais régionaux. À la carte : filet de bar aux algues, dos de cabillaud de pêche locale et sa sauce au chorizo, carré d'agneau rôti mariné aux épices, homard breton... L'accueil tout en gentillesse contribue à un repas sans fausse note.

La Marinière

Poissons et fruits de mer **€€**

(✆ 02 96 41 86 14 ; 5 bd de la Mer ; plats 11-18,90 €, formules à partir de 11,90 €, menus à partir de 22,90 € ; fermé mer). Son premier atout : cette adresse est l'une des rares de Saint-Cast à être située en premier plan sur le front de mer, face à la plage. Sur la terrasse ou dans la salle à la décoration moderne, on y sert aussi bien des moules que des plats plus sophistiqués comme la brochette de saint-jacques au lard et au cidre ou le magret de canard sauce foie gras. Cuisine honorable et bien présentée.

Renseignements

Office du tourisme (✆ 02 96 41 81 52 ; www.saintcastleguildo.com ; pl. Charles-de-Gaulle). L'office vend un guide de randonnées sur le territoire de Saint-Cast (2,50 €). Wi-Fi et ordinateurs connectés (1/3/8 € pour 15 minutes/1 heure/3 heures, ticket utilisable plusieurs fois).

PLÉNEUF-VAL-ANDRÉ (PLENEG-NANTRAEZH)

Pléneuf-Val-André est l'archétype de la station de villégiature : immense plage bordée par une promenade, architecture balnéaire, petit port de plaisance, golf, centre de thalassothérapie et casino. Le bourg, étendu, se compose de trois entités : la station balnéaire du Val-André ; Dahouët, l'ancien port des terre-neuvas aménagé en port de plaisance ; et Pléneuf, plus à l'intérieur des terres. La station a connu ses heures de gloire dès la fin du XIXe siècle, lorsque le gratin des lettres, des sciences et de la politique y avait ses habitudes. Elle a quelque peu perdu de sa superbe mais conserve un pouvoir d'attraction auprès des plaisanciers, des golfeurs, des adeptes du farniente et d'activités nautiques.

Activités

Les **plages** sont magnifiques, notamment celle du Val-André, interminable liseré blond de 2,5 km flanqué de demeures de caractère. Il fait bon flâner sur la digue piétonne qui la longe. De l'autre côté de la pointe de Pléneuf, les plages des Vallées et de Nantois affichent des dimensions plus modestes. L'**îlot du Verdelet** se dresse fièrement face à la pointe de Pléneuf, à l'est de la plage du Val-André. C'est une réserve ornithologique où ont élu domicile des goélands, des sternes, des mouettes et des cormorans.

Entre le centre-ville et la mer, le **golf** (☎ 02 96 63 01 12 ; pleneuf-val-andre.bluegreen.com/fr) a été conçu par Alain Prat. Ce beau parcours de 18 trous, qui accueille régulièrement des manifestations internationales, attire dans la station une clientèle mondiale. En bord de plage, le **Casino du Val-André** (☎ 02 96 72 85 06 ; www.casinovalandre.com ; 1 cours Winston-Churchill) regroupe machines à sous, tables de black jack et roulette anglaise, mais aussi un restaurant et une brasserie. Juste à côté, le luxueux **Spa marin du Val-André** (☎ 08 11 14 30 50 ; www.thalasso-resort-bretagne.com) permet de se refaire une santé.

Où se loger et se restaurer

Hôtel de la Mer Hôtel **€€**

(☎ 02 96 72 20 44 ; www.hotel-de-la-mer.com ; 63 rue Amiral-Charner ; d 72-85 € selon vue et saison ; Wi-Fi, P). L'établissement n'a rien d'exceptionnel mais dispose d'un atout : un emplacement très pratique dans la rue parallèle à la plage. Les chambres, rénovées au goût du jour, affichent une décoration dans un style sobre à dominante marine. Parking fermé gratuit.

Au Biniou Gastronomique **€€**

(☎ 02 96 72 24 35 ; www.restaurant-au-biniou.com ; 121 rue Georges-Clemenceau ; formule déj 17 €, menus 27,50-37,50 € ; juil-août tlj, hors saison fermé mar soir et mer). À 100 m de la plage, cet établissement propose une cuisine gastronomique et originale fleurant bon l'iode. Quelques suggestions de la carte : dos de bar rôti et son jus de civet à la cardamome, coquilles Saint-Jacques, chorizo et croquant de châtaignes, ou encore foie gras de

Pléneuf-Val-André (p. 106)

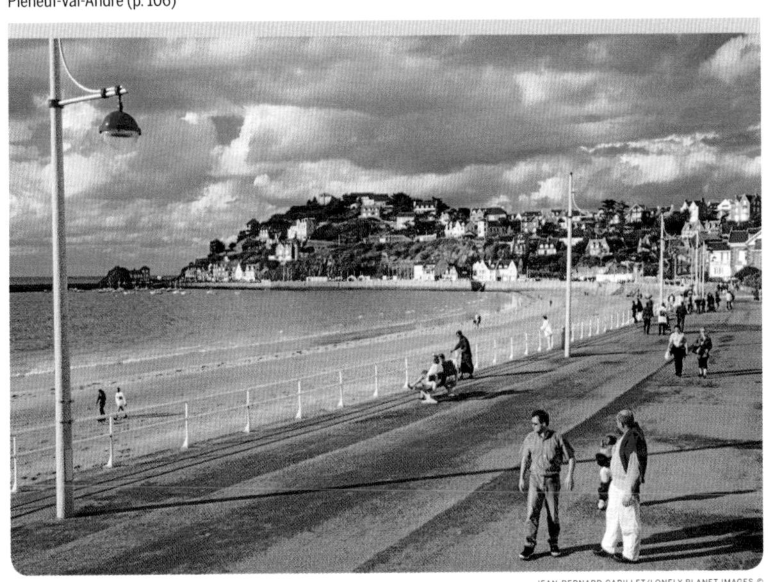

Vaut le détour
Château de Bienassis

Entre Erquy et le Val-André, le **château de Bienassis** (02 96 72 22 03 ; www.chateau-bienassis.com ; en bordure de la D786 ; visite du jardin et du château adulte/- 15 ans 6/3 €, gratuit - 6 ans ; mi-juin à mi-sept 10h30-12h30 et 14h-18h sauf dim matin, avril-sept dim et jours fériés 14h-18h30) est un incontournable de la région. Outre le parcours extérieur libre pour découvrir les écuries, les jardins et le parc, les visites guidées révèlent l'intérieur de l'édifice, qui accueille en été spectacles et animations. À l'origine château fort du XVe siècle, détruit pendant les guerres de la Ligue, il fut reconstruit à partir de 1620 et racheté par des particuliers à la fin du XIXe siècle, après avoir servi de prison pendant la Révolution.

canard, glacis de pommeau et pépites de noix.

Le Sub Gastronomique **€€**
(02 96 61 53 18 ; 28 quai des Terre-Neuvas, port de Dahouët ; menu unique 29 € midi et soir ; fermé mar toute la journée et mer midi). C'est la bonne surprise des environs de Val-André, et à nos yeux l'une des meilleures tables alentour. Sur le port de Dahouët, Bruno Gaudin a ouvert en 2013 cette salle à la chaleureuse déco un peu de bric et de broc – voile ancienne tendue au plafond, peintures modernes, objets maritimes – où l'ardoise se limite chaque jour à trois entrées, trois plats et trois desserts. Le risotto au homard est une pure merveille et la pièce de bœuf, servie avec sa purée au goût de truffes, laisse des souvenirs pour longtemps. En bref : un sans-faute ! Mieux vaut réserver.

Où prendre un verre et sortir

Space Club Discothèque **€€**
(02 96 63 08 95 ; 38 rue de la Cour, Val-André ; 10/12 € ; juil-août mar-dim 23h-6h). Un club caché au cœur de la station balnéaire du Val-André. Navettes gratuites en été.

Renseignements

Office du tourisme (02 96 72 20 55 ; www.val-andre.org ; rue Winston-Churchill). Situé au Val-André, juste à côté du casino et de la plage, l'office se double d'une agence SNCF. Wi-Fi gratuit.

SAINT-BRIEUC (SANT-BRIEG)

La préfecture des Côtes-d'Armor est une anomalie. Rien ne semblait en effet disposer ce site rendu difficile d'accès par les deux profondes vallées qui le traversent à devenir une ville majeure. L'histoire en a pourtant décidé autrement. Évêché dès le Xe siècle, cité commerçante de longue date, Saint-Brieuc est aujourd'hui un pôle administratif important. Son mélange d'architecture récente et de patrimoine ancien est parfois un peu déconcertant. Si la ville peut être assez difficile à appréhender dans sa géographie pour le nouveau venu, son centre historique, largement piétonnier, concentre la majeure partie des sites d'intérêt de Saint-Brieuc.

À voir

Cathédrale Saint-Étienne Architecture religieuse
L'allure massive et rude de cette cathédrale, avec ses deux tours carrées et trapues qui lui donnent presque une silhouette de forteresse, la distingue des lignes habituellement plus élancées de ses homologues françaises. Bâtie entre les XII et XIIIe siècles dans le style gothique, elle a été remaniée plusieurs fois au cours de son histoire. À l'intérieur,

ne ratez pas les orgues Cavaillé-Coll et le retable de l'Annonciation du XVIIIe siècle.

Vieux Saint-Brieuc — Patrimoine

C'est l'atout charme de la ville. Autour de l'office du tourisme et de la cathédrale, un maillage de rues pavées invite à la flânerie dans le cœur de la cité historique. De superbes maisons à pans de bois et à encorbellements font écho à d'altières demeures en granit. Arpentez plus particulièrement la rue Fardel (admirez la maison du Ribeault, à l'angle de la place au Lin, et l'hôtel des Ducs de Bretagne, au n°15), la rue Quinquaine, la place au Lin, la place Louis-Guilloux et la rue de Gouët.

Musée d'Art et d'Histoire — Art régional

(☎ 02 96 62 55 20 ; cour Francis-Renaud ; ⌚ mar-sam 10h12h et 13h30-18h, dim 14h-18h). GRATUIT Dans deux pavillons, dont l'un accueille des expositions temporaires, cet agréable musée évoque l'histoire de la ville, de la pêche à l'industrie toilière. Il s'intéresse aussi au défrichement des landes, à l'archéologie sous-marine, à l'habitat et à la tradition religieuse. Ne manquez pas l'exposition d'objets provenant de navires naufragés, rejetés sur les côtes, et deux marines de Joseph-Alexandre Ruellan, peintre du tournant du XXe siècle, natif de Saint-Quay-Portrieux.

 Où se loger

Hôtel Ker Izel — Hôtel €

(☎ 02 96 33 46 29 ; www.hotel-kerizel.com ; 20 rue de Gouët ; s/d 47-52/58-64 € ; wifi, piscine). S'il ne paie pas de mine de l'extérieur, cet établissement, dans le centre, s'avère une bonne surprise, avec des chambres claires à prix très raisonnables. Il dissimule par ailleurs une petite piscine et un jardinet.

Hôtel Edgar — Hôtel-restaurant €€

(☎ 02 96 60 27 27 ; www.saint-brieuc-hotel.fr ; 15 rue Jouallan ; s/d à partir de 78/90 € ; wifi, clim, P). Au cœur du centre ancien, cet hôtel entièrement rénové dans un style sobre et moderne se décline en 28 chambres aux teintes reposantes, de dimensions très variables. Quelques places de parking sont disponibles (10 €).

Château de Bienassis (ci-contre), près d'Erquy

JEAN-PHILIPPE DELISLE/FOTOLIA ©

Énergies renouvelables

Deux projets phares des énergies renouvelables sont en cours au large des Côtes-d'Armor. Le premier, plus important projet hexagonal développé dans le domaine des énergies marines "propres", devrait être lancé en 2016 en baie de Saint-Brieuc. Il prévoit l'implantation d'un champ de 100 éoliennes, culminant 175 m au-dessus du niveau de la mer, à 16 km au large du cap d'Erquy. Certaines voix redoutent toutefois qu'il nuise à la production des coquilles Saint-Jacques, importante ressource de la région. La livraison est prévue pour 2020.

Le parc d'hydroliennes de Paimpol-Bréhat est pour sa part unique au monde. Il vise à immerger des turbines de 16 m de diamètre à 35 m de profondeur afin d'utiliser l'énergie naturelle des courants et de la houle pour produire de l'électricité. Les perspectives de ce mode de production, qui porterait très peu atteinte à l'environnement, sont jugées très intéressantes par les spécialistes. La première turbine est en phase de test, au large de Bréhat, depuis 2011.

À ce jour, la Bretagne ne produit que 11% de l'électricité qu'elle consomme.

Où se restaurer

L'Esprit de Famille Déjeuner et salon de thé €

(**02 96 61 93 18 ; www.esprit-de-famille.fr ; 21 rue des Promenades ; plats 10-15,20 € ; lun-sam jusqu'à 18h).** Dans le cadre d'une ancienne mercerie, transformée en restaurant et salon de thé cosy et raffiné, on sert ici des salades, tartines, assiettes composées et plats du jour. L'ambiance chaleureuse, le bon accueil et la qualité des produits assurent le succès de cette adresse qui ne désemplit pas à l'heure du déjeuner.

Crêperie des Promenades Crêperie €

(**02 96 33 23 65 ; www.creperie-des-promenades.fr ; 18 rue des Promenades ; crêpes et galettes 2,60-6,80 € ; lun-sam midi, ven et sam soir).** Envie d'une galette à l'andouille et aux pommes ? D'une crêpe miel-citron ? Juste en face de L'Esprit de Famille, cette adresse à la salle claire et accueillante donne une touche de modernité bienvenue aux habituelles crêperies. Certains produits sont bio.

Youpala Bistrot Gastronomique €€€

(**02 96 94 50 74 ; www.youpala-bistrot.com ; 5 rue Palasne-de-Champeaux ; formules midi/soir 23-46/38-78 € ; mar-sam midi et soir).** Pas de carte à cette table gastronomique, saluée par une étoile au guide Michelin ! Jean-Marie Baudic concocte chaque jour une suggestion unique, axée sur les produits de la mer et les légumes de saison. Un peu à l'écart du centre, mais à 5 minutes de la gare en voiture, par les bd Charner puis Laennec.

Renseignements

Office du tourisme (**02 96 33 32 50 ; www.baiedesaintbrieuc.com ; 7 rue Saint-Gouéno).** Outre les brochures et plans, vous pourrez vous renseigner sur les visites d'entreprises proposées dans la ville (pinceaux Léonard, Biscuiterie de Saint-Brieuc). Wi-Fi gratuit.

QUINTIN (KINTIN)

À 20 km au sud-ouest de Saint-Brieuc, Quintin est l'étape incontournable si vous cherchez à flâner dans une cité de caractère. Aux XVIIe et XVIIIe siècles, la fabrication et le commerce des toiles ont enrichi le patrimoine architectural de ce bourg, qui compte ainsi nombre de demeures anciennes.

À voir

Basilique Notre-Dame-de-Délivrance Architecture religieuse

(www.quintin.catholique.fr ; rue Notre-Dame). Érigée sur le site de l'ancienne collégiale et terminée en 1887, cette église de style néogothique ne prit le titre de basilique qu'en 1934. À l'intérieur, plusieurs statues en bois polychrome datant des XVIe et XVIIe siècles, dont une Vierge recouverte d'argent et de bronze doré. Autre curiosité, une relique de la ceinture de la Vierge offerte par le patriarche de Jérusalem à Geoffroy Ier Boterel lors d'une croisade en 1252. Ce fragment de lin de 8 cm porte les traces de l'incendie qui détruisit la collégiale (XVe siècle) en 1600.

Château de Quintin Patrimoine

(02 96 74 94 79 ; www.chateaudequintin.fr ; adulte/enfant 5,50/3 €, gratuit - 8 ans ; jan-mars dim 14h-16h30, avril-juin et sept-oct tlj 14h-17h, juil-août tlj 10h30-12h et 14h-18h). Ne vous attendez pas à des tourelles et des donjons... Accolé à la basilique, le château est composé de deux bâtisses, des XVIIe et XVIIIe siècles, qui appartiennent à la même famille depuis leur construction. La visite permet de découvrir les appartements meublés, ainsi qu'un "potager", spécimen rare de grand fourneau en granit du XVIIIe siècle.

Vieille ville Patrimoine

En se promenant sur les places et dans les ruelles, on pourra admirer une succession d'hôtels particuliers. Remarquez également la fontaine et la façade sculptées de la rue Notre-Dame, entre la basilique et l'office du tourisme.

Maison du Tisserand - Atelier des toiles Histoire des métiers

(02 96 32 78 08 ; www.maisondutisserandquintin.com ; 1 rue des Degrés ; adulte/enfant 4,50/2 €, gratuit -12 ans ; juin-sept mar-sam 11h-12h30 et 14h30-18h). La visite inclut une démonstration d'un métier à tisser du XIXe siècle, ce qui en fait une excellente introduction à l'histoire de la fabrication des toiles en Bretagne. Au début du XVIIIe siècle, 30 000 personnes vivaient de cette activité et on a compté jusqu'à 900 métiers à tisser sur le territoire de la seigneurie de Quintin.

Où se loger et se restaurer

Hôtel-restaurant Le Commerce Central €€

(02 96 74 94 67 ; www.hotelducommerce-quintin.com ; 2 rue Rochonen ; d 77-87 €, menu 17,50 €, plats 15-18 € ; fermé fin août à mi-sept ; @). Ambiance d'auberge à l'ancienne pour cette adresse située en plein cœur du bourg. Le restaurant

Si vous aimez... les cités de caractère

Si vous aimez les cités de caractère comme Dinan (p. 100), Tréguier (p. 121) et Quintin (ci-contre), découvrez :

1 **PONTRIEUX**
Ateliers d'artistes et d'artisans et charmants édifices anciens ponctuent les ruelles de la ville.

2 **LÉHON**
L'abbaye Saint-Magloire fut fondée ici par les bénédictins au XIIe siècle, aux portes de Dinan.

3 **MONCONTOUR**
L'une des places fortes de la région jusqu'au début du XVIIe siècle.

4 **JUGON-LES-LACS**
Nichée dans une petite vallée, cette bourgade historique aux maisons aux toits d'ardoise affiche une belle unité urbaine.

Basilique et château de Quintin (p. 110)

est apprécié des habitants mais les chambres, à la décoration assez vieillotte, nous ont semblé surévaluées. Accueil sympathique.

Manoir de Roz Maria Chambres d'hôtes de style **€€€**
(**02 96 58 15 90, 06 72 88 60 70 ; 5 rue du Maréchal-Leclerc ; d 80-125 €, petit-déj inclus ; tte l'année ; P**). Les amoureux d'antiquités seront à leur aise dans ce manoir, ancien couvent bâti en 1620, à l'abri derrière son enceinte de pierre. À l'intérieur, boiseries et meubles de style réchauffent l'atmosphère de cette grande demeure. La décoration rappelle que la propriétaire fut antiquaire dans sa Normandie natale. Aucun panneau n'indique l'adresse de l'extérieur. À ne pas confondre avec le parc de Roz Maria.

Le Café des Chasseurs Familial **€**
(**02 96 79 60 60 ; www.restaurant-pizzeria-quintin.fr ; 5 pl. de la République ; plats 6,10-16,50 € ; fermé lun soir, mar et dim midi**). Accueil impeccable dans ce petit restaurant du centre de Quintin. La carte propose des grandes salades colorées ou de larges pizzas, ainsi que des plats du jour plus aboutis. Les quelques tables installées à l'extérieur, dans un petit patio, sont idéales pour profiter des rayons de soleil en été.

Renseignements

Office du tourisme (**02 96 74 01 51 ; www.tourismequintin.com ; 6 pl. 1830**).

Internet Accès Internet gratuit pour les clients du **Celtic Bar** (**02 96 74 88 50 ; 15 rue du Lin ; mar-jeu 13h-minuit, ven-sam 13h-1h, dim 17h-23h**), installé face à la poste.

RÉGION DU LAC DE GUERLÉDAN

À la frontière entre le Morbihan et les Côtes-d'Armor, le lac de Guerlédan est le plus grand plan d'eau douce de Bretagne, avec une superficie de 4 km^2 et 40 km de tour. Ce lac artificiel est né de la construction, en 1930, du barrage de Guerlédan sur le Blavet et d'une usine de production d'électricité.

À voir

Abbaye de Bon-Repos
Vestiges religieux

(02 96 24 82 20 ; www.bon-repos.com ; Saint-Gelven ; adulte/réduit/enfant 5/4/2 € ; mars-juin et sept-nov lun-ven 10h-12h et 14h-18h, dim 14h-18h, juil-août tlj 10h-19h ; P). Non loin du lac, cette imposante abbaye fut fondée en 1184 sur les rives du canal de Nantes à Brest et connut une longue période de prospérité jusqu'au XVIe siècle. Abandonnée à la Révolution, elle accueille désormais des expositions l'été.

Forges des Salles
Patrimoine industriel

(02 96 24 94 85 ; www.lesforgesdessalles.info ; Perret ; adulte/réduit 6/4 €, gratuit - 10 ans ; juil-août tlj 14h-18h, Pâques-Toussaint sam-dim 14h-18h). Échappez-vous vers la forêt de Quénécan pour visiter cet ancien village sidérurgique des XVIIIe et XIXe siècles bien restauré, formidable témoignage de l'aventure industrielle de la région.

Activités

Le lac est apprécié des familles en été pour les campings qui bordent ses rives, ses bases de loisir et ses plages. Les principales sont la **plage de Beau-Rivage**, sur la rive septentrionale, près de Caurel, et une petite crique, l'**anse de Sordan**, sur la berge méridionale. Elles sont toutes les deux prises d'assaut en été.

L'office du tourisme local, basé à Mûr-de-Bretagne, pourra vous renseigner sur les activités autour du lac. La petite reine est à la fête avec 12 circuits balisés totalisant 300 km. Les itinéraires sont disponibles à l'office du tourisme et la location des vélos s'effectue à la **base départementale de plein air de Guerlédan** (02 96 67 12 22 ; base-plein-air-guerledan.com ; 106 rue du Lac, Mûr-de-Bretagne ; demi-journée/journée 10/15 €). Dans un autre registre, l'**Association Roul-Coul** (06 67 12 90 42 ; roulcoulbzh22@hotmail.fr ; tte l'année sur réservation) propose des balades en calèche autour du lac, en forêt et sur le canal, à l'heure et à la demi-journée.

Un lac à sec

Tous les 30 ans environ, le lac de Guerlédan est vidé afin de permettre des travaux sur le barrage. Plages et criques disparaissent alors et c'est un monde englouti qui resurgit. Les prochains assecs auront lieu de mai à novembre 2015... et vers 2045 ! Plus de renseignements sur www.guerledan.fr.

Enfin, les **Vedettes de Guerlédan** (02 96 28 52 64 ; www.guerledan.com ; départ de Beau-Rivage ; tarif enfant/adulte 6,80/9,80 € ; avril à mi-oct, en juil-août départ à 15h, hors saison sur réservation seulement) proposent des balades en bateau de 1 heure 30 environ.

Où se loger et se restaurer

Auberge Grand Maison
Hôtel et restaurant étoilé €€€

(02 96 28 51 10 ; www.auberge-grand-maison.com ; 1 rue Léon-le-Cerf, Mûr-de-Bretagne ; d 55-90 € ; formule midi 29 €, menus 53-82 € ; mer-dim midi et soir ; P). Au-delà de ses 8 chambres, toutes différentes, on vient surtout dans cette auberge pour la cuisine du chef Christophe Le Fur, saluée par une étoile au guide Michelin. La carte en elle-même met l'eau à la bouche : tartelette de homard, saint-pierre en croûte d'herbes, tomates vertes, mousse de riz et gaspacho de chou rouge ; agneau du Quercy cuit à basse température farci d'oignons de Roscoff... Possibilités de cours de cuisine dans le bel atelier mitoyen.

Le Relais du Boucher
Carnivore €

(02 96 26 05 67 ; 37 rue Sainte-Suzanne, Mûr-de-Bretagne ; plats 8-22 € ; juil-août tlj, hors saison fermé dim soir, lun soir et mar soir). Excès de galettes et de crustacés ? Réfugiez-vous chez cet ancien boucher de la région parisienne qui a ouvert son

restaurant face à la jolie chapelle Sainte-Suzanne. Tartares préparés de toutes les façons, entrecôtes et carpaccios sont ici à l'honneur. Agréable terrasse, service attentif et rapide.

Crêperie de Bon Repos Crêpes et galettes **€**
(02 96 24 86 56 ; www.creperiebonrepos.fr ; Bon-Repos, commune de Saint-Gelven ; galettes 2-8,55 € ; fermé lun et mi-sept à mi-oct ; P). En bord de route à deux pas de l'abbaye de Bon-Repos, cette crêperie installée dans une longère blanche est impossible à rater. Attablé dans une grande salle à la décoration rustique, on y déguste de délicieuses galettes et crêpes. Service professionnel et rapide.

Achats

Petit marché de Bon Repos
(www.lepetitmarchedebonrepos.com ; Bon-Repos, commune de Saint-Gelven ; mars-oct dim 10h30-13h). Un petit marché d'artisans se tient le dimanche près de l'abbaye. Selon la saison et votre humeur, faites le plein de cidre, de miel, de pain bio, de chocolat, d'escargots, de légumes...

Renseignements

Office du tourisme de Guerlédan (02 96 28 51 41 ; www.guerledan.fr ; pl. de l'Église, Mûr-de-Bretagne)

SAINT-QUAY-PORTRIEUX (SANT-KE-PORZH-OLUED)

Assoupie hors saison, Saint-Quay-Portrieux attire en été un public familial d'habitués, séduits par ses plages et son atmosphère décontractée. La ville commença à faire parler d'elle auprès des citadins en quête de bains de mer dès le début du XXe siècle, lorsqu'elle anticipa la fin de la grande pêche à Terre-Neuve et en Islande en s'orientant vers le tourisme. Lors de la Première Guerre mondiale, de nombreux réfugiés du nord de la France s'installèrent dans la petite station et lui restèrent fidèles, en revenant les étés suivants. En 1990, la construction d'un port en eau profonde, le premier entre Cherbourg et Brest, a donné un coup de fouet à l'activité économique et touristique de la station.

La fête de la Coquille

Célébrant le délicat mollusque qui a fait la réputation des ports de la côte du Goëlo, la fête de la Coquille Saint-Jacques a lieu chaque année en alternance entre les ports de Saint-Quay-Portrieux, Loguivy-de-la-Mer et Erquy. Début mai, elle fête la fin de la période de pêche de la coquille dans la baie de Saint-Brieuc, qui occupe la plupart des marins-pêcheurs. Les prochaines éditions auront lieu à Saint-Quay-Portrieux en 2015, Loguivy-de-la-Mer en 2016 et Erquy en 2017.

Activités

"Saint-Quay" est réputée pour ses plages de sable fin abritées du vent. Au cœur de la ville, la **plage du Casino** est l'archétype de la plage de cité balnéaire. Si on recherche un peu plus de calme en été, la **plage du Châtelet** et la **plage de la Comtesse** sont à peine plus loin. Toutes sont surveillées durant la saison estivale, et la plage du Châtelet dispose d'une piscine d'eau de mer avec plongeoir.

La ville est également très bien placée pour une promenade le long du **sentier des Douaniers**. En une heure de marche environ, il est par exemple possible de rejoindre d'un côté la belle plage des Godelins, à Étables-sur-Mer, ou de l'autre la plage de Port-Goret, à Tréveneuc.

Où se loger

Hôtel Saint-Quay Hôtel-restaurant **€€**
(02 96 72 70 48 ; www.hotel-saint-quay-et-son-restaurant.com ; 72 bd Foch ; d/q 69-95 €,

menus à partir de 25 € ; P wifi). Au cœur de la ville, près de la mairie, ce petit hôtel deux étoiles rénové avec goût abrite 8 chambres toutes différentes, d'un bon rapport qualité/prix. Il se double d'un restaurant, baptisé Signatures, qui remporte d'excellents échos. Quelques places de parking sont disponibles.

Ker Moor Vue sur mer **€€€**
(☎ 02 96 70 52 22 ; www.ker-moor.com ; 13 rue du Président-le-Sénécal ; d basse/haute saison 82-132/102-179 € ; ⏲ tte l'année ; P wifi). Dissimulé au pied d'une villa mauresque, face aux îles de Saint-Quay, le Ker Moor a une vue splendide sur la mer et un confort quatre étoiles, qui font oublier le manque de charme architectural du bâtiment. Les tarifs sont certes élevés, mais le service est de qualité, la décoration est colorée et pimpante et la majorité des chambres ont vue sur la mer et disposent d'une terrasse. Possibilité de louer des vélos.

Où se restaurer

Bistrot La Marine Restaurant-bar-musique **€€**
(☎ 02 96 70 87 38 ; www.bistrotlamarine.com ; 38 quai de la République ; plats 13,50-20 €, menu midi/soir 17/26 € ; ⏲ tlj midi et soir en saison, fermé dim hors saison, fermé jan-fév). Animé par une fine et jeune équipe, ce petit bistrot du port a tout pour plaire. En bas, un comptoir pour lever le coude avec des petits vins fruités ou de la bière locale, en haut, la salle de restaurant à la déco ancienne heureusement rafraîchie, pour attaquer huîtres, poissons crus ou grillés et autres produits de la mer bien cuisinés. Programmation de concerts en été et jazz le dimanche hors saison.

Les Cochons Flingueurs Restaurant-bar-cocktails **€**
(☎ 02 96 70 73 51 ; www.lescochonsflingueurs.fr ; place de la Plage ; plats 12,50-18,50 € ; ⏲ mer-dim hors saison, tlj en juillet août ; wifi). La carte n'a rien de très exceptionnel mais cette adresse qui cultive ses airs canailles face à la plage du casino séduit un public jeune (notamment les ados dont les familles passent l'été ici) avec son ambiance colorée et décontractée. Selon son envie, on s'installera dans la salle en pierre et bois, le patio ou la terrasse, face à une assiette de charcuterie, un cocktail, une entrecôte béarnaise ou des travers de porc.

Le Crapaud Rouge Moules et rhum à Port-Goret **€€**
(☎ 02 96 70 36 21 ; www.lecrapaudrouge.com ; 28 plage de Port-Goret, Tréveneuc ; moules-frites 10,60 €, rhum 3,60 € ; ⏲ juil-août tlj midi et soir, mi-avril à juin fermé mar et mer, fermé sept à mi-avril ; P). Face à la plage de Port-Goret, à 3 km de Saint-Quay (une voiture est nécessaire), ce "petit crapaud" est devenu une institution grâce à une recette infaillible : moules-frites et rhums servis à la bonne franquette et dans la bonne humeur, sur des tables de bois. Réservation impérative en été et le week-end hors saison. Idéal pour conclure une balade sur le sentier côtier.

Renseignements

Office du tourisme (☎ 02 96 70 40 64 ; www.saintquayportrieux.com ; 17 bis rue Jeanne-d'Arc).

Une escale à Binic

Au sud de Saint-Quay-Portrieux, Binic fut au milieu du XIXe siècle le premier port français pour ce que l'on appelait "la grande pêche", autrement dit la pêche à la morue sur les bancs de Terre-Neuve et d'Islande. Chaque année au début du printemps, les quais de Binic (Binig) voyaient alors plus de 2 000 marins prêts à embarquer pour de longs mois. Aujourd'hui, les bateaux des plaisanciers ont remplacé les navires de pêche et la cité est devenue une paisible et agréable station balnéaire. Sans renier son passé. On y célèbre la morue, chaque mois de mai, durant trois jours de fête avec force concerts, animations, sorties en mer... Plus d'informations sur www.la-morue-en-fete.fr.

Renseignements, billetterie SNCF, vente de tickets pour des **croisières vers Bréhat** (au départ du port d'Armor ; adulte/enfant 4-11 ans/- 3 ans 29/21,50/6 € ; mi-juin à mi-sept mar et jeu, réservation obligatoire la veille) et les sorties en mer à bord du vieux gréement **Le Saint-Quay** (au départ du port d'Armor ; à partir de 26/20 € adulte/- 12 ans ; avril-oct sur réservation).

Internet Connexion Wi-Fi gratuite pour les clients du **casino** (www.casinosaintquay.com ; 6 bd Général-de-Gaulle) sur présentation d'une pièce d'identité. Il est aussi possible de se connecter au café **Le Trot Quay** (30 rue Jeanne-d'Arc), sur la place de l'office du tourisme.

PAIMPOL (PEMPOULL) ET SES ENVIRONS

Le livre de Pierre Loti, *Pêcheur d'Islande* (1886), et la chanson de Théodore Botrel *La Paimpolaise* (1895) ont fait entrer le port de Paimpol dans la légende. Profitant de cette renommée, la ville attire un flux ininterrompu de touristes pendant l'été. Si vous appréciez l'ambiance des festivals de musique, faites-y escale mi-août, chaque année impaire, pour le **Festival du chant de marin** (www.paimpol-festival.fr).

Paimpol et ses alentours se prêtent bien aux **balades à pied**. Vous pourrez facilement faire le tour de l'Anse, rejoindre la pointe de l'Arcouest, ou remonter les rives du Trieux, puis revenir à votre point de départ. Pour piocher dans les itinéraires possibles, procurez-vous le *Guide des randonnées* (3 €) à l'office du tourisme (p. 121), qui décrit 9 circuits.

À voir et à faire

PAIMPOL

Pour découvrir le cœur de Paimpol et ses beaux exemples de demeures anciennes, arpentez ses ruelles autour de la **place du Martray**. Au n°31 de la place, vous remarquerez une maison en granit du XVᵉ siècle, ancien hôtel, où logea Pierre Loti. L'écrivain en fit la maison de l'héroïne de son célèbre *Pêcheur d'Islande*. **Quai Morand** et **quai Dayot**, de grandes demeures rappellent que Paimpol, à l'instar de Saint-Malo, fut une cité d'armateurs avisés.

Port de Paimpol

Une **visite commentée du port** (adressez-vous à l'office du tourisme) vous permettra de comprendre l'époque de la grande pêche, durant laquelle la flotte de Paimpol comptait des dizaines d'embarcations.

Musée de la Mer Histoire maritime

(☎ 02 96 22 02 19 ; www.museemerpaimpol.com ; 11 rue de Labenne ; tarif plein/réduit 4/2 € ; ⏲ mi-avril à mi juin tlj 14h-18h, mi-juin au 31 août tlj 10h30-12h30 et 14h-18h30, sept tlj 14h-18h). Pour un aperçu de l'histoire maritime de Paimpol et de ses habitants, dirigez-vous vers ce musée qui abrite un fonds permanent du patrimoine local retraçant l'épopée islandaise.

Musée du Costume Traditions

(☎ 02 96 22 02 19 ; rue Raymond-Pellier ; tarif plein/réduit 2/1,20 €, gratuit sur présentation d'un billet pour le musée de la Mer ; ⏲ mar-dim 15h-18h de mi-juil à fin août). Il expose des coiffes et costumes traditionnels dans une reconstitution de l'intérieur d'une maison ancienne du Goëlo-Trégor. Les billets pour le musée de la Mer, qui donnent accès aux salles, sont également vendus sur place.

ENVIRONS DE PAIMPOL

Abbaye maritime de Beauport Patrimoine religieux

(☎ 02 96 55 18 58 ; www.abbaye-beauport.com ; tarif été adulte/jeune/enfant 6/3,50/2,50 €, hiver 5,50/2,50/1,50 €, forfait 2 adultes et 2 enfants 13 € ; ⏲ 15 juin-30 sept tlj 10h-19h, 16 sept-14 juin tlj 10h-12h et 14h-17h ; P). L'un des sites de la côte du Goëlo à ne pas manquer, l'abbaye a accueilli pendant plusieurs siècles des pèlerins en route vers Saint-Jacques-de-Compostelle, tout en devenant un centre du commerce maritime. Pendant six siècles, les chanoines ont acquis et développé un domaine qui a compté jusqu'à 68 ha, répartis sur les communes environnantes. Les religieux y produisaient des céréales, des légumes, exploitaient les forêts, sans oublier les produits de la mer. L'abbaye, abandonnée après la période révolutionnaire, se dégrada pendant deux siècles avant d'être acquise en 1993 par le Conservatoire du littoral.

Si vous aimez... les plages de la côte du Goëlo

S'étendant de Saint-Brieuc à Paimpol, la côte du Goëlo offre de belles plages, comme celles de Saint-Quay-Portrieux (p. 114). Découvrez également :

1. **LES GODELINS (ÉTABLES-SUR-MER)**
Aux portes de Saint-Quay-Portrieux, c'est l'une des plus belles plages de la côte, avec son alignement de cabines rappelant une époque de bains de mer maintenant délicieusement désuète.

2. **PORT-GORET (TRÉVENEUC)**
À deux pas de Saint-Quay-Portrieux, elle est située dans un cadre naturel sauvage, au pied des falaises. Sur place, le restaurant Le Crapaud Rouge (voir p. 115) remporte un franc succès avec ses rhums et ses moules-frites.

3. **BONAPARTE (PLOUHA)**
Vers Plouha, cette immense et sauvage plage de sable servit à exfiltrer des aviateurs anglais durant la Seconde Guerre mondiale.

4. **LA PALUS (PLOUHA)**
Entre Port-Goret et la plage Bonaparte, une anse frangée de galets abritant plusieurs restaurants et bars.

Ploubazlanec (Plaeraneg) Bourg

À mi-chemin entre Paimpol et l'embarcadère des navettes pour Bréhat, Ploubazlanec respire l'histoire maritime de la région. Trois édifices témoignent de cette épopée : le **mur des Disparus**, la **croix des Veuves** et la magnifique **chapelle de Perros-Hamon** (appelée "chapelle des Naufragés" par Pierre Loti). On estime à 2 000 le nombre de disparus en mer d'Islande durant les années de pêche, entre 1852 et 1935. C'est dire le poids de cette aventure dans le cœur des familles !

En quittant le bourg de Ploubazlanec, on atteint rapidement la **pointe de l'Arcouest**, d'où l'on embarque pour l'archipel de Bréhat (voir p. 120). La pointe n'a pas de charme particulier (elle ressemble surtout à un gigantesque parking en été !) si ce n'est la vue sur l'archipel. En longeant la côte à pied (ou par la route au départ de Ploubazlanec), on peut rejoindre aisément le petit port de **Loguivy-de-la-Mer**. Rien à voir avec l'effervescence des quais de Paimpol, mais Loguivy est réputée pour son homard à la teinte bleutée qui fait le bonheur des amateurs.

Où se loger et se restaurer

PAIMPOL

Le Terre Neuvas Hôtel-restaurant sur le port €€
(02 96 55 14 14 ; www.le-terre-neuvas.com ; 16 quai Duguay-Trouin ; d 46-85 € ;). Ses atouts ? Un emplacement idéal, face au port, et des tarifs raisonnables. L'hôtel propose des chambres assez petites mais claires et impeccables, fraîchement repeintes de blanc. Les plus chères sont les plus vastes. Le restaurant est apprécié pour les produits de la mer, notamment ses préparations à base de morue.

Le Balthazar Restaurant-bar à vins €
(02 96 20 08 85 ; lebalthazar22.blogspot.com ; 26 rue des Huit-Patriotes ; plats 10-18 € ; hors vacances scolaires jeu-sam 16h-1h, vacances scolaires et juillet-août mar-sam 16h-1h). Sous l'œil bienveillant de Danielle, la patronne des lieux, attablez-vous au Balthazar pour manger un plat ou boire un verre de vin ou une bière bretonne. À l'ardoise : palourdes à l'espagnole, andouille au lard, magret de canard, planches de charcuteries et fromages. En été, tables en extérieur pour profiter de l'air frais, en hiver, la grande cheminée permet de se réchauffer. Le Balthazar accueille de nombreux rendez-vous avec des artistes locaux.

La Cotriade Gastronomique €€
(02 96 20 81 08 ; www.la-cotriade.com ; 16 quai Armand-Dayot ; formules midi 19-25 €, menus

Envie d'une sortie en mer ?

Catamaran, dundee thonier, sardinier... faites votre choix pour votre sortie en mer. Les départs peuvent se faire de Paimpol, de Loguivy-de-la-Mer ou de Lézardrieux, selon la météo et la destination finale (tour de Bréhat, Trieux...). Et surtout n'oubliez pas votre pique-nique : il n'y a rien de pire qu'un marin au ventre vide... Les réservations sont possibles depuis l'office du tourisme de Paimpol.

Catamaran Émaé (02 56 14 96 02, 06 88 61 02 59 ; www.catamaran-emae.com ; 14 rue de la Rive, Ploëzal ; sorties adulte/- 12 ans à partir de 25/20 € ; tte l'année sur réservation). Pour une escapade sur un catamaran de 10 m, avec au maximum 6 personnes plus le skipper.

Voiles et Traditions (02 96 55 44 33 ; www.voilestraditions.fr ; 22 Brezel-Nevez, Plouézec ; journée adulte/- 18 ans 49/39 € ; tte l'année sur rdv). Vous naviguerez sur un ancien dundee thonier de 1949, long de 19 m.

Eulalie (02 96 55 99 99, 06 87 73 17 99 ; www.eulalie-paimpol.com ; journée adulte/- 14 ans 49/40 € ; avr-oct). Départ de Paimpol ou de Lézardrieux (pour la remontée sur le Trieux) à bord d'une réplique d'un sardinier de 1900 construit en 1995. Jusqu'à 10 personnes pour une journée.

Ausquémé (06 07 59 04 03 ; www.ausqueme.fr ; sortie adulte/- 14 ans à partir de 40/30 € ; avr-sept). Sorties vers Bréhat et les Sept-Îles à bord d'un cotre aurique de 1942, depuis Lézardrieux ou Port-Blanc.

Abbaye maritime de Beauport (p. 117)

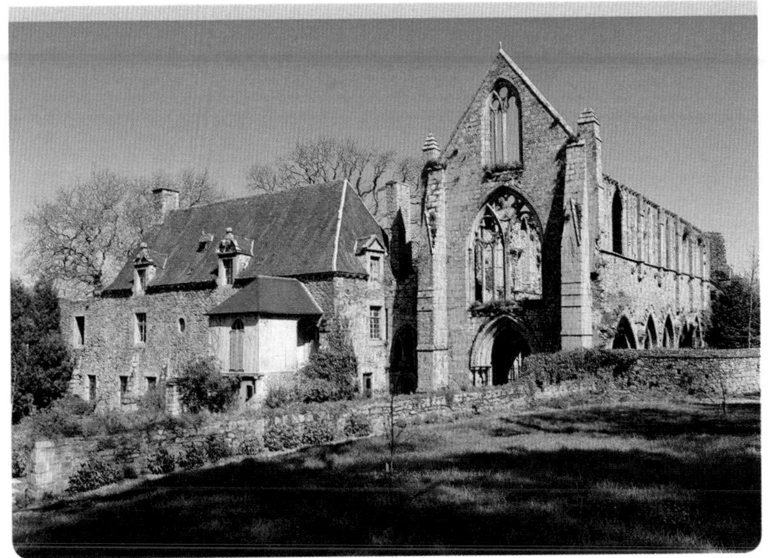

PATRICK PATT/FOTOLIA ©

soir à partir de 45 € ; fermé lun et sam midi en été, ouvert mar-dim midi et ven-sam soir en hiver). Impossible de ne pas être séduit par la belle salle claire décorée dans des teintes de grège, et la terrasse abritée dans un coin calme du port. Ici, pas de carte : menu unique à tendance marine le midi, menu affiché dans l'après-midi pour le dîner. Le chef, qui pratique une cuisine subtile, imaginative et pleine de saveurs, travaille essentiellement des produits de la mer frais et des légumes de saison. Réservation conseillée.

ENVIRONS DE PAIMPOL

Les Agapanthes — Hôtel €€

(02 96 55 89 06 ; www.hotel-les-agapanthes.com ; 1 rue Adrien-Rebours, Ploubazlanec ; d 45-100 € ; fermé jan). Excellent rapport qualité/prix pour cet établissement de Ploubazlanec, juste au nord de Paimpol, qui est presque constitué de deux hôtels. D'un côté, le bâtiment d'origine abrite les chambres les moins chères, avec toilettes extérieures. Le nouveau bâtiment, dans le jardin, se compose pour sa part de vastes chambres récentes, dont le confort et la décoration, dans un style campagnard chic, frisent le luxe. Pas de restauration sur place mais des restaurants sont installés à proximité immédiate.

Au Grand Large — Produits de la mer €€

(02 96 20 90 18 ; www.hotelrestaurant-augrandlarge.com ; 5 rue de la Jetée, Loguivy-de-la-Mer ; plats 12-36 € ; d 48-75 € ; fermé dim soir et lundi hors saison, ouvert tlj midi et soir juil-août). Il y a certes quelques chambres à l'étage, surplombant le port, mais on vient surtout ici pour "manger la mer". Dans une salle peinte en jaune et décorée de photos de pêcheurs, on s'attable autour de crevettes, plateaux de fruits de mer, huîtres et bien sûr du célèbre homard bleu qui a fait la réputation de Loguivy. Idéal pour casser quelques pattes aux "dormeurs"...

Où prendre un verre et sortir

Le Corto — Ambiance musicale €

(02 96 22 05 76 ; 11 rue du Quai, Paimpol ; juil-août tlj 11h-2h, hors saison mar-dim 16h-1h ;). Dans une rue parallèle au quai, où s'alignent plusieurs terrasses,

JULIETTE STEPHENS ©

À ne pas manquer
Île de Bréhat (Enez-Vriad)

Bréhat peut remercier le Gulf Stream. Passant à quelques miles au large, le courant chaud venu de l'Atlantique est à l'origine du micro-climat de celle que l'on surnomme l'"île aux fleurs". À Bréhat, on voit pousser agapanthes, rosiers, hortensias, chèvrefeuilles, figuiers, palmiers et eucalyptus…

La plupart des visiteurs viennent se balader de l'île Sud vers l'île Nord, la partie la mieux préservée de cette terre longue de 3,5 km et large de 1,5 km à son maximum. On passe de l'une à l'autre par le **pont ar Prat**, édifié par Vauban en 1694 pour permettre aux charrettes et aux piétons de circuler quelle que soit la hauteur de la marée. Flânez et éloignez-vous de la foule estivale pour goûter à l'indescriptible enchantement de l'île. Ceux qui auront opté pour la location de vélo pourront se prélasser plus rapidement sur le tapis herbeux de l'île Nord. À son extrémité se dresse le **phare du Paon**, construit en granit rouge de Bréhat et de Ploumanac'h. Le bâtiment d'origine, érigé en 1853, fut détruit par les Allemands en 1944. Reconstruit après la guerre, le phare est aujourd'hui entièrement automatisé. À proximité, le **gouffre du Paon** est une curiosité géologique. Le **petit bourg** de Bréhat, serré autour de sa placette centrale, est quant à lui situé à une dizaine de minutes à pied du port. Il concentre la quasi-totalité des commerces et des restaurants de l'archipel.

À 1 km au large de l'Arcouest (la pointe rocheuse située à 7 km au nord de Paimpol, après Ploubazlanec, où se trouve l'embarcadère), l'île de Bréhat est accessible en 10 minutes de bateau avec les **Vedettes de Bréhat** (02 96 55 79 50 ; www.vedettesdebrehat.com ; aller-retour adulte/enfant 9,80/8,30 €, gratuit - 3 ans ; 9 à 15 liaisons par jour selon la saison). Outre le trajet direct depuis l'Arcouest, des excursions avec temps libre sur l'île sont proposées en été depuis Binic, Saint-Quay-Portrieux et Erquy.

Si vous n'avez pas de voiture, vous pourrez rejoindre la pointe de l'Arcouest depuis Paimpol grâce aux taxis **Alizés** (02 96 20 49 76 ; aller-simple sem/dim 14,50/20 € ; tlj) ou à la ligne 9 des **Tibus** (0810 22 22 22 ; www.tibus.fr ; ticket 2 € ; tte l'année) qui effectue 6 à 8 fois par jour ce trajet, selon le jour de la semaine et la saison. Comptez 15 minutes de la gare de Paimpol à l'embarcadère.

INFOS PRATIQUES

Syndicat d'initiative (02 96 20 04 15 ; www.brehat-infos.fr ; Le Bourg)

Insolite ! Le Trieux : en train, en bateau ou en kayak

Petit fleuve côtier navigable entre Paimpol et Pontrieux, le paisible Trieux se laisse découvrir de différentes façons. Depuis la gare de Paimpol, vous pouvez emprunter **La Vapeur du Trieux** (02 96 20 52 06 ; www.vapeurdutrieux.com ; aller-retour adulte/enfant 24,50/12,50 €, forfait famille 61,50 € ; réservation obligatoire ; mai-sept), une locomotive du début du XXe siècle qui rejoint Pontrieux en longeant la rivière. Plusieurs options sont proposées, avec ou sans halte au fil des 18 km de voie.

Les Vedettes de Bréhat (02 96 55 79 50 ; www.vedettesdebrehat.com ; tarif plein/réduit 23/14,50 € ; mai-sept) proposent de remonter le Trieux en bateau depuis la pointe de l'Arcouest jusqu'au château de la Roche-Jagu (voir p. 123), où un arrêt de 1 heure 30 est prévu. Plus intime, **Le Passeur du Trieux** (06 21 07 30 72 ; www.lepasseurdutrieux.com ; adulte/enfant 18-32/15-27 € selon le parcours ; mars-nov) assure diverses formules de 2 à 4 heures, avec ou sans arrêt, à bord d'un ancien chalutier reconverti limité à 12 passagers.

La dernière solution, la plus sportive et la plus passionnante, consiste à remonter l'estuaire en **kayak** (renseignements auprès du Club nautique Pontrivien, 02 96 95 17 20 ; www.canoe-kayak-pontrieux.fr ; adulte/enfant 25/13 € ; juin-août) en 3 à 4 heures depuis Pontrieux.

Le Corto est une adresse à retenir pour son ambiance musicale. En été, programmation en salle ou sur la petite terrasse de groupes de rock, de folk ou de blues. Nombreux concerts gratuits durant le Festival du chant de marin, mi-août.

Renseignements

Office du tourisme Paimpol-Goëlo (02 96 20 83 16 ; www.paimpol-goelo.com ; pl. de la République). Organise des visites guidées et dispose d'une billetterie pour les traversées en bateau vers Bréhat. Pour découvrir la région à pied, un topoguide avec 11 parcours est proposé à la vente (3 €). D'autres itinéraires (à pied, à vélo, en famille) sont disponibles gratuitement sous la forme d'audioguides à télécharger sur le site. Wi-Fi gratuit.

TRÉGUIER (LANDREGER)

Ruelles étroites et pentues, maisons à pans de bois et hôtels particuliers en granit, magnifique cathédrale, petit port de plaisance... Tréguier justifie pleinement son titre de capitale historique du Trégor. Les origines de la ville remontent au VIe siècle, lorsqu'un religieux du pays de Galles, Tugdual, s'installa sur le site, qui devint un évêché. Tout au long de son histoire, Tréguier est restée fortement marquée par l'empreinte religieuse, mais aussi par la philosophie, grâce au rayonnement de l'enfant du pays, Ernest Renan.

À voir

Cathédrale Saint-Tugdual Patrimoine religieux (accès à la nef gratuit, cloître 2 €, trésor 2 € ; visites commentées à 11h en été). Parmi les plus beaux édifices religieux de Bretagne, cette cathédrale et sa flèche de 63 m irradient le regard. Érigée entre le XIVe et le XVe siècle, elle intègre le clocher de l'ancienne cathédrale romane, datant de la fin du Xe siècle, désignée aujourd'hui sous le nom de tour Hastings. L'immense clocher fut réalisé peu avant la Révolution, après que le précédent ouvrage se fut effondré sous

Le sillon de Talbert

Au nord de Lézardrieux, à l'Armor-Pleubian, le sillon de Talbert est une langue de sable et de galets large d'une centaine de mètres qui s'avance comme une flèche dans la mer sur plus de 3 km. Classé réserve naturelle régionale depuis 2006, cet "objet géologique remarquable" s'est formé entre les embouchures de deux rivières, le Trieux et le Jaudy, grâce à l'action des courants et des marées. Des cartes anciennes indiquent qu'il a mesuré jusqu'à 6 km, avant que ses galets soient prélevés pour la construction de routes et d'habitations. Ce site fragile, en accès libre, est un habitat rare pour de nombreux oiseaux migrateurs. Il est donc nécessaire de se conformer aux panneaux expliquant où marcher ou non.

le poids de sa toiture en plomb. Construit en 1468, le magnifique cloître est doté de 48 arcades, protégeant une quinzaine de gisants.

Vieux Tréguier Promenade

Autour de la cathédrale, le vieux Tréguier déborde de charme. La **place du Martray** est flanquée de maisons à colombages et à pans de bois des XVe et XVIe siècles. Face à la cathédrale, la **statue d'Ernest Renan** (1903) s'offre à la vue – le choix de l'emplacement déchaîna les passions, l'auteur s'étant attiré les foudres de l'Église catholique après la publication de sa controversée *Histoire des origines du christianisme*. Flânez également dans les **rues Saint-Yves, Colvestre, des Perderies et Renan**, où alternent bâtisses en granit, hôtels particuliers et maisons à pans de bois (remarquez le magnifique porche du vieil évêché). En bas de la rue Ernest-Renan, côté port, deux belles **tours d'armateurs** à pans de bois rappellent que Tréguier eut son heure de gloire grâce au commerce du lin aux XVe et XVIe siècles. Leur vocation initiale était de servir de tour de guet, mais elles firent principalement office de grenier. Une crêperie (voir p. 123) est installée au pied de l'une d'elles. À quelques minutes à pied du centre, en haut de la rue de la Chalotais, l'ancien **couvent des Augustines**, datant du XVIIe siècle, est classé monument historique. Les augustines, sœurs hospitalières, s'établirent à

Maison-musée Ernest-Renan, Tréguier

Tréguier entre 1654 et 1995. On peut visiter le cloître, les cellules moniales, la chapelle et le chœur.

Maison d'Ernest Renan Musée

(☎ 02 96 92 45 63 ; 20 rue Ernest-Renan ; tarif adulte/réduit 3/2,50 € ; juil-août tlj 10h30-12h30 et 14h-18h, reste de l'année se renseigner). Philosophe, écrivain et historien, Ernest Renan (1823-1892) est un enfant de Tréguier, et passa les 15 premières années de sa vie dans cette charmante maison à pans de bois, construite au XVIe siècle. Classé monument historique et aménagé en musée, l'édifice rassemble documents et souvenirs sur l'écrivain-philosophe. Le rez-de-chaussée était occupé par l'épicerie de sa mère. Sa chambre d'écolier est au 3e étage, sous les combles. Espace librairie et expositions temporaires.

Où se loger et se restaurer

Le Saint-Yves Hôtel €

(☎ 02 96 92 33 49 ; 4 rue Colvestre ; d 36-45 €). Un petit hôtel au confort simple mais particulièrement bon marché et idéalement situé à deux pas de la cathédrale. Lors de notre passage, des travaux de décoration et de rénovation étaient en cours. La décoration désuète devrait avoir disparu lorsque vous lirez ces lignes.

Le Tara Chambres d'hôtes €

(☎ 02 96 92 15 28 ; www.chambrestaratreguier.com ; 31 rue Ernest-Renan ; s/d/tr 58/68/88 € petit-déj inclus ; fermé 3 sem en oct ; P Wi-Fi). Des chambres impeccables, installées dans une demeure du XVIe siècle tout en recoins et en escaliers, précédant un paisible jardin au cœur de Tréguier. Les accueillants propriétaires proposent 5 chambres de style rustique. Autres atouts des lieux : un parking clos, un espace commun doté d'une kitchenette et une magnifique salle de petit-déjeuner.

Vaut le détour

Château de la Roche-Jagu

À 14 km au sud de Tréguier, le **château de la Roche-Jagu** (☎ 02 96 95 62 35 ; www.larochejagu.fr ; La Roche-Jagu, Ploëzal ; tarif plein/réduit 4-5/3 € ; juil-août 10h-13h et 14h-19h, mai-juin et sept-oct 10h-12h et 14h-18h, vacances de Toussaint et Noël 14h-17h ; P) domine fièrement l'estuaire protégé du Trieux depuis le XVe siècle. Le domaine accueille des artistes en résidence travaillant sur le thème du paysage. Leurs œuvres sont disséminées dans le parc, qui se visite toute l'année, gratuitement. Le moment idéal pour une visite ? En fin de journée, lorsque la lumière du soleil couchant irradie le granit rose des façades du bâtiment. De nombreuses animations sont proposées en été. Un supplément de 1 € est appliqué au plein tarif durant les expositions estivales.

Poissonnerie Moulinet Produits de la mer €€

(☎ 02 96 92 30 27 ; 2 rue Ernest-Renan ; plats 10-24 € ; tlj midi et soir). À première vue, c'est une poissonnerie classique… mais il suffit d'emprunter l'escalier en colimaçon, dans la boutique, pour déboucher dans deux salles de restaurant habillées de belles fresques maritimes. Au menu, assiettes et plateaux de fruits de mer, tourteaux mayonnaise et autres produits de la mer. C'est frais, servi avec le sourire et bien plus économique que dans un restaurant gastronomique. En été, pensez à réserver.

La Krampouzerie Crêpes et galettes €

(☎ 02 96 92 35 09 ; les Quais ; crêpes et galettes 2-10,80 € ; fermé lun). La bonne odeur qui

Vaut le détour
Plougrescant et Port-Blanc

L'image de sa maison enserrée entre deux blocs de roche à Castel Meur a fait le tour du monde. À une douzaine de kilomètres au nord de Tréguier, **Plougrescant** (Plougouskant) est une enclave préservée au cœur de la Bretagne. Enchevêtrement de roches, ressac, landes, prairies... tout y est. Découvrez le petit port ostréicole de la Roche-Jaune, en guise de préambule à la pointe de Plougrescant, et prolongez votre plaisir dans la baie incurvée de Gouermel. Ne ratez pas l'étonnante flèche tordue, en bois recouverte de plomb, de la **chapelle Saint-Gonéry**, l'un des emblèmes du village. L'office du tourisme de cette petite localité qui a servi de cadre à de nombreuses scènes d'*Un long dimanche de fiançailles*, de Jean-Pierre Jeunet, propose un **sentier de découverte** qui passe par ses principaux sites naturels : l'environnement diversifié du **site naturel du Gouffre**, à 3 km au nord du village, l'**étang de Castel Meur**, la célèbre maison de Castel Meur et la **pointe du Château**, d'où vous aurez un beau panorama de l'archipel des Sept-Îles et l'embouchure du Jaudy. La **Maison du Littoral** propose une présentation des cordons de galets et des actions du Conservatoire du littoral, et organise des expositions temporaires.

Quelques kilomètres plus à l'ouest, **Port-Blanc** cultive ses airs de bout du monde. Outre un joli port, la localité voit son horizon jalonné d'îles. La plus importante est l'**île Saint-Gildas**, dont la légende rapporte que les chevaux ont été épargnés d'une maladie frappant les autres équidés de la région par saint Gildas. L'événement est célébré chaque mois de juin (l'île, propriété privée, est inaccessible le reste de l'année). À l'ouest de Port-Blanc s'étend le sable fin de la longue **plage des Dunes** (surveillée en juillet-août), qui présente la particularité d'être adossée à un massif dunaire. À l'arrière se trouve le **marais du Launay**, que l'on peut découvrir par un circuit de randonnée de 7,5 km balisé au sein du marais. À demi enterrée, la **chapelle Notre-Dame** a joué un rôle défensif avant de devenir, à la fin du XVe siècle, un lieu à usage religieux. À l'entrée du port, voyez également le **rocher de la Sentinelle**, qui servait jadis à surveiller la côte. Un peu plus à l'est, le **rocher du Voleur** venait compléter ce dispositif de protection. On peut y voir la base d'un ancien fortin édifié sur l'ordre de Vauban, qui surplombe des petites criques. Port-Blanc abrite quelques terrasses de bars-restaurants et des écoles de voile actives en été.

s'échappe des fourneaux ne trompe pas. Au pied de l'une des tours d'armateurs de Tréguier, cette crêperie est une bouffée d'air frais dans le petit bourg. En salle ou en terrasse, on y sert des crêpes et galettes aussi délicieuses qu'originales, mettant à l'honneur les produits bretons.

Renseignements

Office du tourisme du Trégor-Côte d'Ajoncs (☎ 02 96 92 22 33 ; www.tregor-cotedajoncs-tourisme.com ; port de plaisance). À l'entrée de la ville, en bordure du port de plaisance. Ordinateur connecté à Internet à disposition.

CÔTE DE GRANIT ROSE

Ses rochers de couleur rosée ont fait sa renommée. La nature semble avoir façonné ici le littoral pour éblouir le visiteur d'un spectacle sans cesse changeant, au gré des marées, des vents et des variations de lumière. Mais la Côte de Granit rose, c'est aussi des criques sauvages, des landes rases, des espaces naturels protégés à l'image des Sept-Îles, étonnante réserve ornithologique. Ici encore, le sentier des Douaniers (GR®34) offre une excellente occasion de capter l'énergie brute du paysage.

Perros-Guirec (Perroz-Gireg) et ses environs

C'est la cité balnéaire emblématique de la Côte de Granit rose. Les chaos rocheux, les Sept-Îles (voir p. 128) au loin, le phare de Ploumanac'h exercent, il est vrai, un fort pouvoir de séduction. Cela en toutes saisons : sous la lumière révélant les couleurs du granit, comme sous la colère d'un ciel inondant les rochers de vagues furieuses. Perros-Guirec tire son nom de "Penros", sommet de la colline en breton, et "Guirec", en référence au saint gallois évangélisateur qui a débarqué au VIIe siècle sur la plage de Ploumanac'h. Depuis 1890, année de construction du premier hôtel perrosien, la ville n'a pour ainsi dire cessé de voir sa vocation touristique s'affirmer. La station s'étend sur 15 km de côtes et présente des quartiers distincts (le port, le centre-ville, la Clarté, Ploumanac'h), au point qu'il n'est pas toujours facile de s'y repérer et qu'un moyen de transport est souvent nécessaire.

À voir

CENTRE-VILLE ET PORT

Le centre-ville dévoile de beaux exemples d'architecture balnéaire. Le port est à 1 km au sud, via les rues du Maréchal-Joffre et Anatole-le-Braz.

Architecture balnéaire Balade

Au nord du centre-ville et longeant la côte, entre les plages de Trestrignel et de Trestraou, le chemin de la Messe est bordé de belles maisons de bord de mer de la fin du XIXe-début XXe siècle. Attardez-vous notamment sur le **manoir du Sphynx** (un hôtel-restaurant) et les villas **Les Korrigans** et **Lan Gueuc**. Au-dessus de la plage de Trestrignel, dans la rue qui porte son nom, le peintre Maurice Denis acquit la villa néomédiévale **Silencio** en 1908 et l'habita jusqu'à sa

Plage de Ploumanac'h (p. 127), Perros-Guirec

Ci-dessous et à droite : rochers de la Côte de Granit rose.
(CI-DESSOUS) DAVID TOMLINSON/LONELY PLANET IMAGES © ; (À DROITE) JOHN ELK III/LONELY PLANET IMAGES ©

mort. Toujours dans la famille de l'artiste, elle ne se visite pas. L'office du tourisme détaille dans sa brochure un circuit balnéaire de 5 km.

Dans le centre, jetez un coup d'œil à la belle **église Saint-Jacques**, qui a la particularité d'être asymétrique du fait de ses deux nefs accolées, l'une romane et l'autre gothique.

Musée de l'Histoire et des Traditions de Basse-Bretagne — Patrimoine

(☎02 96 91 23 45 ; 51 bd du Linkin ; adulte/6-14 ans 4/1,50 € ; ⌚juin-août tlj 9h30-18h30, mars-mai et sept tlj 10h-12h15 et 14h-18h). Près du port de plaisance, ce musée est logé dans l'ancienne capitainerie. Une salle de documents réunit un peu au hasard d'anciennes cartes marines, des coiffes traditionnelles, la liste des députés de Bretagne aux états généraux de 1789 et autres témoignages historiques. À l'étage, plusieurs salles mettent en scène, avec supports audio et lumière, les personnages et événements marquants de l'histoire bretonne. À côté du musée, un blockhaus abrite une exposition sur la Seconde Guerre mondiale.

LA CLARTÉ

À l'ouest du centre-ville, le quartier de la Clarté est le point culminant de Perros-Guirec. Sa carrière de granit rose est encore exploitée.

Chapelle Notre-Dame-de-la-Clarté — Patrimoine religieux

Le quartier mérite principalement une visite pour sa superbe chapelle en granit, édifiée au XVe siècle, dont la flèche servait jadis de repère aux bateaux en cas de mauvais temps. L'histoire veut qu'un comte de Lannion, perdu en mer dans un épais brouillard, ait aperçu à cet emplacement une lueur, le guidant à bon port. Revenu sur terre sain et sauf, il décida d'édifier une chapelle en l'honneur de la Vierge. La chapelle abrite toujours

des maquettes de bateaux offertes par des marins sauvés des eaux. Une grande procession a lieu le 15 août.

PLOUMANAC'H

Avec son port, son phare, sa petite chapelle aux étonnantes gargouilles et son accès au sentier des Douaniers, Ploumanac'h, qui borde la ville à l'ouest, est incontestablement le point fort de Perros-Guirec. C'est en effet ici, en se promenant le long du littoral ponctué de gros blocs rosés aux formes arrondies et fantasmagoriques, que l'on comprend pourquoi la région a été baptisée "côte de granit rose". Le château de Costaérès (voir p. 131) et le moulin à marée de Trégastel (voir p. 131) sont à deux pas de Ploumanac'h.

Phare de Men Ru Patrimoine

Appelé indifféremment phare de Ploumanac'h, de Men Ru ou de Mean Ruz, cet édifice en granit rose facilement accessible par le sentier côtier est une véritable icône de la région et un régal pour les photographes. L'édifice original, de 1860, a été détruit en 1944 et rebâti deux ans plus tard.

Maison du littoral Expos, infos et balades nature

(**02 96 91 62 77 ; chemin du phare ; mi-juin à mi-sept lun-sam 10h-13h et 14h-18h, vacances scolaires lun-ven 14h-17h, le reste de l'année mer 14h-17h).** GRATUIT Face au phare, elle abrite une exposition permanente expliquant le rôle du Conservatoire du littoral et ses actions de protection du site, complétée chaque année par une exposition temporaire. Elle propose aussi des randonnées guidées à thème (5 €/pers) pour découvrir la géologie de Ploumanac'h, ainsi que l'histoire et le fonctionnement des carrières de granit rose de la Clarté. Des visites sont plus spécialement destinées aux enfants. Un guide (1,50 €) sur les sentiers pédestres de Ploumanac'h recense une vingtaine d'étapes. La maison abrite un Point Info tourisme en été.

FOU DE BASSAN. D.R. ©

À ne pas manquer
Les Sept-Îles

En fait de Sept-Îles, il s'agit plutôt de cinq îles (Rouzic, Malban, île aux Moines, île Plate et Bono), celles des Costans et des Cerfs s'apparentant davantage à des îlots rocheux. Mais qu'importe, l'histoire a retenu le nombre de sept pour ce petit archipel sauvage, situé à 7 km environ au large de Perros-Guirec. Il forme la plus ancienne réserve naturelle ornithologique de France et compte parmi les plus importantes d'Europe.

Créée en 1912 par la Ligue pour la protection des oiseaux (LPO, voir p. 135) afin de mettre un terme à la chasse aux macareux moines, cette réserve abrite aujourd'hui 27 espèces d'oiseaux nicheurs, en majorité marins, pour un total de 24 500 couples. La colonie la plus importante est celle des majestueux fous de Bassan, la seule que l'on peut observer en France. En 2014, 21 545 couples ont été dénombrés sur l'île Rouzic. Derrière, les colonies les mieux représentées sont les goélands argentés, les goélands bruns, les cormorans huppés, les puffins des Anglais et les macareux moines. Les fous de Bassan arrivent à la mi-janvier et repartent en septembre. Les macareux, les pingouins et les guillemots sont pour leur part présents d'avril à début juillet.

Le débarquement est interdit sur l'archipel, excepté sur l'île aux Moines. Cet îlot abrite un phare dont l'automatisation a vu partir le dernier habitant. On peut aussi y observer une éolienne et les ruines d'un fort Vauban et d'un couvent du XVe siècle. La végétation de l'île étant extrêmement fragile, veillez à n'emprunter que les chemins indiqués.

Des excursions en bateau autour de l'archipel sont proposées de février à novembre au départ de Perros-Guirec (plage de Trestraou), et de juin à septembre au départ du port de Ploumanac'h et de Trégastel (plage de Coz-Pors).

INFOS PRATIQUES

Pour les informations sur la réserve, consultez le site dédié de la **Ligue pour la protection des oiseaux** (sept-iles.lpo.fr), qui organise des visites animées par des naturalistes. **Armor Navigation** (☎ 02 96 15 31 00 ; www.armor-navigation.com ; adulte/3-12 ans 18-21/12-14 €, gratuit - 3 ans) propose des sorties vers l'île. Réservez en haute saison.

Sentier des Douaniers — Balade

Le littoral bordant Ploumanac'h est réellement envoûtant. Déchiqueté, criblé d'amoncellements granitiques de couleur rose, il se dévoile aux marcheurs qui empruntent le sentier des Douaniers, une pure merveille, entre la plage de Trestraou et Ploumanac'h, ou inversement. Du joli **port de Ploumanac'h**, très abrité du fait de sa digue, empruntez le chemin de la Pointe. Après un boisement de châtaigniers et de troènes, vous parviendrez à la petite plage de la Bastille, d'où se dégage une belle vue sur le château de Costaérès (voir p. 131), juché sur son îlot. Poursuivez jusqu'à la **plage de Saint-Guirec**, où se dresse un **oratoire** du même nom, dédié au moine gallois qui évangélisa la région. Observez bien la statue en granit et son nez... manquant. Les jeunes femmes qui souhaitaient se marier venaient planter une aiguille dans ledit nez. Poursuivez par le chemin des Douaniers jusqu'au **phare de Ploumanac'h** et la **Maison du littoral** (voir p. 127), et voyez sur la route le **rocher des Amoureux**. Peu après, l'**anse de Pors-Kamor** dispose d'un rail d'accès à la mer pour le bateau de sauvetage de la SNSM (Société nationale de sauvetage en mer). C'est aussi un lieu apprécié des plongeurs, car il est protégé des courants et bénéficie d'une profondeur de 30 m. Au niveau de la **pointe du Skewell** se situe la "cabane du douanier", et près de l'**anse de Pors-Rolland**, le "château du diable", un beau chaos granitique. Pour une vue complète, continuez jusqu'à la **plage de Trestraou**. Comptez 2 heures 30 pour la balade (5 km).

Activités

EXCURSIONS EN BATEAU

On peut rejoindre les Sept-Îles depuis la plage de Trestraou (voir p. 128) et, en saison, depuis le port de Ploumanac'h. D'avril à septembre, les navires d'**Armor Navigation** (**☎ 02 96 91 10 00 ; www.armor-navigation.com**) proposent également de vous emmener sur l'île de Bréhat, Erquy et le cap Fréhel.

PLAGES

Perros-Guirec et Ploumanac'h comptent trois plages principales. La **plage de Trestraou** est la plus centrale et la plus animée, avec de nombreux cafés et restaurants en bord de mer. Admirez au passage son **Grand Hôtel**, de style Art déco. Le centre de thalassothérapie de la station, les **Thermes marins** (**☎ 02 96 23 28 97 ; www.thermesmarins-perros.com**), est en retrait de la plage. La **plage de Trestrignel** accueille le public familial des résidences secondaires. La **plage de Saint-Guirec**, à Ploumanac'h, est la plus authentique, avec ses rochers, son sable au gros grain couleur rose et son oratoire entouré par les eaux à marée haute.

Toutes trois sont surveillées en été, et comptent un club de plage pour les enfants.

Où se loger et se restaurer

Le Suroît

Hôtel-restaurant sur le port **€€**

(**☎ 02 96 23 23 83 ; www.lesuroitperros.com ; 81 rue Ernest-Renan ; s/d/q 49-68/68-92/118-138 € selon confort et saison ; fermé lun et dim soir ; wifi**). Un très bon point de chute sur le port de plaisance. Impeccables, les 8 chambres (la n° 4 donne sur l'arrière, au calme) sont certes un peu petites mais cosy, claires et confortables, tout en restant dans des prix très raisonnables. Une chambre peut accueillir les familles. Le restaurant, dans une belle salle design, est une option à ne pas négliger sur le port. Parking gratuit en face (attention au jour de marché).

Les Costans

Hôtel-restaurant avec vue **€€€**

(**☎ 02 96 23 20 27 ; www.hotel-les-costans.fr ; 14 rue Rouzic ; ch classique 75-125 € selon vue et saison, ch supérieure 99-189 € ; mi-fév à mi-nov ; wifi**). Sur la corniche, face aux Sept-Îles (dont l'une s'appelle Les Costans), cet hôtel est à la fois au calme et proche du centre. Les 27 chambres affichent une ambiance contemporaine, chic et élégante sans être ostentatoire. Certaines sont assez petites, d'autres disposent de

Circuler à Perros-Guirec

Il n'est pas toujours facile de circuler à Perros-Guirec, étendue entre le port et Ploumanac'h. Heureusement, il y a le *Macareux* ! De fin juin à début septembre, cette navette qui se décline en deux lignes relie les principaux centres d'intérêt de la ville : port, centre, plages, corniche, la Clarté, Ploumanac'h... Chaque billet (1 €) donne accès à ses services pendant 1 heure 30. Renseignements à l'office du tourisme ou sur www.lannion-tregor.com.

très belles terrasses. Cette adresse cosy et chic se double d'un restaurant dont les tables impeccablement dressées font face à la mer. Espace bien-être sur place et accès à un spa voisin.

Digor Kalon Restaurant, bar à tapas **€€**
(**02 96 49 03 63 ; www.digor-kalon.com ; 89 rue du Maréchal-Joffre ; tapas à partir de 3,50 €, plats 10-19 € ; tlj midi et soir ;**). Repérable à sa devanture aux couleurs vives, en haut de la rue reliant le port au centre-ville, Digor Kalon – "ouvrir son cœur" ou "ouvrir son appétit", selon les sources – est une institution de Perros-Guirec. Si le nom est breton, la cuisine regarde plutôt du côté de l'Espagne, avec de bonnes tapas chaudes ou froides – tortilla, anchois marinés, supions, calamars, jambon... – et des plats du jour. Le tout se savoure dans un décor de bric et de broc (une barque en bois retournée côtoie une multitude de vieilles casseroles et de poêles, suspendues au plafond), accompagné de bières locales et de sangria maison. Concerts le vendredi, accueil souriant.

La Crémaillère Bonne table **€€**
(**02 96 23 22 08 ; 13 place de l'Église ; menus à partir de 24,90 €, plats 16-26 € ; fermé lun midi tte l'année, mer hors vacances scolaires).** Sur la place de l'Église, cette adresse de qualité se distingue par sa cuisine raffinée et ses alliances originales à partir de produits locaux, à l'image de la déclinaison de maquereau relevée d'une marinade à l'anis et aux citrons confits, fraîche et légère, ou du merlu rôti servi avec ses artichauts à la barigoule. La chaleureuse salle en pierre abrite une grande cheminée où sont cuites des grillades, l'une des spécialités de la maison. Un repas sans fausse note dès le "petit" menu.

La Clarté Gastronomique étoilé **€€€**
(**02 96 49 05 96 ; www.la-clarte.com ; 24 rue Gabriel-Vicaire, La Clarté ; menus 30-77 € ; sept-10 juil fermé dim soir, lun et mar, 10 juil-fin août fermé dim soir et lun, fermé 20 déc à début fév).** La table la plus réputée de Perros-Guirec, auréolée d'une étoile au Michelin, vous reçoit dans une belle bâtisse de pierre à 200 m de la chapelle de la Clarté. Le chef Daniel Jaguin y joue une partition misant sur la fraîcheur et les saisons. Il allie produits du terroir et savoureuses créations. Sélection de vins au verre.

Envie de cuisiner ? Les pêcheurs locaux vendent **poissons et fruits de mer** le matin juste en face de l'hôtel Le Suroît, sur le port.

Renseignements

Office du tourisme (**02 96 23 21 15 ; www.perros-guirec.com ; 21 pl. de l'Hôtel-de-Ville).** En juillet-août, des annexes sont ouvertes sur la plage de Trestraou et à Ploumanac'h. L'office propose des visites guidées et édite chaque année le *P'tit Perrosien*, un journal dédié aux enfants, également disponible sur son site Internet. Wi-Fi gratuit.

Trégastel (Tregastell)

Comme sa consœur Perros-Guirec, Trégastel occupe une place de choix sur la carte des stations bretonnes.

Quelque 12 plages, reliées entre elles par le sentier des Douaniers, jalonnent les 17 km de côte de la station, mitoyenne de Ploumanac'h. Face à la côte s'égrène un chapelet de petites îles. L'eau, la roche et le vent se livrent ici un combat acharné. Depuis Trégastel, il est possible de faire une excursion aux Sept-Îles (voir p. 128). Renseignez-vous auprès de l'office du tourisme (voir p. 133) pour les réservations.

À voir et à faire

Plages — Familiales ou sportives

Les deux plages familiales, surveillées en juillet et août, sont celles de la **Grève blanche** et de **Coz-Pors**. Cette dernière abrite le rocher dit de "la Sorcière", emblématique de Trégastel. La plage de la **Grève rose** recueille les suffrages des véliplanchistes, surfeurs et amateurs de kitesurf, tandis que celle du **Toul-Bihan** est davantage fréquentée par les habitants en quête de tranquillité.

Sur la plage de Coz-Pors, le **Forum de Trégastel** (**02 96 15 30 44 ; www.forumdetregastel.fr**) est un espace aquatique et de détente avec de l'eau de mer chauffée à 30°C.

Château de Costaérès — Villa néogothique sur un îlot

À la sortie du chenal de Ploumanac'h, mais situé sur le territoire de Trégastel, le château a des allures de manoir de la Belle au bois dormant avec son architecture de style gothique. Construit à la fin du XIXe siècle sur un îlot granitique, c'est l'un des emblèmes de la Côte de Granit rose. Son nom découle de "Coz-Schérès" – "vieille sècherie" en breton –, en référence à l'usage ancien des pêcheurs qui venaient ici faire sécher les poissons. Habité depuis des années par des artistes, le château ne se visite pas. Vous en aurez une très belle vue depuis le bout de la presqu'île Renote ou depuis la plage de Tourony.

Moulin à marée — Patrimoine

(**02 96 23 47 48 ; rte de Perros-Guirec ; juil-août tlj 10h-17h**). GRATUIT Au pont de Ploumanac'h, cet ancien moulin se visite seulement en juillet et août. En 1375, le roi Charles V accorda à un notable de Lannion le droit de construire un moulin

Granit rose, Trégastel

sur ce bras de mer et de percevoir les taxes s'y rapportant. L'actuel bâtiment daterait de 1764. Le moulin a cessé son activité en 1932, à la mort de son dernier meunier.

Presqu'île Renote Site naturel

Un incontournable pour s'imprégner des richesses de cette côte tourmentée, semée de chaos de granit aux contours surréalistes. Au nord de Trégastel, la presqu'île de Renote se découvre à pied uniquement, en parcourant le GR®34 (dont une bonne partie de la boucle est accessible en fauteuil roulant). Comptez 45 minutes pour en faire le tour en flânant. L'office du tourisme dispose d'un plan et organise des balades sur la presqu'île à certaines saisons.

Aquarium marin de Trégastel Monde sous-marin

(☎ 02 96 23 48 58 ; www.aquarium-tregastel.com ; bd du Coz-Pors ; adulte/enfant 4-18 ans 8,10/5,65 € ; ⌚juil-août tlj 10h-19h, avr-juin et sept mar-dim 10h-18h, reste de l'année se renseigner). Divisé en trois zones correspondant à autant d'écosystèmes différents, il est construit dans un chaos granitique et ses salles sont aménagées dans des grottes naturelles. Accessible aux personnes handicapées.

Allée couverte et dolmen Mégalithe

GRATUIT La commune de Trégastel abrite une **allée couverte** très bien conservée, à l'intérieur gravé, qui témoigne de la présence humaine au néolithique dans le Trégor. À côté, le **dolmen de Kerguntuil** mesure 6 m de longueur pour 3,25 m de largeur, et pèse 90 tonnes. Ce serait l'un des plus grands du Trégor. Prenez la D788 en direction de Trébeurden. Le site est fléché sur la gauche, non loin de la zone artisanale.

Où se loger et se restaurer

Hôtel de la Mer et de la Plage

Ambiance maritime **€€-€€€**

(☎ 02 96 15 60 00 ; www.hoteldelamer-tregastel.com ; pl. du Coz-Pors ; d basse/haute saison 70-115/80-125 € selon vue ; ⌚avr à mi-nov et vacances de Noël ; wifi). La réception et les parties communes sont quelconques mais les chambres constituent plutôt une bonne surprise. Elle arborent un style marin, à l'image des luminaires ou des hublots sur les portes, et la moitié d'entre elles ont vue sur la mer. L'ensemble est un peu surévalué (notamment pour les chambres les plus chères) mais remporte de bons échos.

L'Iroise Galettes, salades, moules **€**

(☎ 02 96 15 93 23 ; 29 rue Charles-Le Goffic ; menus 8,50-15 €, galettes 2,20-14,50 € ; ⌚fermé jeu). En bordure de la rue principale en direction

Château de Costaérès (p. 131)

PHOTLOOK/FOTOLIA ©

de Trébeurden, cette crêperie doit son succès à sa carte éclectique qui réussit à satisfaire une large clientèle en alliant crêpes et galettes, moules-frites et salades. Certains produits sont maison, comme le caramel au beurre salé et les glaces.

Renseignements

Office du tourisme (**✆ 02 96 15 38 38 ; www.ville-tregastel.fr ; pl. Sainte-Anne**). En plein centre de Trégastel-Plage, il abrite une stèle celtique datant du Ve siècle av. J.-C. et propose un document détaillant des balades dans la région du Trégor (3 €). Wi-Fi gratuit.

Si vous aimez... les coins sauvages

Pour vous sentir au bout du monde, ne manquez pas les destinations suivantes :

1 **FALAISES DE PLOUHA**
Les falaises les plus hautes de Bretagne (104 m).

2 **POINTE DE BILFOT**
Près de Plouha, ce promontoire se rejoint par le sentier des Douaniers.

3 **SITE NATUREL DU GOUFFRE**
Au cœur de la très sauvage côte des Ajoncs, sur la commune de Plougrescant.

4 **FALAISES DE TRÉDREZ**
Elles s'étendent sur 2 km de la pointe de Séhar à celle de Beg-ar-Forn. Belle perspective sur la baie de Lannion.

Trébeurden (Trebeurden)

Un port de plaisance, des plages de sable fin, des chaos rocheux... la très familiale (et un peu surannée) station de Trébeurden a profité de l'arrivée du chemin de fer à Lannion, à la fin du XIXe siècle, qui a favorisé l'essor touristique de la côte. La ville s'est forgé une réputation balnéaire dans les années 1920, époque à laquelle elle a été classée station touristique.

À voir

À l'extrémité sud du port de plaisance se situe **Le Castel**, une petite presqu'île granitique reliée au continent par une bande sablonneuse. En faisant le tour par le chemin des Douaniers, vous apercevrez le **Père Trébeurden**, une curiosité naturelle sculptée dans le granit par l'érosion.

Face au Castel s'étend l'incontournable **île Milliau**, d'une superficie de 23 ha. Accessible seulement à marée basse (un panneau indique les horaires : consultez-le avant de traverser), elle est réputée pour son intérêt botanique. Plus de 275 espèces végétales y ont été recensées. Un chemin de 3 km (soit 45 min de marche environ) en fait le tour, le long duquel on découvre une diversité de paysages : falaises, landes, rochers, forêts. L'île a été habitée au néolithique, comme en témoigne la présence d'une allée couverte. Elle a accueilli des hôtes célèbres, comme Aristide Briand qui y rejoignait sa maîtresse Lucie Jourdan, un temps propriétaire de l'île. Aujourd'hui, elle appartient au Conservatoire du littoral. Plus au sud, la **pointe de Bihit**, couverte de landes à ajoncs, surplombe la côte, révélant un panorama grandiose.

Côté terres, les **marais du Quellen**, la **vallée de Goas Lagorn** et le **bois de Lann ar Waremm** (300 ha), à proximité de Trébeurden, sont des espaces naturels aux écosystèmes particuliers. Ils se prêtent à des balades faciles sur des chemins balisés. L'office du tourisme organise des visites de ces sites.

Activités

Plusieurs plages vous permettront de satisfaire vos envies marines. Entre Le Castel et la pointe de Bihit, la **plage de Tresmeur** est sans doute la plus fréquentée, à la fois par les familles et les jeunes. La plage typiquement familiale de **Pors-Termen** est appréciée des locaux, qui aiment aussi se retrouver sur les plages plus intimistes de **Pors-Mabo** et du **Toëno** (cette dernière n'est pas surveillée). La **plage de Goas Treiz**, également non surveillée, a les faveurs des véliplanchistes et kitesurfeurs.

Où se loger et se restaurer

Le Quellen Hôtel-restaurant **€€**

(02 96 15 43 18 ; www.le-quellen.com ; 18 corniche Goas Treiz ; s/d 55-70/58-78 € selon confort et saison, menus 26-58 € ; restaurant fermé lun midi en saison, dim soir, lun et mar hors saison). En bordure de la rue principale en venant de Trégastel, Le Quellen propose 10 chambres refaites dans un style simple mais avec une touche de déco colorée qui les rend accueillantes, et surtout un restaurant installé dans une jolie salle pimpante. Le poisson est à l'honneur – pavé de merlu et crème de coquillages, dos de bar de ligne rôti aux épices... – et on vous donnera même le nom des marins-pêcheurs qui ont rempli vos assiettes. Accueil tout en gentillesse.

Hôtel Le Toëno Hôtel **€€**

(02 96 23 68 78 ; www.hoteltoeno.com ; rte de Trégastel ; d 63-118 € selon confort et saison ; fermé jan ; P). Ne vous fiez pas à l'extérieur de cette bâtisse moderne située à l'entrée de Trébeurden, environ 1,5 km avant le port. L'intérieur révèle un hôtel standardisé agréable, à la décoration dans des tonalités de jaune et de bleu, comprenant 17 chambres spacieuses et confortables, avec vue sur la mer. Un sentier permet de rejoindre à pied la plage du Toëno, en traversant la route. L'hôtel appartenant aux propriétaires du manoir de Lan Kerellec, une escale gourmande vous y est proposée en dehors des mois de juillet et août moyennant 101 € par personne sur la base de 2 personnes (repas au Manoir et chambre au Toëno).

Manoir de Lan Kerellec

Hôtel-restaurant de grand luxe **€€€**

(02 96 15 00 00 ; www.lankerellec.com ; allée de Lan Kerellec ; d basse/haute saison 150-550/195-655 €, plats 38-80 €, menus 44 (midi)/54/85 €, menus uniques lun-mar soir à 54 et 61 € ; fermé mi-nov à mi-mars, restaurant fermé lun et mer midi ;). Le luxe d'un établissement quatre étoiles chic

Île Milliau (p. 133)

PHOTLOOK/FOTOLIA ©

La station LPO de l'Île-Grande

Relié au continent par un petit pont, l'îlot de l'Île-Grande, entre Trégastel et Trébeurden, est un havre de paix accueillant un centre de la **Ligue pour la protection des oiseaux** (LPO ☎02 96 91 91 40 ; www.lpo.fr ; exposition tarif plein/réduit 4/3 € ; juin, sept et vacances scolaires tlj 14h-18h, juil-août lun-ven 10h-13h et 14h30-19h, sam-dim 14h30-19h). Entièrement réaménagé en 2011, il présente un intéressant espace d'exposition consacré aux espèces de la réserve des Sept-Îles et un centre de soin pour les oiseaux blessés et mazoutés. Ce dernier n'est pas ouvert au public mais on peut s'approcher de la volière et du bassin où certains sont en convalescence. Un sentier permet de se promener dans ce bel espace naturel paisible. La LPO organise en saison des sorties en mer et des visites thématiques, dont certaines sont spécialement orientées vers les enfants.

et classique, dont toutes les chambres jouissent d'une vue sur la mer. Côté restaurant, Mathieu Kergourlay a succédé à Marc Briand, parti à Lannion. Sa cuisine, servie dans une superbe salle face à la mer, est auréolée d'une étoile au Michelin.

Où prendre un verre et sortir

La Cabane Bambou's Bar €
(☎02 96 15 48 69 ; plage de Tresmeur ; juil-août et vacances scolaires tlj 15h-2h, hors saison jeu-dim). Installé au-dessus de la plage de Tresmeur, à côté d'autres terrasses, cette Cabane Bambou's permet de prendre l'apéro tout en gardant un œil sur le large. Un bar idéal pour les soirées qui se prolongent.

Renseignements

Office du tourisme (☎02 96 23 51 64 ; www.tourisme-trebeurden.com ; pl. de Crec'h-Héry). Organise des sorties en mer (adulte/enfant 22/12 €). Wi-Fi gratuit.

Le Finistère

Le Finistère, c'est la Bretagne dans ce qu'elle a de plus grandiose. D'Ouessant à l'île de Sein et de Crozon au cap Sizun en passant par les monts d'Arrée et les Montagnes Noires, l'ambiance de bout du monde est partout perceptible. Et puis bien sûr il y a des villes au patrimoine exceptionnel comme Quimper, Locronan et Saint-Pol-de-Léon, des joyaux d'architecture religieuse disséminés dans la campagne et sur la côte, des bourgs de caractère, des ports comme Le Conquet, Concarneau et Douarnenez et le ballet des pêcheurs qui va avec, qui rivalisent avec les splendides maisons d'armateurs nichées entre leurs murs. Point d'orgue de la région : la mer, qui la façonne, omniprésente et bleu turquoise, bordée de fantastiques échappées terrestres et de plages de sable blanc idylliques, propices à toutes les envies.

L'île Louët (p. 145)

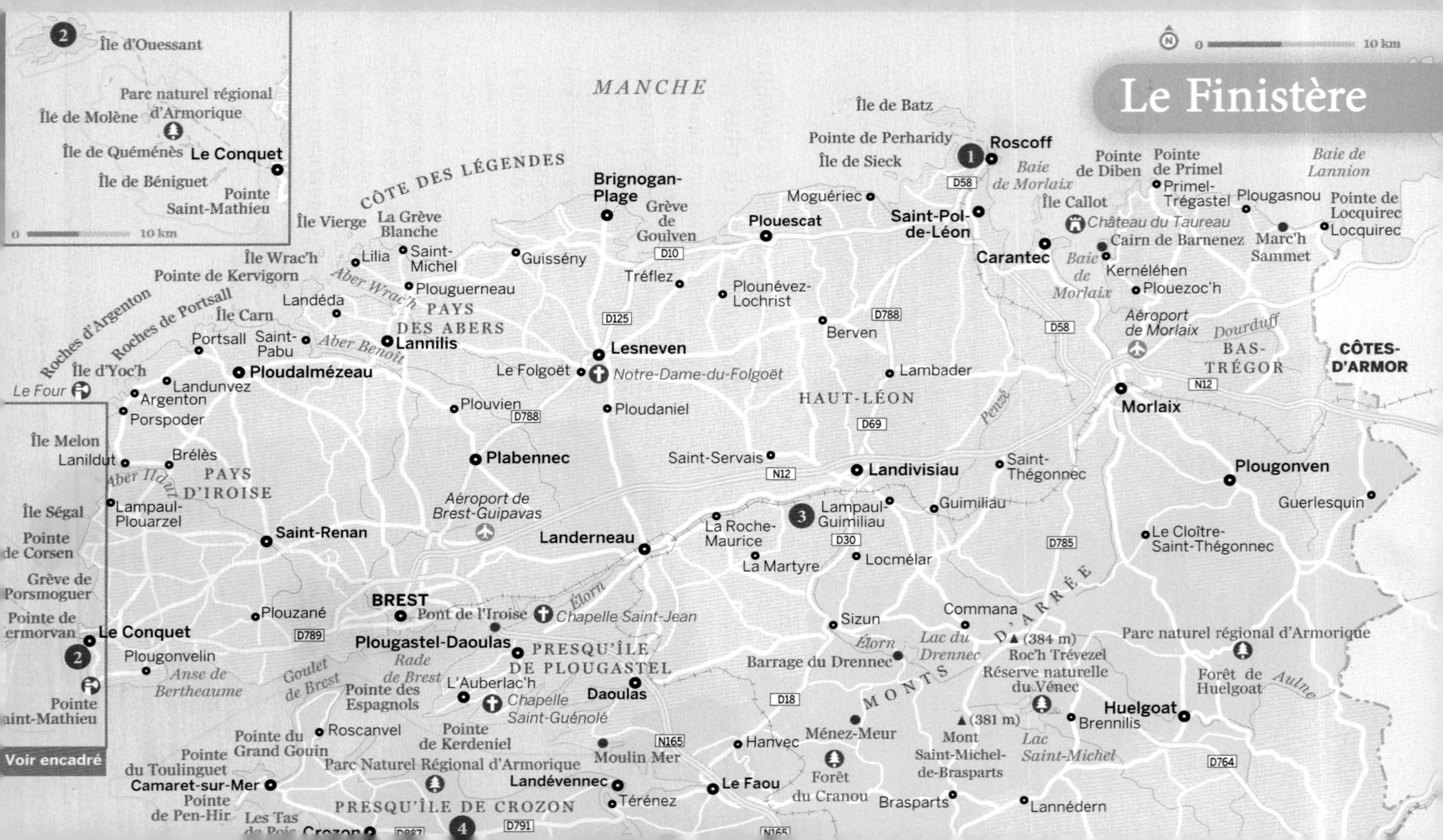
Le Finistère
0
10 km
MANCHE
Île d'Ouessant
Parc naturel régional d'Armorique
Île de Molène
Île de Quéménès
Le Conquet
Île de Béniguet
Pointe Saint-Mathieu
0
10 km
CÔTE DES LÉGENDES
Île Vierge
La Grève Blanche
Île Wrac'h
Lilia
Saint-Michel
Pointe de Kervigorn
Aber Wrac'h
Plouguerneau
Landéda
PAYS DES ABERS
Roches d'Argenton
Roches de Portsall
Île Carn
Portsall
Saint-Pabu
Aber Benoît
Lannilis
Île d'Yoc'h
Ploudalmézeau
Le Four
Landunvez
Argenton
Porspoder
Île Melon
Lanildut
Brélès
Aber Ildut
PAYS D'IROISE
Île Ségal
Lampaul-Plouarzel
Pointe de Corsen
Saint-Renan
Grève de Porsmoguer
Pointe de Kermorvan
Le Conquet
Plougonvelin
Anse de Bertheaume
Pointe Saint-Mathieu
Voir encadré
Plouzané
D789
BREST
Pont de l'Iroise
Goulet de Brest
Pointe des Espagnols
Pointe du Grand Gouin
Roscanvel
Pointe du Toulinguet
Camaret-sur-Mer
Pointe de Pen-Hir
Les Tas de Pois
Crozon
PRESQU'ÎLE DE CROZON
Parc Naturel Régional d'Armorique
Pointe de Kerdeniel
Landévennec
Térénez
D791
D887
Plougastel-Daoulas
Rade de Brest
L'Auberlac'h
Chapelle Saint-Guénolé
PRESQU'ÎLE DE PLOUGASTEL
Daoulas
Chapelle Saint-Jean
Élorn
Moulin Mer
N165
Le Faou
Hanvec
Forêt du Cranou
Ménez-Meur
MONTS D'ARRÉE
Brasparts
Mont Saint-Michel-de-Brasparts
(381 m)
Lac Saint-Michel
Lannédern
Brennilis
Huelgoat
D764
Réserve naturelle du Vénec
Roc'h Trévezel
(384 m)
Forêt de Huelgoat
Aulne
Parc naturel régional d'Armorique
Lac du Drennec
Barrage du Drennec
Élorn
Sizun
Commana
D18
Brignogan-Plage
Grève de Goulven
D10
Guissény
Tréflez
Plounévez-Lochrist
Plouescat
Moguériec
D125
Lesneven
Le Folgoët
Notre-Dame-du-Folgoët
Ploudaniel
Plouvien
D788
Plabennec
Aéroport de Brest-Guipavas
Landerneau
La Roche-Maurice
La Martyre
Lampaul-Guimiliau
D30
Locmélar
Saint-Servais
N12
Landivisiau
Guimiliau
Saint-Thégonnec
D785
Le Cloître-Saint-Thégonnec
HAUT-LÉON
D69
Berven
D788
Lambader
Penzé
Île de Batz
Pointe de Perharidy
Île de Sieck
Roscoff
D58
Saint-Pol-de-Léon
Baie de Morlaix
Carantec
Île Callot
Château du Taureau
Cairn de Barnenez
Kernéléhen
Baie de Morlaix
Plouezoc'h
Pointe de Diben
Pointe de Primel
Primel-Trégastel
Plougasnou
Marc'h Sammet
Pointe de Locquirec
Locquirec
Baie de Lannion
D58
Aéroport de Morlaix
Dourduff
BAS-TRÉGOR
CÔTES-D'ARMOR
N12
Morlaix
Plougonven
Guerlesquin

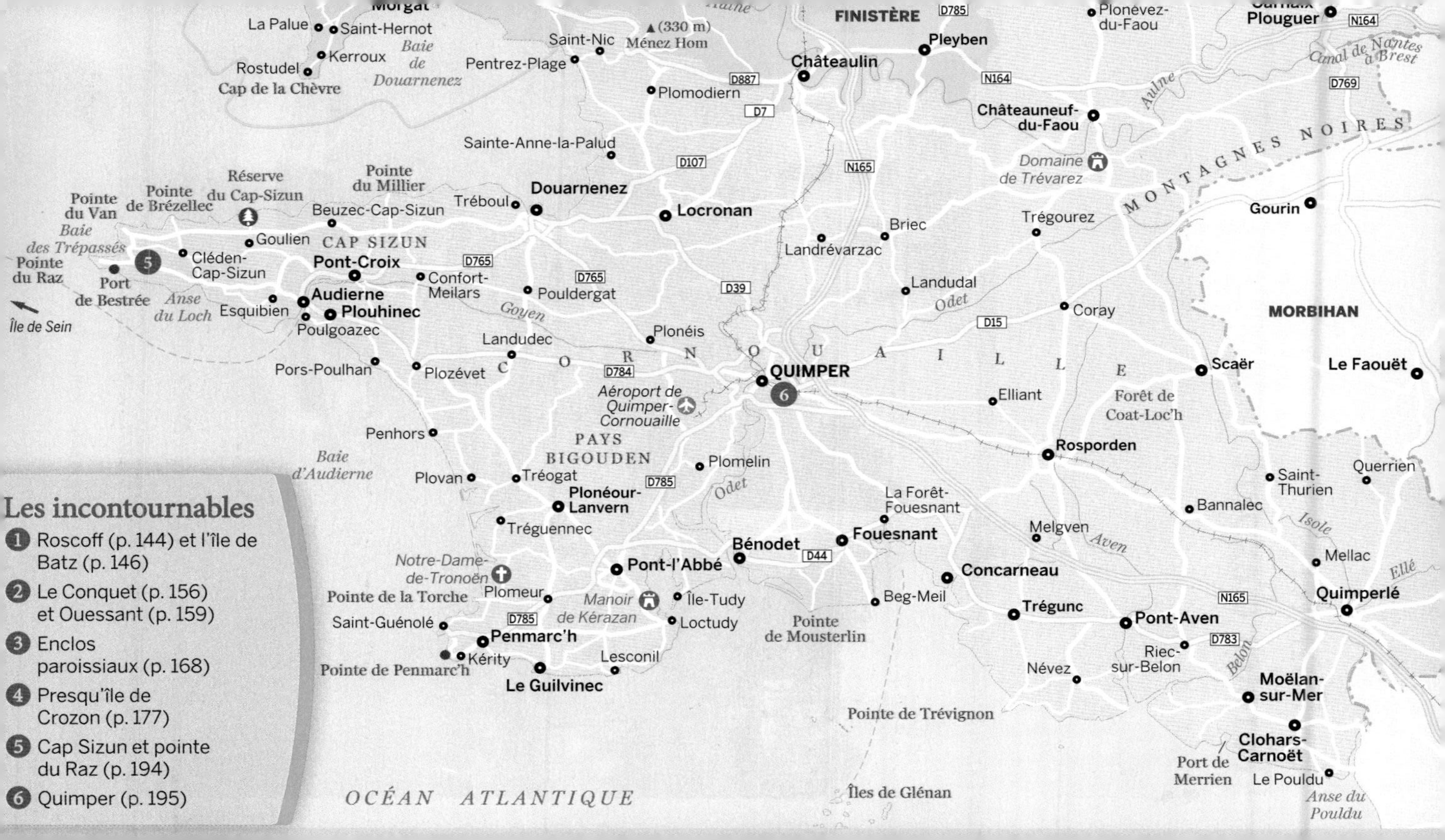
FINISTÈRE
MORBIHAN
MONTAGNES NOIRES
CORNOUAILLE
CAP SIZUN
PAYS BIGOUDEN
OCÉAN ATLANTIQUE
QUIMPER
Châteaulin
Pleyben
Plouguer
Plonévez-du-Faou
Châteauneuf-du-Faou
Domaine de Trévarez
Gourin
Le Faouët
Scaër
Forêt de Coat-Loc'h
Rosporden
Elliant
Coray
Trégourez
Briec
Landrévarzac
Landudal
Odet
Aulne
Canal de Nantes à Brest
Ménez Hom (330 m)
Saint-Nic
Pentrez-Plage
Plomodiern
Sainte-Anne-la-Palud
La Palue
Saint-Hernot
Kerroux
Rostudel
Cap de la Chèvre
Baie de Douarnenez
Douarnenez
Tréboul
Locronan
Pointe du Millier
Réserve du Cap-Sizun
Pointe de Brézellec
Pointe du Van
Baie des Trépassés
Pointe du Raz
Port de Bestrée
Île de Sein
Anse du Loch
Beuzec-Cap-Sizun
Goulien
Cléden-Cap-Sizun
Pont-Croix
Confort-Meilars
Pouldergat
Audierne
Plouhinec
Esquibien
Poulgoazec
Goyen
Landudec
Plonéis
Pors-Poulhan
Plozévet
Aéroport de Quimper-Cornouaille
Penhors
Baie d'Audierne
Plovan
Tréogat
Plomelin
Plonéour-Lanvern
Tréguennec
Notre-Dame-de-Tronoën
Pointe de la Torche
Plomeur
Saint-Guénolé
Penmarc'h
Kérity
Pointe de Penmarc'h
Le Guilvinec
Lesconil
Manoir de Kérazan
Île-Tudy
Loctudy
Pont-l'Abbé
Bénodet
Fouesnant
La Forêt-Fouesnant
Pointe de Mousterlin
Beg-Meil
Concarneau
Melgven
Aven
Trégunc
Névez
Pointe de Trévignon
Îles de Glénan
Pont-Aven
Riec-sur-Belon
Belon
Moëlan-sur-Mer
Clohars-Carnoët
Port de Merrien
Le Pouldu
Anse du Pouldu
Quimperlé
Ellé
Mellac
Isole
Bannalec
Saint-Thurien
Querrien
D785
N164
D887
D7
D769
N165
D107
D765
D39
D15
D784
D44
D783
Les incontournables
1 Roscoff (p. 144) et l'île de Batz (p. 146)
2 Le Conquet (p. 156) et Ouessant (p. 159)
3 Enclos paroissiaux (p. 168)
4 Presqu'île de Crozon (p. 177)
5 Cap Sizun et pointe du Raz (p. 194)
6 Quimper (p. 195)

Le Finistère
Paroles d'expert

Ci-dessus : Port de Doëlan. **Ci-contre en haut et en bas :** Pont-Aven (p. 203).

Le Finistère

PAR CÉCILE GUILLOU,
ÉTUDIANTE BRETONNE PASSIONNÉE
DE DESIGN

1 NATURE ET PEINTURE ENTRE LE POULDU ET DOËLAN

J'ai toujours grand plaisir à suivre le chemin des Douaniers (ou GR®34), notamment entre Le Pouldu et le port de Doëlan, au sud de Quimperlé. En chemin, on découvre de belles plages comme celle de la crique de la Roche Percée ou celle de la crique aux Cochons qui doit son nom aux nombreux petits coquillages appelés "petits cochons", bordée d'une mer turquoise. Il y a aussi le circuit pédestre du chemin des peintres qui commence à la **maison-musée du Pouldu** (☎ 02 98 39 98 51 ; maisonmuseedupouldu.blogspot.fr ; 10 rue des Grands-Sables, Le Pouldu, Clohars-Carnoët), reconstitution historique de la buvette tenue par Marie Henry, dans laquelle venait Gauguin. Ce sont en fait deux parcours avec des pupitres explicatifs qui indiquent les lieux et les ambiances qui ont inspiré tant de peintres.

2 PETITE DOUCEUR À PONT-AVEN

S'il est un endroit que j'affectionne particulièrement à Pont-Aven (p. 203), c'est **La Chocolaterie** (www.lachocolateriedepontaven.com). C'est le lieu idéal pour prendre un chocolat chaud extra qui vous réchauffe et vous redonne le sourire quand le temps est morose. Et si vous avez une petite faim, vous mangerez ici l'un des meilleurs millefeuilles de l'Hexagone !

3 SAVEURS IODÉES DANS LES PETITS PORTS

Si vous voulez vous régaler de fruits de mer ultrafrais dans des endroits absolument superbes, je vous conseille d'aller faire un tour du côté du port du Belon (p. 204) qui est bien sûr réputé pour ses fameuses huîtres plates, ou du port miniature de Kerdruc, du côté de Névez.

4 FESTIVAL DU BOUT DU MONDE

Le **Festival du bout du monde** (www.festivalduboutdumonde.com ; fin juillet-début août), qui se déroule sur la presqu'île de Crozon (p. 177), est une manifestation qui me tient à cœur. C'est un super moment que l'on passe entre copains, ou en famille. La programmation est toujours de qualité et très diverse : Bernard Lavilliers, Keziah Jones, Pink Martini, Earth, Wind and Fire… Une vraie parenthèse dont on profite pleinement.

Suggestions d'itinéraires

Du nord au sud, le Finistère est un concentré de Bretagne, dans ce qu'elle a de plus majestueux ou, tout du moins, extrême. Au gré de vos pérégrinations et au hasard des routes intérieures ou littorales, vous croiserez autant de fleurons de l'architecture religieuse que de paysages vertigineux.

7 JOURS

DE MORLAIX À L'ÎLE D'OUESSANT

LE FINISTÈRE NORD

Posez vos valises deux jours dans la baie de Morlaix et découvrez ❶ **Morlaix**, célèbre pour ses maisons à pondalez, avant de rallier ❷ **Saint-Pol-de-Léon**, avec son imposante cathédrale-basilique, et ❸ **Roscoff**, dotée de belles maisons d'armateurs. Continuez jusqu'au ❹ **pays des abers**, où vous pourrez passer une belle journée entre terre et mer. Quittez la côte et aventurez-vous pour un jour à l'intérieur des terres du Haut-Léon : vous serez ébloui par les somptueux ❺ **enclos paroissiaux** de Saint-Thégonnec, Guimiliau et Sizun. Retour en ville : les musées et monuments de ❻ **Brest** vous occuperont au moins une journée. Ensuite, en route vers ❼ **Le Conquet**, port de carte postale où vous séjournerez une journée, et visiterez le phare et l'abbaye de la pointe Saint-Mathieu. Du Conquet, embarquez pour ❽ **l'île d'Ouessant** pour une journée à vélo, au bout du monde.

Ci-dessus : sculpture, Roscoff (p. 144) ;
À droite : port-abri du Vorlenn, cap Sizun (p. 187)

DE CONCARNEAU AUX MONTS D'ARRÉE

LE FINISTÈRE SUD

Consacrez une journée à la ville close de ❶ **Concarneau**, très prisée, et profitez des jolies plages qui la bordent. Plus au nord, rejoignez ❷ **Quimper** et découvrez sa vieille ville et son centre d'art contemporain en un jour, avant de gagner ❸ **Locronan** qui, classé parmi les "plus beaux villages de France", mérite un autre jour de visite. Passez ensuite deux jours dans un décor de paysages vertigineux et de plages de rêve : gagnez pour cela le ❹ **cap Sizun et la pointe du Raz** ou la ❹ **presqu'île de Crozon**. Réservez vos deux derniers jours à une incursion dans les terres jusqu'aux ❺ **monts d'Arrée**, pour vous consacrer à des randonnées teintées de légendes, de patrimoine religieux et de panoramas spectaculaires en pleine nature.

Découvrir le Finistère

ROSCOFF (ROSKO)

Étirée sur une presqu'île, à la pointe ouest de la baie de Morlaix, Roscoff décline avec bonheur ses atouts : un climat doux et vivifiant, un patrimoine architectural diversifié et un environnement exceptionnel. La jolie cité s'est forgé une réputation dans les domaines de la **thalassothérapie** (02 57 40 01 19 ; www.thalasso.com ; rue Victor-Hugo ; fermé 3 sem en déc), de la plaisance et de la pêche. Elle est également la tête de pont des échanges avec l'Irlande et la Grande-Bretagne, grâce à son port en eaux profondes construit à Bloscon en 1972, d'où partent de nombreux ferries et cargos. L'ancien port, au cœur de la ville sert d'embarcadère pour la délicieuse île de Batz (p. 146). Pour ne rien gâcher, Roscoff compte une dizaine de jolies petites plages, dont celles de Roc'h' Kroum, de la Croix-Rousse, de la Grande Grève et de Perharidy.

Roscoff
RÉGIS COUTURIER ©

À voir

Église Notre-Dame-de-Croas-Batz Gothique flamboyar

Découvrez cette belle église du XVIe siècle, de style gothique flamboyant, située au centre du bourg. Le jeu des volumes et des proportions est étonnant, notamment le clocher à lanternons, l'un des plus spectaculaires du Finistère. En détaillant les murs, vous distinguerez des sculptures en relief représentant des tritons et des navires, qui rappellent la vocation maritime de la ville. L'intérieur abrite un joli retable de la Passion en bois et en albâtre du XVe siècle, d'origine anglaise.

Vieille ville Patrimoine architectur

Flânez dans les rues entourant l'église pour découvrir des trésors architecturaux, notamment les **maisons d'armateurs et de corsaires** en granit, dont les façades stylisées, les cheminées et les lucarnes richement sculptées (gargouilles, personnages étranges) témoignent de la richesse de leurs anciens propriétaires du XVe au

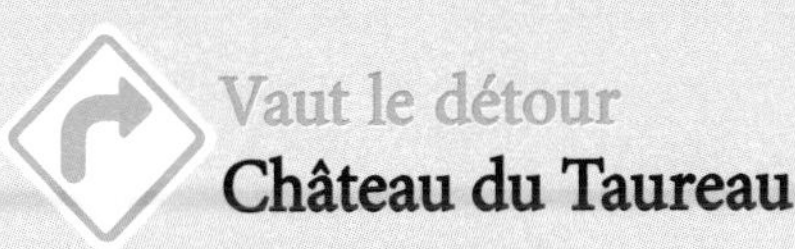

Château du Taureau

Vigie hiératique postée à l'entrée de la baie de Morlaix, le vaisseau de pierre qu'est le **château du Taureau** (**02 98 62 29 73 ; www.chateaudutaureau.com ; adulte/enfant 14/7 €, gratuit - 4 ans, tarification spéciale pour les visites animées ; avr-oct sam-dim, juil-août et vacances scolaires presque tlj, planning disponible aux offices du tourisme de Carantec ou de Morlaix**) a été bâti sur un îlot en 1542 pour décourager les convoitises de la flotte anglaise. Remanié par Vauban à la demande de Louis XIV, il est l'élément défensif central de la rade de Morlaix – à tel point qu'il ne subira jamais aucune attaque ! – avant d'être reconverti à divers usages. Prison d'État à partir du XVIIIe siècle, il devient une villégiature d'été dans les années 1930 et, après avoir été abandonné lors de la Seconde Guerre mondiale, il est investi par une école de voile dans les années 1960, puis de nouveau délaissé. Un vaste programme de restauration a été entrepris de 1998 à 2006 pour le sauver de la ruine et le rendre accessible au public. La visite libre du château (scénographiée par Patrice Pellerin, auteur de la BD *L'Épervier*) vous prendra 1 heure environ. Mais il est bien plus drôle de rejoindre l'une des visites avec animation : théâtrale (adulte/enfant 19/10 €), contée (17/8 €), ou encore ornithologique. Le château du Taureau offre en effet une vue imprenable sur la **réserve naturelle**, constituée de sept îlots, abritant plusieurs espèces d'oiseaux rares. Face au château, l'**île Louët** (**02 98 67 00 43 ; www.tourisme-morlaix.fr/ile-louet.html**) vaut le coup d'œil et il est possible de passer la nuit sur place en louant la maison du gardien.

XVIIe siècle. Les plus belles sont situées rue Armand-Rousseau, rue Amiral-Réveillère et sur la place Lacaze-Duthiers.

Chapelle Sainte-Barbe — Panorama

Perchée telle une sentinelle sur la pointe de Bloscon, à l'ouest de la ville, cette petite chapelle (XVIIe siècle) aux murs blancs mérite le détour. Non qu'elle se singularise par son architecture, mais l'on jouit ici d'une vue sans pareille sur la ville. Le sanctuaire est construit en surplomb du vieux port et sert toujours d'amer pour la navigation.

Vieux port — Promenade

Il est réputé pour la pêche aux tourteaux. Avec un peu de chance, en vous promenant sur le môle (XVIIIe siècle), vous assisterez à un retour de pêche, moment toujours émouvant. Sinon, de ses quais, on découvre les vieilles maisons de corsaires, dont celle, à la façade ornée d'accolades, qui aurait accueilli Marie Stuart, reine d'Écosse, en 1548.

Maison des Johnnies et de l'Oignon de Roscoff — Terroir

(**02 98 61 25 48 ; 48 rue Brizeux ; tarif plein/réduit 4/2,50 €, gratuit - 10 ans ; visites commentées 15 juin-20 sept lun-ven 11h, 15h, 17h, dim 15h et 17h, hors saison mar 10h30 et jeu 15h, fermé jan**). Près de la gare, ce petit musée retrace l'épopée des Johnnies, ces marchands bretons qui vendaient les oignons de Roscoff en Angleterre.

Centre de découverte des Algues — Tout sur les algues

(**02 98 69 77 05 ; www.algopole.fr ; 5 rue Victor-Hugo ; en été lun-sam 10h-12h30 et 14h30-19h, reste de l'année lun 14h30-18h, mar-sam 10h-12h et 14h30-18h**). GRATUIT La côte de Roscoff est l'une des plus riches et des plus diversifiées en algues de la planète. L'entreprise Thalado commercialise des produits à base d'algues et partage avec le public sa science et sa passion pour ces plantes aquatiques méconnues. Elle propose toute l'année diverses animations (projections commentées,

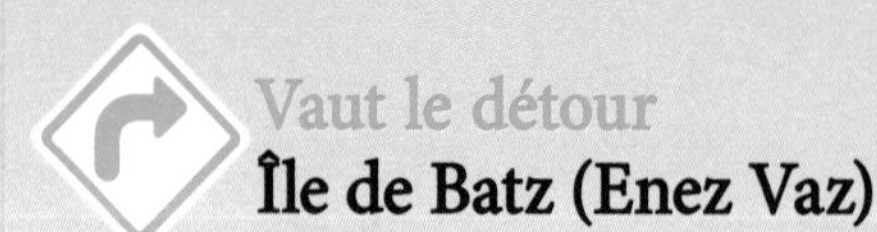

Vaut le détour
Île de Batz (Enez Vaz)

De dimensions modestes (3,5 km de longueur, 1,5 km de largeur), l'île de Batz (prononcez Ba) s'étire à 2 km à peine au large de Roscoff. Elle n'en révèle pas moins un fort particularisme. Peu après l'embarcadère de Pors-Kernoc se dévoile un bourg tout en longueur et un paysage côtier alternant roches et anses de sable blanc. On découvre rapidement que Batz est un immense potager. Grâce aux faveurs du Gulf Stream, les primeurs – tout comme les palmiers ou les agapanthes – poussent à merveille sur les 180 ha de terre cultivée, dont les trois quarts en agriculture biologique. Le tracteur fait partie intégrante du paysage et le goémon sert d'engrais. Le ramassage de ce dernier, ainsi que la pêche et le tourisme constituent les autres grandes activités de l'île (l'une des seules en Bretagne à être dotées d'une économie propre). Le **jardin Georges Delaselle** (02 98 61 75 65 ; www.jardin-georgesdelaselle.fr ; tarif plein/réduit/10-16 ans 5/4/2,50 €, visite guidée 7 € ; tlj 11h-18h avr-nov), très luxuriant, compte une quarantaine de palmiers d'essence différentes et une collection de plus de 1 500 espèces en provenance des cinq continents. Le tourisme reste discret, même en été, et ne perturbe pas l'ambiance familiale et la quiétude des 600 Batziens. Au nord, les belles plages de sable ourlées de dunes invitent au farniente.

L'île, interdite à la circulation des voitures, se visite à pied ou à vélo. Un sentier non balisé permet de longer les 10 km de côte (comptez au moins 2 heures de marche). Il est interdit de l'emprunter à vélo (les dunes et leur végétation sont fragiles).

Un **Point Information** (02 98 61 75 70 ; www.iledebatz.com, www.iledebatz.net ; juil-août 10h-12h30 et 13h30-17h) est aménagé en été au niveau de l'embarcadère, et fournit une bonne carte de l'île et des circuits de randonnée. Hors saison, adressez-vous à la **mairie** (02 98 61 77 76 ; lun-ven 9h-12h et 14h-18h), sur la route menant au centre du bourg.

Trois compagnies maritimes associées desservent tous les jours l'île de Batz à partir de Roscoff : les **Vedettes CFTM** (02 98 61 78 87 ; www.vedettes-ile-de-batz.com), **Armein** (02 98 61 75 47 ; www.armein.fr) et **Armor Excursions** (02 98 61 79 66 ; www.vedettes.armor.ile.de.batz.fr). Les trois compagnies pratiquent les mêmes tarifs (aller-retour tarif plein/réduit 8,50/4,50 €, vélos 8,50 €). Leur billetterie commune est installée sur le quai du vieux port de Roscoff (réservation nécessaire pour les groupes). Les traversées, très fréquentes en été comme en hiver, durent 15 minutes. L'île peut également se rejoindre en été depuis Locquirec, Plougasnou, Carantec, Trébeurden ou Moguériec. Parking gratuit à l'embarcadère de Roscoff ou à la gare SNCF, à 10 minutes de marche (200 places).

microscopies d'algues à l'écran...), des conférences, des initiations à la cuisine aux algues et, seule prestation facturée, des **randonnées-découvertes** (tarif plein/réduit 7/4 €, gratuit -5 ans) sur le littoral à marée basse.

Criée de Roscoff — Poisson frais

(02 98 62 39 26 ; www.morlaix.cci.fr ; port de Bloscon ; visites guidées tarif plein/réduit 4/3 € ; juil-août lun-jeu à 11h, 15h et 17h, 6 mai-24 juin et 2 sept-4 nov mer à 15h30). Rouage essentiel de la pêche dans le Finistère Nord, la nouvelle criée de Roscoff, ouverte en 2003, traite annuellement jusqu'à 4 500 tonnes de poisson frais. Elle accueille les visiteurs dans le cadre d'une visite guidée de 1 heure 15, qui permet de découvrir les coulisses de la pêche et le déroulement des enchères,

notamment grâce à des films et à une exposition permanente. Des baies vitrées permettent d'assister à certaines activités comme le débarquement des bateaux ou le tri du poisson.

Jardin exotique Nature colorée
(02 98 61 29 19 ; www.jardinexotiqueroscoff.com ; tarif plein/réduit 6/3-5 €, gratuit - 10 ans ; juil-août tlj 10h-19h, avr-juin et sept-oct tlj 10h30-12h30 et 14h-18h, mars et nov tlj 14h-17h, fermé déc-fév). Sur la pointe de Bloscon, après le port des ferries, ce jardin vous étonnera. Il rassemble en effet, sur 1,6 ha, quelque 3 000 espèces de plantes provenant de l'hémisphère Sud, qui se sont parfaitement acclimatées – preuve de l'existence d'un microclimat à Roscoff. Un chaos granitique haut de 18 m permet de bénéficier d'une vue panoramique sur la baie de Morlaix.

Où se loger et se restaurer

Hôtel aux Tamaris Vue sur l'île de Batz €€
(02 98 61 22 99 ; www.hotel-aux-tamaris.com ; 49 rue Édouard-Corbière ; ch vue terre/vue mer 65-99/75-115 € ; tte l'année ;). Proche des instituts de thalassothérapie, cet agréable hôtel trois étoiles, chic et familial, possède 25 chambres douillettes – quoiqu'un peu exiguës – et bien tenues, avec salle de bains, et dont les plus chères regardent l'île de Batz. C'est un pur bonheur d'ouvrir sa fenêtre et de n'avoir que les flots bleus et l'île de Batz pour horizon ! Un bon rapport qualité/prix.

Le Surcouf Brasserie €
(02 98 69 71 89 ; www.surcoufroscoff.fr ; 14 rue Amiral-Réveillère ; menus à partir de 18 €, plat du jour 10,50 €, formule déj 12 € ; jeu-lun). Cette table devrait enthousiasmer les gourmets et les gourmands : les plats de type brasserie sont tout simplement délicieux et bien présentés, les poissons et fruits de mer charnus et d'une extrême fraîcheur, et les portions sont généreuses. Quant au service, il est souriant et efficace ! Cadre chaleureux.

L'Écume des Jours Gastronomique €€€
(02 98 61 22 83 ; www.ecume-roscoff.fr ; quai d'Auxerre ; plat à partir de 18 €, formules déj 17/23 €, menus à partir de 35 € ; fermé mar-mer hors saison, fermé déc-jan). Dans une belle maison d'armateur du XVIe siècle aux touches design, avec vue sur la mer, cette table inventive puise dans le répertoire marin et les produits locaux. La carte propose d'heureux mariages : lieu jaune grillé et chou-fleur et amandes avec ravioles d'artichaut, filet de de canette rôti avec frites de polenta et jus de tajine, etc. Les desserts, comme la coque meringuée façon Mojito, y arrivent en point d'orgue. Belle sélection de vins.

Renseignements

Office du tourisme (02 98 61 12 13 ; www.roscoff-tourisme.com ; quai d'Auxerre). Point Internet gratuit.

SAINT-POL-DE-LÉON (KASTELL-PAOL)

Saint-Pol-de-Léon, ancien siège de l'évêché à moins de 25 km au nord-ouest de Morlaix, joint l'attrait d'un patrimoine religieux parmi les plus significatifs de Bretagne aux plaisirs plus attendus des activités balnéaires que procurent plusieurs **plages**, dont la plage **Sainte-Anne** (surveillée), et le port de **Pempoul**. Une digue relie le rivage à l'**îlot Sainte-Anne**, où un petit parc est aménagé, et au **port de plaisance de La Groue**. Le panorama de la baie de Morlaix est superbe. La **baie de Pempoul** est le paradis de la pêche à pied.

L'architecture du centre-ville, dominé par des demeures en granit, dégage une certaine austérité, non dénuée de charme. Plusieurs **maisons de caractère** attestent du riche passé de la ville, lorsqu'elle était au cœur d'un intense trafic commercial. Flânez dans les **rues Rozière**, **Kermenguy** et du **Général-**

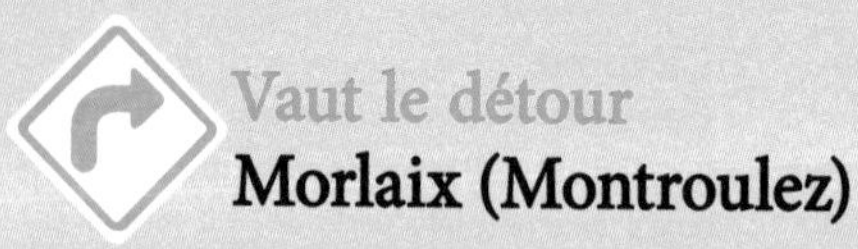

Vaut le détour
Morlaix (Montroulez)

Troisième ville du département, Morlaix, 15 600 habitants, assume plutôt bien son statut de ville moyenne. C'est une ville de confluence, à la jonction entre le Léon à l'ouest et le Trégor à l'est, entre la Manche au nord et les monts d'Arrée au sud. Le visiteur profitera de cette situation géographique enviable pour rayonner aux alentours.

La ville elle-même possède un indéniable cachet et l'on se laisse prendre au charme du lacis de ses venelles, de ses bâtisses anciennes, de sa prospérité tranquille et du sentiment d'harmonie qui enveloppe la cité. Uniques en Bretagne, les "maisons à pondalez" – également appelées "maisons à lanterne" et édifiées au XVIe siècle – sont une singularité architecturale de Morlaix. "Pondalez" fait référence aux passerelles et escaliers en bois qui permettaient le passage entre les pièces de l'avant et celles de l'arrière de la maison, ces deux parties étant séparées par une cour intérieure couverte. La **maison de la Duchesse Anne** (www.mda-morlaix.com ; 33 rue du Mur) en est un bel exemple.

Déambulez dans les **circuits des venelles**, décrits dans une brochure disponible à l'office du tourisme. Quatre promenades fléchées vous donneront l'occasion d'apprécier les richesses architecturales de la ville et l'ambiance des ruelles sinueuses du vieux Morlaix, si attachantes. La rampe Saint-Melaine, les venelles aux Prêtres, Auguste-Ropars, des Ursulines, aux Pipes, au Son ou au Beurre, la rue du Mur, la Grand-Rue, la rue Ange-de-Guernisac, notamment, vous livreront leurs secrets et vous découvrirez au passage de superbes panoramas. Ces promenades sont courtes (de 45 minutes à 1 heure 15), mais attendez-vous à des grimpettes assez traîtresses.

Leclerc pour apprécier toutes les nuances de ces édifices remarquables. Surtout, Saint-Pol reste marquée par l'histoire religieuse et la puissance de ses évêques, dont témoignent deux édifices magistraux.

Cathédrale Saint-Pol-Aurélien Incontournable

(visites guidées gratuites en saison lun, mer, jeu et ven 10h30-12h45 et 14h15-18h, mar 12h30-18h, pas de visite sam et dim matin). Ses tours polygonales, dissymétriques, de style normand et hautes de 55 m, se repèrent de très loin. Dédié au premier évêque du Léon, le majestueux édifice date de l'époque ogivale (XIIIe-XVIe siècle). La nef renferme de nombreux trésors, comme les magnifiques **stalles** (XVIe siècle) en chêne, la grande **rosace** (XVe siècle) du pignon nord ou ses **grandes orgues** (XVIIe siècle). Au-dessus du maître-autel trône un **ciborium** – où les hosties étaient conservées dans un ciboire que l'on descendait à l'aide d'un cordonnet – de style rococo et en forme de palmier, symbole de la Résurrection. C'est l'un des derniers encore en place dans une église. Autre curiosité, les "Étagères de la Nuit" sont un ensemble de **boîtes à crânes**, en forme de chapelles, que vous trouverez derrière une grille dans le déambulatoire. Elles remontent à la seconde moitié du XVIIIe siècle, époque où l'inhumation dans le sol de l'église fut interdite et où, le cimetière étant trop petit, seule la tête des squelettes était conservée, une fois les chairs décomposées…

Maison prébendale Architecture Renaissance

(02 98 63 49 53 ; www.laprebendale.fr ; juil-août tlj sauf lun 15h-19h, sept-juin mer et ven-dim 14h-18h). GRATUIT À l'est de la cathédrale, c'est l'ancienne maison des chanoines du Léon, datant de 1530. Édifice remarquable

de style Renaissance bretonne, il abrite aujourd'hui des expositions artistiques et des conférences (programme sur le site).

Chapelle Notre-Dame-du-Kreisker Plus haut clocher breton (☎ 02 98 69 01 15 ; 2 rue Verderel). Prodige architectural et symbole du pouvoir des marchands, cette collégiale de granit a été érigée au XIVe siècle. Son majestueux clocher à jour – plus de 80 ouvertures ! – qui s'élance à 77 m de hauteur est le plus élevé de Bretagne et a longtemps servi d'amer aux marins. De juillet à mi-septembre, vous pouvez en gravir les 169 marches (2 €) pour admirer depuis la balustrade un panorama étourdissant sur la baie de Morlaix et les monts d'Arrée.

Où se loger et se restaurer

Hôtel de France Familial €€
(☎ 02 98 29 14 14 ; www.hoteldefrancebretagne.com ; 29 rue des Minimes ; s 50-60 €, d 63-70 €, f 110-130 € ; fermé les 3 premières sem de jan ; wifi, P). Situé sur une éminence au cœur de la ville, cet hôtel deux étoiles au charme rétro, dans une grande maison bretonne, offre un bon rapport qualité/prix. Les 22 chambres, calmes, fonctionnelles et confortables, ouvrent sur la cathédrale, le Kreisker ou la mer. Agréable jardin à l'arrière.

Le Clos Saint-Yves Chambres d'hôtes €€
(☎ 02 98 69 05 98, 06 32 14 45 21, 06 85 52 13 40 ; www.le-clos-st-yves.fr ; 5 rue Saint-Yves ; s/d 80/85 € petit-déj inclus ; tte l'année ; wifi). Les propriétaires, un couple sympathique, ont ouvert la porte de leur maison, un ancien manoir des XVIe et XVIIe siècles posé au cœur de la cité. Vous y trouverez 4 chambres douillettes avec salles de bains privatives, à la décoration raffinée. On est ici gentiment accueilli.

Ty Korn Crêperie €
(☎ 02 98 69 25 14 ; 17 rue des Minimes ; crêpes à partir de 6,50 € ; vacances scolaires tlj sauf lun, hors saison tlj sauf mar et mer). La "maison du coin" est l'une des meilleures crêperies de Saint-Pol. Dans un décor traditionnel de pierre et de bois, les spécialités sont marines (saint-jacques, saumon), terrestres (artichaut, andouille de Guémené, saucisse fumée) ou montagnardes (avec des fromages de Savoie). En dessert, la "Madoué" associe poire caramélisée, glace au pain d'épice et chantilly.

Le cairn de Barnenez

Situé sur la presqu'île de Kernéléhen, au nord de Morlaix, le **cairn de Barnenez** (☎ 02 98 67 24 73 ; www.barnenez.monuments-nationaux.fr ; Plouezoc'h ; tarif plein/réduit 5,50/4 €, gratuit - 26 ans de l'Union européenne ; mai-août tlj 10h-18h30, sept-avr tlj sauf lun 10h-12h30 et 14h-17h30, fermé jours fériés) fut qualifié de "Parthénon mégalithique" par André Malraux. Ce superbe site archéologique abrite 11 chambres funéraires à couloir (inaccessibles à la visite, mais des vues de coupe sur la façade nord offrent un bon aperçu). Construit entre 4500 et 3900 av. J.-C. – le plus ancien cairn, d'une couleur plus sombre, servant d'appui au second –, le monument mesure 75 m de longueur et 28 m de largeur. Difficile d'imaginer que ces dalles de granit de plusieurs tonnes étaient déplacées par la seule force de l'homme ! Ce chantier colossal atteste les notions très précises de l'équilibre des masses acquises par les sociétés néolithiques.

Depuis la presqu'île, vous bénéficiez d'un point de vue sur l'**île Stérec** – accessible à pied à marée basse –, dont le granit blanc aurait servi à la construction du cairn secondaire.

Le Chalet sur la plage Face à la mer €€

(☎ 02 98 29 08 09 ; www.restaurant-chalet.com ; 1 promenade de Penarth, plage Sainte-Anne ; formules déj à partir de 8,50 €, menus à partir de 17 € ; juil-août tlj, hors saison fermé dim soir, mar soir et mer). C'est dans un cadre exceptionnel face à l'immense plage Sainte-Anne et la baie de Morlaix qu'est postée cette grande maison agrémentée d'une terrasse pour les beaux jours. Installez-vous pour déguster des poissons de la criée de Roscoff et des fruits de mer sortis du vivier, comme de bonnes salades composées ou des crêpes. Tous les plats sont servis en portions généreuses. Les habitants du coin fréquentent régulièrement cette très agréable table conviviale.

Renseignements

Office du tourisme (☎ 02 98 69 05 69 ; www.paysduleon.com, www.saintpoldeleon.fr ; pl. de l'Évêché)

PAYS DES ABERS

Aber est un mot breton désignant une basse vallée ennoyée par la remontée du niveau marin. Le pays des abers compose des paysages versatiles, sans cesse redessinés par les marées et la lumière. Miroirs étincelants à marée haute, quand les flots frangent les champs, ils se transforment à marée basse en de vastes étendues de vase piquetées d'oiseaux.

Aber Benoît et aber Wrac'h

Long de 8 km, l'aber Benoît est le plus bucolique des abers. Sa rivière se faufile entre forêts et prairies, où tournaient autrefois une centaine de moulins, et s'évase jusqu'à une embouchure où la mer prend des airs tropicaux. L'aber Wrac'h, une entaille d'une trentaine de kilomètres dans le plateau du Léon, est à la fois plus majestueux et sauvage. Son entrée est gardée par un chapelet d'îles et de récifs et forme un bassin protégé propice aux sports de voile. Ces rias sont aussi un haut lieu de l'ostréiculture ; profitez de votre séjour pour déguster les fameuses huîtres creuses et plates de Prat-ar-Coum.

PLOUGUERNEAU (PLOUGERNE) ET ENVIRONS

Avec l'aber Wrac'h et l'océan pour derniers terrains vagues, le phare de l'île Vierge pour vigie et le port goémonier du Koréjou comme autre atout dans la Manche, Plouguerneau jouit d'un cadre maritime exceptionnel. Avec plus de 40 km de littoral, c'est même la commune française qui possède la plus longue côte. Mais la cité balnéaire est aussi agricole, comme en témoigne la physionomie du bourg. Chapelles et calvaires rappellent son histoire profondément chrétienne. Plouguerneau est aussi une bonne base pour visiter les abers et comblera les amateurs de farniente avec ses jolies plages familiales comme la **Grève Blanche**, **Le Zorn** et **Le Vougot**.

À voir et à faire

Écomusée de Plouguerneau Algues et goémoniers

(☎ 02 98 37 13 35 ; www.ecomusee-plouguerneau.fr ; route de Kerveogan ; tarif plein/réduit 4/2,50-3 €, gratuit -7 ans ; avr-8 mai tlj sauf mar 14h-18h, mi-mai à début juin sam-dim 14h-18h, mi-juin à sept tlj sauf mar 14h-18h, aussi en juil-août jeu 10h30-12h30, visites commentées mar 14h). Situé à la sortie du bourg, il évoque le travail des goémoniers à travers les âges et la vie de ces jardiniers de la mer.

Iliz-Koz Histoire médiévale

(☎ 02 98 04 71 84 ; bourg de Saint-Michel ; 3 € ; 15 juin-15 sept tlj sauf lun 14h30-18h30, le reste de l'année dim 14h30-17h). Au nord de Plouguerneau, Iliz-Koz, la "vieille église", désigne un cimetière médiéval enseveli sous le sable autour de 1720 et remis au jour en 1970. On peut y voir une soixantaine de dalles funéraires, dernières demeures de prêtres ou de chevaliers, sculptées de calices et de ciboires pour les uns, d'épées et de blasons pour les autres. Les animateurs présents sur place et l'espace muséographique sauront faire parler ces pierres, qui n'ont pas encore livré tous leurs secrets.

Phare de l'île Vierge

Géant de granit

(tarif plein/réduit 2,50/2 € ; ⏲avr-oct horaires à l'office du tourisme). Planté sur un îlot à 2 km au large du bourg de Lilia, ce phare a été mis en service en 1902, à côté de son prédécesseur (1845), bien plus petit, qui servit de logement aux gardiens jusqu'à leur départ en 2010. Avec ses 82,50 m, c'est le phare en pierre de taille le plus haut du monde. Il éclaire la nuit d'un éclat blanc régulier d'une portée de 27 milles nautiques pour indiquer le continent et marquer l'entrée de l'aber Wrac'h. Son escalier en colimaçon compte 397 marches et s'élève le long de murs habillés de petits carreaux d'opaline – afin de protéger le phare de l'humidité –, couvrant une surface de 900 m² ! La grimpette est récompensée par une vue magnifique sur la côte, le chaos des récifs et les îles (Wrac'h, Stagadon...). Le phare est accessible à pied les jours de très grand coefficient de marée ; le reste du temps, les **Vedettes des Abers (www.vedettes-des-abers.com)** organisent la visite.

Phare de l'île Wrac'h

Balade et expositions

(accès par le bourg de Saint-Cava). Ce petit phare aujourd'hui automatisé éclaire l'entrée de l'aber Wrac'h depuis 1845. Il offre l'occasion d'une très belle balade. L'île aux multiples vues panoramiques se rejoint en effet à marée basse depuis la **plage de Saint-Cava**, en suivant l'estran. La maison de gardien abrite en été des **expositions (www.ippa29.fr ; ⏲horaires en fonction de la marée).**

Chapelle Notre-Dame-du-Val

Chapelle Renaissance

(Le Traon). Également connue sous le nom de Notre-Dame-du-Traon, elle est sans doute la plus croquignolette des chapelles qui constellent la commune. Vous la trouverez en contrebas de l'ancienne route de Lannilis (D113), dans un vallon boisé qui se jette dans l'aber Wrac'h. Elle se découvre après avoir franchi la porte triomphale de 1738. Le petit sanctuaire, paré de gargouilles et d'un clocheton à deux chambres, date

Port du Koréjou, Plouguerneau

RÉGIS COUTURIER ©

GUITOU60/FOTOLIA ©

À ne pas manquer

Notre-Dame du Folgoët

Situé à une quinzaine de kilomètres à l'ouest de Plouguerneau, ce chef-d'œuvre gothique a été consacré vers 1419, à l'emplacement de la tombe de Salaün le Fou, simple d'esprit en l'honneur duquel il fut érigé. Entièrement réalisée en kersantite – une première en Bretagne –, la basilique est construite selon un plan atypique en équerre. La nef est prolongée par une chapelle en aile, précédée du remarquable **porche des Apôtres** (au nombre de 13, Paul, reconnaissable à son épée, a été ajouté). Sur la tour nord, le grand **clocher** est surmonté d'une flèche culminant à 54 m, sur le modèle du Kreisker (voir p. 149), tandis que la tour sud est ornée d'un **campanile** Renaissance. Les **façades** sont parées de festons, de galeries en dentelle, de balustrades et d'une profusion de **statues** : saints, personnages grotesques, êtres fantastiques, animaux et gargouilles. Mais c'est à l'intérieur que se trouve le joyau de la basilique : le **jubé** qui sépare la nef du chœur, ciselé comme une dentelle dans le kersanton, compte parmi les plus beaux de France. Autres curiosités : les **autels** – dont l'un supporte la Vierge noire menée en procession lors du Grand Pardon (l'un des plus importants pardons bretons) – et les magnifiques **vitraux** représentant le couronnement de Marie ou l'histoire de Salaün. La **fontaine** extérieure, alimentée par la source située sous l'autel, est intégrée au pignon de la basilique.

INFOS PRATIQUES

Le **Grand Pardon du Folgoët** a lieu le 1er week-end de septembre.

du XVIe siècle. Dans le placître se dresse un joli calvaire (1511) en kersanton, tandis qu'au sud de la chapelle coule la fontaine de dévotion, assortie de deux lavoirs.

Si vous poursuivez vers Lannilis, arrêtez-vous au virage de **Beg-An-Toul** pour admirer la vue superbe sur l'aber Wrac'h.

Où se loger et se restaurer

Le Castel Ac'h Hôtel-restaurant **€€**
(02 98 37 16 16 ; www.castelach.fr ; Kervinni, Lilia ; s/d/tr 79-126/89-135/109-150 € selon saison ; plats à partir de 15,50 €, menus à partir de 19,90 € ; tlj ;). Cet hôtel trois étoiles face à la plage de Lilia a fait peau neuve et affiche enfin des prestations dignes de son cadre privilégié. Les chambres avec petit balcon ouvrant sur la mer ont adopté une livrée contemporaine et un confort de première classe. Il y a également une petite piscine. Le restaurant, qui fait la part belle aux produits de la mer, a lui aussi fait un saut qualitatif. Une adresse de choix.

Renseignements

Office du tourisme (02 98 04 70 93 ; www.abers-tourisme.com ; pl. de l'Europe, Plouguerneau). Billetterie (Océanopolis, Penn Ar Bed, visite d'Ouessant en car), location de vélos, balade commentée en bateau sur l'aber Wrac'h (lundi à 20h en saison)...

LANNILIS (LANNILIZ)

Située sur la presqu'île séparant l'aber Benoît et l'aber Wrac'h, cette commune rurale attire surtout pour son environnement. Sur la rive gauche de l'aber Wrac'h, le **Paluden** (www.paluden.fr) est le plus petit port à marée d'Europe pour le transport du bois. Il est aussi aménagé pour la plaisance. Relié par le GR®34, c'est le point de départ de belles promenades sur les bords de l'aber.

À 1 km au nord de Lannilis, toujours sur la rive gauche de l'aber Wrac'h, vous pourrez apercevoir depuis la route côtière le remarquable **château de Keroüartz** (lerefugedessiecles.com), construit entre 1580 et 1602 et typique de la Renaissance bretonne. Propriété privée, il s'ouvre peu à peu à la visite, et accueille des festivals et des tournages. Renseignez-vous à l'office du tourisme.

Le **pont Krac'h**, chaussée gauloise ou gallo-romaine qui relie les deux rives de l'aber Wrac'h et lien historique entre Plouguerneau et Lannilis, est sans doute le plus vieux pont de Bretagne. Selon la légende, l'ouvrage aurait été construit en une nuit par le diable, qui aurait fait un pacte avec un meunier plus malin que lui (l'enjeu était l'âme de la première personne qui traverserait le pont ; le meunier y envoya son chat !). Il est toujours défendu de s'y signer. Le pont permet de découvrir les berges bucoliques de l'aber. Il est recouvert deux fois par jour par les marées.

Où se restaurer

Viviers de Prat-ar-Coum Huîtres et crustacés **€€€**
(02 98 04 00 12 ; www.prat-ar-coum.fr ; à partir de 35 € ; juil-août lun soir-sam). Parmi les huîtres de qualité affinées dans les eaux des abers, celles de Prat-ar-Coum sont les plus réputées. Pendant l'été, la famille Madec tient ce restaurant sur les bords de l'aber Benoît. Vous pourrez composer votre propre assiette et vous régaler d'huîtres et de crustacés tout droit sortis des viviers et cuits à la vapeur. Petite sélection de vins et pâtisseries bretonnes.

Vous pourrez acheter à emporter huîtres plates, fines de claire et creuses, mais aussi langoustes, homards, tourteaux, coquillages, et parfois des ormeaux (lun-sam 8h-12h et 13h30-18h, dim et jours fériés 10h-12h). Les viviers se trouvent à la sortie de Lannilis en direction de Landéda, sur la rive est de l'aber Benoît.

Renseignements

Office du tourisme (02 98 04 05 43 ; www.abers-tourisme.com ; pl. de la Gare)

LANDÉDA

Landéda s'étire le long de l'aber Wrac'h jusqu'à son embouchure, englobe la belle **presqu'île Sainte-Marguerite**, qui s'avance dans la Manche et ferme la baie des Anges, et se poursuit jusqu'à l'estuaire de l'aber Benoît. La commune est ainsi bordée de 15 km de rivage découpé, comprenant de belles plages et un important massif dunaire. Elle compte aussi, sur l'aber Wrac'h, l'un des plus grands ports de plaisance bretons.

À voir et à faire

Presqu'île de Sainte-Marguerite Dunes et plages

La langue de terre qui sépare les deux abers se termine par de magnifiques dunes de sable blanc. Cette zone protégée offre des panoramas époustouflants des embouchures des deux abers. Au large, se dressent le **fort Cézon** sur l'île du même nom – construit par Vauban en 1694 pour commander l'entrée de l'aber Wrac'h –, puis le petit **phare de l'île Wrac'h** (voir p. 151) et l'**île de Stagadon**. Au-delà, s'élève le **phare de l'île Vierge** (p. 151). Sur le flanc ouest de la presqu'île s'étire une interminable **plage** de sable blond ourlée d'un cordon dunaire planté d'oyats. Les véliplanchistes et kitesurfeurs s'en donnent à cœur joie. Sur sa partie est, une profonde échancrure abrite la **baie des Anges**, bordée d'une route en corniche, qui relie la presqu'île au port de l'Aber-Wrac'h.

Port de l'Aber-Wrac'h Port de plaisance

Situé en eaux profondes à l'entrée du chenal du Four, il a été, jusqu'au début du XXe siècle, un prospère port de commerce et de pêche (sardine et maquereau), avant de se tourner, à partir des années 1970, vers les loisirs nautiques. Ici règne une vraie ambiance maritime. Le long de ses quais s'alignent de nombreux bars, hôtels et restaurants où se côtoient touristes, yachtmen britanniques et jeunes voileux.

Où se loger et se restaurer

Le Libenter Hôtel-restaurant **€€**

(☎02 98 37 43 75 ; www.hotel-libenter.com ; 200 Ar Palud, port de l'Aber-Wrac'h ; ch 67-72 € selon saison ; @). Sur le port, cet hôtel a fait le choix d'une décoration épurée, contemporaine. Et ça lui va bien. Les 20 chambres sont lumineuses et 4 ont vue sur mer. Il abrite **Le Pot de Beurre** (☎02 98 37 43 77 ; formules déj 13,40 et 16,50 €, menus à partir de 25 € ; tlj sauf lun), un restaurant affichant lui aussi des airs modernes qui s'est rapidement taillé une petite réputation pour sa cuisine soignée, entre terre et mer, et son service avenant.

Hôtel et Spa La Baie des Anges Hôtel bord de mer **€€€**

(☎02 98 04 90 04 ; www.lesanges.fr ; 350 rte des Anges, port de l'Aber Wrac'h ; d 108-228 € selon saison et vue ; tte l'année ;). Un établissement aux belles prestations qui compte notamment une piscine couverte et chauffée. Les chambres sont cosy et lumineuses. Il est également possible de louer des appartements dans une maison juste à côté de l'hôtel (appartement 3/4 personnes à partir de 158 €), ou des cabines (à partir de 148 €) dans la Villa Marine là aussi à proximité de l'hôtel.

Histoire de Crêpes Maître es krampouezh **€**

(☎02 98 04 84 29 ; www.histoire-de-crepes.com ; 4-5 pl. de l'Europe, Landéda ; crêpes 6,60-13,50 € ; tlj sauf mer). C'est à cette adresse face à l'église, sans grand charme mais chaleureuse, qu'officie l'un des meilleurs crêpiers du Finistère. Ses *krampouezh* (crêpes en breton), *craz* (croustillantes) à souhait, sont un écrin de luxe pour accueillir la crème des produits du terroir. À déguster sur place ou à emporter. Des soirées cabaret sont organisées et le maître crêpier se fendra peut-être d'un petit air d'accordéon. Moules-frites aussi en saison.

Vaut le détour

Landunvez et sa route touristique

Landunvez, qui borde le littoral sur 6 km, est réputé pour ses jolies plages de sable fin, notamment celle de **Penfoul**. La commune se répartit entre le séduisant petit **port d'Argenton**, contigu à Porspoder, le centre-bourg et la station de vacances de **Kersaint**.

Embarquez dans le bateau ancré dans le port d'Argenton – un fileyeur de 1977 opportunément sauvé de la destruction –, où s'est installé un original et douillet salon de thé : **Fleur des thés** (**02 98 89 97 64 ; rte de la Cale, Argenton ; vacances scolaires tlj 10h30-20h, été dès 8h le mer, hors saison mar-dim après-midi**).

Entre la plage de Penfoul et Kersaint, une **route touristique** serpente sur 5 km le long de falaises adoucies par les âges, offrant un merveilleux balcon sur le **chenal du Four** et les **rochers de Portsall**. À mi-chemin, vous passerez devant la modeste **chapelle Saint-Samson** (1785), flanquée de son calvaire de granit, un site emblématique représenté sur de nombreuses cartes postales. En contrebas sur la falaise, sa fontaine passait pour guérir les maladies des yeux et les rhumatismes. Avant d'arriver à Portsall, dans le hameau de **Kersaint**, on peut apercevoir les ruines fantomatiques du **château de Trémazan** (XIIIe-XVe siècle), dont le haut donjon délabré surgit d'une végétation qui a repris ses droits.

SAINT-PABU (SANT-PABU)

Accrochée à la rive sud de l'aber Benoît, la petite commune de Saint-Pabu possède un charme fou. Elle aligne une série de sites enchanteurs reliés par le sentier littoral (GR®34). À commencer par l'ancien port goémonier de **Pors-ar-Vilin**, niché à l'abri de l'aber, aujourd'hui un havre de paix chatoyant et secret. Passé le **quai du Stellac'h**, se découvre la somptueuse **plage de Béniguet** qui s'étire le long de l'estuaire jusqu'à la **pointe de Kervigorn**. Vous pourrez de là embrasser du regard l'embouchure de l'aber et poursuivre face à la pleine mer sur la longue **plage de Corn-Ar-Gazel**. Au-delà de la corne s'étendent la **plage d'Erléac'h** et un sauvage massif dunaire jusqu'à Lampaul-Ploudalmézeau.

La **Maison des abers** (**02 98 89 75 03 ; Corn-Ar-Gazel ; adulte/enfant 3/2 €, gratuit - 10 ans ; juin et sept sam-dim 14h-18h, juil-août mar-ven 14h-18h, sam-dim 14h-19h**) est un petit centre d'interprétation posé sur la dune de Corn-Ar-Gazel qui a pour ambition de faire découvrir les trois abers (Wrac'h, Benoît et Ildut) dans leurs aspects géographiques, historiques et économiques. Un film, un audioguide et un petit aquarium aident à appréhender cet écosystème fascinant.

Aber Ildut

Langue de mer glissée dans les terres agricoles du Finistère sur 3 km, l'aber Ildut est le plus court et le plus étroit des abers léonards. Sur sa rive nord s'étend la commune de **Lanildut**, premier port goémonier d'Europe. En fin d'après-midi, quai de Cambarell, vous pourrez observer les bateaux, armés de leurs "scoubidous", qui déchargent entre 30 000 et 35 000 tonnes d'algues fraîches sur les quais de mi-mai à mi-octobre (période légale de récolte). Ancien port de cabotage, Lanildut a connu son apogée sous Louis XIV, où il était plus important que celui de Brest. Les magnifiques maisons de capitaines du quartier de Rumorvan en gardent le souvenir. Lanildut est aussi connu pour son granit, surtout exploité au XIXe siècle, qui lui a procuré une forte activité économique jusqu'à l'entre-deux-guerres.

Plus à l'est, à 3 km du bourg de Brélès, le **château de Kergroadez** (**02 98 32 43 93 ; www.kergroadez.fr ; Kergroadès, Brélès ; adulte/enfant 4,50/2,50 € ; château juil-août tlj sauf dim matin et lun 11h, 14h, 15h, 16h et 17h, mi-avr à juin, sept-oct et vacances scolaires jeu 15h30**) est une jolie bâtisse du début du XVIIe siècle au style décoratif propre à la Renaissance bretonne. Endommagé à la Révolution, il est restauré et remeublé par les propriétaires actuels, qui le font vivre en organisant des visites guidées et de nombreuses animations.

Sur la rive sud de l'aber, sur un morceau de côte très découvert face à Ouessant, **Lampaul-Plouarzel** est une petite cité balnéaire et portuaire. À défaut de pont, il faut faire le tour complet de l'aber pour rejoindre ce petit havre, soit une bonne dizaine de kilomètres. Au sud du bourg, à quelques kilomètres, la pointe de Corsen est le site le plus occidental de la côte.

Renseignements

Office du tourisme de Lanildut (**02 98 48 12 88 ; www.tourisme-en-iroise.com ; quai de Cambarell**)

Office du tourisme de Lampaul-Plouarzel (**02 98 84 04 74 ; www.lampaul-plouarzel.fr ; 7 rue de la Mairie**)

LE CONQUET (KONK-LEON)

Le Conquet, c'est le Finistère Nord dans toute sa splendeur. Ici, la carte postale ne ment pas : activité maritime intense, embarcadère animé où se succèdent les navettes pour Ouessant et Molène, falaises abruptes et longues plages de sable clair. La localité, en prise directe avec le large, s'étale à flanc de coteau, le long d'un aber de 2 km formant une profonde indentation dans la côte – un paradis pour nombre d'oiseaux. Le centre-ville, riche de belles demeures en granit, se compose de ruelles escarpées ménageant des points de vue sur la mer.

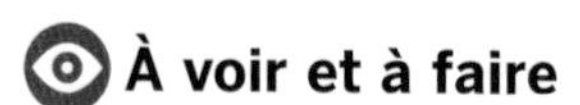

À voir et à faire

Port et centre-ville — Promenade

Rendez-vous au **port**, l'un des premiers en France pour la capture des crustacés, pour guetter les retours de pêche dans l'après-midi et en début de soirée. Le vieux **quai du Drellac'h** et les rues qui remontent vers le centre-ville sont bordés de maisons du XVe siècle (reconnaissables à leurs escaliers extérieurs), dont la **maison des Seigneurs**, flanquée de son emblématique échauguette, qui surplombe le port, ou la **maison des Anglais**, rue Aristide-Briand. Elles font partie des huit seules maisons qui survécurent au saccage de la ville en 1558. La petite **place Saint-Christophe**, sur la pointe la plus escarpée de l'aber, est l'endroit où les femmes du Conquet attendaient le retour des hommes en mer

Plages au sud de l'aber — Criques protégées

Si vous aimez les petites criques, suivez la corniche de Portez et la route touristique qui part du centre-ville vers la pointe Saint-Mathieu : se succèdent la **plage du Portez**, la **plage du Bilou**, celle de **Porz Liogan** et la **Grève bleue**, autant de recoins de sable fin protégés par les falaises et reliés par le sentier côtier (GR®34). À l'entrée du Conquet, **Le Croaë**, au pied de la passerelle du même nom, est très prisé à marée basse pour la pêche à pied.

Presqu'île de Kermorvan — Zone protégée

Face au port, de l'autre côté de l'aber Conq par la **passerelle du Croaë**, la presqu'île s'élance comme un doigt vengeur pointé dans l'océan. S'y dresse la tour carrée du **phare de Kermorvan** (ne se visite pas), qui signale l'entrée nord du port. Le panorama est grandiose. En suivant le chemin côtier, vous gagnerez la petite **plage de Pors Pabu**, romantique à souhait, et l'**îlette**, une ancienne forteresse napoléonienne accessible à marée basse. Au nord de la presqu'île, la **plage des Blancs-Sablons** est sans doute l'une des plus belles de

Pointe de Kermorvan (ci-contre)

PHILB / FOTOLIA ©

Bretagne. Sauvage et préservée, cette frange de sable clair longue de 2,5 km se prête aux joies du surf, de la planche à voile, du kitesurf mais aussi au farniente, et offre une vue inoubliable sur l'archipel de Molène. Aux dunes succède une falaise que le sentier gravit pour déboucher sur la jolie **plage d'Illien**, sertie entre deux pointes rocheuses. Le tour de la presqu'île par le chemin côtier est un must.

Où se loger et se restaurer

Hôtel au Bout du Monde Hôtel **€€**
(02 98 89 07 22 ; www.hotel-le-conquet.fr ; pl. Llandeilo ; d/f 50-80/75-80 € selon saison et vue ; fermé mi-nov à début déc ;). Dans cet établissement du cœur de la ville, les chambres, fonctionnelles et lumineuses, sont décorées de tons chaleureux. Certaines disposent d'un petit balcon-terrasse. Un hôtel simple et agréable. Une bonne option pour qui veut passer une nuit sur place.

La Vinotière Hôtel de charme **€€**
(02 98 89 17 79 ; www.lavinotiere.fr ; 1 rue du Lieutenant-Jourden ; d/f 65-135/110-200 € selon confort et saison ;). Installé en plein centre-ville, La Vinotière est un vrai nid douillet duquel on a du mal à partir ! Pas de vue sur la mer dans ce petit hôtel trois étoiles aménagé dans une maison d'armateur du XVIe siècle, mais 10 chambres coquettes, où les boiseries en chêne se marient à la pierre et où la décoration soignée s'harmonise aux peintures des murs. Le petit Jacuzzi (5 €/pers) est toujours bienvenu en fin de journée. Vous pouvez faire une pause gourmande dans le **salon de thé** (tlj sauf lun 10h-12h et 15h-19h) du rez-de-chaussée.

Louise de Bretagne Crêperie chic **€€**
(02 98 33 10 67 ; 6 rue Poncelin ; crêpes 2,60-18,50 € ; tlj en saison). Cet artisan crêpier a récemment investi l'une des superbes demeures historiques du centre-ville. L'intérieur, avec sa belle pierre de taille, ses poutres apparentes, est un peu sombre (petite terrasse sur le trottoir), mais l'endroit est cosy et brille par la qualité et l'originalité des crêpes tant salées que sucrées. C'est également un salon de thé.

À ne pas manquer
Pointe Saint-Mathieu

Ce site, à mi-chemin du bourg de Plougonvelin et du Conquet sur la D85, est exceptionnel. On est ici aux avant-postes occidentaux de l'Hexagone (d'où le surnom breton de la pointe : Penn-ar-Bed, “la tête du monde”), et l'impression de bout du monde est soutenue par un paysage saisissant : une côte déchiquetée, des vagues assiégeant les falaises et le **phare** se dressant depuis 1835 tel un cerbère vigilant sur ce promontoire désolé, et du haut duquel (163 marches ; 37 m) le panorama est grandiose. Attenantes au phare, les ruines d'une abbaye tentent timidement de se faire une place, tandis qu'un peu plus loin un sémaphore assure la surveillance du littoral. La petite chapelle Notre-Dame-de-Grâce complète le tableau.

INFOS PRATIQUES

Phare (02 98 89 00 17, 02 98 32 37 76 ; adulte/enfant 3/1 €, gratuit - 4 ans ; mai-juin sam-dim et jours fériés 14h-18h30, juil-août tlj 10h-19h30, 1er-15 sept tlj sauf mar 10h-12h30 et 14h-18h30, vacances de printemps et 15-30 sept tlj sauf mar 14h-18h30, vacances Toussaint et Noël tlj sauf mar 14h-17h30)

Achats

Le port Produits de la mer

Vers 16h, les femmes de pêcheurs vendent en direct la pêche du jour. Vous pouvez aussi appeler directement les bateaux pour connaître leur heure d'arrivée, notamment le **Cœur Vaillant** (06 31 53 51 77, téléphonez vers 13h30) et **Flipper 3** (06 85 55 40 76).

Renseignements

Office du tourisme (02 98 89 11 31 ; www.tourismeleconquet.fr ; parc de Beauséjour). Billets pour Ouessant, Molène et Océanopolis. Brochures gratuites à télécharger sur le site Internet.

ÎLE D'OUESSANT (ENEZ EUSA)

Séparée du plateau molénais par le profond chenal du Fromveur et gardée par une ceinture d'écueils, Ouessant est un monde à part. À une vingtaine de kilomètres de la côte finistérienne, c'est la plus lointaine des îles bretonnes. Longue de 8 km et large de 4 km, c'est aussi la plus grande de la mer d'Iroise. Les hommes y étaient traditionnellement navigateurs au long cours, tandis que revenait aux femmes le soin de cultiver la terre. Jusque dans les années 1950, l'île fut donc surtout paysanne et marquée par l'agriculture et l'élevage ovin.

À l'image des caprices du climat, ses paysages sont contrastés : côtes sauvages, falaises battues par les embruns, plage de sable fin ou de galets blancs, lande tapissée de bruyère et d'ajoncs...

L'île a la forme d'une pince de crabe, se divisant à l'ouest en deux pointes – celle de Pern au nord et celle de Porz Doun au sud – encadrant la baie de Lampaul.

À voir et à faire

Cimetière de Lampaul — Enterrements fictifs

Attenant à l'église Saint-Pol-Aurélien (XIXe siècle), il témoigne d'un rite unique dans le monde de la chrétienté, la *proëlla* (qui viendrait soit du breton *bro* "pays" et de *elez* "rapatriement", soit du latin *pro illa*, "à la place de...", ici des funérailles) : lorsqu'un marin disparaissait en mer, famille et amis se retrouvaient pour une veillée funèbre autour d'une petite croix de cire, la "croix de *proëlla*", qui matérialisait le corps du défunt. Le lendemain, après la cérémonie religieuse, la croix était déposée dans ce mausolée. Ce simulacre d'enterrement n'est plus pratiqué depuis 1959.

Phare du Créac'h — Le plus puissant d'Europe

Sa tour cylindrique rayée de noir et blanc se dresse sur la **pointe de Pern**, où le Créac'h ("promontoire" en breton), allumé pour la première fois en 1863, nargue les vagues à plus de 70 m. Ses feux voient passer chaque année les 50 000 navires qui empruntent le rail d'Ouessant. Il ne se visite pas, mais ses abords et les formidables rochers qui frangent la pointe de Pern constituent un site exceptionnel.

Musée des Phares et Balises — Signalisation maritime

(**☎ 02 98 48 80 70 ; www.pnr-armorique.fr ; phare du Créac'h ; adulte/enfant 4,30/3 €, billet combiné avec la maison du Niou adulte/enfant 7/4,50 €, gratuit -8 ans ; ⏲ juil-août et vacances scolaires tlj 11h-18h, avr-juin et sept tlj 11h-17h, oct-mars tlj sauf lun 13h30-17h30**). Ce musée, installé dans l'ancienne centrale électrique du phare du Créac'h, retrace l'histoire de la signalisation maritime depuis l'Antiquité. En juillet-août, des nocturnes, avec projection de films, sont proposées les mardi et vendredi, de 21h à 23h.

Maison du Niou — Écomusée d'Ouessant

(**☎ 02 98 48 86 37 ; www.pnr-armorique.fr ; adulte/enfant 3,50/3/2,40 €, billet combiné avec le musée des Phares et Balises adulte/enfant 7/4,50 €, gratuit -8 ans ; ⏲ juil-août et vacances scolaires tlj 11h-18h, avr-juin et sept tlj 11h-17h, oct-mars tlj sauf lun 13h30-17h30**). Cet écomusée créé en 1968 et consacré aux traditions ouessantines fut le premier du genre en France. Situé dans le village de Niou Huella, à 1 km de Lampaul, il est constitué de deux maisons traditionnelles. L'une reconstitue un intérieur typique et évoque la vie sur l'île au XIXe siècle. Dans l'autre maison, textes, photos et cartes retracent l'histoire géologique et humaine de l'île et présentent notamment la *proëlla* (voir ci-contre).

Phare du Stiff — Feu historique

(**☎ 02 98 48 80 06 ; falaise du Stiff ; 5 €, gratuit -16 ans ; ⏲ en principe juil-août tlj 10h-12h et 13h30-17h, vacances scolaires 14h-17h**). Le petit phare blanc d'Ouessant, construit en 1695 et allumé en 1700, ne mesure que 32 m, mais, dressé au point culminant de l'île, au nord-est, il s'élève à 90 m au-dessus des flots. Équipé en 1830 d'une lentille de Fresnel, il a été électrifié en 1957, puis automatisé en 1993. Depuis 2009, les touristes peuvent gravir ses 104 marches pour admirer un panorama unique. Dès la tombée de la nuit, le Stiff émet deux éclats rouges toutes les 20 secondes. À une encablure, se dresse l'impressionnante tour-radar qui surveille le rail d'Ouessant.

Plages Baignade et pique-nique
De Lampaul, vous rejoindrez facilement les plages à vélo. Pour les enfants, préférez celles qui sont situées à l'ouest : la **plage de Corz**, à 600 m du bourg, est la plus fréquentée, malgré son sable gris moins séduisant ; bien plus attrayante, la **plage du Prat**, qui lui succède à 1 km en direction de Porz Doun, sert de mouillage à quelques bateaux. La **plage de Yuzin**, au nord de l'île, à 1,6 km environ de Lampaul, est tout aussi conseillée pour petits et grands. À l'est, **Porz Arlan**, étroit ruban de sable, se révèle agréable pour un pique-nique. Ne vous baignez surtout pas en dehors des plages en raison des courants.

Randonnées À pied ou à vélo
Faire le tour de l'île à pied par les **sentiers côtiers** représente une randonnée de 45 km. L'office du tourisme édite un guide de circuits de randonnées pédestres très bien conçu (3,50 €).

Où se loger et se restaurer

Si vous comptez séjourner sur l'île, réservez impérativement, surtout en été. Lampaul compte plusieure **supérettes**, une **boulangerie** et une **boucherie-charcuterie**. En été, une **vente de poissons et de crustacés** se tient en face de l'église tous les matins (10h-12h), sauf le dimanche.

Hôtel-restaurant La Duchesse Anne Hôtel **€€**
(**02 98 48 80 25 ; www.hotelduchesseanne.fr ; Lampaul ; ch vue terre/mer 49/60 €, menus à partir de 15,60 € ; fermé mi-nov à début déc ;**). Installée au-dessus du port sur les hauteurs, cette grande maison au charme désuet loue des chambres

Maison ouessantine à Lampaul

DX / FOTOLIA ©

claires et bien tenues réparties sur deux étages. Vous profiterez d'une terrasse et d'un jardin très agréablee pour le déjeuner ou le dîner – cuisine traditionnelle honorable – quand le temps le permet. L'accueil est charmant. Il est indispensable de réserver sa table en saison.

Pub-restaurant Le Ty Korn Repaire de marins **€€**
(☎ 02 98 48 87 33 ; Lampaul ; plats à partir de 14 €, menu enfant 10 € ; fermé dim soir et lun, fermé jan ou mars). Aménagé au rez-de-chaussée de la "maison du coin", à deux pas de l'église, le pub est un repaire incontournable des soirées ouessantines. Des musiciens sont parfois programmés. Il dissimule, à l'étage, la meilleure table de l'île. Dans une ambiance marine, vous pourrez vous régaler de fruits de mer et de poissons d'une impeccable fraîcheur, mais aussi de viandes joliment travaillées et de bons desserts maison.

À un jet de pierre du Ty Korn, l'hôtel-restaurant **Roc'h ar Mor** (☎ 02 98 48 80 19 ; fermé dim soir, lun et mar) bénéficie de la plus belle terrasse de l'île, face à la baie de Lampaul et d'un terrain de pétanque. Elle est très prisée au coucher du soleil.

Renseignements

Office du tourisme (☎ 02 98 48 85 83 ; www.ot-ouessant.fr ; pl. de l'Église, Lampaul)

DAB Les supérettes de Lampaul sont équipées de DAB, accessibles aux heures d'ouverture des magasins. Les 3 banques ne délivrent du liquide qu'à leurs clients.

Depuis/vers Ouessant

Avion

La compagnie aérienne Finsit'air (☎ 02 98 84 64 87 ; www.finistair.fr) dessert Ouessant au départ de Brest (attention : pas de vols durant 4 semaines entre le 14 juillet et le 15 août). Tarif aller adulte/enfant 68,90/49,90 €, durée du vol environ 15 minutes.

Bateau

La compagnie Penn-ar-Bed (☎ 02 98 80 80 80, gare maritime du Stiff 02 98 48 80 13 ; www.pennarbed.fr) dessert Ouessant toute l'année au départ de Brest (2 heures), du Conquet (1 heure) et, en été, également de Camaret (1 heure). Tarif aller-retour 1er juillet-30 septembre adulte/12-16 ans/4-11 ans/1-3 ans 34,80/27,80/20,90/3,50 €, aller-retour 1er octobre-31 décembre adulte/12-16 ans/4-11 ans/1-3 ans 27,80/22,20/16,70/3,50 €. Le Conquet, avec davantage de départs, est le port d'embarquement le plus pratique (vous pourrez y stationner votre véhicule).

Penn-ar-Bed effectue tous les jours de l'année la traversée Ouessant-Molène (30 min). L'aller-retour entre les deux îles n'est généralement possible que les mercredi et vendredi en été.

Finist'mer (☎ 0825 135 235 ; www.finist-mer.fr) dessert également Ouessant au départ du Conquet et de Camaret : tarif 12 juillet-28 août aller-retour adulte/12-17 ans/4-11 ans/1-3 ans 32/26,50/19,30/2 €, tarif 19 avril-11 juillet et 29 août-28 septembre aller-retour adulte/12-17 ans/4-11 ans/1-3 ans 25/18/15/2 €.

Vérifiez toujours le port d'embarquement et l'horaire.

Comment circuler

Minibus-taxi

Les bateaux accostent au Stiff, à 4 km de Lampaul. De l'embarcadère, vous pouvez prendre un minibus-taxi (2 €/personne, 3,50 € aller-retour) ou louer un vélo (voir ci-dessous) pour vous rendre au bourg. La voiture est interdite, excepté pour les îliens.

Les minibus-taxis proposent leurs services toute l'année et organisent des **tours de l'île (minimum de 4 pers, environ 13 €/pers)**. Ils partent généralement en début d'après-midi, en face de l'office du tourisme.

Vélo

L'île, de faible superficie, se visite aisément à pied, mais encore mieux à vélo. Rappelez-vous que les sentiers côtiers sont interdits aux vélos, y compris aux VTT, et que des voitures circulent aussi sur l'île... Trois loueurs, dans le centre de Lampaul, s'installent à l'embarcadère de juin à octobre et pratiquent les mêmes tarifs : 14/25/80/110 € la journée/2 jours/semaine/mois. Il est possible de prendre son vélo au bourg et de le rendre à l'embarcadère.

BREST

Rayée de la carte en 1944, puis reconstruite dans l'urgence, Brest, forte de 145 000 habitants, ne peut se prévaloir du titre de cité de caractère. Il est vrai que certaines rues arborent une architecture d'inspiration soviétique et que les larges artères à angle droit du centre-ville n'emportent pas l'adhésion immédiate. Les architectes (sur les plans de Jean-Baptiste Mathon) ont donné la priorité au fonctionnel, car il s'agissait de reloger rapidement une population qui venait de voir disparaître sa mémoire sous les bombes.

D'un abord difficile, marquée par le travail ouvrier et les arsenaux, Brest réserve cependant de bonnes surprises à qui l'approche sans préjugés. Avec sa rade magnifique, ses festivals, et l'attraction majeure que constitue Océanopolis, cette métropole maritime, qui est également une ville universitaire – Brest compte en effet de nombreux établissements supérieurs et de recherche –, est actuellement en pleine métamorphose.

À voir et à faire

CENTRE-VILLE

Il s'organise autour de la **rue de Siam**. La grande artère commerçante n'a plus grand-chose à voir avec la rue que pleure Prévert, après les bombardements de 1945, dans son célèbre poème *Barbara*. Elle conduit à la **place de la Liberté** et à l'**hôtel de ville**, un ensemble aux proportions et à l'allure toutes staliniennes. La rue de Lyon, perpendiculaire, dessert les **halles Saint-Louis** et l'**église Saint-Louis**. L'immense vaisseau au clocher de béton armé, bardé de pierre de Logonna, serait la plus grande église reconstruite en France (entre 1953 et 1958).

Musée des Beaux-Arts Du XVIe au XXe siècle

(☎ 02 98 00 87 96 ; www.musee-brest.com ; 24 rue Traverse ; tarif plein/réduit 4/2,50 €, gratuit - 18 ans et 1er dim du mois ; ⏲ mar-sam 10h-12h et 14h-18h, dim et jours fériés 14h-18h). Peu avenant de l'extérieur, ce musée mérite pourtant le détour. Il brosse un petit panorama de la production picturale européenne de la fin du XVIe au milieu du XXe siècle. Flamands, Hollandais, Italiens, romantiques, orientalistes, réalistes, symbolistes et fauves côtoient des peintres régionaux de l'école de Pont-Aven. Des expositions temporaires sont généralement consacrées à des artistes plus contemporains.

Château de Brest Moyen Âge

Impossible de manquer sa silhouette altière, qui domine la Penfeld d'une trentaine de mètres. Cette forteresse, qui occupe le cœur historique de la ville, a échappé aux bombardements. Au cours de sa tumultueuse histoire, elle a notamment été occupée par les Anglais, pendant la guerre de Cent Ans, et la duchesse Anne y a vécu au début du XVIe siècle. Sous le règne de Louis XIV, Vauban a renforcé sa défense. Pendant la Révolution, elle a fait office de prison. Avec Napoléon, elle a retrouvé sa vocation militaire. Aujourd'hui, elle abrite dans sa cour intérieure la préfecture maritime et, dans sa partie historique, le **musée national de la Marine** (☎ 02 98 22 12 39 ; www.musee-marine.fr ; rue du Château ; tarif plein/réduit 6/4,50 €, gratuit - 26 ans ; ⏲ avr-sept tlj 10h-18h30, oct-mars tlj 13h30-18h30, fermé 1er mai, 25 déc et jan). Très bien conçu, ce dernier évoque l'histoire maritime de la ville, les navires emblématiques ainsi que l'art des charpentiers royaux. Depuis les remparts, vue exceptionnelle sur la ville, la rade et la Penfeld.

Cours Dajot Promenade avec vue

Cette très belle promenade de 600 m, construite en 1769 par des bagnards sur le front sud de l'ancienne ligne de remparts, commence à hauteur du château et surplombe la rade de Brest. La **tour Rose** fut élevée pour commémorer l'accueil que firent les Brestois aux soldats américains lors de la Grande Guerre. Ce qui lui valut d'être démolie en 1941, et reconstruite à l'identique en 1958. Comme une ambassade, ce monument américain bénéficie de l'extraterritorialité. L'immense **double escalier** est le trait d'union entre le centre-ville et le port de commerce.

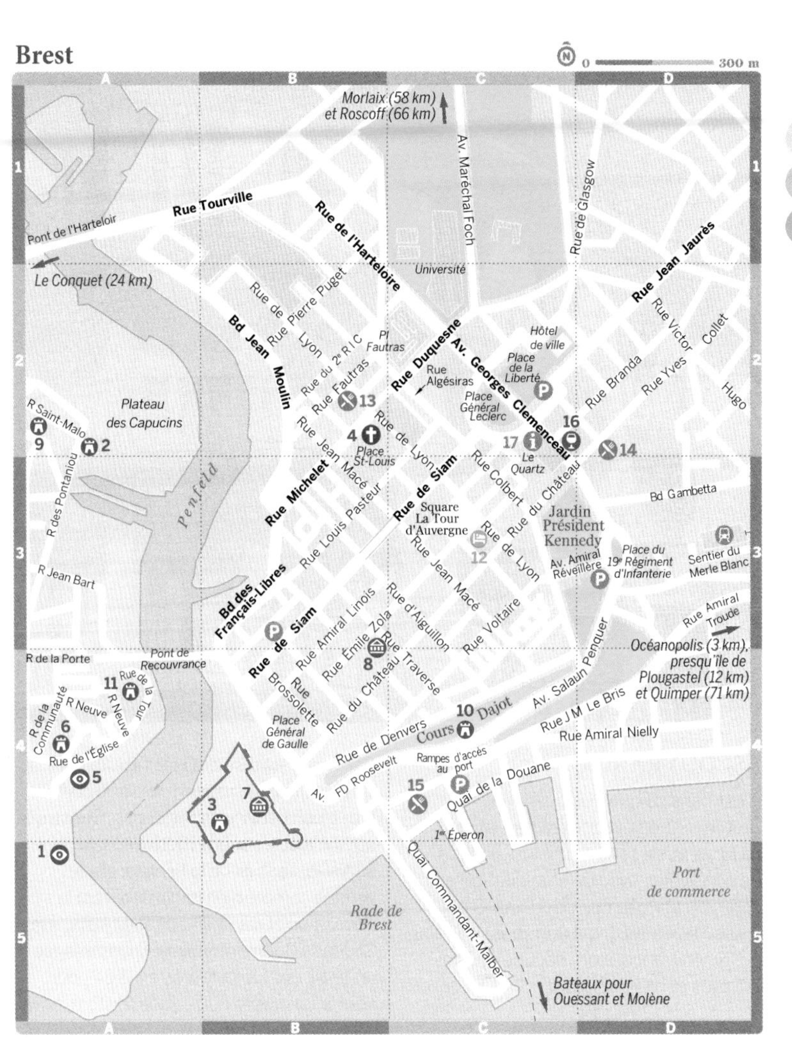

Brest

À voir et à faire

- **1** Base navale A5
- **2** Bâtiment aux Lions A2
- **3** Château de Brest B4
- **4** Église Saint-Louis B2
- **5** Jardin des Explorateurs A4
- **6** Maison de la Fontaine A4
- **7** Musée de la Marine B4
- **8** Musée des Beaux-Arts B3
- **9** Prison de Pontaniou A2
- **10** Tour Rose C4
- **11** Tour de la Motte-Tanguy A4

Où se loger

- **12** Le Continental C3

Où se restaurer

- **13** Le Potager de Mémé B2
- **14** Le Ruffé D2
- **15** Mc Guigan's C4

Où prendre un verre et sortir

- **16** Espace Vauban C2

Renseignements

- **17** Office du tourisme C2

RECOUVRANCE

C'est dans ce quartier ouvrier et bretonnant que la cité est née, et que se forge aussi sans doute une partie de son avenir, avec la réhabilitation en cours du plateau des Capucins. C'est Louis XIV, en 1681, qui unit Brest au village de Recouvrance, alors occupé par des artisans et des pêcheurs.

Pont de Recouvrance — Emblème de la ville

Recouvrance est relié au bas de la rue de Siam par ce formidable pont levant en béton qui enjambe la Penfeld. L'ouvrage remplace depuis 1954 l'ancien pont tournant de 1861. Avec sa travée mobile de 88 m, qui peut s'élever à plus de 50 m au-dessus des eaux en 2 minutes 30, c'est, après celui de Rouen, le deuxième plus important pont mobile d'Europe.

Tour de la Motte-Tanguy — Vigie

(02 98 45 05 31 ; sq. Péron ; juin-sept tlj 10h-12h et 14h-19h, oct-mai mer-jeu 14h-17h et sam-dim 14h-18h, vacances scolaires tlj 14h-18h). GRATUIT Sentinelle solitaire dressée face au château de Brest, la belle maison de pierre coiffée d'une poivrière capte l'attention. Construite au XIVe siècle sur une motte féodale pour surveiller l'entrée de la Penfeld, elle fut vendue comme bien national durant la Révolution et servit d'habitation jusqu'à la Seconde Guerre mondiale. Endommagée en 1944, elle fut restaurée en 1964 pour abriter un musée qui retrace l'histoire de la ville et de ses quartiers.

Base navale — Arsenal

(02 98 22 11 78 ; porte de la Grande-Rivière ; 15-30 juin et 1er-15 sept visites tlj à 14h30 et 15h, juil-août lun-ven visites en continu 14h-15h30, sam-dim et jours fériés 14h-15h15). GRATUIT Cette visite constitue une expérience inédite. Son intérêt dépasse le cadre strictement militaire ou technique, puisque l'arsenal, pilier économique de la ville, continue de faire vivre plusieurs milliers de familles brestoises. En fonction des disponibilités à quai, vous pourrez monter à bord d'un navire de guerre. Munissez-vous d'une pièce d'identité.

À gauche : architecture brestoise ; **Ci-dessous :** château de Brest (p. 162)
RÉGIS COUTURIER ©

Maison de la Fontaine Culture et histoire
(18 rue de l'Église ; tlj sauf dim et jours fériés 14h30-17h30). GRATUIT Bâtie en pierres grises de Kersanton et ocre de Logonna, cette maison, datant de la fin du XVIIe siècle-début XVIIIe, est l'une des plus anciennes de Brest. Sans doute construite pour l'aumônier du cimetière des Noyés, elle fut ensuite achetée en 1825 par Yves Collet, l'un des maîtres sculpteurs les plus réputés de l'arsenal de Brest. Elle abrite des expositions toute l'année.

Jardin des Explorateurs Botanique
(rue de la Pointe ; 1er mai-15 sept 9h-22h, 16 sept-30 avr tlj 9h-18h). Il fait bon flâner dans ce jardin aménagé en 2002 dans une ancienne batterie de canons au bord de la Penfeld, où vivent des plantes exotiques rapportées lors des expéditions scientifiques pour la marine par des explorateurs comme Bougainville, Frézier ou Commerson. La passerelle qui surplombe les plantes offre une superbe vue sur le château et la pointe de l'Armorique.

Autour de la rue de Saint-Malo Brest de jadis
Recouvrance n'a pas trop souffert des bombardements de 1944 et conserve la mémoire du vieux Brest. La **rue de Saint-Malo**, pavée et bordée de maisons des XVIIe et XVIIIe siècles, est la plus ancienne de la ville. Après sa fontaine, elle se termine par l'**escalier de la Madeleine** et vient buter contre le **bâtiment aux Lions**, qui ferme l'arsenal et le relie au plateau des Capucins. Construit en 1807, cet édifice-pont servait autrefois d'entrepôt pour la marine et doit son nom aux gargouilles à têtes de lion qui ornent sa façade. À proximité la **prison de Pontaniou** fut construite par Napoléon et destinée à l'origine aux marins et ouvriers de l'arsenal. À partir de 1952, elle est utilisée à des fins civiles et devient la prison de Brest jusqu'en 1990. À l'autre extrémité du quartier, l'**église Saint-Sauveur**, de style jésuite et très austère, fut achevée en 1749. C'est aujourd'hui la plus vieille de Brest.

Vaut le détour
Presqu'île de Plougastel

À quelques kilomètres de Brest, à laquelle elle est reliée par le monumental pont à haubans de l'Iroise, la presqu'île de Plougastel, péninsule s'avançant sur une dizaine de kilomètres dans la rade de Brest, vous propulse dans un autre monde. Souvent ignorée des voyageurs, qui se ruent sur Crozon, elle déroule pourtant un superbe littoral sur près de 40 km, ponctué de petits ports et d'anses, et bénéficie d'un climat d'une douceur exceptionnelle.

Découvrez **Plougastel-Daoulas**, qui s'enorgueillit de l'un des plus importants et des plus beaux calvaires bretons, édifié de 1602 à 1604, et ses huit chapelles, édifiées aux XVe et XVIe siècles et toujours dans un parfait état, qui émaillent la presqu'île. Parmi les plus remarquables, la **chapelle Saint-Jean**, à l'est, au bord de l'Élorn, qui se signale par son superbe clocher gothique, et la **chapelle Saint-Guénolé** si paisible, au sud-ouest, au fond de l'anse de L'Auberlac'h.

Daoulas et son **abbaye** (02 98 25 84 39 ; www.cdp29.fr ; 21 rue de l'Église ; tarif plein/réduit 7/1-4 € ; fin mars-début jan tlj 10h30-18h30, fermé Noël, 31 déc et 1er jan) méritent le détour. Fondée au XIIe siècle sur le site d'un monastère qui remonterait à l'an 510, cette dernière accueille aujourd'hui des expositions artistiques de qualité.

MOULIN-BLANC

Océanopolis Découverte des océans
(02 98 34 40 40 ; www.oceanopolis.com ; tarif plein/étudiant/3-17 ans/famille nombreuse (2 adultes + 3 enfants) 19,80/16,30/12,80/73 €, gratuit - 3 ans ; mai à mi-sept tlj 9h-18h, jusqu'à 19h en juil-août, reste de l'année mar-dim 10h-17h, sam, dim et jours fériés jusqu'à 18h, ouvert lun pendant les vacances scolaires). Près du port de plaisance, cet immense ensemble à l'architecture moderne est entièrement dédié au monde de la mer. Il est composé de 3 pavillons : Polaire, Tropical et Tempéré. D'immenses aquariums, rassemblant près de 1 000 espèces différentes, des maquettes, des animations audiovisuelles d'excellent niveau et des spectacles tiendront en haleine petits et grands pendant une bonne demi-journée. Le pavillon Tempéré présente les multiples facettes de la Bretagne marine. Depuis le centre-ville, prenez le bus n°3.

Jardin du Conservatoire botanique national Nature
(02 98 41 88 95 ; www.cbnbrest.fr ; 52 allée du Bot ; jardin gratuit, serres tarif plein/réduit 5/3 €, visite guidée tarif plein/réduit 8/5 € ; jardin tlj 9h-18h, jusqu'à 20h en été, serres avr-nov jours variables 14h-17h30, visites guidées juil-15 sept mer à 10h30). Avec ses serres tropicales et son parc paysager de 22 ha, ce jardin botanique abrite l'une des plus importantes collections au monde d'espèces végétales en danger. Aménagé dans une vallée profonde où coule une rivière alimentant plusieurs plans d'eau, le parc, fréquenté par les joggeurs, est un agréable but de promenade. Du centre-ville de Brest, dirigez-vous vers l'aéroport (D712) ; place de Strasbourg, prenez la direction de Quimper et suivez les panneaux.

Activités

La rade de Brest, vaste plan d'eau navigable toute l'année, est un espace sécurisant parfaitement adapté aux loisirs nautiques et notamment à la plongée, car riche en épaves et comptant de beaux tombants. L'Élorn et l'Aulne sont également navigables.

Des prestataires proposent des croisières en **vedette** (Azénor ; 02 98 41 46 23 ; www.azenor.com ; port de commerce et port de plaisance du Moulin-Blanc ; adulte/enfant 16/4-12 € ; juil-août tlj, avr-juin et sept tlj sauf lun) et en **goélette** (La Recouvrance ; 02 98 33 95 40 ; www.larecouvrance.com ; billets en vente à l'office du tourisme ; adulte/enfant 99/50 € pour

1 journée, repas compris). Brest est également l'un des ports d'attache des compagnies desservant Ouessant (voir p. 161).

Où se loger et se restaurer

Mc Guigan's Couette & café €
(02 98 44 41 69 ; www.mcguigans.fr ; 9 rue Jean-Marie-Le Bris ; s/d 38/45 € petit-déj inclus ; fermé sam midi et dim). Ce chaleureux pub irlandais fait aussi Bed & Breakfast (on dit ici "couette & café"). C'est simple, propre, bon marché et pratique quand on embarque au matin pour les îles ou quand on a un peu forcé sur la bière. La plupart des 8 chambres ont les W-C sur le palier.

Le Continental Art déco €€
(02 98 80 50 40 ; www.oceaniahotels.com ; sq. de La Tour-d'Auvergne ; ch à partir de 79 €, petit-déj buffet 15 € ;). Le "Conti", bâti en plein centre-ville en 1913 et reconstruit à l'identique en 1948, est une institution à Brest. Les chambres, au chic rétro, mériteraient pour certaines un peu plus de soin, mais l'atmosphère et le confort sont au rendez-vous. Seul bémol – mais omniprésent – les œuvres accrochées aux murs, notamment ce gros cafard qui orne le hall d'accueil... L'hôtel a vu passer quelques visiteurs illustres, parmi lesquels Rockefeller, Jean Gabin et Michèle Morgan.

Le Potager de Mémé Petit restaurant €
(09 51 44 14 78 ; www.lepotagerdememe.com ; 44 rue de Lyon ; plat à partir de 11,90 €, menus à partir de 15,50 € ; déj lun-sam, dîner ven et sam ;). Ce petit établissement qui se veut très tendance fait à la fois épicerie et restaurant ayant pour devise "le goût et la qualité au rythme des saisons". Tourtes, tartines, soupes, salades, plats de saison et desserts sont préparés maison à partir de produits locaux et artisanaux, évidemment.

Le Ruffé Gastronomie bretonne €€
(02 98 46 07 70 ; www.le-ruffe.com ; 1 bis rue Yves-Collet ; formule déj à partir de 14,80 €, menus 24,90-38 €, plats à partir de 13 € ; tlj sauf dim soir et lun). Dans le quartier de la gare, Le Ruffé fait partie du cénacle des bonnes tables brestoises. Le chef concocte des mets finement présentés, tels la cassolette de pétoncles et poisson façon gratin ou le lieu en croûte de beurre fermier et d'herbes du potager, sans oublier les plateaux de fruits de mer (à partir de 35 € par personne). Le cadre est classique, lumineux, et le service impeccable et discret.

Passeport culturel en Finistère

Gratuit, le Passeport culturel en Finistère vous permet de découvrir plus d'une vingtaine de musées et de sites culturels du département (musée national de la Marine de Brest, cairn de Barnenez, écomusée de Plouguerneau...) à des tarifs privilégiés. Demandez-le à l'entrée des sites partenaires : sur présentation de ce passeport, vous bénéficiez d'un tarif préférentiel dès la visite d'un deuxième site. Informations et liste des lieux concernés sur le site www.passeport.culturel.cg29.fr.

Où prendre un verre et sortir

Brest compterait plus de 300 bars ! Les endroits pour "partir en riboule" sont disséminés dans toute la ville mais un bon nombre d'entre eux se concentrent sur le port de commerce, le long et autour de la rue de Siam et dans le quartier bohème de Saint-Martin.

Espace Vauban Salle mythique
(02 98 46 06 88 ; www.espacevauban.com ; 17 av. Georges-Clemenceau). Tout droit sortie des années 1950, cette incroyable salle de concert, couplée à un bar, à un hôtel et à un restaurant, incarne la quintessence de l'esprit brestois, populaire et chaleureux. Plus de 230 dates par an.

Renseignements

Office du tourisme de Brest métropole océane (02 98 44 24 96 ; www.brest-metropole-tourisme.fr ; pl. de la Liberté). Il propose en été des visites guidées (adulte/enfant 5/3 €, gratuit -6 ans ; mer 15h-17h, mar et jeu 10h-12h) de la ville et diverses sorties en groupe. Billetterie pour les spectacles, sorties en mer, entrées dans les musées… à des tarifs souvent plus intéressants.

Comment circuler

Bus

Dense et étendu, **Bibus**, le réseau de bus et de tram, couvre toute l'agglomération, ainsi que Plougastel-Daoulas. Procurez-vous le plan à l'office du tourisme ou au **Point Accueil Bibus** (02 98 80 30 30 ; www.bibus.fr ; 33 av. Georges-Clemenceau ; lun-ven 8h15-18h15, sam 9h-17h), équipé d'un distributeur automatique de titres de transport.

Taxi

AAA Taxis Brestois (02 98 806 806 ; www.taxi806.com). Stations à l'aéroport, à la gare et dans le centre-ville.

CIRCUIT DES ENCLOS PAROISSIAUX

La visite d'un enclos paroissial provoque un sentiment d'émerveillement légitime. La Bretagne, à travers ces fleurons de l'architecture religieuse, est une terre où le catholicisme s'est exprimé avec une magnificence toute particulière. Ils sont répartis sur une zone grobalement délimitée par la rade de Brest, la baie de Morlaix et les monts d'Arrée, et plus particulièrement le long de la vallée de l'Élorn.

Il faut se plonger dans la Bretagne des XVIe et XVIIe siècles pour comprendre les fondements historiques des enclos. À cette époque, la région tire parti de sa situation géographique, au carrefour des grandes routes maritimes, et connaît une prospérité sans précédent grâce au développement de l'agriculture, de la pêche, des industries manufacturières et à la toile de lin du Léon, exportée dans toute l'Europe pour les voiles des navires. Des fortunes colossales s'amassent dans les villages du Finistère, et cette prospérité ne tarde pas à rejaillir sur

Pont habité de Landerneau (ci-contre)

SÉBASTIEN DELAUNAY / FOTOLIA ©

Vaut le détour
Landerneau

Vous ne pourrez pas manquer le magnifique ouvrage qui enjambe l'Élorn, à Landerneau. C'est l'**un des derniers ponts habités** d'Europe et l'unique en France avec celui de Narbonne. Autre particularité, il est baigné par l'eau de la mer, son emplacement délimitant l'endroit jusqu'où la marée remonte dans la ria. Il a été édifié en 1510. Réalisé en pierre de Kersanton, il repose sur six arches et a supporté un moulin, une pêcherie, une chapelle, une salle de garde et même une prison. Ses belles maisons à encorbellement et couvertes d'ardoise ont été conservées. La rive droite, côté léonard, abrite le cœur historique de la ville. La **place du Général-de-Gaulle** est bordée de maisons remarquables, comme la maison de la Sénéchaussée (1664), qui mêle des éléments médiévaux et Renaissance. Au 14 de la rue du Chanoine-Kerbrat, la **maison à la Sirène** a conservé sa lucarne médiévale, dont les crossettes d'angle représentent une sirène et un dragon. Flânez aussi dans la **rue de la Fontaine-Blanche** pour admirer les hôtels particuliers de riches négociants, ainsi que le long des quais de Léon et de Cornouaille. Au-dessus de la vieille ville se dresse l'**église Saint-Houardon**. Situé à l'origine près de la rivière, ce sanctuaire des XVIe et XVIIe siècles fut démonté pierre à pierre entre 1858 et 1861 pour être reconstruit à son emplacement actuel. Le porche en kersanton (1604) est tenu pour l'un des plus beaux de la vallée de l'Élorn. La tour-clocher de l'**église saint-Thomas**, de style Renaissance, domine la rive sud de Landerneau, côté Cornouaille. Un superbe ossuaire (1635) en pierre de Logonna et dédié à saint Cadou s'élève devant l'église.

les édifices religieux. À partir de 1545, face au protestantisme, les paroisses se lancent dans des travaux de grande ampleur, dynamisés par un phénomène d'émulation. Cette période d'exubérance et de vitalité créatrice dure près de 200 ans. Les mesures protectionnistes prises par Colbert, interdisant le libre-échange avec l'Angleterre, donnent un coup d'arrêt brutal à la prospérité bretonne et mettent fin à cette épopée.

La Roche-Maurice (Ar Roc'h-Morvan)

Entre Landerneau et Landivisiau, le **donjon en ruine** (☎ 02 98 20 43 57 mairie ; ⏲ 10h-18h) GRATUIT de la forteresse des vicomtes de Léon (XIIe siècle) se dresse sur un piton rocheux surplombant l'Élorn et le village de La Roche-Maurice. L'ascension (sécurisée) promet une belle vue. Quant à l'ancienne chapelle du château, elle a laissé place à l'**église Saint-Yves** (visites guidées gratuites en saison) GRATUIT, entourée d'un bel enclos. Un sobre **calvaire** en marque l'entrée. L'église (début XVIe siècle) est ornée d'un toit à pans retombants et d'un clocher à jour surmonté d'une flèche gothique. L'élément le plus intéressant de l'enclos est sans doute l'**ossuaire** (1639), dans le plus pur style Renaissance bretonne. À l'angle sud, remarquez la figure grimaçante de l'Ankou (représentation masculine de la mort dans la tradition armoricaine, figurée par un squelette sur les ossuaires des enclos paroissiaux), armé d'un dard et accompagné des mots "Je vous tue tous." L'intérieur de l'église impressionne par ses couleurs, ses sablières sculptées, son jubé Renaissance en chêne polychrome et la profusion de personnages et d'animaux, certains grotesques ou fabuleux.

SEB HOVAGUIMIAN / FOTOLIA ©

À ne pas manquer
Enclos paroissial de Pleyben (Pleiben)

Choc esthétique garanti devant l'**enclos paroissial de Pleyben**, l'un des plus éblouissants de Bretagne, situé près de Châteaulin, vers la vallée de l'Aulne. Le **calvaire** (XVIe siècle), sur un imposant piédestal aux portes triomphales, force l'admiration : on compte une trentaine de scènes, très expressives, avec des personnages bien détaillés. L'**ossuaire** (1550) mérite d'être détaillé : il possède une façade percée de baies jumelées et de petites colonnes. L'**église**, remarquable construction mi-gothique, mi-Renaissance, est coiffée d'une imposante tour surmontée de clochetons et d'un dôme à lanterne. L'émerveillement se poursuit à l'intérieur : de magnifiques sablières sculptées polychromes, un maître-autel finement ouvragé, des retables, des vitraux anciens, les superbes orgues de Dallam (1688) et la voûte en forme de carène de navire renversée retiendront votre attention. Notez également les statues d'apôtres à l'intérieur du porche de l'église.

En saison, des bénévoles proposent des visites guidées (gratuites).

INFOS PRATIQUES

Office du tourisme (☎ 02 98 26 71 05 ; 11 pl. Charles-de-Gaulle).

La Martyre (Ar Merzher-Salaun)

À 4,5 km de La Roche-Maurice, ce bourg rural niché sur un plateau verdoyant surplombe la vallée de l'Élorn. Il a accueilli, à partir du XVIe siècle, une grande foire qui attirait des marchands venus de toute la France, d'Angleterre et de Hollande, et qui a assuré la prospérité du lieu. Sa rue principale aligne de belles maisons de pierre, en parfaite harmonie avec le remarquable enclos paroissial, le plus ancien du Léon, commencé au XIVe siècle sur des éléments plus vieux.

Sizun

Petite ville au pied des monts d'Arrée, Sizun abrite, avec son **enclos (visites guidées gratuites en saison lun-ven 10h30-13h et 14h30-18h, pas de visites sam et dim matin)** GRATUIT des XVIe et XVIIe siècles, un véritable joyau de la Renaissance, témoin du passé prospère de la ville grâce au tissage du lin. La très haute **flèche à crochets** de l'église impressionne, tout comme l'**arc de triomphe** (fin XVIe) surmonté d'un petit **calvaire**. Il symbolise la porte de Vie par où entraient les fidèles. L'**ossuaire** (1585), typique de la Renaissance bretonne, se distingue par l'élégance de sa composition architecturale. Le **clocher-porte** et la façade de l'église sont agrémentés de créatures étranges. L'intérieur, lambrissé, vaut également le coup d'œil (chaire, buffet d'orgue, baptistère à baldaquin, belles poutres sculptées et trois retables du XVIIe siècle).

Lampaul-Guimiliau (Lambaol-Gwimilio)

Non loin de Landivisiau, ce pimpant village se signale à l'horizon par la tour-clocher tronquée de son église. Dans la course à la magnificence que se livrèrent Saint-Thégonnec, Guimiliau et Lampaul-Guimiliau au XVIe siècle, cette dernière, paroisse de tanneurs, l'avait emporté pour la taille du clocher. L'orgueilleux ouvrage fut, en 1809, brisé par la foudre. Châtiment divin ?

L'enclos s'ouvre à l'ouest par une **porte triomphale** (1669), ornée d'une balustrade et d'un petit calvaire. Tout de suite à gauche se tient l'**ossuaire** (1667) en forme de chapelle, dont la belle porte figurant l'arbre de Vie est surmontée de l'inscription *Memento mori*, "Souviens-toi que tu vas mourir". Face à l'église, le **calvaire** (XVIe), beaucoup plus sobre que celui de Guimiliau, présente en haut d'une croix de peste le Christ et les larrons. L'intérieur de l'**église Notre-Dame** éblouit en revanche par son exubérance baroque que complètent plusieurs **retables** d'une grande finesse d'exécution ainsi qu'une *Mise au tombeau* (1676) en tuffeau polychrome, signée Antoine Chavagnac. En faisant le tour de l'église, vous remarquerez une gargouille, ou peut-être faudrait-il dire un gargouillon, vu les attributs un peu lestes dont on l'a affublée.

Guimiliau (Gwimilio)

Petite bourgade fleurie à 7 km de Lampaul-Guimiliau, Guimiliau possède un enclos paroissial et l'un des calvaires les plus exubérants de Bretagne. Dédié à Miliau, roi légendaire de Cornouaille, cet impressionnant ensemble architectural a été édifié aux XVIe et XVIIe siècles.

Le **calvaire**, de la fin du XVIe siècle, compte près de 200 personnages. Autrefois, le curé faisait son prêche depuis la plate-forme ! La construction est surmontée d'une croix de peste portant le Christ crucifié.

Le **porche sud** (début du XVIIe siècle), surplombé par une statue de saint Miliau, se prévaut d'une magnifique voussure, agrémentée de scènes de l'Ancien et du Nouveau Testament. De l'église bâtie au XVIe siècle ne demeure que le petit **clocher** (1530), le reste ayant été reconstruit dans les styles flamboyant et Renaissance au cours du siècle suivant. L'intérieur est de toute beauté, avec un exceptionnel **baptistère** à baldaquin en chêne sculpté de 1675, des **sablières**, un **jeu d'orgues**, une gracile **chaire** à prêcher et des retables du XVIIe siècle.

Saint-Thégonnec (Sant-Tegoneg)

Situé entre la mer et les monts d'Arrée, ce village doit sa renommée à son enclos, l'un des plus éblouissants de Bretagne. Son clocher, bardé de clochetons et creusé de niches, transpire l'aisance et la fierté des paysans d'autrefois. Il s'ouvre par une superbe **porte triomphale**, achevée en 1587, composée de quatre blocs de granit. Comparé à d'autres enclos, le **calvaire** (1610) n'est pas le plus

Église et calvaire de Guimiliau (p. 171)

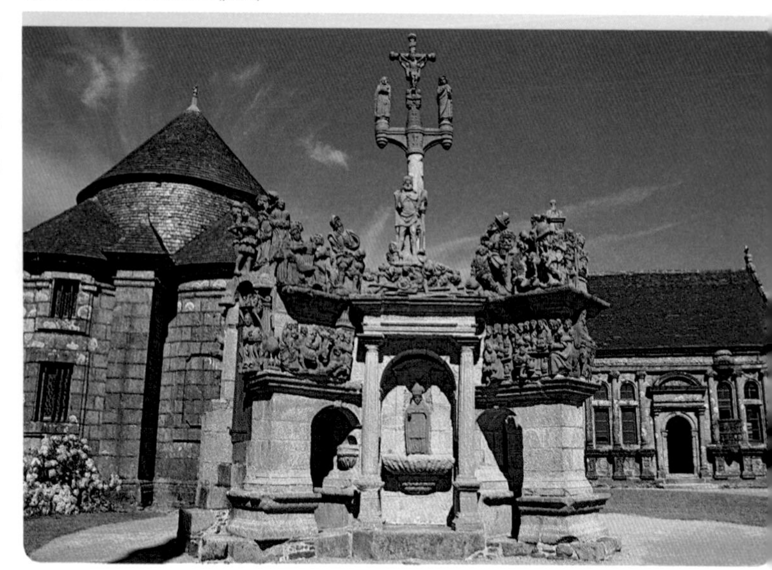

BOBROY20 / FOTOLIA

élaboré, mais comprend plusieurs scènes très expressives, dont un Christ aux yeux bandés, souffleté par deux bourreaux (voir photo p. 318). L'**ossuaire** (été 9h-19h, hors saison 9h-18h) de 1682 est l'un des plus aboutis dans son ornementation. Notez ses colonnes corinthiennes, l'agréable répartition de ses volumes et, à l'intérieur, une belle *Mise au tombeau*, en bois et grandeur nature, du sculpteur morlaisien Jacques Lespaignol. L'**église** abrite plusieurs compositions majeures. Le **buffet d'orgue**, inspiré par les décors de la Renaissance, et les célèbres **retables** du Rosaire et du Vrai Secours, remarquablement restaurés, semblent sortir de l'atelier du peintre.

Où se loger et se restaurer

Ar Presbital Koz Chambres et table d'hôtes €
(02 98 79 45 62 ou 06 60 36 79 79 ; ar.presbital.koz.free.fr ; 18 rue Lividic, Saint-Thégonnec ; ch 1/2 pers 54/60 €, petit-déj inclus ; table d'hôtes 25 € ; tte l'année ;). Vous aurez ici le privilège de dormir dans l'ancien presbytère. Mais rassurez-vous, celui-ci, estampillé 1760, n'a rien de monacal. Les vastes chambres au mobilier d'époque bénéficient de tout le confort moderne. La maîtresse de maison est une fine cuisinière et vous mitonnera sur demande un bon repas. La grande demeure de caractère, dans le centre-bourg, est bordée d'un beau jardin.

Renseignements

Office de tourisme (02 98 79 67 80 ; www.saint-thegonnec.fr ; Park-an-Illiz). De juin à septembre.

LES MONTS D'ARRÉE

À la fois grandiose et désolé, le Yeun Elez (le "marais de la rivière Elez") désigne la dépression creusée au milieu du cirque des monts d'Arrée. Au fond de cette vaste cuvette tapissée de lande, entourée des points culminants de Bretagne, s'étendent un marais et des tourbières qui ont été en partie inondés par le lac

Vaut le détour

Montagnes Noires et canal de Nantes à Brest

Les Montagnes Noires, qui s'étirent au sud-est de Pleyben, doivent leur nom à l'épais manteau forestier qui les recouvrait autrefois. À peine moins hautes que les monts d'Arrée (318 m contre 385 m), elles s'étirent sur une soixantaine de kilomètres d'est en ouest. Quant à l'Aulne, qui traverse la région, elle constitue une partie du canal de Nantes à Brest.

Ici, l'écotourisme occupe une place privilégiée. De la pêche à la randonnée, en passant par le VTT ou les balades fluviales, les occasions de profiter d'une nature préservée sont nombreuses. Côté patrimoine, les Montagnes Noires réservent de belles surprises, comme l'**enclos paroissial de Pleyben** (p. 170), l'un des plus spectaculaires de Bretagne, ou le **château de Trévarez** (Saint-Goazec), une magnifique demeure au milieu d'un vaste parc botanique. Autour de Pleyben, des chapelles rurales retiennent l'attention. **Châteauneuf-du-Faou** constitue une étape indispensable ; outre un cadre magnifique en bordure de canal, ce bourg qui a su retenir le peintre Sérusier recèle de petites merveilles d'architecture religieuse. Vers l'est, **Carhaix-Plouguer**, célèbre pour son **festival les Vieilles Charrues** (www.vieillescharrues.asso.fr), cultive son image de gardienne de l'identité culturelle bretonne.

Saint-Michel, après la construction du barrage de Nestavel, dans les années 1930. Avec ses eaux noires, au milieu des bruyères, ce lac prend des airs de loch écossais. Le marais dissimulerait le Youdig ("petite bouillie"), une bourbe mouvante où le folklore breton situe le pays de l'Ankou, passeur entre le monde des vivants et celui des morts. La tradition chrétienne y voit une des sept portes de l'enfer… Habité dès le néolithique, comme en témoignent plusieurs mégalithes, le Yeun Elez est aussi un ensemble de villages taillés dans le schiste du pays, à forte connotation rurale, à visiter absolument.

Réserve naturelle du Vénec

Créée en 1993, cette réserve protège l'une des dernières tourbières bretonnes, sur la rive nord du lac Saint-Michel. Outre la bruyère, les ajoncs et les petits chênes verts, la végétation se compose de sphaignes, de plantes carnivores (drosera ou rossolis), de mousses et de lichens, de linaigrettes aux panaches blancs ou de narthécies aux fleurs jaunes. La faune y est aussi d'une grande diversité et comprend des espèces protégées comme la loutre d'Europe et des rapaces. Non loin, sur l'Elez, vivent les seuls castors de Bretagne, introduits en 1968. Vous avez peu de chance de les apercevoir car ce sont des animaux nocturnes. La **Maison de la réserve naturelle et des castors** (☎ 02 98 79 71 98 ; www.bretagnevivante.org ; 2 € ; ⏲ 15 juin-15 sept mar-dim 14h-18h), située dans le bourg, vous racontera tout sur le discret rongeur à queue plate, à travers une exposition et un film. La tourbière du Vénec et son exploitation par les hommes sont également expliquées dans ce musée. Le must cependant, ce sont les **sorties** (tarif plein/réduit 4/2,50 € ; ⏲ juil-août mar-jeu et sam à 15h ; rendez-vous à la Maison de la réserve) organisées en été sur les traces des castors, puis à travers la tourbière en compagnie d'un guide de l'association. N'oubliez pas vos bottes ! Nous vous conseillons d'arriver à 14h afin de voir, avant la sortie, le film consacré aux castors (55 min).

Où se loger et se restaurer

Auberge du Youdig Crêperie, chambres d'hôtes **€**
(**02 98 99 62 36 ; www.youdig.fr ; Kerveguenet ; ch 40-64 € petit-déj inclus, gîte 150 €/2 pers, 560 €/4 pers, repas à partir de 15 € ; tte l'année ;**). Vous trouverez ici le gîte, le couvert et toute l'âme des monts d'Arrée. Quatre chambres d'hôtes, un gîte d'étape de 15 lits, ainsi que 6 gîtes ruraux (de 2 ou 4 personnes) sont disponibles. Le restaurant cultive le style auberge de campagne et sert d'authentiques plats du terroir : *kig ha farz*, rôti de porc au chouchen, pommes de terre au lard... Des soirées contes et légendes, ainsi que des balades et randonnées à thème (et des week-ends combinant le tout) sont organisées. Le Youdig est fléché à partir du bourg de Brennilis.

Roc'h Trévezel

Haut de seulement 384,89 m (le panneau en indique encore 20 de moins), le Roc'h Trévezel est le troisième point culminant des monts d'Arrée, après le Roc'h Ruz (385,01 m) et le Ménez Kador (384,91 m), situés non loin. Un sentier mène en 15 minutes à travers la bruyère au sommet venteux de cet escarpement taillé dans les quartzites. Du haut de ses arêtes acérées, par temps clair, le paysage découvre au nord tout le plateau léonard, de la rade de Brest à la baie de Morlaix. Au pied du *roc'h* s'étire le bourg de Commana hérissé de son haut clocher. Un peu plus à l'est se dresse le **Roc'h Trédudon** (383 m), qui supporte le relais émetteur de télévision. Au sud, la vue embrasse le paysage de lande autour du lac de Brennilis.

Domaine de Ménez-Meur

Appartenant au parc naturel régional d'Armorique et situé sur la commune d'Hanvec, ce **domaine** (**02 98 68 81 71 ; www.pnr-armorique.fr ; tarif plein/réduit 3,50/2,20 €, gratuit - 8 ans, visite libre ou guidée ; juil-août tlj 10h-19h, mai, juin et sept tlj 10h-18h, mars, avr, oct et nov mer, dim et jours fériés 13h30-17h30, déc-fév vacances scolaires 13h-17h)** est un véritable conservatoire du patrimoine naturel breton. Sur 500 ha, il rassemble et protège, autour d'une ferme rénovée, l'ensemble des paysages des monts d'Arrée (landes, prairies, bois...). Et dans ce joli décor a été aménagé un superbe parc animalier. Les visiteurs peuvent y voir des espèces locales en danger. La mascotte du parc est le porc blanc de l'Ouest, avec ses grandes oreilles lui tombant sur les yeux. Trois circuits balisés permettent de découvrir l'ensemble du site ; les aires de jeux, le bar-restaurant et les zones de pique-nique permettront d'y passer une agréable journée en famille. De Saint-Rivoal, prenez la D42 sur 5 km en direction du Faou.

Mont Saint-Michel-de-Brasparts

Ce mont pelé coiffé d'une petite chapelle toute nue est l'un des sites les plus emblématiques des monts d'Arrée. Culminant à seulement 381 m (391 avec la chapelle), le **Ménez-Mikael** se repère de loin au milieu des bruyères grâce à sa silhouette arrondie. Ancien lieu de culte celtique, du moins on le suppose, il est dédié à l'archange saint Michel depuis le XVIIe siècle. Du parking, vous en atteindrez le sommet en quelques minutes. Quand l'horizon n'est pas noyé par les brumes, le regard porte jusqu'aux clochers de Saint-Pol-de-Léon et à la rade de Brest ! De l'autre côté, vous apercevrez les arêtes acérées des Montagnes Noires.

Brasparts (Brasparzh)

Ce gros bourg posé sur une colline est le plus important du Yeun Elez. Ancien lieu de foires importantes, environné d'une nature grandiose, il est le point de départ de deux beaux circuits de randonnée : celui du Méné (18 km) et celui du Gorre (13 km), à travers landes, bois et bocages et marchant sur les pieds du mont Saint-Michel-de-Brasparts.

Chapelle du mont Saint-Michel-de-Brasparts (ci-contre)

RÉGIS COUTURIER ©

 À voir

Enclos paroissial Patrimoine religieux

Il s'articule autour de l'**église Notre-Dame-et-Saint-Tugen** (XVIe-XVIIIe siècle) qui mêle gothique et Renaissance. Le porche a conservé les statues des douze apôtres portées par des culs-de-lampe aux formes grotesques, notamment une démone cornue aux seins nus. Devant le porche, le grand **calvaire** (XVIe siècle) inclut une belle statue de saint Michel, patron des monts d'Arrée, transperçant le dragon. Mais le groupe le plus étonnant est la pietà qui figure sur la base, ici représentée sous l'aspect austère de trois femmes portant le corps du Christ. L'**ossuaire**, de style flamboyant, montre un personnage bien connu dans les parages : l'Ankou, serviteur de la Mort. Figé dans la pierre du pignon, il serre son javelot et prononce ces mots terribles : "Je vous tue tous." De l'autre côté, pour compenser, l'ange de la Résurrection sonne de l'olifant, accompagné des mots "Réveillez-vous". L'intérieur de l'église comprend un beau mobilier, des statues en bois polychrome, comme ce saint Michel piétinant le dragon (XVIIe) et une superbe pietà à l'air serein, du XVIe siècle.

An Eured Ven ("La Noce de Pierre") Mégalithes

Il s'agit d'un alignement d'une vingtaine de menhirs, dans la lande au pied du versant est du mont Saint-Michel-de-Brasparts. Selon la légende, une noce paysanne, possédée par le démon de la danse, aurait refusé de laisser le passage au recteur de Brasparts, qui allait porter les derniers sacrements à un mourant. En punition, dès que les binious se turent, les noceurs furent pétrifiés sur place !

 Où se loger

La Vallée du Rivoal Familial **€€**

(**☎ 02 98 81 11 30 ; lavalleedurivoal.pagesperso-orange.fr ; Kerfranc, Lopérec ; ch 1/2/3/4 pers 42/47/61/74 € petit-déj inclus, studios 251-382 €/sem petit-déj 7,50 €, table d'hôtes 20 €/pers ; ⌚tte l'année ; wifi**). Dans leur ferme en agriculture durable, Véronique et Yves Le Borgne élèvent des porcs en plein air, quelques vaches, et louent 5 chambres rustiques (superbes armoires), idéales pour se mettre au vert. Les studios (5) peuvent accueillir 4 personnes. Repas composés à partir des produits de la ferme et du terroir. À 4,5 km de Brasparts, sur la D21.

SEB HOVAGUIMIAN / FOTOLIA ©

À ne pas manquer
Huelgoat (le "bois du haut")

Au cœur du parc naturel régional d'Armorique, Huelgoat, qui s'étend sur plus de 1 000 ha jusqu'aux versants sud des monts d'Arrée, est l'un des grands ensembles forestiers de Bretagne. Entrecoupée de vallées profondes, la forêt est principalement plantée de chênes et de hêtres. Un **moulin à eau** (sans doute du XVIIe siècle) sert de porte d'entrée au site. Le sentier s'enfonce alors à travers les énormes blocs de granit du **chaos du Moulin**, où se faufile la rivière d'Argent. En longeant sa rive droite, vous arriverez vite au **Trou du Diable**, où l'on descend par une échelle en fer. Après le théâtre de verdure, sur la rive gauche de la rivière, la **Roche tremblante** est un bloc de granit de 137 tonnes que l'on peut faire bouger d'une simple pression du dos, pour peu que l'on trouve le bon endroit. Par le sentier des Amoureux, vous pourrez rejoindre la **grotte d'Artus**, qui aurait hébergé le roi des chevaliers de la Table ronde. Son corps, veillé par une armée de démons, y reposerait au fond, non loin du trésor qu'il aurait rapporté de Brocéliande. Plus loin, un petit pont de bois enjambe la **mare aux Sangliers**, qui tient son nom de la forme de certains rochers. S'y trouveraient quelques paillettes d'or du trésor d'Arthur... En prenant l'allée des Violettes au **Ménage de la Vierge**, vous rejoindrez, sur la rive droite de l'Argent, le **Gouffre**, une cascade qui déferle depuis un monticule de rochers pour se perdre sous la terre. Il est associé à la légende de Dahud, fille du roi d'Ys aux mœurs dissolues, qui y précipitait ses amants d'un soir. Au sommet de ce promontoire se dresse la **stèle de Victor Segalen**. L'écrivain, archéologue et grand voyageur est mort à cet endroit en 1919, lors d'une promenade. Plus loin se découvre la **mare aux Fées** où, selon la légende, les fées coiffaient leur longue chevelure avec des peignes en or au clair de lune. Plusieurs **chemins** sont balisés.

INFOS PRATIQUES

Le réseau **Penn-ar-Bed** (☎ 0 810 810 029 ; www.viaoo29.fr ; billet 2 €) dessert Huelgoat par les lignes 36 Morlaix/Carhaix-Plouguer et 60 Morlaix/Quimper.

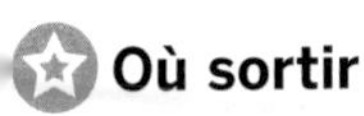

Où sortir

Ferme de Gwernandour Ferme rock
(06 07 82 72 57 ; www.ferme-gwernandour.fr ; Gwernandour). C'est bien une ferme en activité, mais aussi la plus célèbre salle de concert de Centre-Bretagne ! Depuis plus de dix ans, les vaches ont vu défiler les Têtes Raides, Denez Prigent, Louise Attaque, Miossec et bien d'autres. L'association Rock d'Arrée Fréquent (RAF) y organise également des *festoù-noz*, des soirées cabaret et, en mai, le festival Aux portes de l'enfer. De 25 à 30 concerts y sont donnés tous les ans (tarif entre 10 et 12 €). Surveillez la programmation ! Gwernandour se trouve dans la direction de Lannédern, par la D21.

Achats

La Ferme d'Antea Expo-vente
(02 98 81 11 61 ; www.lafermedantea.fr ; ferme Saint-Michel ; lun-ven 13h30-18h30, sam-dim 10h30-18h30). Sur la route du mont Saint-Michel-de-Brasparts, ce lieu d'exposition-vente regroupe les œuvres d'une centaine d'artisans de la région : potiers, tourneurs, céramistes, sculpteurs, peintres, tapissiers, ébénistes, tisserands... Des produits alimentaires, des livres et des objets liés aux légendes de l'Arrée sont également en vente. De Pâques à septembre, des expositions y sont présentées.

Renseignements

Office du tourisme (02 98 81 47 06 ; www.yeun-elez.com ; pl. des Monts-d'Arrée).

PRESQU'ÎLE DE CROZON

Les amoureux de terres ultimes, de falaises écorchées, d'à-pics vertigineux, de panoramas inoubliables, de landes multicolores, de grottes marines et de plages sublimes léchées d'une eau turquoise trouveront leur bonheur dans cette étonnante presqu'île dont l'extrémité ressemble à un trident fendant la mer d'Iroise.

Une vaste gamme d'activités, nautiques et terrestres, s'offrent à ceux qui privilégient une approche plus sportive. Et si les richesses patrimoniales sont moins nombreuses que dans les régions voisines, l'abbaye de Landévennec et la ville de Camaret contenteront largement les amateurs d'histoire et de culture.

Landévennec (Landevenneg)

Dans ce recoin de la presqu'île de Crozon, au bord de l'estuaire de l'Aulne, tout respire le calme et le mystère. La rade de Brest est proche, et pourtant on ressent un dépaysement total, dans un univers à la fois maritime, fluvial et boisé, avec, en plus, une touche méditerranéenne – mimosas, camélias, lauriers, palmiers et figuiers poussent ici grâce à un microclimat exceptionnel. Imprégnez-vous de cette ambiance en flânant le long des ruelles et des quais du bourg, dominé par l'église du XVIe siècle, avant de rejoindre l'un des plus hauts lieux du christianisme en Bretagne : les ruines de l'abbaye de Landévennec. Sur les hauteurs du bourg, un belvédère offre une belle perspective sur les derniers méandres de l'Aulne et un **cimetière de bateaux**, où plusieurs navires (militaires et civils) stationnent en attendant de rejoindre les chantiers de démolition.

À voir

Abbaye de Landévennec Patrimoine religieux
(02 98 27 35 90 ; www.musee-abbaye-landevennec.fr ; tarif plein/réduit 5/4 € ; tlj 10h-18h30 juin-sept, dim-ven 10h-18h avr-mai, dim 10h-17h oct-nov et fév-mars, dim-ven 10h-17h vacances de la Toussaint et vacances d'hiver). Fondée au Ve siècle par saint Guénolé, un moine breton, elle connut des aménagements successifs et subit à plusieurs reprises destructions et pillages normands et anglais, puis pendant la Ligue lors des guerres de Religion. À la Révolution, elle fut vendue comme bien national en 1792 et se dégrada rapidement. Aujourd'hui

subsistent des ruines (principalement celles du cloître, du réfectoire et de l'église), bien mises en valeur, et de superbes jardins. Devant le site de l'abbaye, le **musée** (**mêmes horaires que l'abbaye**) retrace l'histoire mouvementée des lieux et le développement du christianisme dans la région. De nombreux objets issus des fouilles y sont exposés. Inaugurée en 1958, la nouvelle abbaye abrite une communauté d'une vingtaine de moines bénédictins.

Morgat

Extension balnéaire de Crozon – qui fait office de base arrière en saison – nichée au fond d'une anse majestueuse, Morgat déploie une grande plage de sable blanc qui se prolonge par un port de plaisance très actif. Le front de mer est animé par une succession de restaurants, de bars et d'hôtels, tandis que de superbes villas dominent le rivage. Elles rappellent qu'Armand Peugeot, au début du XXe siècle, avait choisi Morgat comme lieu de vacances pour les cadres de son entreprise.

S'ouvrant sur la côte de part et d'autre de l'anse de Morgat, des grottes marines, façonnées dans les falaises par plusieurs milliers d'années d'érosion, méritent le coup d'œil. Les **Vedettes Rosmeur** (**06 85 95 55 49 ; www.grottes-morgat.fr ; adulte/enfant 4-12 ans/-4 ans 14/9/4 € ; juin-sept**) organisent des visites des grottes à bord de bateaux équipés de projecteurs (1 heure). Même prestation pour les **Vedettes Sirènes** (**06 60 93 97 05 ; www.vedettes-sirenes.com ; adulte/enfant 4-12 ans/-4 ans 14/9/4 €**). Autre approche, plus en harmonie avec l'environnement : une balade à bord de pirogues hawaïennes de 4 places avec **Presqu'île Océan Pirogue** (**06 61 92 64 35 ; www.oceanpirogue.com ; 4 port de Morgat ; avr-oct**) ; on se faufile en silence dans les grottes et les failles, tandis que le guide fournit des explications sur le milieu marin. On peut également se mettre à l'eau et nager dans les grottes. Deux parcours sont possibles : l'un vers l'est, en direction de l'île de l'Aber ; l'autre jusqu'à l'île Vierge. Comptez 22 € par personne (60 € pour une famille) les 2 heures 30 d'excursion.

Crapato Bicyclo (**06 88 71 72 22 ; www.crapato.com ; plage de Morgat**) loue des vélos à la journée (10 €) ou à la semaine (55 €).

Renseignements

Office du tourisme de Crozon-Morgat (**02 98 27 07 92 ; www.crozon.com ; bd de Pralognan-La Vanoise, Crozon**). Point information à Morgat en saison.

Où se loger et se restaurer

Grand Hôtel de la Mer Hôtel Belle Époque **€€-€€€** (**02 98 27 02 09 ; 17 rue d'Ys ; www.belambra.fr ; d 60-140 € selon saison, menus à partir de 28 € ; avr-oct ; P**). Seuls le ressac et les goélands réveillent les occupants des chambres lumineuses de ce très joli hôtel de style Belle Époque. Courts de tennis, bar, terrasse avec accès direct à la plage et parking gratuit. Le (bon) restaurant est accessible aux non-résidents.

Le Mutin Gourmand Gastronomie bretonne **€€** (**02 98 27 06 51 ; pl. de l'Église, bourg de Crozon ; plats à partir de 17 €, menus à partir de 26 € ; fermé dim soir, lun et mar midi**). Dans cet établissement réputé dans toute la presqu'île, les saveurs de la Bretagne se déploient autour d'excellents plats traditionnels, réalisés à partir d'ingrédients rigoureusement choisis (filet de bar de ligne sauvage, marmite d'agneau des monts d'Arrée, ris de veau braisés aux girolles). Accueil charmant.

De Morgat au cap de la Chèvre

En quittant Morgat vers le sud, la D255 traverse un paysage de lande piquetée de hameaux composés d'adorables *penn-ty* (maisons de pêcheurs) en pierre : **Saint-Hernot**, **Kerroux** et **Rostudel**. Elle se termine au **cap de la Chèvre**, qu'annonce un imposant sémaphore de la Marine nationale (1971). Avec ses falaises hautes de 80 m

SOPHY SWEDEN / FOTOLIA ©

À ne pas manquer

Ménez-Hom (Menez C'homm)

Les 330 m d'altitude de ce mont de lande chauve suffisent à découvrir, par temps clair, un panorama saisissant incluant la baie de Douarnenez, la presqu'île de Crozon, la rade de Brest et les monts d'Arrée. De l'aire de stationnement (accessible par la D887 puis la D83 depuis la presqu'île de Crozon), il ne faut que quelques minutes de marche pour atteindre le "sommet" du Ménez-Hom. C'est un lieu sacré : selon la légende, les druides pratiquaient ici le culte solaire.

Au pied du Ménez-Hom, l'enclos paroissial de la **chapelle Sainte-Marie-du-Ménez-Hom** capte le regard, avec une porte triomphale du XVIIIe siècle qui donne accès à un **calvaire** à trois croix, du XVIe siècle. L'imposant **clocher**, composé de trois rangées de balustrades en encorbellement, a nécessité un siècle de travaux (1668-1778). À l'intérieur, on découvre de belles sablières sculptées et des retables.

Le Ménez-Hom est un haut lieu de la pratique du parapente. La topographie du site est idéale pour l'initiation, avec des pentes douces dénuées d'obstacles. Ce **Club celtic de vol libre** (02 98 81 50 27, 06 80 32 47 34 ; www.vol-libre-menez-hom.com ; mai-sept) propose des vols biplaces en parapente d'une durée de 10 à 25 minutes (70-100 €) à partir de 14 ans.

INFOS PRATIQUES

La ligne 37 du réseau **Penn-ar-Bed** (Quimper-Camaret) dessert Plomodiern et Saint-Nic (arrêt Pentrez), au sud du mont. Fiche horaire à télécharger sur www.viaoo29.fr.

exposées à tous les vents, le site, d'une exceptionnelle sauvagerie, incite à la contemplation (venez de préférence au lever ou au coucher du soleil), avec la baie de Douarnenez et la pointe du Raz en toile de fond. Le contraste est saisissant entre la façade est du cap, à l'abri des vents dominants, aux airs méditerranéens, et la côte ouest, battue par les vents et les embruns, très

Insolite ! Dans le creux de l'oreille

Des sentiers sonores, il fallait y penser ! La **Maison des minéraux** à Saint-Hernot (voir ci-dessous) propose deux balades sonores dans le secteur du cap de la Chèvre ; muni d'un baladeur numérique et d'un casque audio (en location, 4 €), on effectue une boucle pédestre balisée de 2 heures environ, ponctuée de stations d'écoute qui décryptent les milieux traversés sous formes d'anecdotes, de témoignages d'habitants et d'historiens, de récits... Ces documents sonores, appelés "friandises sonores", sont aussi disponibles en téléchargement sur Internet (www.territoires-sonores.net). Une manière originale de découvrir ce fascinant territoire.

austère, où l'ambiance et la végétation sont résolument nordiques.

À voir et à faire

Maison des minéraux — Musée

(☎02 98 27 19 73 ; www.maison-des-mineraux.org ; Saint-Hernot ; adulte/enfant 4,80/3,50 € ; ⏲tlj 10h-19h juil-août, lun-ven 10h-12h et 14h-17h, dim 14h-17h hors saison). À Saint-Hernot, ce petit musée présente les richesses géologiques de la Bretagne. Clou de l'exposition : la collection de minéraux fluorescents, la plus importante d'Europe. Le musée propose également un panel d'activités en été : balades nature, randonnées contées, ateliers découvertes et "balades bidouilles" pour enfants...

Pointe de Saint-Hernot — Balade à pied

Si vous avez envie d'un petit coin de paradis, marchez jusqu'à cette pointe (également appelée **île Vierge**). Depuis la Maison des minéraux, prenez le chemin empierré derrière le parking sur 400 m, puis tournez à gauche. Parcourez 200 m jusqu'au panneau "sentier côtier" et suivez la direction. Arrivé sur le sentier, vous découvrirez un somptueux panorama de cette pointe en forme de crête et la magnifique plage de sable blanc, au pied de falaises escarpées. L'île Vierge est également accessible avec les Vedettes Rosmeur (voir p. 178).

Plages — Surf

De Saint-Hernot, des routes secondaires mènent au hameau de La Palue, d'où un chemin descend jusqu'à la magnifique **plage de La Palue**, interdite à la baignade en raison des courants et des rouleaux, tout comme la **plage de Lostmarc'h**, immédiatement au nord. En revanche, les amateurs de **surf** les adorent, car elles "prennent" bien la houle, et les vagues sont puissantes et de qualité.

Pointe de Dinan

À 6 km à l'ouest de Crozon-Morgat, la très belle pointe de Dinan laisse découvrir un large panorama englobant les Tas de Pois et la pointe de Pen-Hir (p. 182), et le cap de la Chèvre (p. 178). À ses pieds, le "château" fait référence à une formation rocheuse précédée d'une arche naturelle qui ressemble à un pont-levis.

Au nord, l'anse de Dinan est bordée par la longue **plage de Goulien**, puis la petite **plage de Kerloc'h**, propices à la baignade et à l'initiation au surf.

Camaret (Kameled)

La page glorieuse des dundees, ces bateaux à voile revenant les cales pleines de langoustes, est aujourd'hui refermée, mais Camaret reste dans la mémoire bretonne comme la capitale de la langouste. Désormais, le splendide cadre naturel qui lui sert d'écrin – un sillon sableux protégeant un port de plaisance, ainsi qu'une grande plage, à une encablure des falaises les plus spectaculaires de la presqu'île – fait l'effet d'un aimant pour les touristes, nombreux en saison.

À voir

Chapelle Notre-Dame-de-Rocamadour Patrimoine religieux
Émouvante de simplicité, cette petite chapelle de pierre claire à la façade presque parfaitement triangulaire, édifiée en 1527 sur la digue, rappelle l'importance de la pêche à Camaret jadis. Notre-Dame-de-Roz-Madou, comme elle est également appelée, dont les cloches étaient autrefois utilisées pour ramener les navires à bon port les soirs de brume, est dédiée aux marins camarétois. Vous pourrez y admirer de nombreux ex-voto maritimes.

Une messe du pardon, à la mémoire des marins disparus en mer, y est dite le premier dimanche de septembre.

Tour Vauban Tour de défense
(tarif plein/réduit 3/2 €, gratuit -12 ans ; tlj 10h-12h et 14h-18h juil-août, mar-dim 14h-17h avr-juin et sept-oct). L'emblème de Camaret, le voici : la célèbre tour Vauban, revêtue d'un crépi à base de brique pilée, qui se détache sur le sillon derrière la chapelle. Cette élégante petite tour de défense, édifice signé Vauban, fut construite à partir de 1689. Elle visait à défendre Brest et ses environs des incursions anglaises, hollandaises et espagnoles. Elle fut utilisée à la fois comme observatoire, garnison et magasin à poudre. Elle sert aujourd'hui de lieu d'exposition et est inscrite au patrimoine mondial de l'Unesco depuis 2008 (les travaux de restauration, entamés en 2007 et toujours en cours lors de notre passage, devraient être terminés lorsque vous lirez ces lignes).

Maison du patrimoine maritime Histoire locale
(02 98 27 82 60 ; 15 quai Kléber ; uniquement visites de groupes 2 €/pers ; tlj 14h-18h juil-août). À côté de l'office du tourisme, cette Maison du patrimoine maritime propose une exposition permanente consacrée au passé maritime camarétois.

Si vous aimez... les stations balnéaires

En quête de farniente et de sports nautiques ? En dehors de Penmarc'h (p. 199), du cap Sizun (p. 187) et de la presqu'île de Crozon (p. 177), ne manquez pas les stations balnéaires suivantes :

1 **BRIGNOGAN-PLAGES**
Station balnéaire phare des années 1930 au charme désuet, à la baie ourlée de dunes. À l'ouest de Roscoff.

2 **CARANTEC ET L'ÎLE CALLOT**
Station balnéaire huppée au sud de Roscoff, face à l'île Callot, laquelle abrite l'une des plus belles plages du littoral, et est accessible à marée basse.

3 **LOCQUIREC**
Une dizaine de plages propices aux plaisirs balnéaires. À la frontière avec les Côtes-d'Armor.

4 **BEG-MEIL, COMMUNE DE FOUESNANT**
Au sud de Quimper, des criques idylliques et une station balnéaire d'allure rétro avec ses grandes villas. À 5,5 km au sud-est du bourg de Fouesnant.

Où se loger et se restaurer

Hôtel Vauban Hôtel **€€**
(02 98 27 91 36 ; www.hotelvauban-camaret.fr ; 4 quai du Styvel ; d 45-65 €, petit-déj 7,50 € ; tte l'année ; fermé 3 sem en déc ;). De tous les hôtels du front de mer, le Vauban offre le meilleur rapport qualité/prix, avec 16 chambres lumineuses et colorées, dont certaines donnent sur la baie, et un joli jardin à l'arrière, avec barbecue.

L'espace est restreint, mais on se sent à l'aise. Tarifs identiques toute l'année.

Hôtel-restaurant Le Styvel Produits de la mer **€€**
(☎02 98 27 92 74 ; www.hotel-du-styvel.com ; 2 quai du Styvel ; plats 10-40 €, menus à partir de 14 € ; ⌚tte l'année). Fruits de mer et spécialités de poissons (ragoût de homard, plateau de fruits de mer) sont servis dans une salle aux couleurs ensoleillées, avec vue sur le port de plaisance et la tour Vauban.

Chez Philippe Cuisine familiale **€€**
(☎02 98 27 90 41 ; 22 quai Gustave-Toudouze ; plats 8-15 €, menus à partir de 11,50 € ; ⌚tte l'année). Voici une adresse pleine de bonne humeur qui sert une cuisine sans manières, idéale pour caler un estomac creux à prix attrayants. La terrasse donne sur le front de mer.

Renseignements

Office du tourisme (☎02 98 27 93 60 ; www.camaretsurmer-tourisme.fr ; 15 quai Kléber). Également service de billetterie (bus et bateau).

Pointes du Grand-Gouin et du Toulinguet

Sans offrir un panorama aussi grandiose que celui de Pen-Hir (voir ci-après), ces deux avancées rocheuses valent la peine que l'on s'y attarde un peu. À la pointe du Toulinguet, un ancien fort de la marine abrite aujourd'hui un sémaphore. Vers le sud, la vue sur la **plage de Pen-Hat** (baignade interdite) est à couper le souffle. Cette plage est un spot pour surfeurs expérimentés.

Pointe de Pen-Hir

Voici la plus impressionnante et la plus sauvage des avancées rocheuses de la presqu'île de Crozon. Du haut de ses falaises déchiquetées fouettées par les vagues, cette pointe semble défier l'océan. Elle se prolonge par les célèbres **Tas de Pois**, une enfilade de trois îlots. À l'écart du parking, une gigantesque croix de Lorraine en béton dédiée aux Bretons de la France libre rappelle leur engagement durant la Seconde Guerre mondiale. Vers l'est, le regard se fixe sur la superbe **plage de Veryac'h**, parfaite pour se baigner.

Les hautes falaises et la topographie tourmentée de la pointe composent un extraordinaire terrain d'évolution pour les amateurs d'**escalade**, avec de nombreuses voies adaptées à tous les niveaux. Contactez **Face Ouest** (☎02 98 27 44 76, 06 78 35 77 35 ; www.faceouest.fr ; pl. du Général-de-Gaulle, Camaret ; ⌚juin à mi-sept).

Presqu'île de Roscanvel

Presqu'île dans la presqu'île, ce long doigt de terre pointé vers Brest permet de voir de remarquables exemples d'architecture militaire, édifiés au milieu d'un paysage peu urbanisé. Les côtes de cette péninsule située à l'entrée de la rade de Brest ont toujours joué un rôle stratégique majeur ; d'où la présence de nombreux ouvrages défensifs sur les promontoires. Depuis Camaret, la D355 longe la **plage de Trez Rouz**, puis file plein nord, en corniche, vers la **pointe des Espagnols**. Du haut des falaises de 65 m, on découvre un panorama magnifique de la rade de Brest. Cette pointe, qui doit son nom à l'installation des Espagnols au XVIe siècle, a très tôt servi de poste militaire pour interdire le franchissement du Goulet de Brest par des navires ennemis. Vauban y fit édifier une batterie de canons en 1695. Un fortin fut ajouté en 1749, puis, en 1812, sous Napoléon Ier, une tour. La D355 redescend ensuite plein sud vers le bourg de **Roscanvel**, d'où l'on aperçoit l'île des Morts, l'île Trébéron et l'île Longue (qui abrite la base opérationnelle des sous-marins nucléaires), aujourd'hui sites militaires interdits d'accès, puis rejoint **Le Fret**, joli petit port d'embarquement pour Brest.

Où se restaurer

Crêperie Le Presbytère Crêpes et galettes **€€**
(☎02 98 27 67 22 ; Le Fret ; crêpes 2,50-9 € ; ⌚tlj mi-juin à mi-sept, jeu soir à dim soir hors

saison). Cette crêperie, installée dans un coin aux airs de bout du monde, dans une maison traditionnelle face à la rade de Brest, fait souvent salle comble (mieux vaut réserver sa place en saison). Les crêpes et galettes y sont succulentes. Terrasse aux beaux jours.

LOCRONAN (LOKORN)

Locronan, classé parmi les "plus beaux villages de France", donne le sentiment de vivre plusieurs siècles en arrière, à l'époque de l'industrie de la toile à voile, qui contribua à la prospérité du bourg. Au pied d'une colline sacrée, tout autour de la place centrale dominée par l'église, de magnifiques demeures sombres en granit et en pierre de taille rappellent la grande période des tisserands. Cette cité si photogénique, qui a prêté son cadre aux tournages de plusieurs films, dont *Tess* (1979) de Roman Polanski et *Un long dimanche de fiançailles* (2004) de Jean-Pierre Jeunet, vit à l'heure du tourisme de masse en saison.

À quelques kilomètres au sud-ouest de Locronan, le **bois du Nevet**, composé de hêtres et de chênes, est parcouru de sentiers de **randonnée** balisés et de pistes forestières (demandez la brochure à l'office du tourisme).

À voir

Place principale

Place historique

Érigées aux XVIIe et XVIIIe siècles autour d'un puits commun, les 14 maisons de granit de la place principale, anciennes demeures de notables, constituent l'attrait principal de Locronan ; l'une d'elles (1689) abritait le comptoir de la Compagnie des Indes, une autre (1669) le Bureau royal des toiles.

Les rues qui rayonnent autour de la place, notamment la rue Moal (où vivaient les tisserands), la rue Lann et la rue des Charrettes, sont elles aussi flanquées de belles demeures historiques.

La rue Moal conduit à la **chapelle Notre-Dame-de-Bonne-Nouvelle** (XVe siècle), dotée d'un ensemble de vitraux contemporains d'Alfred Manessier (1911-1993).

En montant la rue Saint-Maurice, on rejoint le **manoir de Kerguénolé** (1907), d'où l'on bénéficie d'un superbe point de vue sur le bourg et la campagne environnante. Le manoir sert aujourd'hui de lieu d'exposition.

La rue du Four mène à la **chapelle Ar Sonj**, reconstruite en 1977, au lieu-dit Plas Ar C'horn, le "sommet" de la montagne de Locronan, qui culmine à 289 m. On balaie du regard le riche bocage du Porzay avec, en toile de fond, la baie de Douarnenez. La sobre chapelle est égayée de vitraux de Jean Bazaine (1904-2001).

Locronan

Église Saint-Ronan
Gothique flamboyant

Les demeures de la place principale sont dominées par l'église Saint-Ronan, bel exemple de gothique flamboyant aux allures de cathédrale, construite entre 1420 et 1480 grâce aux dons des ducs de Bretagne. Accolée à l'église, la **chapelle du Pénity** abrite le gisant (statue funéraire) de saint Ronan, soutenu par six anges.

Musée d'Art et d'Histoire de Locronan
Histoire régionale

(**02 98 91 70 14 ; pl. de la Mairie ; tarif plein/réduit 2/1 € ; lun-sam 10h-13h et 14h-18h, dim 14h-18h juil-août, lun-sam 10h-12h et 14h-18h mai-juin, sept et vacances de Pâques, lun et mer 10h-12h et 14h-17h, mar, jeu et ven 10h-12h le reste de l'année**). Attenant à l'office du tourisme, ce petit musée raconte l'épopée de l'industrie de manufacture de la toile de chanvre à Locronan entre le XVIe et le XVIIIe siècle, à travers des objets, des photos et d'anciens métiers à tisser. Des costumes régionaux sont également exposés. À l'étage, le musée regroupe une collection de peintures qui témoignent de l'intense vie artistique dans la région durant la première moitié du XXe siècle.

Où se loger et se restaurer

Le Prieuré
Hôtel-restaurant **€€**

(**02 98 91 70 89 ; www.hotel-le-prieure.com ; 11 rue du Prieuré ; s/d/t/qua 58-65/70-78/85-90/92-100 € ; mi-mars au 11 nov, vacances de fév ;**). Le style des 12 chambres de cette belle maison de famille à l'entrée du bourg est plutôt suranné, mais la propreté est exemplaire. Le bon plan : les 3 autres chambres dans un pavillon à l'écart. Elles sont louées en priorité aux clients qui restent plusieurs jours. Très jolie terrasse. Le restaurant sert une cuisine du terroir à prix raisonnables.

Crêperie des Trois Fées
Crêpes et galettes **€**

(**02 98 91 70 23 ; 3 rue des Charrettes ; crêpes 2,10-12,10 € ; tte l'année**). Le cadre est attrayant : une salle haute de plafond, avec mezzanine, cheminée, pierres et poutres. Les crêpes et galettes remportent un franc succès. Il vaut mieux arriver dès midi pour avoir une table, sinon réservez.

Renseignements

Office du tourisme (**02 98 91 70 14 ; www.locronan-tourisme.com ; pl. de la Mairie**). Demandez l'itinéraire "Le Chemin de la toile" et la brochure *Histoires de Locronan* (1,50 €).

Stationnement Le cœur de la cité est interdit aux véhicules en saison estivale. Garez-vous sur les parkings payants, à l'entrée du bourg (3 € du 15 juin au 15 sept, gratuit le reste de l'année : on vous remet un autocollant valable un an).

DOUARNENEZ

L'âme maritime de Douarnenez est restée très vivace. Avec ses trois ports (le port de pêche du Rosmeur, le Port-Rhu, devenu musée à flot, et le port de plaisance de Tréboul) qui s'étendent au fond de sa magnifique baie, Douarnenez regarde vers le large et cultive le souvenir de l'épopée de la pêche à la sardine, qui contribua à sa prospérité. Le tourisme balnéaire et la thalassothérapie font aujourd'hui les beaux jours de la cité, grâce à ses superbes plages et à d'excellentes infrastructures. C'est également une base idéale pour découvrir les villages des environs et le cap Sizun. La ville est connue des gourmands pour avoir vu naître le kouign-amann, célèbre gâteau breton, au milieu du XIXe siècle.

À voir

VIEILLE VILLE

Avec ses venelles qui dévalent entre la rue Jean-Jaurès et le port du Rosmeur, le vieux Douarnenez est l'occasion d'une promenade à pied à la recherche des témoins du passé maritime et sardinier de la ville. L'office du tourisme édite une brochure, *Le Chemin de la sardine*, qui débute au belvédère des Plomarc'h, en surplomb de la baie et du port.

Au cours de ce circuit (environ 2 heures), matérialisé par 17 pupitres, vous découvrirez la **chapelle Sainte-Hélène** et son clocher cylindrique, les restes d'un séchoir à thon, le *bolomig* (une petite statue d'inspiration égyptienne, postée sur une fontaine), d'anciennes conserveries, l'**abri du marin**, où se trouve aujourd'hui la rédaction de la revue bretonne *Chasse-Marée*, l'**église du Sacré-Cœur**, bel édifice néogothique du XIXe siècle, les halles, le Port-Rhu et d'anciennes maisons de pêcheurs du XIXe siècle.

Port du Rosmeuret Port de pêche
Flânez le long du front de mer, au niveau du port du Rosmeur, bordé de cafés et de restaurants, jusqu'à l'entrée du port de pêche, où l'on débarque un cinquième de la production mondiale de thon. La criée ne se visite pas.

RIA DU PORT-RHU ET PORT-MUSÉE

Port-Musée Univers de la mer
(02 98 92 65 20 ; www.port-musee.org ; pl. de l'Enfer, Port-Rhu ; combiné port et musée adulte/enfant 7,50/4,50 € avr-août, musée à quai seul adulte/enfant 5,50/3,50 € fév-mars et vacances de Noël ; tlj 10h-19h juil-août, mar-dim 10h-12h30 et 14h-18h reste de l'année). Unique en France, le Port-Musée se compose de deux parties distinctes. Sur le plan d'eau du Port-Rhu, on peut visiter 4 bateaux à flot (un langoustier, une gabarre sablière, une barge et un remorqueur). Côté quai, le musée proprement dit est consacré aux sociétés et aux cultures maritimes en Bretagne et dans le monde. Il rassemble une exceptionnelle collection d'embarcations de tout type, des maquettes et des reconstitutions qui racontent la mer et la pêche au sein d'une ancienne conserverie de poisson du XIXe siècle, ainsi que des expositions temporaires.

Ria du Port-Rhu Ancien port
Vous découvrirez un ancien port de cabotage qui a été progressivement délaissé à partir des années 1960, au profit de l'actuel port de pêche. Admirez la **chapelle Saint-Michel** (XVIIe siècle), légèrement en retrait.

LES PLOMARC'H

Bâti en surplomb du port du Rosmeur, cet ancien hameau composé de jolis *penn-ty* (maisons basses en pierre habitées

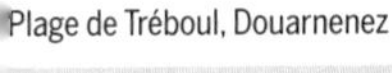
Plage de Tréboul, Douarnenez

SYNTO / FOTOLIA ©

La mystérieuse ville d'Ys

Selon les sources, c'est dans la baie de Douarnenez, aux abords de l'île de Sein, ou dans la baie des Trépassés, qu'aurait existé la mythique ville d'Ys. La légende rapporte que cette riche cité, bâtie sous le niveau des flots, était protégée des marées par une digue et des portes de bronze. Seul le maître des lieux, le roi Gradlon, en possédait la clé d'or. Malheureusement pour lui et la ville, sa fille Dahud avait la fâcheuse habitude de prendre chaque nuit un nouvel amant qu'elle faisait jeter, le jour suivant, du haut des falaises. Jusqu'au jour où elle fut séduite par le diable déguisé en jeune homme. À sa demande, elle vola la clé d'or, la lui remit, livrant le destin de la ville d'Ys au Malin : ce dernier ouvrit les portes, et les flots engloutirent à jamais la cité. Gradlon et sa fille, sains et saufs, purent s'enfuir, mais le châtiment divin les rattrapa. Dieu obtint du roi qu'il sacrifiât sa fille. Dahud survivrait sous les traits d'une Marie Morgane, les sirènes qui attirent les marins vers leur perte...

autrefois par les pêcheurs) possède un charme fou. Outre un sympathique gîte d'étape (voir p. 187), une ferme pédagogique, un jardin botanique et une aire de jeux pour enfants, les Plomarc'h donnent leur nom à un agréable sentier littoral qui conduit en une quinzaine de minutes au **site archéologique de Plomarc'h Pella** (également accessible depuis la route du Ris à Ploaré), puis à la plage du Ris. Ce site gallo-romain était utilisé comme lieu de salaison de sardines du Ier au IVe siècle. On découvre des bassins carrés en pierre dans lesquels on fabriquait le garum, un condiment similaire au nuoc-mâm vietnamien, que l'on élaborait en faisant macérer des sardines dans de la saumure.

TRÉBOUL

Ce quartier de Douarnenez est en plein essor. C'est un important centre de thalassothérapie doublé d'une station balnéaire très prisée, avec deux superbes plages et des activités nautiques. Le port de plaisance et sa flottille de bateaux ajoutent à l'agrément du quartier. Pour y accéder, on emprunte le pont-viaduc qui enjambe l'estuaire du Port-Rhu.

La **chapelle Saint-Jean** (XVIIIe siècle), bien cachée au milieu des habitations, à deux pas de la plage Saint-Jean, possède quelques belles statues anciennes.

ÎLE TRISTAN

À 400 m du centre-ville, cet îlot protégé, propriété du Conservatoire du littoral, n'est accessible qu'à marée basse, et uniquement en compagnie d'un guide (adressez-vous à l'office du tourisme). À voir : le fort Napoléon III, le jardin exotique et une bambouseraie.

Activités

Le plan d'eau de la baie de Douarnenez, protégé, est idéal pour l'apprentissage de la voile : vous trouverez de nombreux prestataires. La baie est également dotée de magnifiques sites de plongée mais il n'existe pas de centres professionnels à Douarnenez. Le centre de Morgat en exploite les sites.

Côté baignade, les petites **plages des Dames** et **de Pors Cad**, familiales, valent surtout pour leur panorama sur l'île Tristan et les installations du port de pêche. De la **plage du Ris**, très étendue à marée basse, à l'est, on bénéficie d'une vue inégalable sur le port du Rosmeur. À Tréboul, posez votre serviette sur la **plage des Sables-Blancs**, pourvue de sable fin. Plus discrète, l'adorable **plage Saint-Jean** s'étend un peu plus à l'est, suivie de la **calanque de Pors Melen**.

Où se loger

Les Plomarc'h Gîtes municipaux €
(02 98 92 75 41 ; www.mairie-douarnenez.fr ; rue des Plomarc'h ; dort 13,50 €, 4 nuits au maximum ; tte l'année). Adorables ! Les deux gîtes (l'un de 6 lits, l'autre de 14, avec sanitaires et cuisine) occupent de ravissantes maisonnettes en pierre, dans l'ancien village de pêcheurs des Plomarc'h. Également un gîte pour handicapés et un gîte familial (à la semaine). Un sentier mène au centre-ville en 5 minutes. Location de draps (5 €).

Hôtel-restaurant Ty Mad Hôtel de charme €€-€€€
(02 98 74 00 53 ; www.hoteltymad.com ; 3 rue Saint-Jean, Tréboul ; d 98-230 € ; mi-mars à mi-nov ;). Un vrai bonheur que cet hôtel de charme installé dans une demeure de caractère face à l'océan. Les chambres sont douillettes (certaines avec vue sur la mer) et bien parées (bois, pierre, lin, enduits à la chaux, parquet centenaire et mobilier design). Coup de cœur pour la 11 et la 19, la "suite perchée". Piscine et sauna.

Où se restaurer

Crêperie Lannig Crêpes et galettes €
(02 98 92 25 32 ; 17 rue Anatole-France ; crêpes 2,80-8,40 € ; fermé mer). Cet établissement, à l'abri d'une modeste demeure en pierre, sert des crêpes dont les garnitures sont composées à partir de produits de saison. Et c'est bon ! Également de superbes salades. Accueil souriant. Pas de règlement par CB.

L'Insolite Cuisine du terroir €€
(02 98 92 00 02 ; www.lafrance-dz.com ; 4 rue Jean-Jaurès ; plats à partir de 17 €, formule déj à partir de 23 €, menus à partir de 31 € ; fermé dim soir et lun). Les chefs ont réussi à enrichir la cuisine du terroir avec de subtiles notes exotiques. La carte est copieuse, allant des fruits de mer au mignon de porc, et desserts irrésistibles. Vous serez servi dans une salle cosy, où il fait bon prendre le temps de déguster son plat. Au déjeuner, la formule est très intéressante. Réservez en saison.

Achats

Penn Sardin Produits de la mer
(02 98 92 70 83 ; www.pennsardin.com ; 7 rue Le-Breton ; lun-sam 9h30-12h et 14h30-19h juil-août, mer-sam et lun 9h30-12h30 et 14h30-19h hors saison). Le temple de la sardine bretonne, préparée à l'ancienne, avec 150 boîtes différentes. Tentez la boîte millésimée et faites-la vieillir !

Boulangerie des Plomarc'h Kouign-amann
(02 98 92 37 24 ; www.kouign-douarnenez.com ; 20 rue des Plomarc'h ; lun-sam 6h30-19h30). Gourmands et gourmets se régalent, parmi les douceurs de cette belle enseigne, d'un fameux kouign-amann, spécialité de la ville.

Renseignements

Office du tourisme du pays de Douarnenez
(02 98 92 13 35 ; www.douarnenez-tourisme.com ; 1 rue du Docteur-Mével). Organise des visites guidées de l'île Tristan, du port de pêche et des Plomarc'h. Accès Wi-Fi.

CAP SIZUN

Du cap Sizun, on ne connaît généralement que son impressionnante extrémité, la célébrissime pointe du Raz, qui offre l'un des panoramas les plus grandioses d'Europe.

Plus secret, austère et authentique que la presqu'île de Crozon, le cap Sizun est la scène du spectacle permanent de la nature : dans la ria du Goyen, qui forme une magnifique entaille bordée d'étendues boisées au cœur de la péninsule ; dans les calanques qui entaillent la côte rocheuse ; sur les plages idylliques ; dans les réserves ornithologiques, les bocages, les étangs, les landes et les dunes sauvages.

Les amoureux du patrimoine ne resteront pas insensibles au charme des chapelles perdues dans la campagne, des moulins restaurés, des sites archéologiques et des chefs-d'œuvre d'architecture religieuse, comme la collégiale de Pont-Croix.

Plouhinec (Ploeneg)

Aux portes du cap Sizun, Plouhinec ne se réduit pas à sa grande avenue fréquentée qui file vers Audierne. Prenez les petites routes qui descendent vers l'océan et vous découvrirez une enfilade de plages magnifiques, adaptées aux joies du farniente et à la pratique des loisirs nautiques.

Plouhinec possède également des sites archéologiques bien valorisés, qui continuent à faire l'objet de campagnes actives de fouilles.

Criée de Poulgoazec Retour de pêche

Les fileyeurs et les ligneurs sont de retour au port vers 16h. À la criée de Poulgoazec, attenante, assistez au débarquement des produits de la mer les plus nobles, dont le fameux bar de ligne du raz de Sein.

En juillet et en août, l'office du tourisme de Plouhinec organise des visites de la criée. Vous bénéficierez d'un exposé sur la vie du port et les techniques de pêche, suivi d'une visite de la halle à marée où se tient la vente de la pêche du jour.

Pors Poulhan Promenade

Avec sa flottille de barques multicolores et les falaises rocheuses qui les protègent, ce petit port-abri est fort séduisant. À l'extrémité, la statue en granit représentant une Bigoudène en costume traditionnel marque la frontière entre le pays bigouden et le cap Sizun. Elle est l'œuvre du sculpteur René Quillivic, natif de Plouhinec.

Sites archéologiques Protohistoire

Juste à la sortie de Pors Poulhan, arrêtez-vous à hauteur de l'**allée couverte Ménez-Korriged**, bâtie sur un promontoire. Ce beau dolmen du néolithique (3300-2800 av. J.-C.), restauré en 1988 (il avait été dynamité par les Allemands pendant la Seconde Guerre mondiale), se compose de deux rangées de piliers et de deux dalles de couverture. Les objets retrouvés lors des diverses campagnes de fouilles ont confirmé son rôle de sépulture de la fin du néolithique à l'époque gallo-romaine.

En continuant sur la route côtière, 400 m plus loin, on rejoint la **pointe du Souc'h**, où se trouve une nécropole néolithique, composée de 5 dolmens. Ici aussi les archéologues ont retrouvé de nombreux objets attestant le rôle funéraire du site. Au même endroit, la **grotte de Ménez Dregan** date du paléolithique inférieur. On peut voir les archéologues au travail lors de visites guidées organisées par l'office du tourisme en saison.

Juste à côté, la maisonnette en pierre tournée vers l'océan est un ancien **corps de garde**, construit en 1747 pour surveiller les mouvements suspects des navires le long de la côte.

Un **sentier d'interprétation** sur le thème de la préhistoire et de l'archéologie relie la pointe du Souc'h au site de Pors Poulhan, soit 700 m, et comprend 7 pupitres.

Activités

La plage de Gwendrez, sur laquelle déferlent de beaux rouleaux (à marée basse), offre des conditions propices à la pratique du **surf**.

PLAGES

Avec quatre plages disséminées sur 8 km de littoral, Plouhinec est l'une des plus belles stations balnéaires du cap Sizun. Orientées sud-ouest ou ouest, elles raviront les amateurs de bronzette.

La **plage de Gwendrez**, la plus petite des quatre, est encadrée par des falaises escarpées couvertes de landes et de bruyères et précédée de dunes sauvages. Attention ! Les courants de baïne y sont fréquents et les rouleaux violents (d'où sa réputation auprès des surfeurs). En juillet-août, elle est surveillée. Hormis cette période, elle est interdite à la baignade.

En continuant vers l'ouest, l'immense **plage de Mesperleuc**, aux conditions de baignade optimales, est nettement plus rassurante pour les familles. Elle est surveillée en haute saison.

Au-delà d'une petite pointe rocheuse, on débouche sur la **plage de Kersiny**, moins étendue mais tout aussi avenante (non surveillée), à condition de poser sa serviette du côté est (la partie ouest est goémoneuse).

Du côté de l'embouchure du Goyen, face à Audierne, la **plage de Saint-Julien** n'est pas idéale pour la baignade, car le fond descend assez abruptement, mais elle forme un magnifique avant-poste pour observer le va-et-vient des bateaux.

RANDONNÉES

Pour découvrir le petit patrimoine de Plouhinec (fontaines, lavoirs, fours à goémon, etc.), l'office du tourisme a mis en place 3 **circuits pédestres** en boucle et donne des brochures détaillées (que l'on peut télécharger depuis son site).

Renseignements

Office du tourisme (☎ 02 98 70 74 55 ; www.plouhinec-tourisme.com ; pl. Jean-Moulin)

Audierne (Gwaien)

Principale localité du cap Sizun, Audierne affiche fièrement sa double identité de port de pêche et de station balnéaire. Tandis que la zone portuaire (pêche et plaisance) se déploie le long de l'estuaire du Goyen, la vieille ville et son pittoresque labyrinthe de ruelles flanquées de maisons d'armateurs s'étagent sur une colline. À l'embouchure de l'estuaire s'étend la grande plage de Trescadec.

Dans l'univers de la pêche française, Audierne (ou plus exactement Plouhinec, car la criée se trouve à Poulgoazec, sur l'autre rive du Goyen) occupe une place particulière : on y pratique une pêche côtière spécialisée dans les poissons nobles et les crustacés, stockés dans des viviers avant d'être expédiés dans le monde entier.

À voir

Vieille ville Promenade

Découvrez les secrets de la vieille ville en flânant dans les venelles qui descendent vers le port. Derrière l'office du tourisme, à l'angle entre la rue Laënnec et la rue Danton, s'élève une **maison à pans de bois** du XVe siècle. Les rues avoisinantes sont bordées de quelques belles demeures d'armateurs.

Édifiée en granit, l'**église Saint-Raymond** possède l'un des rares clochers de style baroque (1731) du Finistère. Au-dessus du porche ouest, on distingue un joli vaisseau en bas-relief, illustrant l'implication d'armateurs dans sa construction.

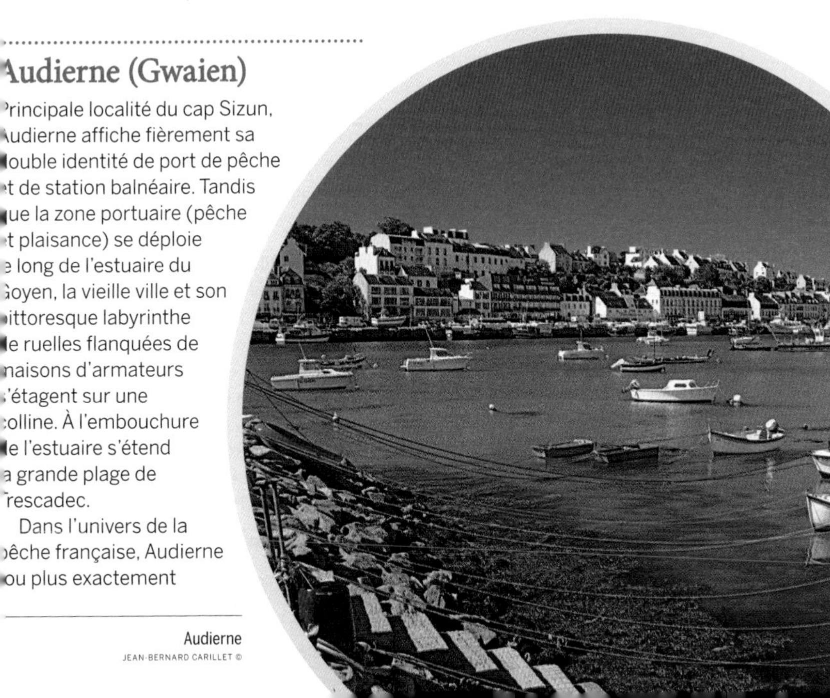

Audierne

Du bout des quais, on peut rejoindre l'extrémité du môle du Raoulic et la plage de Trescadec en suivant le **chemin de halage** qui emprunte la **passerelle des Capucins**, un bel ouvrage en fer réalisé en 1894. Un circuit d'interprétation du patrimoine a été aménagé sur le chemin, avec plusieurs pupitres consacrés à l'histoire de la pêche à Audierne.

Musée maritime du Cap Sizun — Univers de la mer

(☎ 02 98 70 27 49 ; www.museemaritime.fr ; rue Lesné ; tarif plein/réduit 3/2 €, gratuit –12 ans ; ⏲ tlj 10h-12h et 14h30-18h30 15 juin-15 sept). À proximité de l'office du tourisme, ce musée évoque la riche histoire maritime d'Audierne et du cap Sizun.

Aquashow — Vie sous-marine

(☎ 02 98 70 03 03 ; www.aquarium.fr ; rue du Goyen ; adulte/enfant 12/8 € ; ⏲ tlj 10h-19h avr-sept, tlj 14h-18h oct-mars durant les vacances scolaires). Dans les aquariums de ce complexe situé à l'entrée d'Audierne, vous verrez plus de 160 espèces marines pêchées en mer d'Iroise. Animé par des biologistes, le "bassin tactile" permet de caresser plusieurs espèces des côtes bretonnes (raies, roussettes, étoiles de mer...). Également démonstrations commentées de fauconnerie à la Cité des oiseaux (à l'extérieur).

Cimetière de bateaux — Site

En passant devant l'anse de Loquéran, à l'entrée d'Audierne, le regard s'arrête sur plusieurs bateaux en bois couchés sur le flanc, qui se décomposent doucement dans l'eau et la vase. C'est ici que les langoustiers terminaient leur carrière.

Activités

Près de la passerelle des Capucins, la toute petite **plage des Capucins** (plutôt une crique) est prisée par les familles, car elle est bien abritée et protégée des courants de marée ; malheureusement, elle est vite saturée en été.

Exposée plein sud (du port de plaisance, suivez la route côtière), l'immense **plage de Trescadec**, composée de sable fin, est l'une des plus belles plages de Cornouaille. Elle est surveillée en été.

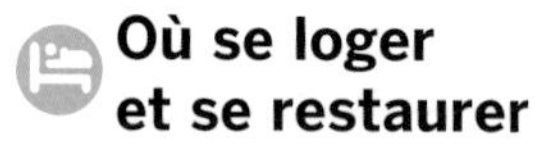

Où se loger et se restaurer

Hôtel de la Plage — Hôtel €€

(☎ 02 98 70 01 07 ; www.hotel-finistere.com ; 21 bd Manu-Brusq ; d 64-106-89 € selon saison ; P 📶). La vue panoramique sur la plage de Trescadec et la baie d'Audierne est superbe. Les chambres (dont certaines avec vue sur la mer) sont stylées dans un esprit marin. L'hôtel est au bord de la route, mais les chambres sont insonorisées et la circulation peu dérangeante le soir. Le restaurant est ouvert à tous et propose des plats essentiellement tournés vers les produits de la mer.

Hôtel-restaurant Le Goyen — Gastronomique €€-€€€

(☎ 02 98 70 08 88 ; www.le-goyen.fr ; pl. Jean-Simon ; plats à partir de 22 €, menus à partir de 27 € ; ⏲ tlj Pâques-11 nov). La carte de cette institution audiernoise fait toujours autant saliver : bar de ligne de la baie d'Audierne (en provenance directe de la pêche), homard du vivier... Les desserts, préparés par un chef pâtissier, ont autant de panache ; offrez-vous le biscuit chocolat au cœur coulant à la patate douce, miam ! Réservez une table sur la terrasse panoramique.

L'Iroise — Gastronomique €€-€€€

(☎ 02 98 70 15 80 ; www.restaurantliroise.com ; 8 quai Camille-Pelletan ; formule déj 21 €, menus à partir de 29 € ; ⏲ fermé dim soir, lun et mar). Une bonne pioche que ce restaurant à l'atmosphère feutrée, au décor soigné et dont la cuisine inventive est élégamment présentée. Les grosses langoustines rôties, suivies d'un bar de ligne aux artichauts, et le pain maison sont un pur régal. Belle terrasse. Il est indispensable de réserver.

Renseignements

Office du tourisme (☎ 02 98 70 12 20 ; www.audierne-tourisme.com ; 8 rue Victor-Hugo).

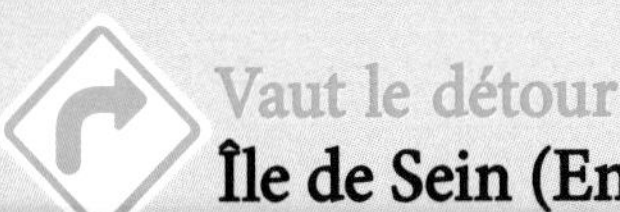

Île de Sein (Enez-Sun)

Cernée de courants imprévisibles et classée zone immergeable – le point culminant de l'île ne dépasse pas 6 m –, ce minuscule bout de terre pelée à 9 km de la pointe du Raz est posté au bord de l'un des passages maritimes les plus dangereux du monde. Ses habitants ont toujours dû se battre contre les éléments pour assurer leur survie. Mais, malgré son apparence austère, l'île offre aussi un visage plus rassurant : les façades colorées s'égrènent le long des deux quais, sous la lumière changeante de la mer d'Iroise. Il faut prendre le temps d'explorer tous les recoins de l'île, flâner dans les ruelles étroites du bourg – les voitures sont interdites et seuls les résidents peuvent circuler à vélo –, discuter avec les Sénans, et admirer de somptueux couchers du soleil. Seul de l'île ouvert à la visite, le **phare de Goulenez** (adulte/enfant 4/2 € ; tlj 11h-16h juil-août), à la pointe ouest de Sein, offre une belle vue panoramique du haut de ses 51 m. L'île est aussi un petit paradis pour l'**observation des oiseaux**. La période la plus favorable va de fin août à mi-novembre, lorsque les espèces migratoires y font étape.

Attention, l'île n'est pas équipée de **DAB**. Vous pourrez utiliser votre carte de crédit dans les hôtels, l'épicerie du bourg et dans certains restaurants.

Installée dans une accueillante maison rose à la sortie du bourg, en direction du phare de Goulenez, l'**hôtel-restaurant d'Ar Men** (02 98 70 90 77 ; www.hotel-armen.net ; route du Phare ; d 58-75 €, menu 24 € ; fév-Toussaint et vacances de Noël ;), "dernier hôtel avant l'Amérique", comme le disent ses propriétaires, est une bonne option pour se loger avec ses 10 chambres claires et fraîches. Le restaurant est la meilleure adresse de l'île pour se régaler de poissons et de crustacés. Réservez en saison.

La compagnie **Penn ar Bed** (02 98 70 70 70 ; www.pennarbed.fr ; aller-retour 1er juillet-30 septembre adulte/12-16 ans/4-11 ans/1-3 ans 34,80/27,80/20,90/3,50 €, aller-retour 1er octobre-31 décembre adulte/12-16 ans/4-11 ans/1-3 ans 27,80/22,20/16,70/3,50 €) assure la traversée en bateau (1 heure) depuis la cale de Sainte-Évette, sur la commune d'Esquibien, à 3 km d'Audierne. Service hebdomadaire entre Camaret et Sein de mi-juin à mi-septembre, ainsi qu'entre Sein et Brest. Réservation indispensable. **Finist'mer** (0825 135 235 ; www.finist-mer.fr ; 8 juill-12 sept aller-retour adulte/12-17 ans/4-11 ans/1-3 ans 29,80/24/19/2 €) dessert également l'île de Sein depuis la même cale. À l'arrivée du bateau, les hôtels, tout comme les loueurs, disposent de petites carrioles pour transférer vos bagages.

Consultez le site www.mairie-iledesein.com pour plus d'informations.

emandez la brochure *Circuit des venelles*.
ccès Internet.

ont-Croix (Pontekroaz)

Capitale culturelle" du cap Sizun, Pont-roix doit à son superbe patrimoine rchitectural l'ambiance toute médiévale ui flotte sur la vieille ville. En flânant ans les ruelles pavées, vous verrez la ollégiale, l'un des joyaux du Finistère. La proximité immédiate de la vallée boisée du Goyen offre d'intéressantes promenades pour les amoureux de la nature.

À voir

Marquisat et musée du Patrimoine Patrimoine local

(rue de la Prison). Avec sa remarquable porte gothique en arc brisé, cette noble demeure est l'un des plus beaux édifices

Île de Sein (p. 191)

JEAN-BERNARD CARILLET

de la ville. Datant du XVᵉ siècle, elle a été bâtie par les seigneurs de Pont-Croix et a appartenu à la famille de Rosmadec, l'une des plus illustres de Bretagne. Elle abrite aujourd'hui un **musée du Patrimoine** (☎ 02 98 70 40 66 ; 2 €, gratuit -12 ans ; ⏲ tlj 10h30-12h30 et 15h30-18h30 mi-juin à mi-sept, dim et jours fériés 15h-18h hors saison), consacré à la vie en Bretagne au début du XXᵉ siècle.

Petit Séminaire Patrimoine religieux

(www.jardins-du-seminaire.com ; bd du Général-de-Gaulle). L'ancien couvent des Ursulines, fondé par les seigneurs de Rosmadec en 1652, devenu Petit Séminaire en 1822, compta jusqu'à 400 postulants à la prêtrise à la fin du XIXᵉ siècle. Il fut abandonné en 1972. L'enceinte principale est devenue privée, tandis que les anciennes annexes de ce superbe bâtiment en U ont été aménagées en espace culturel et en bibliothèque.

Église collégiale Notre-Dame-de-Roscudon Architecture gothique

(rue Laënnec ; ⏲ tlj 10h-19h). On ne se lasse pas de contempler cette église, l'un des édifices religieux les plus joliment impressionnants du sud du Finistère. D'emblée, le regard est happé par le porche sud, surmonté d'un haut gâble, très finement ouvragé ; construit à la fin du XIVᵉ siècle, ce chef-d'œuvre de l'art gothique rayonnant, composé d'un ensemble de rosaces aveugles, est souvent comparé à une dentelle de pierre. Tout aussi imposant, le clocher de pierre (vers 1450), qui se termine par une flèche culminant à 67 m de hauteur, a inspiré celles de la cathédrale de Quimper. À l'intérieur, admirez l'élégance des arcades et des piliers de la nef. On découvre également un riche mobilier, une statuaire variée, des retables de belle facture, des vitraux du XVᵉ siècle au XXᵉ siècle et une chaire de prêcheur ornée de panneaux sculptés évoquant la vie de la Vierge. Notez également la superbe tribune d'orgue du XVIᵉ siècle. À l'arrière de la collégiale le jardin abrite une statue du sculpteur breton René Quillivic, qui fait office de monument aux morts.

Des **visites guidées** ont lieu en juillet et en août, entre 10h30 et 12h30 et entre 14h30 et 18h.

Où se loger et se restaurer

a Glycinière Chambres d'hôtes €€
02 98 70 58 50 ; www.la-glyciniere.com ; pl. de la République ; ch 2/3/4 pers 66-0/72-85/105-120 € petit-déj inclus ; table hôtes sur réservation 26 € ; tte l'année ;). Quelle chance ! La Glycinière ffre l'agrément d'un jardin avec piscine ouverte, en plein centre-ville (la maison st située à l'angle de la place. Le âtiment principal comprend 4 petites hambres coquettes et douillettes ; ancienne écurie, à l'arrière, abrite une uite familiale. Toutes possèdent un accès dépendant.

rêperie L'Epoké Crêpes et galettes €
02 98 70 58 39 ; 1 rue des Partisans ; crêpes 30-7,90 €, salades composées 11 € ; fermé ar soir et mer hors vacances scolaires). Murs ı pierre, cheminée, poutres, mobilier ı bois, petite terrasse donnant sur la ollégiale, l'atmosphère est en osmose vec ce que l'on y mange, à savoir des rêpes traditionnelles bien cuisinées, ont la crêpe andouille de Guéméné et ignons au cidre. Également salades et oupe de poisson.

Renseignements

ffice du tourisme (02 98 70 40 38 ; www. ont-croix.info ; rue Laënnec). Visites guidées ır le thème du patrimoine et des balades rnithologiques et botaniques.

Cléden-Cap-Sizun (Kledenn-ar-C'hab)

e gros bourg paisible navigue entre erre et mer, à deux pas de la pointe u Van. Côté mer, le littoral est rythmé ar d'impressionnantes falaises et de ıajestueux promontoires, comme la **ointe de la Jument** et la **pointe de rézellec**, d'où l'on découvre de beaux oints de vue sur l'ensemble de la côte ord du cap. Du parking de la pointe de rézellec, une petite route très pentue évale vers la **cale de Brézellec**, cernée de falaises hautes de 70 m, où mouillent des petites embarcations de pêche.

Réserve du cap Sizun

Situé sur la commune de Goulien, cet **espace naturel protégé (02 98 70 13 53 ; www.bretagne-vivante.org ; chemin de Kerisit, Goulien ; entrée permanente)** d'une quarantaine d'hectares de landes, de falaises et d'îlots permet d'observer diverses espèces d'oiseaux côtiers, dont le cormoran huppé, le goéland marin, le fulmar boréal ou encore le guillemot de Troïl. La meilleure période couvre avril à juillet, lorsque les oiseaux marins se reproduisent sur les falaises. Des visites guidées sont organisées certains jours en été et pendant les vacances scolaires de printemps (téléphonez pour les dates exactes).

Pointe du Van

De magnifiques étendues de lande coiffant des falaises sculptées par l'océan et les vents composent le cadre sauvage de la pointe du Van. Émergeant timidement de cet univers inhospitalier, la chapelle Saint-They (XVIIe siècle), petite et trapue, est orientée vers la mer. Selon la légende, sa cloche sonne miraculeusement pour avertir les pêcheurs du danger. Une messe du pardon est dite en juillet. Un peu plus vers le sud, le minuscule port du Vorlenn, accroché à flanc de falaise, mérite la visite pour son cadre naturel somptueux, avec des perspectives exceptionnelles sur les falaises, la pointe du Raz et la baie des Trépassés. Ce port-abri est encore utilisé pour le débarquement de la pêche.

Beuzec-Cap-Sizun (Beuzeg-ar-C'hab)

À Beuzec-Cap-Sizun, prenez les routes de traverse et explorez le littoral, hérissé de pointes rocheuses toutes plus grandioses les unes que les autres, entre lesquelles se blottissent de petites

STÉPHANE BIDOUZE/FOTOLIA ©

À ne pas manquer

Pointe du Raz et baie des Trépassés

Vous voici arrivé au bout du bout de la France ! Imaginez un éperon rocheux aux contours ciselés s'avançant dans des flots blancs d'écume, d'où émerge, comme une ultime protection destinée aux marins, la haute silhouette du phare de la Vieille (photo). Dans ce chaos marin, l'île de Sein (voir encadré p. 191) semble aussi proche qu'inaccessible. Au nord s'étend la **baie des Trépassés**, dont la longue plage offre une trêve dans les âpres paysages environnants – un spot, exposé aux houles du large, tout indiqué pour le surf et le bodyboard.

Ce paysage âpre et minéral est fragile. Afin de revégétaliser la lande, la pointe a été classée "grand site national" en 1989 et les derniers 800 m du célèbre éperon sont restés vierges. Les infrastructures sont bien intégrées à l'environnement.

Juste avant le parking de la pointe, une petite route en sens interdit dévale vers le charmant port-abri de **Bestrée**. Descendez à pied (environ 1 km A/R).

Bonne option pour se loger ou déjeuner dans les environs, l'**hôtel-restaurant de la Baie des Trépassés** (02 98 70 61 34 ; www.baiedestrepasses.com ; baie des Trépassés ; d/t/qua 60-170/92/103-109 € ; mi-fév à mi-nov ;) est à quelques dizaines de mètres de la plage.

INFOS PRATIQUES

Le parking de la pointe du Raz est payant (4/6 € par moto/voiture). Pour parcourir les 800 m entre l'entrée du site et la statue de la Vierge, une **navette** gratuite est à disposition (départ toutes les 10 min en haute saison) aux horaires d'ouverture de la Maison du site. Vous pouvez également suivre le sentier.

La **Maison du site** (02 98 70 67 18 ; www.la-pointe-du-raz.com ; tlj 9h30-19h30 juil-août, tlj 10h30-18h avr-juin, sept et vacances scolaires), après le parking, fournit tous les renseignements utiles et organise des visites guidées.

riques sablonneuses léchées par une au turquoise. Signalons la **plage de ors Péron**, seule plage de sable fin du ttoral nord du cap Sizun, sertie dans un crin de falaises, et la **plage de Lesven** non indiquée), composée de galets, ncadrée de promontoires rocheux. Tout rès de la plage de Pors Péron, la **cale de ors Lanvers** est une escale prisée des laisanciers en été.

Pour un panorama de la baie de Douarnenez et de la presqu'île de Crozon, a **pointe de Kastel Koz** et la **pointe u Millier** forment d'exceptionnels elvédères, facilement accessibles par es sentiers piétonniers qui traversent la ande.

Renseignements

ffice du tourisme (02 98 70 55 51 ; www.euzec-cap-sizun.fr ; 64 rue des Bruyères). Au entre du bourg.

Confort-Meilars et ses environs

Dans cette paisible bourgade située entre Douarnenez et Pont-Croix, l'**église Notre-Dame-de-Confort**, fondée en 1528 par es Rosmadec, seigneurs de Pont-Croix, st vraiment superbe. La façade est grémentée de sculptures de vaisseaux qui rappellent l'importance des rmateurs dans le cap Sizun) et l'intérieur omporte des vitraux du XVIe siècle. Le **alvaire**, monumental, date de la même poque que l'église, mais les statues riginelles, brisées à la Révolution, ont été emplacées par des sculptures réalisées ar un artisan local à la fin du XIXe siècle.

QUIMPER (KEMPER)

A la confluence de l'Odet et de la Steir – *Kemper* signifie "confluent" en breton –, Quimper doit beaucoup à son patrimoine historique et architectural. Habitée dès époque romaine, siège épiscopal et lieu de résidence du comte de Cornouaille, a ville connut une grande prospérité à partir du XIIIe siècle. Il suffit, pour s'en convaincre, de déambuler dans le centre historique, le long de ses rues étroites, et de contempler l'ancien palais de l'évêché et surtout l'élégante cathédrale Saint-Corentin qui a été formidablement restaurée. L'Odet, qui traverse la ville, est le principal point de repère de la ville.

Les Quimpérois prennent soin de leur ville et s'attachent à mettre en valeur l'empreinte du passé, tout en développant des structures culturelles – le Centre d'art contemporain (Le Quartier) par exemple –, affichant ainsi leur volonté de l'inscrire dans le XXIe siècle. Aussi cette paisible cité d'art et d'histoire, qui compte près de 65 000 habitants, est considérée comme la capitale culturelle du Finistère.

À voir

Il est aisé de découvrir le vieux Quimper à pied. Rive gauche, le long des quais de l'Odet bordés d'hôtels particuliers, vous pourrez voir le théâtre Max Jacob (1904) et la préfecture (1909). Vous admirerez un panorama général de Quimper depuis le **mont Frugy**, auquel on accède par un sentier débutant derrière l'office du tourisme. En poursuivant vers le sud, vous arriverez au quartier de Locmaria où se trouve le plus ancien monument de la ville, l'**église Notre-Dame-de-Locmaria** (XIIe-XVe siècle, restaurée au XIXe siècle) et son jardin médiéval, attenant.

En traversant l'Odet, vous voici rive droite, du côté de la vieille ville. La **rue Kéréon** fut de tout temps la rue principale de Quimper. En levant les yeux au-dessus des devantures, vous verrez de somptueuses maisons à colombages. Ne manquez pas celle située à l'angle de la rue des Boucheries, qui date du XVIe siècle. Depuis la place au Beurre, en remontant la rue Élie-Fréron, vous trouverez le beau **jardin de la Retraite**, où les palmiers et diverses essences tropicales prouvent qu'en Bretagne, il ne fait pas si froid !

Le **Celtic'train** (02 98 97 25 82, 06 80 70 58 89 ; www.celtictrain.com ; tarif plein/réduit 6/4 €, gratuit -5 ans ; tlj avr-oct) propose un parcours commenté de la vieille ville à bord d'un petit train. Idéal si vous êtes avec des enfants. Départ près de la cathédrale.

Musée des Beaux-Arts Patrimoine artistique

(☎02 98 95 45 20 ; www.mbaq.fr ; 40 pl. Saint-Corentin ; tarif plein/réduit 5/3 €, gratuit -12 ans ; ⏲tlj 10h-19h juil-août, mer-lun 9h30-12h et 14h-18h avr-juin et sept-oct, mer-lun sauf dim matin 9h30-12h et 14h-17h30 le reste de l'année). Il dissimule, derrière sa façade ancienne, un bâtiment remanié en 1993 et dont l'agencement intérieur est particulièrement réussi. Les collections permanentes regroupent des œuvres des écoles flamande, hollandaise et italienne (XIVe-XVIIIe siècle) et française (XVIIe-XXe siècle). Au rez-de-chaussée, une place est réservée à la peinture bretonne du XIXe siècle, qui aborde autant les sujets d'inspiration religieuse que ceux de la vie quotidienne comme l'*Adieu !* d'Alfred Guillou (1844-1926), ou les paysages marins. Souvent de grand format, cette collection bretonne est l'une des plus fournies du territoire. Toujours au même niveau, vous trouverez une salle dédiée à Max Jacob (1876-1944), artiste, poète et romancier natif de Quimper – où sont exposées une sélection d'œuvres de ses amis. Au 1er étage, vous verrez aussi la reconstitution de l'ancien décor des salles à manger de l'hôtel de l'Épée de Quimper datant du tout début du XXe siècle. En été vous profiterez de visites commentées, et gratuites, des expositions temporaires (au rez-de-chaussée).

Cathédrale Saint-Corentin Patrimoine religieux

(pl. Saint-Corentin). Joyau de la ville et l'un des premiers exemples de l'architecture

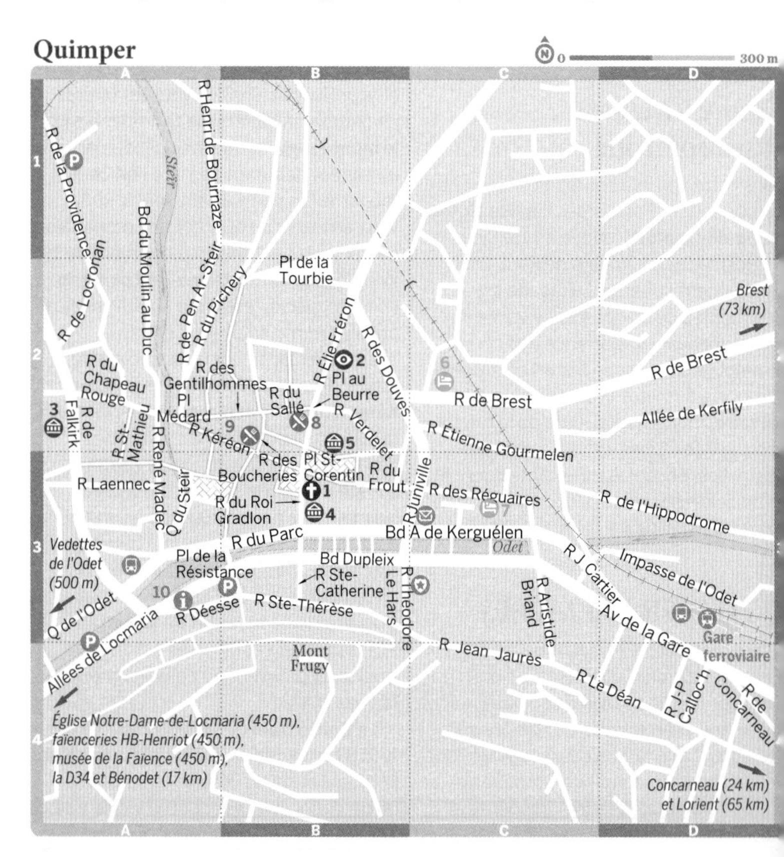

othique en Bretagne, l'édifice, qui emplace un précédent sanctuaire oman, a été construit de 1239 à 1494, t complété par l'érection des deux èches, dues à l'architecte Joseph Bigot, n 1854. Élégante, la façade développe n vocabulaire typique du gothique amboyant. La campagne de restauration permis de rendre sa polychromie au écor intérieur, qui reste cependant rès sobre. Vous pourrez y admirer de uperbes vitraux et des fresques réalisées ar Yan' Dargent (1824-1899).

Musée départemental breton — Histoire régionale

(**02 98 95 21 60 ; www.museedepartementalbreton.fr ; 1 rue du Roi-Gradlon ; tarif plein/réduit 5/3 €, gratuit -26 ans t dim après-midi oct-mai ; tlj 9h-19h juil-août, j sauf dim matin et lun 10h-13h et 14h-18h jan-mai t oct-déc, tlj 10h-13h et 14h-18h juin et sept ;**). C'est dans le bâtiment de l'ancien palais les évêques de la ville, érigé à partir u XVIe siècle à côté de la cathédrale, qu'est installé ce musée. Préhistoire t Antiquité, arts du Moyen Âge et de époque moderne ouvrent la visite au rez-de-chaussée. Dans la tour des Rohan, qui ait partie du musée, vous découvrirez un nagnifique escalier à vis du XVIe siècle. La visite se poursuit au 1er étage par une elle collection de costumes d'apparat et de coiffes mis en relation avec des peintures du XXe siècle, du mobilier et des objets usuels datant du XVIIe au début du XXe siècle. Le dernier étage est consacré aux grès et aux faïences de Quimper ainsi qu'aux expositions temporaires.

Musée de la Faïence — Musée

(**02 98 90 12 72 ; www.musee-faience-quimper.com ; 14 rue Jean-Baptiste-Bousquet ; tarif plein/réduit 4,50/2,60 € ; lun-sam 10h-18h avr-sept ;**). Derrière les faïenceries HB-Henriot, ce musée abrite sur deux niveaux de nombreuses pièces et rappelle l'importance de cet art intimement associé à l'histoire de la ville depuis plus de trois siècles.

Faïenceries HB-Henriot — Production locale

(**02 98 90 09 36 ; www.henriot-quimper.com ; pl. Bérardier, Locmaria ; tarif plein/réduit 5/2,50 € ; visites guidées, horaires sur le site).** Ouvertes en 1690, ces faïenceries sont l'occasion de découvrir, lors de visites guidées de 1 heure, chaque étape de la réalisation des pièces peintes à la main qui ont fait la réputation de Quimper depuis qu'un Provençal, Jean-Baptiste Bousquet, y importa l'art de la peinture sur faïence. Un magasin vous permettra de repartir avec un souvenir.

Le Quartier – Centre d'art contemporain — Création contemporaine

(**02 98 55 55 77 ; www.le-quartier.net ; 10 esplanade François-Mitterrand ; 2€, gratuit -26 ans, +65 ans et dim ; mar-sam 10h-12h et 13h-18h, dim 14h-18h, fermé fin oct à mi-nov ;**). Face au théâtre de Cornouaille, à l'est de la vieille ville, ce centre d'art organise chaque année quatre expositions de créateurs contemporains. Plasticiens français et étrangers (Rodney Graham, Jacques Villeglé, Robert Gober...) investissent l'espace de 450 m² mis à leur disposition. Les expositions collectives comme les monographies sont souvent de qualité. Un lieu intéressant pour découvrir des œuvres actuelles dans une ville qui se montre le plus souvent sous son aspect historique. Dans l'espace café, accès gratuit au Wi-Fi.

Quimper

À voir

1 Cathédrale Saint-Corentin B3
2 Jardin de la Retraite B2
3 Le Quartier – Centre d'Art Contemporain A2
4 Musée départemental breton B3
5 Musée des Beaux-Arts B2

Où se loger

6 Hôtel Gradlon C2
7 Hôtel Kregenn Best Western C3

Où se restaurer

8 Crêperie An Diskuiz B2
9 Le Petit Gaveau – Maison Larnicol B2

Renseignements

10 Office du tourisme A3

Cathédrale Saint-Corentin (p. 193), Quimper

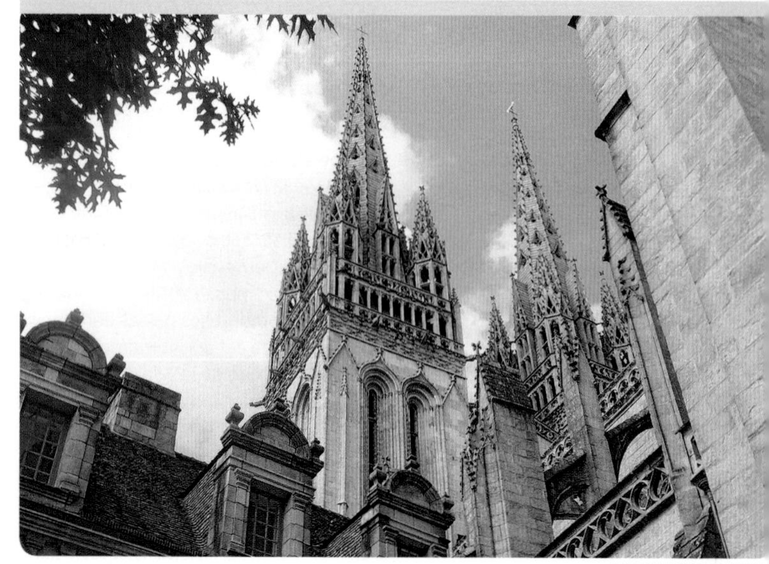

MURIEL CHALANDRE-YANES BLANCH

Où se loger et se restaurer

Hôtel Gradlon Hôtel de charme **€€-€€€**
(**02 98 95 04 39 ; www.hotel-gradlon.fr ; 30 rue de Brest ; d 78-150 € selon période, ste 114-220 € ; fermé mi-déc à mi-jan ;**). Que ce soit dans les chambres ou dans les espaces communs (salon-bar avec cheminée, patio pavé et fleuri), le charme d'une déco romantique opère instantanément dans cet hôtel trois étoiles proche de la vieille ville. Chambres douillettes dotées de salles de bains immaculées (Wi-Fi, TV) ; les plus abordables ouvrent sur la rue (double vitrage).

Hôtel Kregenn Best Western Hôtel **€€-€€€**
(**02 98 95 08 70 ; www.hotel-kregenn.fr ; 13 rue des Réguaires ; d 89-180 € selon confort et période, ste 139-214 € ;** P). Sobriété et raffinement dominent dans cet hôtel quatre étoiles situé non loin de la cathédrale Saint-Corentin. Des matières nobles et des tons chaleureux habillent les chambres dont certaines arborent des murs de pierre. Le petit patio permet de profiter du soleil quand le temps le permet. Parking payant.

Crêperie An Diskuiz Crêpes et galettes **€**
(**02 98 95 55 70 ; 12 rue Élie-Fréron ; crêpes 2-9,90 € ; tte l'année**). La petite terrasse est souvent prise d'assaut car elle est placée dans la rue Élie-Fréron, descendant vers la cathédrale, et que l'on y sert de très bonnes crêpes ! Certaines sont garnies d'ingrédients qui tiennent au corps (fromage-œuf-lard) et d'autres sont adaptées à ceux qui surveillent leur ligne (tomates à la provençale).

Le Petit Gaveau – Maison Larnicol Délices **€€**
(**02 98 64 29 86 ; 16 rue des Boucheries ; plats à partir de 7,20 € ; tlj**). Est-ce le fait de pouvoir déguster un bon plat ou encore un dessert chocolaté estampillé Larnicol, ou seulement de siroter un verre de vin en écoutant de la musique (soirées musicales 18h30-22h) qui nous plaît le plus ? Testez le hamburger maison, vous serez certainement heureusement surpris (même le pain est fait maison). C'est une table très prisée par les Quimpérois. Réservez en saison.

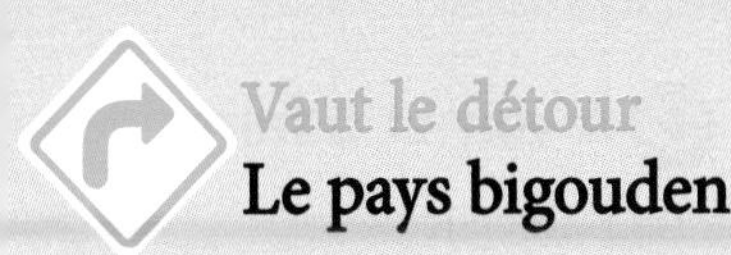

Vaut le détour
Le pays bigouden

Dans ce coin de Bretagne brut de décoffrage, qui s'étend à l'ouest de Quimper, on ne plaisante pas avec la "celtitude" ! Capitale historique du pays bigouden, **Pont-l'Abbé** (Pont-'n-Abad) porte haut les couleurs de la tradition, comme en témoignent la **fête des Brodeuses**, en juillet, très suivie, et le **Musée bigouden** (☎02 98 66 00 40 ; www.museebigouden.fr ; château des Barons du Pont ; 11 avr-5 juin adulte/famille 3,50/9 €, 6 juin-31 oct adulte/famille 4,50/11 €, tte l'année -26 ans/enfant 2,50/4 €, gratuit -7 ans ; ⏲horaires voir site Internet) consacré au patrimoine et aux traditions du pays bigouden (mobilier, costumes et coiffes traditionnels...). Plaque tournante du tourisme local, Pont-l'Abbé tire habilement parti de sa situation géographique, au fond d'un estuaire, entre terre et mer. Baladez-vous le long du **chemin de halage**, qui commence au bout du port et mène jusqu'à l'embouchure de la rivière. L'itinéraire est ponctué de pupitres qui vous feront découvrir l'histoire et la biodiversité de l'estuaire de la rivière de Pont-l'Abbé.

Posté au bord de l'estuaire, **Loctudy** (Loktudi) est un port de pêche doublé d'une station balnéaire familiale. Avec 12 km de côtes, en grande partie tapissées de plages, abritées et sûres, Loctudy fait la joie des amateurs de bains de soleil, tandis que les infrastructures portuaires rappellent que la filière pêche joue un rôle majeur dans l'économie locale, avec le débarquement des célèbres "Demoiselles de Loctudy" (les langoustines). À l'écart de la commune, découvrez l'univers bucolique du **manoir de Kérazan** (☎09 65 19 61 57 ; www.kerazan.fr ; Le Suler ; tarif plein/réduit 7/8 € ; ⏲mar-dim 10h30-18h30 1er juil-7 sept, mar-dim 14h-18h mi-avr à juin et 2e quinzaine sept), entouré d'un parc à l'anglaise de 5 ha. Cette imposante demeure aux abords un peu austères rassemble des collections de peintures d'écoles diverses, des faïences et un superbe mobilier.

À l'extrémité sud-ouest du pays bigouden, la **pointe de Penmarc'h**, entourée de récifs dangereux et balayée par les vents, a des airs de bout du monde. Penmarc'h comprend plusieurs quartiers distincts : Saint-Guénolé, Kérity, Saint-Pierre et Penmarc'h-bourg. Saint-Guénolé vit toujours à l'heure de la pêche artisanale, tandis que Kérity s'oriente vers la plaisance. À Saint-Pierre, tous les regards convergent vers l'impressionnant **phare d'Eckmühl**, la sentinelle du pays bigouden. La pointe de Penmarc'h n'est pas que chaos rocheux et récifs meurtriers : plusieurs plages de sable fin viennent s'interposer le long du littoral et ajoutent une note ludique à cet environnement âpre.

Juste au nord de Penmarc'h, la **pointe de la Torche** marque l'extrémité sud de la baie d'Audierne. La plage qui s'étend à ses pieds est un des paradis du surf breton, bien exposé aux houles du large, et accueille régulièrement des compétitions. Attention, les vagues de la pointe de la Torche sont dangereuses pour les nageurs. La baignade est interdite en dehors des zones délimitées.

À quelques kilomètres au nord-est de la pointe, sur la commune de Saint-Jean-Trolimon mais isolé dans un paysage sauvage de bocage, le **calvaire de Notre-Dame-de-Tronoën** est l'un des monuments les plus majestueux du pays bigouden. Érigé vers 1450 et rongé par l'air marin, il laisse encore voir une centaine de silhouettes qui retracent la vie du Christ. À côté, la **chapelle Notre-Dame-de-Tronoën**, du XVe siècle, possède une belle rosace gothique, deux porches finement ouvragés et un clocher à trois flèches qui lui a valu le surnom de "cathédrale des dunes".

Renseignements

Office du tourisme (02 98 53 04 05 ; www.quimper-tourisme.com ; pl. de la Résistance). Sur la rive sud de l'Odet, dans l'axe du pont Max-Jacob. Le "pass' Quimper" (12 €) donne accès à 4 visites au choix pour 1 ou 2 personnes.

Stationnement Le centre-ville compte plusieurs parkings et des zones de stationnement, mais le centre historique est en partie piétonnier. Lors du Festival de Cornouaille (voir p. 43), il est très difficile de circuler en ville.

CONCARNEAU (KONK-KERNE)

Concarneau cultive avec une aisance déconcertante sa double vie de port de pêche et de ville d'art et d'histoire. Encerclée dans ses remparts dentelés, la ville close, l'un des sites les plus visités de Bretagne, côtoie sans complexe le décor plus âpre des infrastructures portuaires et des docks où s'amarrent d'imposants bateaux de pêche. Concarneau offre également une agréable façade balnéaire, avec un bel assortiment de plages, à quelques minutes du centre-ville, idéales pour s'adonner aux sports nautiques ou lézarder. Le long de la corniche s'égrènent les minuscules plages Rodel, des Dames et du Mine (en fait des criques sablonneuses), puis la **plage de Cornouaille** et enfin la **plage des Sables-Blancs**, la plus étendue et connue. Moins fréquentées, les plages du Cabellou, au sud, invitent également à poser sa serviette, notamment la **plage du Large** et la toute petite **plage des Dunes**, orientées respectivement au sud-ouest et au sud.

Si vous êtes de passage à Concarneau en août, ne manquez pas le **festival des Filets Bleus** (mi-août ; www.festivaldesfiletsbleus.fr), l'une des fêtes traditionnelles les plus célèbres de Bretagne.

À voir et à faire

VILLE CLOSE

Bâtie sur une île de 350 m sur 100 m, au milieu du port, la ville close est le berceau historique de Concarneau. Les remparts de cet ensemble fortifié ont été construits au XVIe siècle, puis modifiés par Vauban au XVIIe siècle. Un pont de pierre la relie au quai principal, à quelques dizaines de mètres de l'office du tourisme. Cet ouvrage défensif est dominé par le **beffroi** (1906). Doté d'un cadran solaire et coiffé d'une girouette en forme de navire, c'est le symbole de la ville.

Au bout de la rue Vauban, on débouche sur la **place Saint-Guénolé**, au centre de laquelle trône une fontaine en bronze ornée de motifs animaliers. De là, une rue s'échappe vers l'autre porte monumentale de la ville close, la **porte du Passage**, qui donne accès au bac qui permet de rejoindre les quartiers est de Concarneau.

Musée de la Pêche Histoire locale

(02 98 97 10 20 ; www.musee-peche.fr ; 3 rue Vauban ; tarif plein/réduit 4,50/2,50 €, gratuit -18 ans ; tlj 9h30-19h juil-août, tlj 10h-18h avr-juin, sept et vacances de la Toussaint, tlj 10h-12h30 et 14h-18h fév-oct et vacances de Noël fermé mi-nov à mi-déc). Dans la rue Vauban, découvrez ce musée dont les multiples maquettes et supports variés illustrent les techniques de pêche, la construction navale, la préparation du poisson et sa congélation. La visite se termine par le tour du chalutier *Hemerica*, amarré au quai du musée.

PORT ET CORNICHE

Un boulevard longe le littoral et mène à la plage des Sables-Blancs. D'élégantes villas balnéaires, dotées de larges baies vitrées, regardent vers le large.

Marinarium Vie sous-marine

(02 98 50 81 64 ; www.mnhn.fr/fr/visitez/lieux/marinarium-concarneau ; pl. de la Croix ; adulte/enfant 5/3 € ; tlj 10h-12h et 14h-19h juil-août, 10h-12 h et 14h-18h sept, avr-juin, 14h-18h oct-déc, fév-mars, fermé du début jan à début fév). Face à la baie, ce formidable

Ville close de Concarneau (ci-contre)

SÉBASTIEN DELAUNAY/FOTOLIA ©

marinarium met en valeur les richesses des océans et la biologie marine (le plancton, la biodiversité). Des aquariums ainsi qu'un bassin de 120 000 litres vous permettront de vous familiariser avec la faune et la flore locales. Des animations sont également proposées, dont un bassin tactile.

Visite du port Promenade

L'équipe de **À l'Assaut des Remparts** (☎ 02 98 50 55 18 ; www.assautdesremparts.fr) fait découvrir aux visiteurs la filière pêche et l'univers des travailleurs de la mer à travers différents circuits (la criée, les infrastructures portuaires, visite d'un chalutier, les conserveries). Des parcours dans la ville close figurent également au programme.

Celtic'train (☎ 02 98 97 25 82, 06 80 70 58 89 ; www.celtictrain.com ; tarif plein/réduit 6/4 €, gratuit -5 ans ; tlj avr-oct) propose un itinéraire commenté de la ville à bord d'un petit train. Départ face à la ville close.

Château de Kériolet Édifice néogothique

(☎ 02 98 97 36 50 ; www.chateaudekeriolet.com ; adulte/enfant/famille 2 adultes + 2 enfants 5,50/3/14 € ; tlj 10h30-13h, dim-ven 14h-18h juin-sept). À l'entrée de Concarneau (fléché), ce château semble surgir tout droit d'un conte de fées. Cette folie néogothique a été créée à la fin du XIXe siècle à partir d'un manoir du XVe siècle pour une princesse russe.

Où se loger et se restaurer

Hôtel des Halles Centre-ville €€

(☎ 02 98 97 11 41 ; www.hoteldeshalles.com ; pl. de l'Hôtel-de-Ville ; s/d/t 52-54/64-88/90-95 € selon saison ; tte l'année ; wifi). Cet établissement sans grand charme mais bien situé, près de la ville close (mais en retrait de la route principale), offre des chambres toutes différentes, pimpantes et colorées. Le petit-déjeuner est préparé à base de produits bio. L'accueil est assez décontracté.

Hôtel Kermoor Hôtel bord de l'eau €€€

(☎ 02 98 97 02 96 ; www.hotel-kermor.com ; plage des Sables-Blancs ; d 111-163 € ; tte l'année ; wifi). Cette ancienne villa balnéaire sur la plage des Sables-Blancs arbore

Vaut le détour
Îles de Glénan

Des eaux limpides dignes des tropiques, des plages de fin sable blanc, une faune et une flore préservées… Situé à 20 km au large de Concarneau, l'archipel des Glénan revêt des allures de paradis, littéralement pris d'assaut en été. Son lagon couleur émeraude, abrité, fera le bonheur des plaisanciers et des amateurs de sports nautiques, et constitue une base idéale d'apprentissage de la navigation en toute sécurité.

Célèbre école de voile, le **centre nautique des Glénans** (voir aussi p. 344 ; ☎ 01 53 92 86 00 ; www.glenans.asso.fr) occupe quatre de ses îles principales (Penfret, Bananec, Cigogne et Drenec) et organise des stages de découverte et d'apprentissage.

La biodiversité très riche des grottes, failles, tunnels et tombants, ainsi que ses forêts de laminaires et ses prairies sous-marines de zostères font de l'archipel un lieu de plongée recherché : adressez-vous au **CIP** (☎ 02 98 50 57 02, 06 81 20 62 32 ; www.cip-glenan.fr), qui organise, outre des sorties d'exploration, des stages de biologie sous-marine, des stages épave ou archéologie marine, ainsi que des formations fédérales.

L'archipel est habité seulement l'été et l'on n'y trouve aucun hébergement à l'exception du **gîte de mer** (www.sextant-glenan.org) de l'association Sextant, à réserver via le site Internet. Attention donc à ne pas rater le dernier bateau pour le continent !

Les **Vedettes de l'Odet** (☎ 02 98 57 00 58 ; www.vedettes-odet.com ; 2 av. de l'Odet, Vieux Port, Bénodet ; avr-sept) assurent la liaison avec l'archipel au départ de Beg-Meil, de Bénodet, de Concarneau, de Port-la-Forêt et de Loctudy. Il existe diverses formules dont une traversée en vieux gréement au départ de Concarneau en juillet et août (adulte/enfant 52/28 €, durée 2 heures environ) avec escale sur l'île Saint-Nicolas (seule île à jouir d'une infrastructure portuaire) et retour en vedette (1 heure).

un intérieur aménagé sur le modèle d'un paquebot à l'ancienne. Les 11 chambres charmantes et confortables, tournées vers le large, ressemblent à des carrés d'équipage. Une adresse bien agréable et un accueil souriant. Petit-déjeuner buffet.

Crêperie du Port de plaisance Crêpes et galettes €
(☎ 02 98 60 46 00 ; 16 av. du Docteur-Nicolas ; crêpes 2-9 € ; tte l'année). Si le soleil est au rendez-vous, installez-vous en terrasse et prenez le temps de manger le grand classique de la crêpe, c'est-à-dire la complète (jambon-œuf-fromage) accompagnée d'une bonne bolée de cidre local. Salle agréable, de style bateau.

La Coquille Cuisine de la mer €€
(☎ 02 98 97 08 52 ; www.lacoquille-concarneau.com ; 1 quai du Moros ; plats à partir de 22 €, formule déj 14,90 €, menus à partir de 30 € ; fermé dim soir et lun hors saison). Prenez le bac du Passage, à l'extrémité de la ville close, pour rejoindre ce restaurant réputé. Bon rapport qualité/prix pour les formules au déjeuner. Le soir, place à des mets recherchés (cabillaud doré et cocos de Paimpol, homard au Kari Gosse). Le cadre est plaisant avec une belle vue sur la ville close.

Renseignements

Office du tourisme (☎ 02 98 97 01 44 ; www.tourismeconcarneau.fr ; quai d'Aiguillon). Avec le service du Patrimoine, organise des visites-découvertes en saison.

Notez que tous les lundi et vendredi matin un marché se tient face à la ville close, il est alors difficile de se garer. Le stationnement dans le centre-ville est payant du 22 juin au 15 septembre tous les jours de 10h à 12h30 et de 14h à 19h.

PONT-AVEN ET SES ENVIRONS

"C'est un petit trou pas cher", dit un jour le peintre Jobbé-Duval à Paul Gauguin (1848-1903). Il n'en fallut pas plus pour attirer des artistes aussi talentueux que désargentés en quête d'un lieu où exercer leur art. Au cours de la dernière décennie du XIXe siècle, le nom de Pont-Aven se répandit comme une traînée de poudre dans le monde de l'art, chevalets et palettes firent bientôt partie intégrante du paysage, au même titre que les moulins. La luminosité bien particulière, les paysages de la ria de l'Aven, les collines boisées, le port, les chapelles et les hameaux alentour nourrirent l'inspiration des peintres pendant une quinzaine d'années.

À voir et à faire

Musée municipal des Beaux-Arts Musée d'art

(☎ 02 98 06 14 43 ; www.museepontaven.fr, www.facebook.com/museedepontaven ; pl. de l'Hôtel-de-Ville ; tarifs et horaires sur le site Internet). Fermé pour travaux, le musée devait rouvrir ses portes fin 2015 lors de nos recherches. Ses collections comptent des œuvres de Paul Gauguin, Paul Sérusier, Maurice Denis, Henry Moret et Émile Bernard qui forgèrent la réputation et firent la célébrité de Pont-Aven.

Balades en ville Promenade

L'office du tourisme a édité une brochure, *Sur les pas de Paul Gauguin à Pont-Aven*, qui détaille trois boucles pédestres de 1 à 2 heures qui vous permettront de découvrir les lieux qui ont inspiré l'illustre peintre. Autre circuit, la promenade Xavier Grall, du nom du poète breton (1930-1981) qui s'installa près de Pont-Aven, longe l'Aven et offre de superbes panoramas de la rivière et les chaos granitiques de Pont-

Pont-Aven

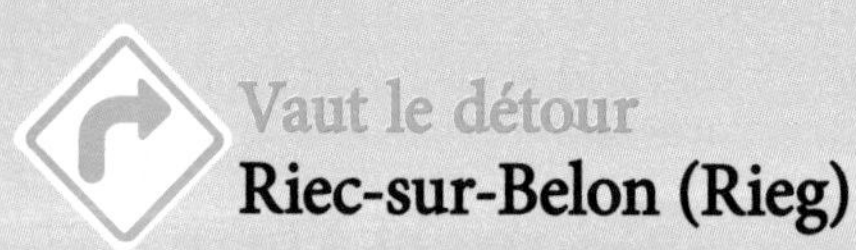

Vaut le détour
Riec-sur-Belon (Rieg)

Arrêt obligatoire pour tous les amateurs de fruits de mer : voici la capitale de la fameuse (et délicieuse) huître plate du Belon ! La star des *Ostrea edulis*, réputée pour son goût de noisette né du brassage de l'eau douce et de l'eau de mer, est élevée sur les rives du Belon, petit fleuve côtier qui délimite la ville au sud.

À quelques kilomètres à l'est de Pont-Aven, Riec-sur-Belon a la particularité d'être bordée par deux estuaires, l'Aven et le Belon, offrant d'incomparables panoramas, à découvrir par la mer ou par la terre. Le petit port du Belon (sur le Belon, un autre port lui fait face côté Moëlan-sur-Mer) et le port de Rosbras (sur l'Aven) possèdent un charme fou.

Aven. Entièrement piétonnier, l'itinéraire dure environ 30 minutes.

Vedettes Aven Belon Balade sur l'eau
(**02 98 71 14 59 ; www.vedettes-aven-belon.com ; avr-sept**). Les Vedettes proposent plusieurs circuits, dont l'un permettant de découvrir la diversité des paysages le long de la rivière Aven (1 heure 15 ; à partir de 13,50 €). Au départ de Pont-Aven ou de Port Belon ou Moëlan-sur-Mer.

DANS LES ENVIRONS

Bois d'Amour Promenade
Au nord de la ville et en bordure de l'Aven, ce bois tranquille planté de chênes et de hêtres doit sa notoriété à la rencontre, en septembre 1888, entre Paul Sérusier et Paul Gauguin, que relate Maurice Denis dans l'ouvrage *Du symbolisme au classicisme. Théories* (1912). À l'ouest du bois d'Amour, sur les hauteurs de Pont-Aven, la **chapelle de Trémalo** (XVIe siècle) étonne par son aspect trapu et les pans du toit qui descendent presque jusqu'au sol. Son architecture, le cadre bucolique et la belle allée de hêtres qui la précède ont nourri l'inspiration des peintres de l'école de Pont-Aven. À l'intérieur, le crucifix en bois peint a servi de modèle au *Christ jaune* (1889) de Gauguin.

Calvaire de Nizon Patrimoine religieux
Faites un détour par le bourg de Nizon, à 2,5 km de Pont-Aven, pour admirer le calvaire du XVIe siècle (à côté de l'église) dont la pietà inspira à Gauguin son *Christ vert* (1889).

Où se loger et se restaurer

Moulin de Rosmadec Gastronomique **€€€**
(**02 98 06 00 22 ; www.moulinderosmadec.com ; Venelle de Rosmadec ; plats à partir de 31 €, menus à partir de 43 € ; ch 89-105 € selon saison ; fermé dim soir et lun ;**). La solide renommée gastronomique de ce restaurant installé dans un ancien moulin du XVe siècle au bord de l'Aven n'a pas faibli avec les ans. Le chef, Frédéric Sébilleau, séduit vos papilles instantanément avec une cuisine qui s'appuie sur les poissons nobles (pavé de bar de ligne rôti, asperges vertes et confit de légumes au basilic), les viandes (bœuf filet "Rossini", foie gras poêlé, chou pak-choï et amandine fondante) et l'indémodable homard grillé. Les desserts sont divins ! Superbe terrasse au bord de l'eau. Le moulin loue également des chambres coquettes.

Achats

La Boutique de Pont-Aven Épicerie fine
(**02 98 06 07 65 ; 9 pl. de l'Hôtel-de-Ville ; 9h -12h30 et 14h-19h mar-dim**). La Rolls de l'épicerie fine, avec une impressionnante

élection de produits artisanaux de la égion (galettes, sel marin, confitures, :aramels au beurre salé, sardines, illettes...), recommandés par les :ourmets locaux. De la vaisselle et des ›bjets de déco sont également en vente.

3iscuiterie Traou Mad Biscuiterie
(☎ 02 98 06 01 94 ou 02 98 06 18 18 ; www. raoumad.fr ; 10 pl. Gauguin et 28 rue du port ; 9h30 -12h30 et 14h30-19h tlj). Un grand ıom de la biscuiterie traditionnelle à ᵓont-Aven. Galettes de Pont-Aven, palets, ;alettes "Traou Mad", mais aussi crêpes lentelles et cakes aux fruits.

Renseignements

)ffice du tourisme (☎ 02 98 06 04 70 ; www. ontaven.com ; 5 pl. de l'Hôtel-de-Ville). Organise les visites guidées en saison.

QUIMPERLÉ (KEMPERLE)

)ans la "ville aux trois rivières" (l'Ellé et 'Isole, qui s'unissent pour former la Laïta), e regard est en permanence sollicité, antôt par les prestigieux monuments qui alonnent la ville basse et la ville haute, tantôt par les rues bordées de demeures à l'élégante architecture. La présence des trois cours d'eau ajoute une note bucolique à cette ville qui mérite qu'on y fasse une longue halte. Notez que la circulation peut être difficile en saison et que les rues sont fort pentues entre ville basse et haute !

À voir

VILLE BASSE

Abbatiale Sainte-Croix Architecture romane
Dans la ville basse, cette abbatiale, véritable gloire de Quimperlé, a été édifiée à la fin du XIᵉ siècle. Elle constitue l'exemple le plus délicat d'architecture romane en Bretagne.

Halles Marché couvert
Devant l'abbatiale, ce bâtiment (1887) forme un contraste frappant, avec ses briques polychromes et sa structure en fer forgé. Le marché couvert fonctionne tous les matins du mardi au dimanche.

Rue Dom-Morice Belles demeures
Débutant derrière les halles, cette rue étroite est bordée d'opulentes

ᵓarc à huîtres à Riec-sur-Belon (ci-contre)

Insolite ! Le pays des pierres debout

Spécificités de Névez et de Trégunc, non loin de Pont-Aven, les *mein zao* sont des constructions en pierre debout. Il s'agit de clôtures ou de pans de murs d'habitations composés de dalles de granit rectangulaires, de 2 m environ de haut. Au XIXe siècle et au début du XXe siècle, de nombreux tailleurs de pierre étaient occupés à l'exploitation du granit dans plusieurs carrières à Trégunc et à Névez. L'agriculture se développant, les tailleurs étaient régulièrement appelés à débarrasser les champs des nombreux chaos rocheux qui encombraient les surfaces cultivables. Les blocs étaient débités en dalles rectangulaires que les habitants récupéraient pour en faire des clôtures, des palissades ou des pans de murs jointoyés, ce qui leur permettait de bâtir des appentis ou des maisons à faible coût. Certaines de ces constructions ont survécu. Elles ne sont pas signalées mais, avec un peu de patience et de curiosité, vous les remarquerez au détour d'une route en sillonnant ces deux localités. Les offices du tourisme de Névez et de Trégunc organisent aussi des balades guidées, incluant plusieurs *mein zao*.

maisons à pans de bois qui lui donnent une allure très moyenâgeuse. La plus impressionnante, la **maison des Archers** (XVIe siècle), à encorbellement, fait office de lieu d'exposition.

Rue Brémond-d'Ars Belles demeures
Cette rue aligne une saisissante série d'édifices de styles architecturaux et d'époques très variés (du XVIe au XXe siècle), qui témoignent du riche passé de Quimperlé. Parmi les plus remarquables, l'**ancien bâtiment de la Caisse d'épargne** (1907), aujourd'hui transformé en hôtel, et l'étrange édifice du **Présidial** (1683), avec son bel escalier à balustre. Le Présidial servait d'auditoire de justice à l'emplacement de la cohue (halle).

Le **pont Fleuri**, ou pont Lovignon, enjambe l'Ellé, qui marque la frontière historique entre le Vannetais et la Cornouaille. D'époque médiévale, il a conservé sa forme en dos d'âne.

VILLE HAUTE

Église Notre-Dame-de-l'Assomption Architecture gothique
Facilement repérable grâce à son imposante tour carrée haute de 35 m, cette église se dresse sur la place Saint-Michel. Les éléments les plus anciens, telle la nef en granit jaune, datent du XIIIe siècle (gothique primitif). D'autres, comme le porche situé côté nord, avec sa remarquable dentelle de pierre, sont datés du XVe siècle (gothique flamboyant). À l'intérieur, on peut admirer des sablières richement sculptées de personnages et d'animaux, les plus anciennes de Bretagne (1430), ainsi que deux statues de la Vierge.

Le **couvent des Ursulines** (aujourd'hui un collège) a été construit entre le XVIIe et le XIXe siècle. Il présente une architecture élégante, que lui confère sa composition très symétrique. La chapelle, qui possède une façade monumentale et une voûte décorée à la feuille d'or, abrite des expositions d'art contemporain d'avril à septembre.

Où se loger et se restaurer

Hôtel Le Vintage Central €€-€€€
(☎02 98 35 09 10 ; www.hotelvintage.com ; 20 rue Brémond-d'Ars ; s 63 €, d 95-128 € ; toute l'année ; wifi). L'hôtel est installé dans l'ancienne Caisse d'épargne (1907) dont la façade est richement ornementée.

Église Notre-Dame-de-l'Assomption (ci-contre), Quimperlé

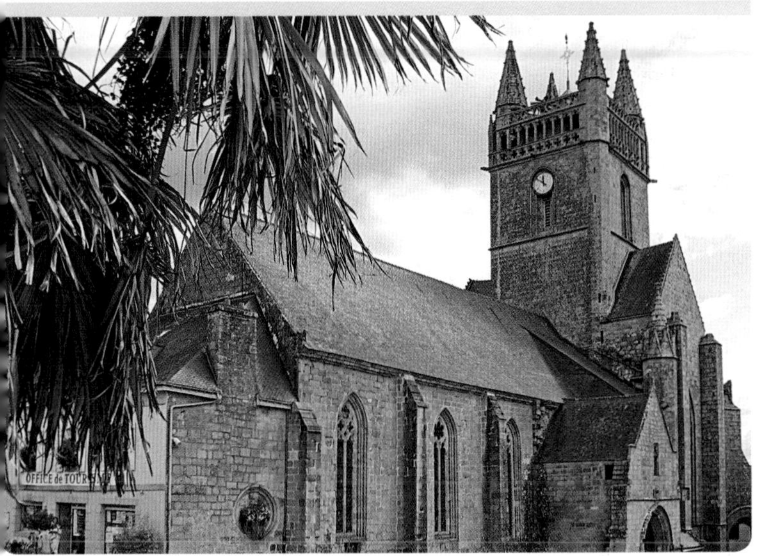

CHILD OF NATURE / FOTOLIA ©

L'intérieur semble hésiter entre la recherche décorative (fresques dans les chambres, style Art déco) et des touches un peu plus ordinaires. TV et Wi-Fi dans les chambres confort.

Le Bistro de la Tour Cuisine du terroir **€€-€€€**
(☎02 98 39 29 58 ; 2 rue Dom-Morice ; plats à partir de 23 €, menus à partir de 37,50 € ; ⏲mar-sam sauf sam midi et tlj juil-août).
Prenez place dans ce bistrot élégant de style Art déco pour déguster de succulentes spécialités du terroir ou de la mer, cuisinées dans les règles de l'art. Chaque table, joliment nappée, a droit à une superbe lampe de style Gallé. Excellente carte des vins et service impeccable. Une belle adresse pour les gourmets.

Renseignements

Office du tourisme (☎02 98 39 67 28 ; www.quimperle-terreoceane.com ; 3 pl. Charles-de-Gaulle)

Le Morbihan

La mer et ses percées ont forgé l'âme du Morbihan.

Dans ce territoire de l'entre-deux, on ne sait jamais vraiment si, au détour d'un chemin, on va se trouver sur un bout de terre accessible seulement à marée basse ou si l'on est encore sur le continent, si l'eau devant nous est une rivière ou un peu d'océan. Mille possibilités s'offrent à vous pour explorer les échancrures d'une côte où se cachent souvent de magnifiques plages. En s'enfonçant dans les terres surgissent forêts et châteaux fiers d'être toujours là. Histoire et merveilles d'architecture sont en parfaite harmonie ici : Belle-Île et sa citadelle, Vannes et ses remparts, Josselin et son château, Carnac et ses mégalithes empreints de mystères... Des îles aux canaux en passant par les presqu'îles, les rias et la "petite mer" parsemée d'îlots, vous pourrez vous adonner au farniente, goûter aux sports nautiques, savourer les produits de la mer et ceux du terroir, tout en vous accordant des moments dans les musées qui retracent l'histoire de la région. Venez en oubliant les clichés sur la Bretagne : vous serez conquis.

Alignement de Kermario (p. 231), Carnac

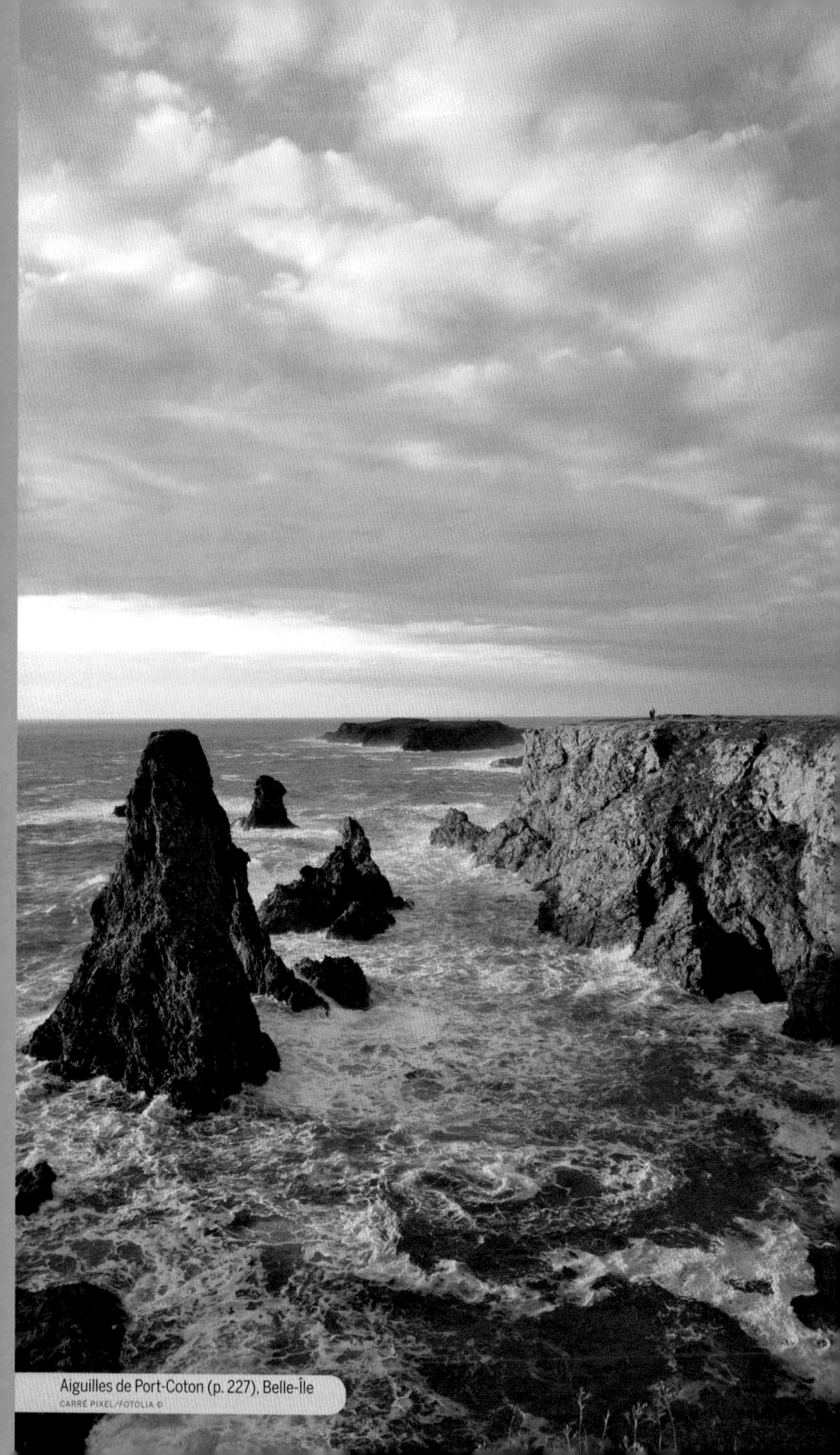

Aiguilles de Port-Coton (p. 227), Belle-Île

Le Morbihan

Les incontournables

1. Carnac (p. 230)
2. Belle-Île-en-Mer (p. 222)
3. Îles du Golfe (p. 244)
4. Vannes (p. 237)
5. Auray et port de Saint-Goustan (p. 233)
6. Côte sauvage, Quiberon (p. 218)

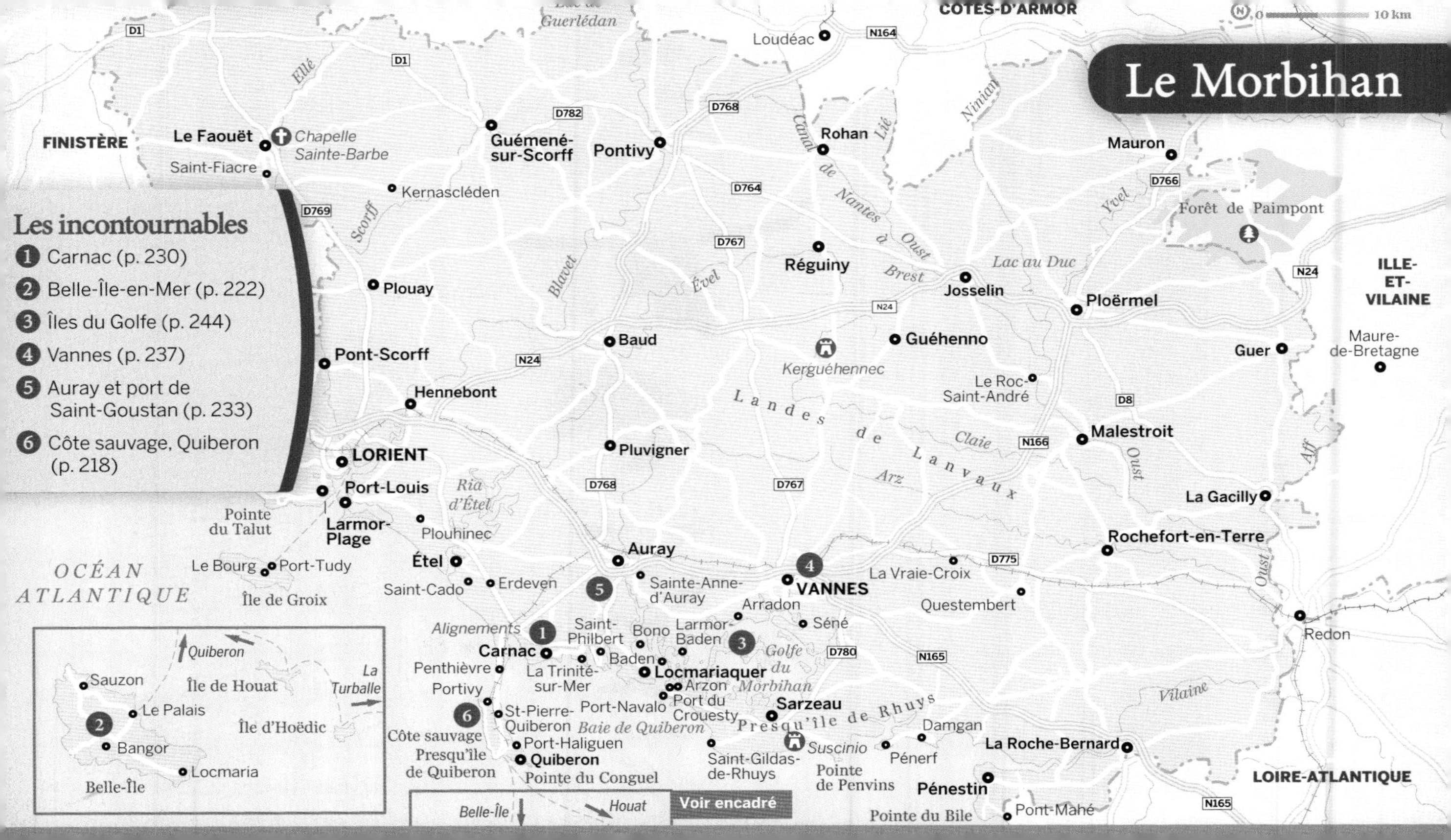

Le Morbihan Paroles d'expert

Ci-dessus : alignements de Carnac (p. 231). **Ci-contre en haut :** calvaire, tumulus Saint-Michel (Carnac p. 231). **Ci-contre en bas :** fort de l'île aux Moines (p. 244).

Ma sélection

Le Morbihan

PAR GEORGES LEFUR,
ARTISTE GRAVEUR LORIENTAIS ; WWW.
GEORGES-LEFUR.COM

1 LA MAGIE DE L'ÎLE AUX MOINES

Pour vous retrouver en totale harmonie avec ce lieu magique qu'est l'île aux Moines (p. 244), il faut pouvoir vous y rendre hors période de vacances scolaires. L'idéal est de consacrer une ou deux journées de balade en bordure de l'île, tout près de la mer. Le sentier côtier vous permet aujourd'hui d'en faire le tour sans problème. Le littoral, la proximité des autres îles et les petits villages de cet endroit vous transportent tout simplement.

2 MOMENTS DE PARTAGE À LORIENT

Si vous passez à Lorient (p. 217) je vous conseille de vous arrêter au restaurant **Le Victor Hugo** (☎ 02 97 64 26 54 ; www.restaurantlevictorhugo.com ; 36 rue Lazare-Carnot) : la table est excellente, raffinée et copieuse. Les propriétaires de ce chaleureux endroit, Margarita et Dominique, sont des restaurateurs solidaires engagés dans une vraie démarche qui les mène vers les autres, notamment à travers des expositions ou en soutenant une association caritative. Un lieu incontournable.

3 LE FESTIVAL INTERNATIONAL DU FILM INSULAIRE À GROIX

Sur l'île de Groix (p. 217), tous les ans à la fin du mois d'août, durant cinq jours, se tient le **Festival international du film insulaire** (www.filminsulaire.com), le "Fifig". C'est un moment privilégié où, non seulement, on peut voir de bons films mais on peut aussi visiter des expositions, assister à des concerts et à des débats. On va à la rencontre d'autres îliens qui apportent toute leur richesse culturelle. J'apprécie particulièrement l'ambiance typique de l'île de Groix qui vous fait voyager de là vers l'ailleurs : les îles grecques, les Philippines…

4 TOUJOURS LE MYSTÈRE DE CARNAC

Une belle balade encore, mais cette fois pour admirer les mégalithes de Carnac (p. 231). Ce lieu ancestral si impressionnant a su garder sa nature sauvage et mystérieuse qui vous attire comme un aimant. Le charme opère instantanément. Grâce aux alignements, on se retrouve connecté à la terre. C'est une véritable source d'inspiration.

Suggestions d'itinéraires

Ces itinéraires vous plongent au cœur du Morbihan, de ses parfums d'îles et d'océan aux accents balnéaires à une partition historique bien différente, qui invite à s'aventurer dans ses terres.

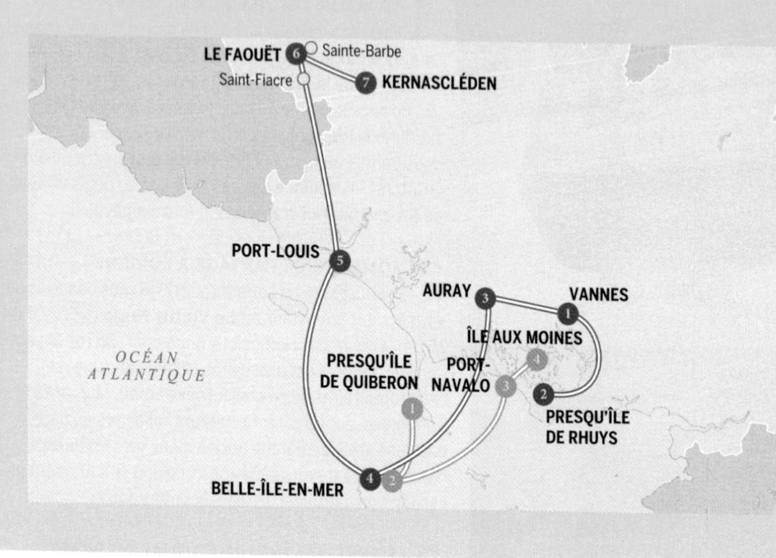

DE QUIBERON À L'ÎLE AUX MOINES
LE MORBIHAN INSULAIRE

Passez une journée à explorer la ❶ **presqu'île de Quiberon** et attardez-vous en particulier sur la Côte sauvage et les superbes points de vue qu'elle ménage, avant de rejoindre, à Quiberon même, l'embarcadère pour ❷ **Belle-Île-en-Mer**. La citadelle Vauban, le joli port de Sauzon et ses maisons colorées, la pointe des Poulains, les dunes de Donnant et les aiguilles de Port-Coton ne sont que quelques-unes des merveilles de l'île et vous n'aurez pas trop de deux jours pour en goûter tous les charmes. Au matin du quatrième jour, rejoignez le petit port pittoresque de ❸ **Port-Navalo** situé à l'extrême pointe de la presqu'île de Rhuys et aux portes du golfe du Morbihan (liaison assurée entre avril et octobre). Après avoir flâné dans ses ruelles, embarquez pour un tour des îles, découvrez l'île d'Arz, et Gavrinis, au loin, avant d'accoster pour deux jours de détente sur ❹ **l'île aux Moines**, l'escale la plus appréciée de la "petite mer".

DE VANNES À KERNASCLÉDEN

LE MORBIHAN HISTORIQUE

Consacrez une journée à ❶ **Vannes**, dont le superbe centre historique est dominé par la cathédrale Saint-Pierre, condensé architectural de toute l'histoire religieuse bretonne. Le deuxième jour, mettez le cap sur la ❷ **presqu'île de Rhuys** et visitez le château de Suscinio au matin, avant de reprendre la direction de l'ouest pour découvrir ❸ **Auray** et le vieux quartier de Saint-Goustan, son petit port et ses charmantes maisons à colombages du XVIe siècle. Le lendemain, rejoignez ❹ **Belle-Île-en-Mer** pour deux jours. Vous y verrez l'imposante citadelle Vauban qui se dresse sur un piton rocheux à l'entrée du port du Palais. Ensuite, partez à l'assaut d'une autre citadelle, celle de ❺ **Port-Louis**, face à Lorient, témoin orgueilleux du temps où la Compagnie des Indes assurait la prospérité de la région. Terminez votre périple au ❻ **Faouët**, pour découvrir les chapelles Sainte-Barbe et Saint-Fiacre, ainsi que la petite église de ❼ **Kernascléden**, qui recèle des fresques exceptionnelles.

Locmaria, Belle-Île-en-Mer (p. 229)

Découvrir le Morbihan

PRESQU'ÎLE DE QUIBERON

Prendre la route de Quiberon, c'est traverser une étonnante flèche de terre sablonneuse de 14 km environ, plantée de pins maritimes où la mer vous escorte de part et d'autre du parcours. À l'ouest, la Côte sauvage conjugue falaises et dunes tourmentées par les éléments. À l'est, la baie, plus sereine, et ses petits ports. En bout de course, Quiberon, à l'urbanisatio quelque peu disparate, et concentrant l'activité touristique principale de la presqu'île. La beauté magistrale de la Côte sauvage et de la baie prend toute sa mesure hors saison, quand la presqu'île n'est pas prise d'assaut par les vacancier et qu'une place de parking ou un coin de plage pour poser sa serviette ne sont pas devenus des denrées rares.

Point d'entrée de la presqu'île, la petite localité de **Plouharnel** est appréciée des surfeurs pour ses spots renommés.

Plage de Port-Blanc, sur la Côte sauvage de Quiberon
DAMIEN BARRAULT ©

À voir

ISTHME ET FORT DE PENTHIÈVRE

Une fois franchi Plouharnel, vous arrivez sur l'**isthme de Penthièvre** au nord de la presqu'île. À l'est s'étend la **plage des Sables-Blancs** et, à l'ouest, la **plage de Penthièvre**, repaire des véliplanchistes et des surfeurs. Elles sont très appréciées pour la pratique du char à voile.

Bâti au XVIIIe siècle et reconstruit au XIXe sur un modèle Vauban, le **fort de Penthièvre** est désormais occupé par un centre de commando de la marine. On peut accéder seulement au souterrain où furent exécutés 59 résistants durant la Seconde Guerre mondiale. Attention, ça souffle beaucoup !

L'**île de Téviec**, à l'ouest de Penthièvre, est un lieu privé sur lequel a été mis au jour une nécropole datant du mésolithique dont on peut voir les résultats des fouilles au musée de la Préhistoire de Carnac (voir p. 231).

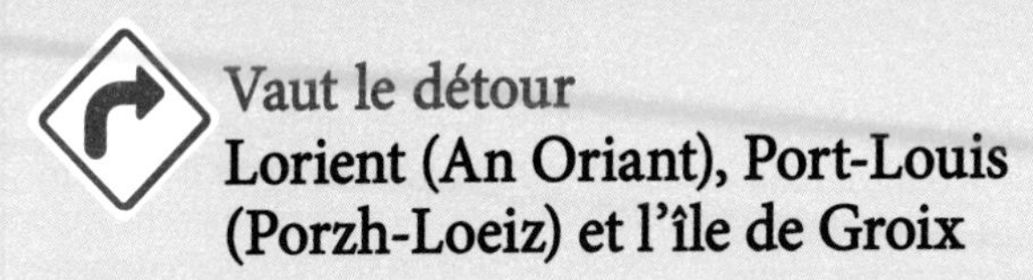

Vaut le détour
Lorient (An Oriant), Port-Louis (Porzh-Loeiz) et l'île de Groix

Deuxième port de pêche de France ouvert sur l'Atlantique, **Lorient** est une ville de caractère mais qui, presque totalement amputée de son patrimoine architectural durant la Seconde Guerre mondiale et reconstruite sur des ruines, a dû se réinventer. L'excellent **Festival interceltique** (voir p. 332), qui rassemble des milliers de visiteurs tous les ans pendant 10 jours au début du mois d'août, est l'un des grands rendez-vous de la ville et participe de cette dynamique, tout comme l'immanquable **Cité de la voile Éric-Tabarly** (02 97 65 56 56 ; www.citevoile-tabarly.com ; base des sous-marins de Keroman ; vacances scolaires adulte/enfant 12,50/9 €, gratuit -7 ans, forfait famille 38,50 €, hors vacances scolaires adulte/enfant 9,90/7,60 €, gratuit - 7 ans, forfait famille 32 €, visite et embarquement immédiat vacances scolaires adulte/enfant 27,38/21,75 €, forfait famille 85,25 €, hors vacances scolaires adulte/enfant 24,78/20,35 €, forfait famille 78,75 € ; tlj 10h-19h juil-août, reste de l'année consulter horaires sur le site Internet ; P) qui livre tout ce que vous avez toujours voulu savoir sur la voile !

Au sud-est de la rade de Lorient, **Port-Louis** est célèbre pour sa **citadelle** (02 97 82 56 72 ; ticket unique valable pour la citadelle et les musées tarif plein/réduit 7/5,50 €, gratuit -26 ans de l'UE ; citadelle et musées tlj 10h-18h30 mai-août, mer-lun 13h30-18h sept-avr, fermeture annuelle 16 déc-31 jan), témoin orgueilleux du temps où la Compagnie des Indes assurait la prospérité de la région. Le billet d'entrée de la citadelle donne accès à deux musées fort intéressants : le **musée de la Compagnie des Indes** (02 97 82 19 13 ; www.lorient.fr/musee.html) dont les salles consacrées aux routes maritimes de l'Inde de l'Antiquité au XVIIe siècle, à la traite des esclaves, aux comptoirs d'Afrique, d'Inde, de Chine, à la construction navale de l'époque, aux voyages et à la vie à bord, sont fort bien documentées, et le **musée national de la Marine** (www.musee-marine.fr), une passionnante immersion, extrêmement bien présentée, dans l'univers de l'archéologie sous-marine.

Face à Lorient, **Groix** est la deuxième plus grande île de Bretagne. Vous découvrirez des villages de pêcheurs authentiques, des paysages sauvages et une communauté insulaire qui a su préserver l'île et mettre en valeur les produits locaux (élevages de chèvres, de vaches ou d'escargots, conserverie, fumaison de poisson). Porte d'entrée de l'île, **Port-Tudy** concentre la plupart des hôtels et des restaurants. **Le Bourg**, "capitale" de l'île, avec ses petites rues bordées de charmantes maisons aux toits d'ardoise, et l'église Saint-Tudy, qui date du XIXe siècle, avec sa girouette en forme de thon, est à 800 m du port. La **plage des Grands Sables**, la plus connue de l'île, est une plage convexe qui se déplace au gré des courants et du vent ; celle des **Sables-Rouges** se pare de grenat, une fantaisie géologique qui fait aussi la réputation de l'île. L'**anse de Port-Saint-Nicolas**, avec sa belle crique aux eaux cristallines, rassemble, en été, de nombreux bateaux de plaisanciers. Fin août, Groix met le cinéma de diverses îles de la planète à l'honneur lors du **Festival international du film insulaire** (www.filminsulaire.com).

La liaison Lorient-Groix est assurée à l'année par la **Compagnie Océane** (0820 056 156, 0,12 €/min ; www.compagnie-oceane.fr). En juillet et août, un autre prestataire **Escal'Ouest** (02 97 65 52 52 ; www.bateautaxi-iledegroix.com) fait aussi l'aller-retour. D'avril à septembre, il est également possible de se rendre à Groix depuis Locmiquélic (petit port de Pen-Mane dans la rade de Port-Louis), ou depuis le port de Doëlan rive droite dans le Finistère, avec **Navix-Compagnie des Îles** (02 97 46 60 00 ; www.navix.fr).

PORTIVY

À l'ouest de la D758, ce sympathique petit port (qui fait partie de la commune de Saint-Pierre-Quiberon) est un joli village de pêcheurs d'où l'on aperçoit la pointe du Percho. Le spectacle au coucher du soleil est magistral et les vacanciers sont en général moins nombreux ici que dans le reste de la presqu'île. La **chapelle de Lotivy** (XIXe siècle) mérite une visite, ne serait-ce que pour sa jolie voûte étoilée et ses vitraux.

LA CÔTE SAUVAGE

En poursuivant à l'ouest la route côtière, depuis Portivy, on longe la Côte sauvage, où les falaises, fouettées par les vents, font face à la fougue de l'océan – un spectacle permanent, surtout quand la tempête fait rage. Toute baignade est interdite de ce côté de la presqu'île, les courants et les lames de fond étant traîtres et dangereux. Faites attention aussi lorsque vous vous promenez sur le sentier côtier, ne vous écartez pas des endroits aménagés et ne vous approchez pas trop du bord : les accidents ne sont pas rares. Si vous êtes motorisé, profitez des aires de stationnement qui émaillent ses 14 km de côtes déchiquetées – ne laissez aucun objet de valeur dans votre voiture. Que cela ne vous empêche pas de flâner du côté de la pointe du Percho, des anses des ports naturels de Port-Bara, de Port-Guibello, de Port-Kerné et du Trou du Souffleur. Depuis la terrasse du restaurant **Le Vivier** (**02 97 50 12 60 ; Côte sauvage ; plats à partir de 11 € ; tlj en saison, mar-dim hors saison, fermé déc-jan**), vous pourrez combiner apéritif, plat de fruits de mer et coucher du soleil flamboyant sur la Côte sauvage.

SAINT-PIERRE-QUIBERON (SANT-PÊR-KIBEREN)

Traversée par la D768, Saint-Pierre-Quiberon, sur la côte est de la presqu'île, est le royaume des plages tranquilles et bien abritées : les familles apprécient particulièrement celles de **Kéraude** et du **port d'Orange**. La pointe de Beg Rohu accueille l'École nationale de voile et des sports nautiques, où vous pourrez admirer les fameux *Pen Duick II* et *V*, les bateaux d'Éric Tabarly. Quelques belles villas s'égrènent sur la côte.

Plage convexe de l'île de Groix (p. 217)

SEB HOVAGUIMIAN/FOTOLIA ©

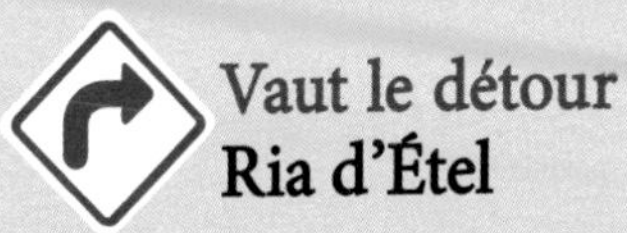

Vaut le détour Ria d'Étel

Entre Lorient, à l'ouest, et la presqu'île de Quiberon au sud-est, la ria d'Étel entaille profondément la côte morbihannaise. Cette petite mer intérieure offre des paysages d'îlots, de dunes et de côtes ciselées changeant au gré des marées. Lieu de prédilection d'une faune et d'une flore à l'abri des débordements touristiques, la ria est également un important pôle ostréicole. À son embouchure, la fameuse **barre d'Étel**, dont se méfient tous les marins, est un banc de sable qui se déplace selon les vents et les courants. À l'est, le cordon dunaire et d'immenses plages, propices à la baignade et aux activités nautiques, s'allongent du côté d'**Erdeven**. **Saint-Cado** et son adorable chapelle romane se situent sur un îlot plus au nord. Aux alentours, les **mégalithes** rivalisent avec ceux de Carnac et sont l'occasion d'une belle randonnée à travers les âges. Ne manquez pas le **géant de Crucuno** (sur la D781 entre Erdeven et Plouharnel), le plus gros dolmen recensé dans le monde à ce jour.

Pour traverser la rivière d'Étel, un **passeur** (aller 1,80 €, aller-retour 3 €, demi-tarif enfants de 4 à 10 ans, gratuit pour les vélos ; tlj 9h-13h et 15h-19h juin-sept) fait la navette entre le port d'Étel et celui de Magouër-en-Plouhinec, de l'autre côté de la ria. Le mardi, jour de marché à Étel, la traversée se fait de 9h à 14h et de 16h à 19h.

QUIBERON (KIBEREN)

Si vous aimez les embouteillages, les trottoirs bondés et les plages où l'on côtoie de très près ses contemporains, vous êtes au bon endroit. Hors saison, vous aurez la Grande Plage de Port-Maria pour vous tout seul… L'architecture du bord de mer est assez hétéroclite, entre quelques belles villas et des constructions modernes dont le style est, malheureusement pour le paysage, très improbable. Les rues plus à l'intérieur du bourg, comme la place Hoche, sont bordées de commerces ou de résidences et ne présentent pas d'intérêt particulier.

En revanche, sur la **pointe de Beg er Lann**, à l'ouest de la Grande Plage, le **château Turpault** (ne se visite pas), construit en 1904, se dresse seul au bord de la falaise comme pour parfaire la composition de tous les photographes de passage. Le port de pêche, **Port-Maria**, qui fut jadis un grand port sardinier, et la criée précèdent la gare maritime. En se dirigeant vers la **pointe de Beg er Vil**, vers l'est en longeant la mer, on arrive à la **plage du Goviro**, exposée plein sud comme la **Grande Plage**, puis à l'institut de thalassothérapie, à la **pointe de Goulvars** et enfin à la **pointe du Conguel**, le bout du bout de Quiberon. Vous pourrez y apercevoir deux îlots, le Petit Trou et le Grand Trou, et au large le phare de la Teignouse. Deux sentiers font le tour de la pointe et, en rebroussant chemin, vous tomberez sur la **plage du Conguel** qui regarde vers l'est.

PORT-HALIGUEN

Depuis Quiberon, en remontant un peu vers le nord, découvrez cet ancien port de pêche, devenu un port de plaisance assez important. C'est ici, comme l'indique une plaque, que le capitaine Dreyfus (1859-1935) débarqua en 1899 de retour du bagne. Il fut ensuite conduit à Rennes, où eut lieu son deuxième procès.

Activités

À la baignade s'adjoignent naturellement des activités aussi diverses que char à voile, kitesurf, surf, planche à voile, voile et plongée, et vous n'aurez aucun mal à trouver sur place un prestataire.

Saint-Cado, dans la ria d'Étel (p. 219)

CARRÉ PIXEL/FOTOLIA ©

À même ses falaises et sa baie, ou à travers les 22 hameaux qui parsèment son territoire, ce sont également 50 km de sentiers de randonnée qui s'offrent aux marcheurs, auxquels s'ajoutent 15 km de circuits à vélo et 4 km de piste cyclable, dite "grand site", à la découverte des villages de pêcheurs (renseignez-vous auprès de l'office du tourisme). Faire du vélo sur la presqu'île peut être en outre une bonne option pour éviter les bouchons, tout en ayant à l'esprit qu'il faudra composer avec les automobilistes. **Cyclomar location** (**02 97 50 26 00 ; www.cyclomar.fr ; gare de Quiberon ou 47 pl. Hoche, Quiberon ; tte l'année, tlj en saison)** loue toutes sortes de deux-roues ainsi que des rosalies.

Où se loger et se restaurer

Le Vieux Logis Chambres d'hôtes **€**
(**06 86 70 50 81 ; 24 rue des Goélettes, Saint-Julien, Quiberon ; d 60 € petit-déj inclus, table d'hôtes 25 €/pers ; tte l'année).** Cette charmante petite maison bretonne en pierre, dotée d'une cheminée et située à 100 m de la plage, jouxte la chapelle Saint-Julien. Basiques et pimpantes, les deux chambres (2 et 3 lits) avec salle de bains donnent sur une petite rue passante, mais le double vitrage est bienvenu. Attention si vous êtes en voiture, les rues à Saint-Julien sont fort étroites.

Hôtel Port Haliguen Hôtel **€€**
(**02 97 50 16 52 ; www.hotel-port-haliguen.com ; pl. de Port-Haliguen, Quiberon ; d/tr/fam 67-96/80-99/99-135 € selon ch et saison ; petit-déj 8,90 €, demi-pension 32 €/pers ; mi-mars à mi-nov ;** **P**). Cet hôtel deux étoiles est d'un excellent rapport qualité/prix. Il jouit d'un emplacement de choix sur le port, et possède une belle terrasse panoramique. Sa décoration, contemporaine et sans chichis, arbore, du hall d'entrée jusqu'aux chambres, des tons rouge-blanc-gris (celles du premier étage possèdent des balcons avec vue sur mer). Location de vélos (demi-journée/journée 8/11 €). Au rez-de-chaussée, le restaurant **L'Atlantique** (**02 56 54 23 84**) propose essentiellement une cuisine iodée.

Villa Margot En bord de mer **€€**
(02 97 50 33 89 ; www.villamargot.fr ; 7 rue de Port-Maria, Quiberon ; plats à partir de 16 €, menus à partir de 28 € ; jeu-lun). Une belle table, en bord de mer. Les plats bien préparés (la lotte rôtie aux artichauts est un régal) et servis avec bonne humeur attirent nombre de convives. Réservez, surtout si vous souhaitez profiter de la terrasse qui surplombe la plage, très appréciée.

La Criée - Restaurant de la "Maison Lucas" Produits de la mer **€€**
(02 97 30 53 09 ; www.maisonlucas.net ; 11 quai de l'Océan ; plats à partir de 20 €, menus à partir de 19 € ; mar-dim, fermé mi-déc à jan et le dim soir hors saison). Poisson et fruits de mer ultrafrais, cuisine copieuse et inventive qui ose le sucré-salé (goûtez la dorade à l'aigre-doux)… autant dire que la réservation est impérative dans cette institution locale. Le cadre est un peu suranné. Possibilité de visiter l'atelier de fumaison.

Renseignements

Office du tourisme de Saint-Pierre-Quiberon (02 97 30 88 86 ; www.otsaintpierrequiberon.fr ; 3 rue Curie). Un second **point info** (02 97 30 98 67) est installé à la gare de Saint-Pierre-Quiberon et vend des billets pour le Tire-Bouchon, un petit train qui assure des liaisons quotidiennes Auray-Quiberon en juillet et en août (www.ter-sncf.com).

Office du tourisme de Quiberon (02 97 50 07 84 ; www.quiberon.com ; 14 rue de Verdun)

Depuis/vers la presqu'île de Quiberon

Tire-Bouchon (www.ter-sncf.com ; aller simple 3,10 €, carnet 10 tickets 21,50 €, pass journée/saison 7/104 € ; 30 juin-31 août et 2 week-ends en sept). En été, ce train assure des liaisons quotidiennes Auray-Quiberon. En chemin, le train s'arrête à Belz-Ploemel, Plouharnel-Carnac, Les Sables-Blancs, Penthièvre, L'Isthme, Kerhostin et Saint-Pierre-Quiberon. On peut y embarquer son vélo. Le pass est vendu en gare d'Auray et à l'office du tourisme de Quiberon notamment.

Comment circuler

Quib'bus (ticket dans le bus, 1 €). Dessert tout Quiberon en été.

Grande plage de Port-Maria (p. 219), Quiberon

JEAN-PHILIPPE DELISLE/FOTOLIA ©

BELLE-ÎLE-EN-MER

Peu d'îles portent si bien leur nom tant il est vrai que Dame nature a été généreuse avec ce morceau de Bretagne au large de Quiberon. À de beaux paysages de campagne vallonnés, parfois boisés, où paissent vaches et moutons, succèdent des plages douces et le chaos des rochers sombres de la côte sauvage qui ont tant subjugué le peintre Claude Monet. Contraste aussi entre une haute saison saturée de touristes et des hivers désertés, et plus encore entre une commune-capitale, Le Palais, un port de carte postale, Sauzon, et de discrets bourgs, Locmaria et Bangor. Au temps où régnaient les fées, la légende raconte que la plus vaste des îles bretonnes s'est échappée du golfe du Morbihan en compagnie de ses voisines, les charmantes Houat et Hoëdic (voir l'encadré p. 228). C'est peut-être pour tenter de saisir cette magie que l'on a envie d'y venir encore et toujours !

Activités

Un sentier côtier d'une centaine de kilomètres fait le tour de Belle-Île, laquelle compte également près de 80 km d'itinéraires cyclables, eux-mêmes propices aux randonnées à cheval ou, pourquoi pas, à dos d'âne. Procurez-vous les guides, très pratiques, des randonnées pédestres et cyclistes édités par l'office du tourisme. De début avril à fin septembre, les bus Belle-Île Bus qui circulent sur l'île (voir p. 230) peuvent faciliter vos pérégrinations. Il existe également un système de transfert de bagages pour les randonneurs, avec suivi des bagages sur toutes les étapes : **Bibags** (✆ 06 23 39 91 68 ; www.bibags.fr ; 5 bagages sur 4/5 étapes 95/105 €).

Belle-Île est aussi réputée en matière de sports nautiques, notamment pour ses nombreux sites de plongée comme la Basse du Palais ou le Cochon (pointe des Poulains) au nord-ouest, un haut-fond émergeant à marée basse, sans

À gauche : Belle-Île-en-Mer (ci-dessous).
Ci-dessous : pointe des Poulains (p. 225)
(À GAUCHE) THIERRY RIO/FOTOLIA © ; (CI-DESSOUS) TERRE DE SIENNE / FOTOLIA ©

oublier les épaves comme *Le Hanan* qui gît à 24 m de profondeur. Reportez-vous à la rubrique *Plongée* (p. 342) pour plus d'informations sur l'activité.

Le surf se pratique essentiellement sur la plage de Donnant, spot où vous êtes assuré de trouver des vagues quelle que soit la direction du vent. La plage d'Herlin est également appréciée des surfeurs.

Belle-Île, c'est aussi l'occasion de s'adonner au kayak et à la voile notamment, et pourquoi pas de réaliser une sortie en mer pour une partie de pêche ou une croisière autour de l'île ou jusqu'aux îles voisines de Houat et de Hoëdic.

Le Palais (Porzh-Lae)

Bourdonnant d'activité en été, Le Palais, "capitale" de l'île et port d'embarcation principal pour le continent, conserve une vie tout au long de l'année. Il n'y a pas si longtemps, le port vivait de la pêche à la sardine, des chantiers de construction navale et des corderies. Commerces en tout genre, bars et restaurants se succèdent aujourd'hui au gré des ruelles colorées et des quais animés. Au cœur de l'été, préférez vous y promener tôt le matin ou dans la soirée. La citadelle Vauban offre une belle vision de l'ensemble.

À voir

Citadelle Vauban Architecture militaire
(**☎ 02 97 31 84 17 ; www.citadellevauban.com ; adulte/10-16 ans/-10 ans 8,50-7,50/5,50 €/gratuit, visites guidées juin-sept adulte/10-16 ans/-10 ans 10,50/6 €/gratuit ; ⌚ juil-août tlj 9h-19h, avr-juin et sept-oct tlj 9h30-18h, nov-mars tlj 9h30-17h, fermé en jan et le 25 déc**). La citadelle représente un patrimoine historique militaire unique. Sa masse imposante se dresse sur un piton rocheux à l'entrée du port et

Pass culturel

Acheter un billet d'entrée à l'Espace muséographique de Sarah Bernhardt (voir ci-contre), à la citadelle Vauban (voir p. 223) ou au Grand Phare (voir p. 227) confère, sur simple présentation de celui-ci, des réductions dans les deux autres sites.

occupe une superficie d'une dizaine d'hectares. Ses remparts s'étirent sur près de 4 km. Construite sur les vestiges du château des Gondi, elle fut rachetée par Fouquet, puis fortifiée par Vauban à la fin du XVIIe siècle, avant de subir diverses attaques au XVIIIe siècle. Occupée par l'armée allemande pendant la Seconde Guerre mondiale, elle finit par tomber en ruine. Elle a été sauvée de l'abandon en 1960 par un couple de particuliers qui a engagé de gigantesques travaux de rénovation et redonné à l'édifice son éclat d'antan.

Le **musée d'Art et d'Histoire** occupe une partie de la citadelle. Il retrace l'histoire de l'île et présente son patrimoine culturel.

Le magnifique bâtiment de l'**arsenal** abrite au 2e étage une exposition permanente sur la marine, où sont présentés d'anciens instruments et cartes de navigation, ainsi que de très belles maquettes de bateaux.

La citadelle fait désormais partie du groupe Savry "Les Hôtels Particuliers", qui y a ouvert un superbe **hôtel** (**02 97 31 84 17 ; www.citadellevauban.com ; ch à partir de 115 €, promotions en ligne**) ainsi qu'un bon restaurant, **La Table du Gouverneur** (**02 97 31 82 57 ; menu déj 19 €**), dont l'agréable cour intérieure invite à s'attabler.

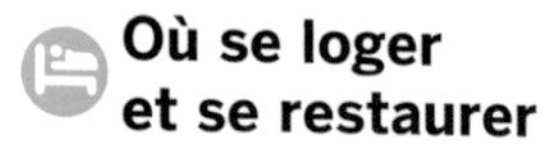

Où se loger et se restaurer

L'Acadien Hôtel **€**

(**02 97 31 84 86 ; www.hotel-acadien.com ; 36 rue Joseph-Le Brix ; d/tr 41-68/51-82 € selon la saison ; tte l'année ;**). Sans conteste la meilleure affaire de la ville. Ce joli petit hôtel central, installé au-dessus d'un café (ouvert jusqu'à 21h), loue des chambres nettes, lumineuses, parées de couleurs rafraîchissantes, mais parfois assez exiguës. Plusieurs peuvent néanmoins recevoir jusqu'à 3 personnes. L'accueil est chaleureux.

L'Annexe Crêperie **€**

(**02 97 31 81 53 ; 3 quai de l'Yser ; crêpes 2,50-12,90 € ; jeu-mar**). Dans ce petit établissement très sympathique implanté au bout du quai de l'Yser, on vient savourer des crêpes et des galettes à la fois moelleuses et croustillantes, garnies de bons produits (celle à la saucisse fumée de Molène est fameuse), le tout dans un cadre avenant. Pensez à réserver en saison.

Le Verre à Pied Bar-brasserie **€€**

(**02 97 31 29 65 ; 3 pl. de la République ; menus du jour 14 €, plat à partir de 12 €, suggestion du jour 19 € ; tlj juil-août, fermé mer reste de l'année**). Il fait bon s'attabler à ce bar-brasserie dont la cour intérieure sans chichis est fort agréable en soirée. Ici, les plats sont vraiment succulents (moules avec choix de sauces différentes, hamburgers maison, poissons très bien préparés), généreux et d'un excellent rapport qualité/prix. C'est le lieu idéal pour goûter aux pouces-pieds (assiette 8 €) accompagnés d'un vin au verre. L'une des meilleures adresses de l'île.

Sauzon (Saozon)

Si vous le pouvez, choisissez Sauzon comme port de débarquement. Quelle plus belle entrée en matière que ce cadre verdoyant où figurent en perspective un quai, un phare, une place et quelques maisons colorées et serrées les unes contre les autres à flanc de colline ? Abrité des vents, le port accueille des bateaux de pêche et de plaisance. Les mouvements de la marée, qui fait le va-et-vient dans une ria longue de plus d'un kilomètre, et le ballet des pêcheurs de crevettes ou d'étrilles lors des coefficients

Port du Palais (p. 223)

NOOL/FOTOLIA ©

plus importants, qui rappelle sa vocation première, procurent un spectacle dont on ne se lasse pas. Avec une agitation moins palpable qu'au Palais, Sauzon respire une douceur de vivre en été, qui cède la place à un certain vide l'hiver.

À voir

Pointe des Poulains Promenade

Sauvage, battue par les vents et dominée par un **phare** haut de 20 m balisant la pointe nord-ouest de l'île depuis 1867, la pointe des Poulains délivre un panorama grandiose. Par temps clair, l'île de Groix, Lorient et la baie de Quiberon se profilent. Ici, l'espace sonore est investi par le chant des mouettes et le fracas des vagues contre les falaises. Habité par un gardien et sa famille jusqu'en 1987, le phare abrite aujourd'hui une exposition sur la faune et la flore locales. En contrebas, une **plage** de sable et de galets aux eaux turquoise offre un cadre idéal de baignade hors saison, quand il y a moins de monde, car elle est aussi le passage obligé jusqu'à l'îlot que forme la pointe des Poulains. Attention, le passage est submersible en cas de grande marée ! Les espaces naturels du site, qui appartient au Conservatoire du littoral, sont libres d'accès.

L'endroit est fortement marqué par la mémoire de Sarah Bernhardt (1844-1923), qui le découvrit en 1894. Frappée par la beauté sauvage de ce lieu reculé, la comédienne y acquit un fortin militaire désaffecté et y vint régulièrement jusqu'à sa mort. Elle y fit construire, pour sa famille, la villa des Cinq Parties du monde et, pour ses invités, la villa Lysiane. Cette dernière, à côté du parking, fait office d'accueil du site et de billetterie pour l'**Espace muséographique de Sarah Bernhardt** (villa des Cinq Parties du monde ; ☎ 02 97 31 61 29 ; adulte/12-17 ans 4/2 € ; ⏲ avr-sept tlj 10h30-17h30, oct jeu et sam, Toussaint fermé lun), dédié à la vie et à l'œuvre de l'actrice, et le fortin de Sarah Bernhardt, qui donne l'occasion de se plonger dans son cadre de vie. Suivez le chemin des Poulains pour y parvenir.

La pointe des Poulains est accessible depuis Sauzon par le sentier des Douaniers, qu'il faut emprunter sur 5,3 km, soit environ 1 heure 20 de marche.

Si vous aimez... les ports de pêche et de plaisance

Si vous aimez l'ambiance particulière des ports de pêche ou de plaisance comme ceux de Saint-Goustan (p. 234), de Port-Navalo (p. 250) ou encore de Sauzon (p. 224), ne manquez pas les escales suivantes :

1 LA TRINITÉ-SUR-MER
Un des plus importants ports de plaisance du littoral atlantique, et port d'attache des multicoques pour les courses autour du monde.

2 PORT-ANNA
À la pointe de la presqu'île de Séné, face à celle de Conleau, ce charmant petit port est prisé des peintres et des photographes.

3 LOCMALO (PORT-LOUIS)
Le charmant petit port de Locmalo est implanté dans le cadre du bourg fortifié de Port-Louis et de sa fameuse citadelle.

4 LE BONO
Souvent oublié des visiteurs, ce joli petit port près d'Auray, au vieux pont suspendu, est situé au confluent des rivières d'Auray et du Bono.

Réserve ornithologique de Koh-Kastell Réserve naturelle
Territoire protégé par le Conservatoire du littoral, cette presqu'île de 17 ha s'étend au sud de la pointe des Poulains. Elle est habitée par une importante colonie de goélands bruns. On peut aussi y observer des mouettes tridactyles, des cormorans huppés, des fulmars boréals et des craves à bec rouge. La végétation, à flanc de falaise, présente par ailleurs un bel intérêt botanique, avec notamment de la bruyère vagabonde. L'accès à la réserve n'est possible que dans le cadre des visites guidées organisées par l'association **Bretagne vivante** (☎ 02 97 31 63 67 ; www.bretagne-vivante.org ; 5 €, gratuit - 12 ans) tous les jours de juillet et août, sauf le lundi, à 10h, 14h et 16h. Les visites de 2 heures sont passionnantes.

Où se loger et se restaurer

Hôtel du Phare Hôtel-restaurant €
(☎ 02 97 31 60 36 ; www.hotelduphare-belleile.com ; quai Guerveur ; d/tr 62/82 €, demi-pension 59 €/pers, petit-déj 6,90 €, plats à partir de 16 €, menu 22,80 € ; avr-sept, vacances de Toussaint et Noël). Il est des adresses immuables et l'hôtel du Phare en fait incontestablement partie, avec sa vue imprenable sur le phare. Si les chambres – vieillottes ou vintage selon les goûts – sont "dans leur jus", elles offrent une vue sur mer à prix très abordable. Le bar est un haut lieu de la vie de Sauzon. On se presse au restaurant pour dîner en terrasse d'un bon plat de poisson ou de fruits de mer.

Crêperie les Embruns Crêperie €
(☎ 02 97 31 64 78 ; www.creperielesembruns-sauzon.fr ; quai Joseph-Naudin ; crêpes 2,50-9,80 € ; tlj Pâques-Toussaint). Cette excellente crêperie fait la part belle aux produits locaux, ou issus de l'agriculture biologique. La farine est bio, cela va sans dire, le caramel au beurre salé est de Belle-Île, et l'orange confite est faite maison. La déco est un tantinet kitsch, mais les tables en extérieur, sur le quai, sont très agréables – et prises d'assaut en saison.

Roz Avel Gastronomique €€€
(☎ 02 97 31 61 48 ; restaurant.roz-avel.pagesperso-orange.fr ; rue du Lieutenant-Riou ; plats à partir de 24 €, menus à partir de 32 € ; tlj sauf mer, mi-mars à fin déc). Cet incontournable de Belle-Île offre une cuisine de qualité, dans un cadre classique qui sait rester simple. Goûtez au foie gras maison, au turbot braisé ou encore au rôti d'agneau de l'Isle, préparés avec soin avant d'attaquer un dessert qui vous laissera un souvenir ému ! Jolie terrasse donnant sur l'arrière de l'église et un petit jardin. Il est impératif de réserver en saison.

Promenade vers Port-Goulphar (ci-dessous), Belle-Île-en-Mer

CAROLE HUON ©

Bangor

Seul bourg de l'intérieur des terres, Bangor affiche en toutes saisons une simplicité et une tranquillité qui contrastent avec le port du Palais, situé seulement à 5 km au nord. Et si son territoire a longtemps été délaissé, il rassemble sur sa côte sauvage quelques-uns des plus beaux sites insulaires.

À voir et à faire

Aiguilles de Port-Coton et Port-Goulphar Espace naturel

Site incontournable de la Côte sauvage, les aiguilles de Port-Coton semblent résumer à elles seules le charme abrupt de l'île. Ces rochers aux formes singulières, fouettés par les vents, soumis aux variations de lumière, et où l'écume s'éparpille en flocons, ont été immortalisés par Claude Monet en 1886. Au coucher du soleil, l'endroit promet un spectacle éblouissant. Par le sentier des Douaniers, partez en direction de Port-Goulphar, un peu plus au sud, pour prendre toute la mesure de ce paysage. Ouverte sur le grand large, une anse arrondie aux reflets azur se pare d'une harmonie rare. Une jetée se lance dans la mer, un peu plus loin se dessine une plage. Les baigneurs investissent les lieux, à l'instar des bateaux de plaisance et des mouettes qui y trouvent un abri. Le **Castel Clara Thalasso & Spa** (**www.castel-clara.com**), un hôtel de luxe très réputé, domine l'endroit qui fut aussi le lieu de débarquage des pierres de granit nécessaires à la construction du Grand Phare.

Grand Phare Phare

(**02 97 31 83 04 ; tarif plein/réduit 2,50/1,50 € ; juil-août tlj 10h30-13h et 14h-18h, avr-juin et sept mer-dim 10h30-13h et 14h-18h mer-dim, oct mer, ven-sam 13h-17h, Toussaint mar-dim de 13h-17h, vac Noël tlj 13h-17h, vac fév mer, sam-dim 13h-17h**). Achevé en 1835, le phare de Goulphar est l'un des plus puissants de France par sa portée (27 milles, soit environ 50 km). Il s'élève à 52 m de hauteur et offre, au terme d'une ascension de 247 marches, une vue panoramique sur l'île et le continent. De Bangor, prenez la direction de

Vaut le détour
Houat et Hoëdic : deux îles de caractère

Quittez le continent, ne serait-ce que pour une journée et allez voir à quoi ressemblent Houat et Hoëdic, non loin de Belle-Île. C'est en arrivant à Port-Saint-Gildas, où mouillent quelques bateaux de pêche, que l'on a le premier contact avec l'**île de Houat** ("canard" en breton). Ce petit caillou de 5 km de longueur et 1,3 km de largeur est un diamant brut fait d'une lande rase fouettée par le vent, de grandes plages dont vous aurez l'impression d'être les premiers à fouler le sable, de criques et de falaises bordées d'eau cristalline. Le bourg, avec sa petite église du XVIIIe siècle et ses maisons blanches à volets bleus qui se font face dans un lacis de ruelles fleuries, est adorable. On peut faire le tour de l'île de Houat à pied en quelques heures par le superbe chemin côtier qui mène notamment à la **pointe d'En Tal** où une plage convexe (phénomène que l'on retrouve sur Groix, voir p. 217) s'offre à vous, magnifique, et abritée des vents dominants.

Une centaine d'habitants se partagent **Hoëdic** ("caneton" en breton), une île plate de 2,5 km de longueur et 1 km de largeur, mangée par le vent, et au charme parfaitement austère. Vous y découvrirez des criques qui enserrent de petites plages où les rochers se déploient par ricochet. Ici la flore est unique, les lys de mer et les chardons bleus côtoient les œillets des dunes et les figuiers survolés par les oiseaux des marais de Paluden. Le village, avec son église qui arbore une girouette en forme de bar, est une halte bien agréable surtout quand on a affronté le vent. Calme, même en été, cette île est parfaite pour les amoureux de la nature et pour ceux qui apprécient de prendre leur bain de soleil en se sentant coupés du monde. Il n'y a pas de voitures, les enfants ont toute latitude pour évoluer librement.

Plusieurs compagnies desservent les îles :

Compagnie Océane (☎ 0820 056 156, 0,12 €/min ; www.compagnie-oceane.fr ; ⏲ tte l'année). Au départ de Quiberon et liaison Houat-Hoëdic.

Navix-Compagnie des Îles (☎ 02 97 46 60 00 ; www.navix.fr ; ; ⏲ juil-août). Au départ de Vannes, Port Navalo, Locmariaquer, Le Croisic et La Turballe.

Compagnie du Golfe (☎ 02 97 67 10 00 ; www.compagnie-du-golfe.fr ; ⏲ juil-sept). Liaison entre Houat et Belle-Île (Le Palais).

Kervilahouen, le village où Claude Monet résida lors de son passage dans l'île en 1886. Le phare est à 500 m du bourg.

Dunes de Donnant Plage

Situées entre les hameaux de Kerhuel et de Donnant, ces dunes de sable dessinent un paysage mouvant de près de 110 ha, protégé par le Conservatoire du littoral depuis 1986. Sublime, la plage de Donnant est l'une des plus célèbres de l'île et est très prisée des surfeurs. Sachez toutefois que les courants sont ici violents. Il vaut mieux se baigner quand la plage est surveillée (de début juillet à début septembre). Un conseil pour y accéder : passez par Anter ou Bormené, le chemin est plus joli. Depuis la plage, prenez le sentier côtier qui grimpe sur votre gauche pour apprécier toute la beauté du paysage

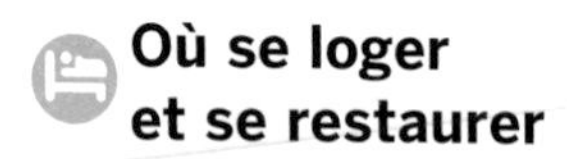

Où se loger et se restaurer

Le Grand Large Hôtel **€€**

(☎ 02 97 31 80 92 ; www.hotelgrandlarge.com ; d vue jardin 75-169 €, d vue mer 135-209 €,

terrasse vue mer 165-289 €, app familial 35-389 €, petit déj buffet 17 € ; fermé déc-v ;). Bien connu des Bellilois, et hôtel trois étoiles dominant la Côte auvage a repris vie grâce aux nouveaux ropriétaires qui l'ont rénové tout en réservant le style "maison de famille". es chambres, contemporaines, sont otées de belles salles de bains et ont ue sur la mer, sur le Grand Phare et les andes ou sur le jardin. Piscine extérieure hauffée, située sur une petite butte, pour ne vue imprenable sur le large et à l'abri es regards. Possibilité de demi-pension.

.e Marie-Galante Brasserie **€€**
02 97 31 80 92 ; www.restaurant-grandlarge. om ; plats à partir de 19 €, menu déj à partir de 9,50 € ; tlj sauf lun hors saison). Le premier tout de la brasserie de l'hôtel le Grand arge est indéniablement la vue. Le econd est la cuisine inventive et tout en inesse, au diapason des saveurs locales. sseyez-vous en terrasse face à l'océan our le déjeuner ou simplement pour rendre un verre tout en contemplant e site de Goulphar au coucher du soleil. rès romantique !

.ocmaria et oointe du Skeul

out à l'est de Belle-Île, **Locmaria** est une ommune discrète qui a su conserver une elle authenticité, avec ses jolies maisons nciennes et sa superbe église Notre-Dame, la plus ancienne de l'île (XIe siècle).

Au sud du bourg, la **pointe du Skeul** ffre un spectaculaire panorama sur la eauté minérale des côtes belliloises. Sur votre droite, vous apercevrez une uccession de jolies criques. Certaines ont totalement encastrées dans la falaise t invisibles de ce point de vue : prenez le hemin des Douaniers pour rejoindre ces spaces isolés et de toute beauté.

Renseignements

es Cars bleus (02 97 31 56 64 ; www.les-ars-bleus.com ; rue Jules-Simon, Le Palais ; avr-sept) et **Les Cars verts** (02 97 31 81 8 ; www.cars-verts.fr ; 1 quai de l'Yser, Le Palais ; avr-sept) organisent des circuits commentés de l'île en bus.

Maison de la nature (02 97 31 40 15 ; www. belle-ile-nature.org ; Les Glacis, Le Palais ; lun-ven 10h30-12h30 et 16h30-18h30, sam 10h-12h30 juil-août, mar-sam 10h-12h sept-juin et pendant les vacances scolaires). Sorties nature à thème (adulte/12-16 ans 5/3,50 €) et excellents ouvrages sur la faune et la flore.

Office du tourisme (02 97 31 81 93 ; www. belle-ile.com ; quai Bonnelle, Le Palais). À deux pas du débarcadère du Palais. Guides sur les randonnées (5 €).

Depuis/vers Belle-Île

Le bateau est l'unique moyen de se rendre à Belle-Île. Selon les saisons, vous pouvez partir de Quiberon (seule liaison assurée toute l'année), de Vannes ou de Port-Navalo, ainsi que de La Turballe (p. 297), du Croisic (p. 290) et de Locmariaquer (p. 235), ces derniers ports se prêtant davantage à des excursions à la journée.

Compagnie Océane (0820 056 156, 0,12 €/ min ; www.compagnie-oceane.fr) assure toute l'année une liaison entre Quiberon et Le Palais. La traversée dure en général 45 minutes, et un aller-retour tarif plein/réduit coûte 33,65/21,90 € par personne (réservation fortement recommandée en saison). Vous pouvez aussi embarquer un véhicule – la réservation est alors obligatoire. Le transport d'une voiture étant onéreux (au minimum 174 € aller-retour), il peut être préférable de laisser votre voiture sur le continent (plusieurs parkings payants et surveillés sont à disposition à Quiberon), et de louer une voiture sur place. En juillet et août, la compagnie relie aussi le port de Sauzon, toujours au départ de Quiberon. L'été également, des navettes rapides sont mises en place, qui ne peuvent accueillir que des passagers. La traversée dure alors une vingtaine de minutes seulement.

Compagnie du Golfe (02 97 67 10 00 ; www. compagnie-du-golfe.fr). D'avril à fin septembre, elle embarque pour Le Palais depuis Vannes et Port-Navalo. L'aller-retour plein tarif revient à 34 €.

Navix-Compagnie des Îles (02 97 46 60 00 ; www.navix.fr). De mi-avril à septembre, cette compagnie maritime dessert Le Palais depuis Vannes, Port-Navalo, Locmariaquer, Le Croisic et La Turballe. Passagers uniquement : ni véhicules

ni vélos. L'aller-retour journée plein tarif coûte 28 € depuis Quiberon.

Comment circuler

Bus

Belle-Île Bus (02 97 31 81 88 ; www.cars-verts.fr ; **billet adulte/4-12 ans 2,50/1,70 €, forfait 2 jours 11/7 €, forfait 7 jours 25/15 €**). D'avril à septembre, 4 lignes de bus desservent les principaux points de l'île. Les titres de transport sont vendus à bord.

Vélo

La plupart des loueurs de vélos se trouvent au Palais. La journée de location coûte en moyenne de 9 à 20 €, selon le type de vélo, tandem compris.

Reversade (02 97 31 84 19, 06 80 62 62 28 ; **www.location-reversade.com ; 14 rue de l'Église**). Au Palais.

Locmaria Cycle (02 97 31 72 90 ; **www.location-locmaria.com ; rue des Acadiens**). À Locmaria.

Cycloloisirs (02 97 31 65 25). À Sauzon.

Voiture et scooters

Locatourisle (02 97 31 83 56 ; **www.locatourisle.com ; à partir de 49 €/jour hors saison et de 56 € en saison ; tlj, tte l'année**). Face au débarcadère du Palais ; dispose d'une antenne à Sauzon en été.

Belle-Île Auto (02 97 31 30 93 ; **www.belle-ile-auto.fr ; 12 quai Jacques-Le Blanc et rue du Pont-Orgo, Le Palais ; à partir de 45 €/jour hors saison et de 58 € en saison**). Voitures rétro également.

LMT Car Bike (02 97 31 46 46 ; **www.lmt-carbike.com ; 1 quai Vauban, Le Palais**). Voitures, scooters et motos.

CARNAC (KARNAG)

Qui n'a jamais entendu parler de Carnac ? Ses milliers de menhirs l'ont rendu célèbre, mais ce bourg cossu est également une station balnéaire courue qui multiplie sa population par dix en haute saison. La raison ? Ses nombreuses plages de sable fin, ses infrastructures touristiques appropriées, qui riment malheureusement aussi avec urbanisation outrancière, et son climat presque méditerranéen.

Carnac est une localité tricéphale. La zone balnéaire, au milieu des pins, s'étend d'est en ouest le long des plages, à Carnac-Plage. Le centre-ville,

Alignements de Carnac (ci-contre)

RICHARD VILLALON/FOTOLIA

Carnac-Ville, est à environ 1 km au nord et s'ordonne autour de l'église Saint-Cornély. Les sites mégalithiques commencent à la sortie nord du bourg et s'étendent vers l'est. À l'ouest, du côté de l'anse du Pô, Carnac retrouve une physionomie plus traditionnelle, avec de multiples bassins ostréicoles.

À voir

Alignements — Site mégalithique

(Maison des mégalithes ; ☎ 02 97 52 29 81 ; carnac.monuments-nationaux.fr ; accès libre oct-mars, reste de l'année visites-conférences de 1 heure tarif plein/réduit 6/5 €, gratuit -18 ans, pass mégalithes ; ⏲ tlj 10h-17h sept-avr, tlj 9h-18h mai-juin, tlj 9h30-19h30 juil-août ; P ; navette gratuite entre la Maison des mégalithes et le musée de la Préhistoire à Carnac-Ville). Les fameux alignements s'étendent sur 4 km d'ouest en est, au nord de Carnac, et sont répartis sur 40 ha en trois groupes : les **alignements du Ménec** et de **Toul-Chigan** (séparés par la D119) ; ceux de **Kermario** (que longe la D196) et du **Manio** ; enfin, les **alignements de Kerlescan** (bordés aussi par la D196). Ces vestiges datent du néolithique (environ 4600 av. J.-C.). Les quelque 4 000 pierres levées de tailles diverses, allant de 6 m de haut environ pour le **Géant du Manio** à quelques dizaines de centimètres, sont disposées en longues files plus ou moins parallèles et en enceintes. Les alignements du Ménec, très impressionnants, rassemblent 1 050 pierres organisées en 11 files, sur une longueur de 950 m. Quant aux 1 029 menhirs de Kermario, ils sont visibles depuis une passerelle permettant ainsi d'avoir une vue générale du site. L'ensemble le mieux conservé est celui de Kerlescan, qui présente 13 files de menhirs (plus de 500) qui s'achèvent par un cromlech de 39 menhirs. Les interprétations les plus courantes voient dans la structure de l'ensemble une dimension sacrée. Ils sont enclos d'un grillage pour éviter le piétinement de la flore et les graffitis ; vous pourrez les apprécier seul (d'octobre à mars) ou en visite guidée. Prévoyez des chaussures fermées. Peu après l'alignement de Kermario, au bout de la route à droite, le **cairn de Kercado** est un dolmen à couloir enseveli sous une butte de terre.

> **Mégaplan**
>
> Le **pass des mégalithes** permet de visiter, outre les alignements de Carnac, trois autres sites mégalithiques (le cairn de Gavrinis, le site des mégalithes de Locmariaquer et le cairn du Petit-Mont à Arzon) et le musée de la Préhistoire de Carnac à un tarif réduit dès le deuxième monument visité. Demandez-le quand vous payez votre droit d'entrée à l'un de ces sites.

Musée de la Préhistoire — Musée

(☎ 02 97 52 22 04 ; www.museedecarnac.com ; 10 pl. de la Chapelle, Carnac-Ville ; tarif plein/réduit 6/2,50 € ; ⏲ tlj 10h-18h30 juil-août, mer-lun 10h-12h30 et 14h-18h avr-juin et sept, tlj 10h-12h30 et 14h-17h30 vacances scolaires, mer-lun 10h-12h30 et 14h-17h30 oct-mars). Un fabuleux petit musée qui regroupe, sur deux niveaux d'exposition et suivant un parcours chronologique allant du paléolithique (environ 250 000 à 10 000 av. J.-C.) à la période gallo-romaine, des objets (6 000 environ) trouvés lors des campagnes de fouilles, des maquettes et des cartes. Des moulages de dalles gravées de représentations abstraites ou figuratives, des outils, des bijoux, des céramiques émaillent votre découverte de la vie quotidienne et des rites funéraires au néolithique. Bonnes expositions temporaires également.

Église Saint-Cornély — Église

Dans le centre-ville, sur le fronton du portail de cette église de style Renaissance édifiée du XVIIe au XVIIIe siècle, vous verrez la statue polychrome de saint Cornély (qui serait le pape Corneille, 251-253), saint patron des bêtes à cornes, entouré de deux bœufs sculptés sur des panneaux de bois peints. Le porche massif à colonnes, surmonté d'un très imposant baldaquin sculpté, est assez étonnant. L'intérieur l'est tout autant : voûtes à lambris peints, avec effets trompe-l'œil, grand orgue du XVIIIe siècle, autels chargés d'or, de vitraux, de ferronnerie ouvragée complètent ce riche ensemble décoratif très bien conservé.

Où se loger et se restaurer

Plume au Vent Chambres d'hôtes **€€**
(**06 16 98 34 79 ; www.plume-au-vent.com ; 4 venelle Notre-Dame ; d haute/basse saison 90/85 €, petit-déj inclus ; tte l'année).** Une très belle adresse dans une venelle au calme et en plein centre, également dotée d'une magnifique salle à manger et d'un jardin de curé très arboré. Côté déco, parquet et poutres apparentes où le blanc domine, avec quelques échappées pastel pour les meubles rétro, et une douche en béton ciré pour la touche moderne.

Le Diana Hôtel-restaurant **€€€**
(**02 97 52 05 38 ; www.lediana.com ; 21 bd de la Plage ; d 149-288 € selon ch et saison, petit-déj 22 € ; mi-avr à début oct ;**). Face à l'océan, cet hôtel quatre étoiles offre toutes les prestations requises pour cette catégorie. Les chambres, aux couleurs et aux motifs pas forcément très harmonieux, sont néanmoins cosy, lumineuses, nettes et donnent sur la mer ou sur le minigolf. La piscine est chauffée. Le restaurant **Les Marquises (plats à partir de 25 €)** propose une cuisine axée sur les produits de la mer.

Le Cornély Brasserie **€€**
(**02 97 29 88 17 ; 40 bd de Légenèse ; plats à partir de 17 € ; tlj 11h-1h en saison, fermé lun-mar le reste de l'année).** Son emplacement, légèrement en retrait de la rue, sur la très belle plage de sable blanc de Légenèse, assure à ce restaurant-bar une clientèle nombreuse en saison, qui apprécie particulièrement sa grande terrasse ensoleillée. Esprit qui se veut plutôt lounge à l'intérieur. Les plats sont bien préparés et joliment présentés.

La Côte Gastronomique **€€**
(**02 97 52 02 80 ; www.restaurant-la-cote.com ; 3 impasse Parc-er-Forn ; formule déj 26 €, menus à partir de 37 € ; mar-dim).** Installez-vous dans cette confortable salle (ou en terrasse dans le jardin) pour déguster une ballottine de saumon fumé (maison) au fenouil farcie d'un crémeux de crabe au foie gras, un quasi de veau avec galette de pomme de terre au thym suivi d'une succulente crêpe Suzette revisitée. Votre palais se fera ici des souvenirs inoubliables. Une table tout en finesse d'un excellent rapport qualité/prix. La réservation est indispensable en saison.

Où prendre un verre et sortir

Mora Mora Café Bar
(**02 97 52 75 45 ; 27 av. Port-en-Drô ; 18h-2h fermé en sem hors vacances scolaires).** C'est le lieu des sorties nocturnes de Carnac. DJ, concerts réguliers et quelques constantes : un bar bondé, du volume, du rhum qui coule à flots, et une ambiance plutôt déchaînée.

Le Whisky Club Club-bar de nuit
(**02 97 52 10 52 36 ; 8 av. des Druides ; tte l'année, le week-end et tous les soirs pendant les vacances scolaires).** Pour les fêtards peu adeptes de la classique discothèque et qui aiment les soirées à thème. Repaire de locaux en toute saison. L'ambiance est excellente, dans un décor type lounge sur deux étages.

Renseignements

Office du tourisme de Carnac-Plage (**02 97 52 13 52 ; www.ot-carnac.fr ; 74 av. des Druides ; tte l'année**)

Office du tourisme de Carnac-Ville (**pl. de l'Église ; avr-sept et vacances scolaires**)

Comment circuler

Bus

Durant les mois de juillet et août, un service de navette gratuite, **Carnavette**, circule toutes les 15 minutes (de 10h30 à 12h30 et de 13h30

lage de Carnac

JEAN-BERNARD CARILLET ©

20h30) entre les alignements du Ménec, la lace de la Chapelle de Carnac-Ville (Mairie-lusée) et la Grande Plage.

'élo

'our louer un vélo, adressez-vous à Cyclo Tours 02 97 52 88 92 ; 2 bis av. des Salines, Carnac-'ille) ou Cycles KTM (06 70 75 42 13 ; 20 av. es Druides, Carnac-Plage).

AURAY (AN ALRE) ET SES ENVIRONS

Située au fond d'une ria profonde, entre a presqu'île de Quiberon et Vannes, uray se déploie sur les berges du oc'h. Ancienne cité ducale, référencée ville d'art et d'histoire", elle se partage entre la ville haute, très commerçante et animée, qui s'organise autour de la place de la République, et, en contrebas, e vieux quartier de Saint-Goustan, avec son petit port et ses charmantes naisons à colombages du XVIe siècle. Auray est aussi réputée pour son grand marché qui se tient chaque lundi autour des places Notre-Dame et de la République.

À voir

CENTRE-VILLE D'AURAY

En flânant dans les petites rues animées et bordées de superbes maisons à colombages du centre de la ville haute, vous découvrirez quelques trésors. À partir de la place de la République (dont les halles abritent un marché couvert du lundi au samedi de 6h30 à 13h), dominée par l'élégant hôtel de ville (de la fin du XVIIIe siècle) et quelques belles vieilles demeures (XVIe-XVIIe siècles), vous pouvez rejoindre la **rue J.-M.-Barré**, très commerçante depuis le XVIIe siècle, époque à laquelle on y trouvait des auberges (aux n°1, 3 et 5).

En poursuivant la rue Barré jusqu'au bout, vous atteindrez la très jolie **chapelle Sainte-Hélène** (XVe siècle), puis, en prenant la rue du Dr-Bourdeloy, l'**église Saint-Gildas**. Édifiée en 1623, elle présente une architecture d'inspiration Renaissance. À l'intérieur, un superbe buffet d'orgue en bois sculpté, datant du XVIIIe siècle, et un retable en marbre méritent la visite. La **chapelle de la Congrégation** (1672), qui abrite aujourd'hui l'office du tourisme, se situe dans la **rue du Lait**. Dans celle du Jeu-de-Paume se dresse une ancienne prison (1788), en service jusqu'en 1897.

Chapelle du Saint-Esprit
Architecture religieuse

(☎02 97 24 09 75 ; place du Four-Mollet ; ⏲15 juin-15 sept, lun-sam 10h30-12h30 et 15h-18h30, dim 15h-18h30). GRATUIT Cet édifice impressionnant des XIIIe et XIVe siècles, le plus ancien d'Auray, partiellement restauré depuis les années 1990, a été classé monument historique en 1982. Sa construction a été initiée par l'ordre hospitalier du Saint-Esprit, qui se consacrait à aider et à soigner les miséreux. La superbe charpente et les arcades en ogive donnent à l'ensemble architectural une certaine élégance. À la Révolution, la collégiale devint une caserne militaire, et le resta jusqu'au début du XXe siècle. Désormais, on y organise des expositions d'art contemporain.

QUARTIER SAINT-GOUSTAN

Depuis la ville haute, on y accède en descendant la très belle **rue du Château**, pavée (oubliez les talons aiguille !), et bordée de quelques maisons à pans de bois et de jolies demeures en calcaire. Avant de franchir le vieux pont, en contrebas, montez l'impasse du Belvédère, pour une vision d'ensemble du quartier.

Après le pont, la très photogénique **place Saint-Sauveur** se dévoile, et vous verrez, parmi les restaurants et les cafés, de nombreuses maisons à colombages, dont certaines datent du XVe siècle. Autrefois grand port de pêche et de commerce, Saint-Goustan est aujourd'hui un lieu touristique très fréquenté, mais également un port de plaisance. En vous promenant dans les ruelles au petit air médiéval qui abrite de nombreux ateliers d'artistes, notamment la rue du Petit-Port, la rue Saint-René et la rue Saint-Sauveur, vous constaterez le soin apporté à la restauration des maisons anciennes. En haut du quartier, jetez un œil à l'**église Saint-Sauveur**. Construite au XVe siècle, elle a été souvent remaniée jusqu'au XIXe siècle. Elle arbore un superbe porche du XVIe siècle et un portail au décor datant du XVe siècle.

SAINTE-ANNE D'AURAY

À 7 km au nord-ouest de la ville, Sainte-Anne d'Auray est le lieu d'un des pèlerinages les plus importants de Bretagne, le pardon de sainte Anne (patronne des Bretons), qui réunit des milliers de fidèles le 25 et le 26 juillet, chaque année depuis plus de 3 siècles.

Basilique et sanctuaire
Haut lieu spirituel

(www.sainteanne-sanctuaire.com). Édifiée en 1645 sur le lieu où sainte Anne, mère de Marie, serait apparue à un paysan une quinzaine d'années plus tôt, le sanctuaire fut détruit par un incendie en 1790. La basilique de style Renaissance qui se dresse aujourd'hui à sa place fut construite en 1877. Face à la basilique, la belle **Scala Sancta**, que les pèlerins gravissent à genoux, date du XVIIe siècle, mais a été remaniée au XIXe siècle.

Mémorial des victimes de guerre
Histoire

Impressionnant, ce mémorial, situé à proximité de la basilique, est entouré par des murs sur lesquels sont gravés 8 000 noms de Bretons parmi les 240 000 tombés pendant la guerre de 1914-1918.

Activités

L'Étoile du Golfe
Sorties en mer

(☎06 20 00 58 87, 06 64 90 02 18 ; www.etoiledugolfe.fr ; port de Saint-Goustan ; ⏲avr-nov) Ce petit navire assure quotidiennement la navette entre les ports de Saint-Goustan et du Bono en 30 minutes (aller simple adulte/-12 ans/-4 ans 7/5/3 €, aller et retour avec visite du port d'escale adulte/-12 ans/-4 ans 12/7/5 €). Organise également, au départ d'Auray ou du Bono, des croisières avec escale jusqu'à l'entrée du golfe du Morbihan (adulte/-12 ans/-4 ans 22/14/8 €) et des croisières

CLAUDE NISSENS/FOTOLIA ©

À ne pas manquer Locmariaquer

À la limite ouest du golfe du Morbihan, logée à l'extrémité d'une langue de terre, Locmariaquer est une petite station balnéaire aux plages sauvages agréables et un centre ostréicole toujours actif. La Grande Plage, orientée au sud, naît à l'ouest de la pointe de Kerpenhir. En face, à 1 km à vol d'oiseau, vous pouvez apercevoir la silhouette de Port-Navalo à l'extrémité de la presqu'île de Rhuys.

Haut lieu de la préhistoire, Locmariaquer possède des sites mégalithiques exceptionnels à l'entrée du bourg. Trois ensembles symbolisent à eux seuls la beauté mystérieuse de l'art mégalithique. La **Table des Marchands** (3900 av. J.-C.), un dolmen à couloir, est l'un des plus spectaculaires. De forme grossièrement ovale, il mesure de 25 à 30 m de diamètre. Le couloir, long de plus de 20 m, mène à une chambre funéraire. Sur les parois intérieures, des motifs gravés représentent des haches et des bovidés. Le **Grand Menhir brisé** (4500 av. J.-C.) est couché près de la Table des Marchands, brisé en quatre morceaux. S'il tenait encore debout, il dépasserait 20 m de haut et serait le plus grand menhir de Bretagne. À l'origine, il faisait partie d'un alignement de 19 menhirs. Quant au **tumulus d'Er Grah**, il s'agit d'un monument funéraire long de 140 m renfermant un caveau. Visites guidées possibles.

INFOS PRATIQUES

☎ 02 97 57 37 59 ; www.locmariaquer.monuments-nationaux.fr ; route de Kerlogonan ; tarif plein/réduit 5,50/4 €, gratuit -26 ans ressortissants de l'UE ; 🕒 tlj 10h-18h mai-juin, tlj 10h-19h juil-août, tlj 10h-12h30 et 14h-17h15 sept-avr ; accessible aux personnes à mobilité réduite

fluviales de 1 heure 30 sur la rivière d'Auray (adulte/-12 ans/-4 ans 14/8/6 €).

Navix-Compagnie des Îles Sorties en mer
(02 97 46 60 00 ; www.navix.fr ; juil-août). Tours du golfe commentés, avec ou sans escales (adulte/4-14 ans 23,50-29/15,50-19 €, gratuit -4 ans). Les départs se font du port de Saint-Goustan. Consultez le site pour les jours et les horaires.

Où se loger et se restaurer

AURAY

Hôtel Le Marin Hôtel **€€**
(02 97 24 14 58 ; www.hotel-lemarin.com ; 1 pl. du Rolland, Saint-Goustan-Auray ; d/tr/f 67-77/87-92/97-102 € selon confort et saison, petit-déj 8,50 € ; fermé jan ;). Cet hôtel bénéficie d'un superbe emplacement dans le quartier de Saint-Goustan ; tranquille et coquet, il est doté d'un bar et d'une terrasse orientée plein sud. Les chambres déclinent une jolie déco à thème marin. Impeccables et confortables, certaines d'entre elles donnent sur la rivière d'Auray. Accueil sympathique. Très bon rapport qualité/prix

Crêperie Saint-Michel Crêperie **€**
(02 97 24 06 28 ; www.creperie-auray.fr ; 33 rue du Belzic ; crêpes 2,10-9,10 €, menu déj 10,80 € ; tlj sauf dim en saison, fermé mar et mer soir et dim hors saison). Une bonne crêperie aux compositions goûteuses en plein cœur d'Auray, idéale pour une pause déjeuner avant de reprendre son parcours en ville (réservez le week-end et en saison, l'adresse est prisée des habitants). Intérieu agréable avec coin jeux pour les enfants (pas forcément une bonne idée…), et quelques tables sur la rue pour les beaux jours. Service sympathique.

Terre Mer Gastronomique **€€€**
(02 97 56 63 60 ; www.restaurant-terre-mer.fr ; 16 rue du Jeu-de-Paume ; formule déj à partir de 23 €, menus à partir de 35 €, menu enfant 17 € ; mar-dim fermé sam midi et dim soir). Terre Me est une excellente table alliant raffinement et inventivité – filet de merlu et curry de potiron, cochon noir aux aubergines et cerises au vinaigre – à prix raisonnable. Vous savourerez vos plats dans un beau cadre mariant murs de pierre et poutres apparentes à une touche contemporaine pour un résultat tout en fraîcheur, et une agréable terrasse sur l'arrière. Réservation indispensable.

SAINTE-ANNE-D'AURAY

L'Auberge Gastronomique **€€€**
(02 97 57 61 55 ; www.auberge-sainte-anne.com ; 56 route de Vannes ; menus à partir de 29 €, plats à partir de 18 € ; fermé lun, mar midi et mer midi). Une très belle carte des vins souligne la subtilit des plats servis dans cette maison qui a acqui depuis trois décennies sa

Auray
FRANCK DIAPO/FOTOLIA ©

ɛs vieux lavoirs de Vannes, le long de la Marle (p. 239)

JOHN ELK III/LONELY PLANET IMAGES ©

ɛnommée. Vous vous régalerez d'un pavé e bar grillé avec sa crème de céleri aux oix, pruneaux et chorizo et, en dessert, 'une tartelette fondante au chocolat vec un tartare de mangue aux épices. ne table qui vaut vraiment le détour nême le pape Jean-Paul II y a pris un ɛpas lors de sa visite de la basilique en 996 !).

Renseignements

ffice du tourisme (☎ 02 97 24 09 75 ; www. uray-tourisme.com ; 20 rue du Lait, Auray). itué dans un très bel édifice (la chapelle de la ongrégation, du XVIIe siècle), il organise des **isites guidées** de la ville et édite une brochure e découverte très complète.

/ANNES GWENED)

e chef-lieu du Morbihan est un joyau que on vient admirer pour son patrimoine istorique préservé, témoignage de son che passé, mais également pour sa osition privilégiée entre la presqu'île de uiberon et celle de Rhuys, au bord du golfe du Morbihan. Certes touristiques, la vieille ville et son port livrent leur intimité à qui prend le temps d'arpenter les ruelles pavées bordées de maisons à colombages et d'hôtels particuliers joliment restaurés, les fiers remparts et les charmantes placettes médiévales qui composent un tableau presque parfait pour les visiteurs armés de leur appareil photo. On ne sait plus qui, de la terre ou de la mer, du passé ou du présent, rend hommage à l'autre, et c'est tant mieux, car le visiteur y trouvera de quoi satisfaire toutes ses envies.

À voir

VIEILLE VILLE

Vannes fait partie des "villes d'art et d'histoire" et c'est à pied qu'il faut la découvrir : comptez deux heures de balade. La vieille ville est délimitée au nord par la rue du Mené, à l'est par les remparts, à l'ouest par la rue Thiers, et au sud par la place Gambetta, face au port. Au nord-est du centre, passés les remparts, vous trouverez le quartier Saint-Patern.

Vannes

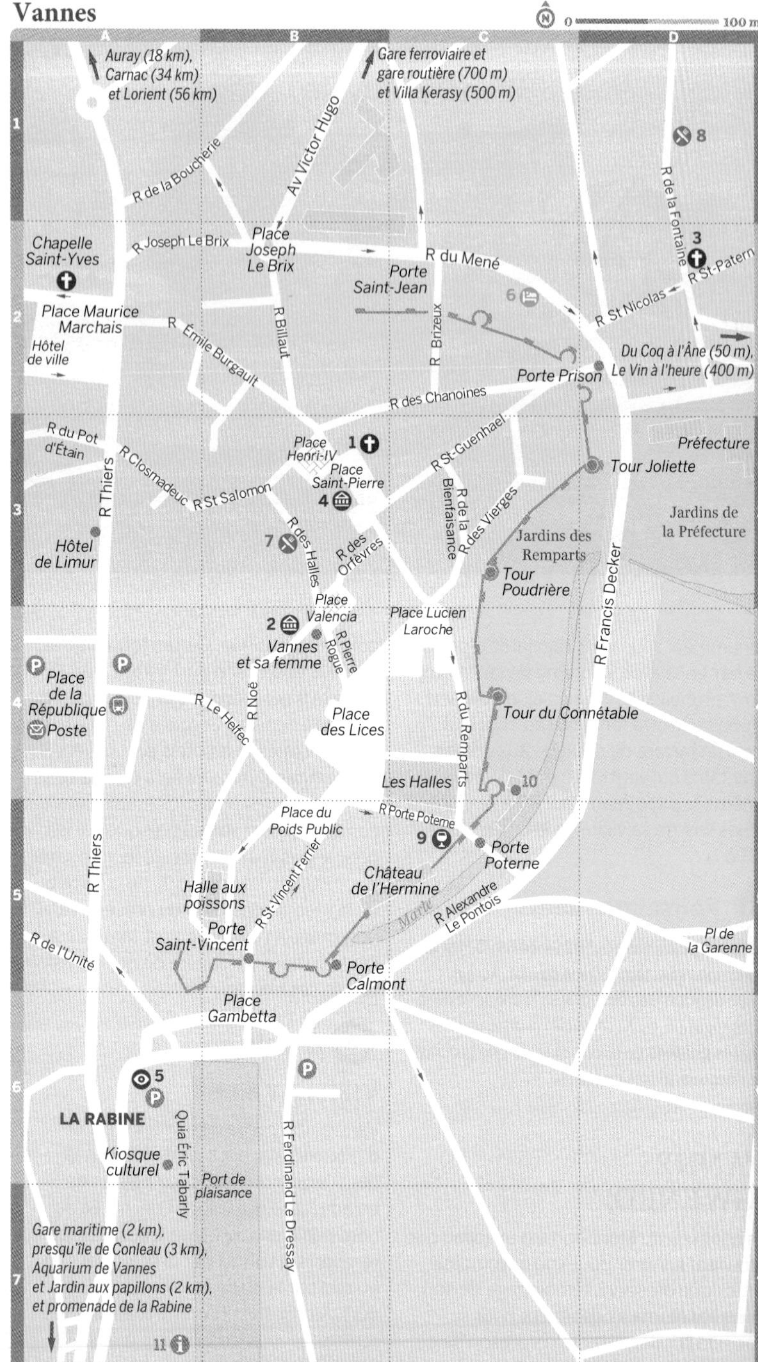

Vannes
0
100 m
Auray (18 km), Carnac (34 km) et Lorient (56 km)
Gare ferroviaire et gare routière (700 m) et Villa Kerasy (500 m)
R de la Boucherie
Av Victor Hugo
R Joseph Le Brix
Place Joseph Le Brix
Chapelle Saint-Yves
Place Maurice Marchais
Hôtel de ville
R Émile Burgault
R Billaut
R du Mené
Porte Saint-Jean
R Brizeux
6
8
R de la Fontaine
3
R St-Patern
R St Nicolas
Du Coq à l'Âne (50 m), Le Vin à l'heure (400 m)
Porte Prison
R des Chanoines
R du Pot d'Étain
R Closmadeuc
R St Salomon
Place Henri-IV
1
Place Saint-Pierre
4
R St-Guenhael
R de la Bienfaisance
R des Vierges
Préfecture
Tour Joliette
Jardins de la Préfecture
R Thiers
Hôtel de Limur
7
R des Halles
R des Orfèvres
Jardins des Remparts
Tour Poudrière
R Francis Decker
Place Valencia
2
Vannes et sa femme
R Pierre Rogue
Place Lucien Laroche
Place de la République
Poste
R Le Helfec
R Noë
Place des Lices
R du Remparts
Tour du Connétable
Les Halles
10
Place du Poids Public
R Porte Poterne
9
Porte Poterne
R St-Vincent Ferrier
Château de l'Hermine
Marle
R Alexandre Le Pontois
Halle aux poissons
Porte Saint-Vincent
Porte Calmont
Pl de la Garenne
R de l'Unité
Place Gambetta
5
LA RABINE
Kiosque culturel
Quia Éric Tabarly
Port de plaisance
R Ferdinand Le Dressay
Gare maritime (2 km), presqu'île de Conleau (3 km), Aquarium de Vannes et Jardin aux papillons (2 km), et promenade de la Rabine
11

Vannes

À voir
1 Cathédrale Saint-Pierre B3
2 Château Gaillard – Musée d'Histoire et d'Archéologie B4
3 Église Saint-Patern D2
4 La Cohue – Musée des Beaux-Arts...... B3
5 Petit train touristique A6

Où se loger
6 Hôtel Le Bretagne.................................. C2

Où se restaurer
7 Le Roscanvec.. B3
8 Terroirs.. D1

Où prendre un verre
9 Les Valseuses C5

Renseignements
10 Les Lavoirs – Service du patrimoine.... C4
11 Office du Tourisme A7

ort et centre-ville Promenade
a grande place Gambetta, construite en émicycle (1835) avec ses nombreuses errasses, couronne le port et l'entrée sud e la vieille ville. Elle est délimitée au nord ar la **porte Saint-Vincent** – surmontée e la statue du patron de la ville, saint incent Ferrier – qui donne sur la rue du ıême nom, bordée d'immeubles datant du VIIe siècle. En la remontant, vous trouverez ur votre gauche la **place du Poids-Public** vec des maisons du XVIIe siècle et l'hôtel e Francheville. De la place des Lices, ù se déroulaient joutes et tournois des ucs de Bretagne, vous pouvez rejoindre **porte Calmont**, édifiée au XIVe siècle et éfendue par une tour jadis agrémentée 'un pont-levis, ainsi que la rue de la oterne (XVIIe siècle) qui permet d'accéder ux **jardins à la française des Remparts**, ominés par l'ancien château de l'Hermine u duc Jean IV.

emparts Architecture militaire
emarquable appareil défensif arfaitement conservé, les remparts uivent en grande partie la courbe du uisseau de la Marle, bordé par les plendides **lavoirs du XIXe siècle** où es lavandières battaient le linge. Au ied du bastion de la Garenne, dernier lément ajouté à l'enceinte médiévale, eux tours sont visibles : la **Poudrière** XVIe siècle) et la **tour du Connétable** XIVe-XVe siècles), dans laquelle il st possible d'entrer lors des visites uidées organisées par Les Lavoirs voir p. 244). Près de la tour Joliette, la ıuraille comprend des fragments de onstruction romaine, et mène jusqu'à a porte Prison (voir p. 241). Au-delà des jardins, après la rue Francis-Decker, la **promenade de la Garenne** permet de faire une pause dans la verdure et d'admirer la ville dans sa quasi-totalité.

Place Valencia et ses environs Patrimoine architectural
Sur cette place portant le nom de la ville natale de saint Vincent Ferrier, on peut admirer la **maison** du saint patron de la ville, qui mourut à Vannes en 1419. À l'angle des rues Noé et Pierre-René-Rogue, remarquez les figures sculptées en granit polychrome de "**Vannes et sa femme**". Ce couple de bourgeois aux bouilles joufflues serait une ancienne enseigne de boutique datant du XVIe siècle. De là, vous pouvez prendre la **rue des Halles**, dont les maisons médiévales semblent accentuer l'étroitesse (notez l'hôtel de Roscanvec édifié aux XVIIe et XVIIIe siècles) ; elle donne dans la rue Saint-Salomon, dont les nos10 et 13 présentent des animaux ornant les piliers et les façades des demeures moyenâgeuses. Vers l'est, la **place Henri-IV** est bordée de maisons en encorbellement du XVIe siècle très bien réhabilitées. Vers l'ouest, la rue Closmadeuc permet d'atteindre la rue Thiers, un axe important de la ville, qui débouche au nord sur l'**hôtel de ville**, un bâtiment néo-Renaissance de 1886 ressemblant à son homologue parisien. Tout près, notez la **chapelle Saint-Yves** et sa façade blanche. En redescendant la rue Thiers, au n°31, vous découvrirez sur la droite l'**hôtel de Limur**, bel hôtel particulier du XVIIe siècle qui accueille un festival de jazz en juillet.

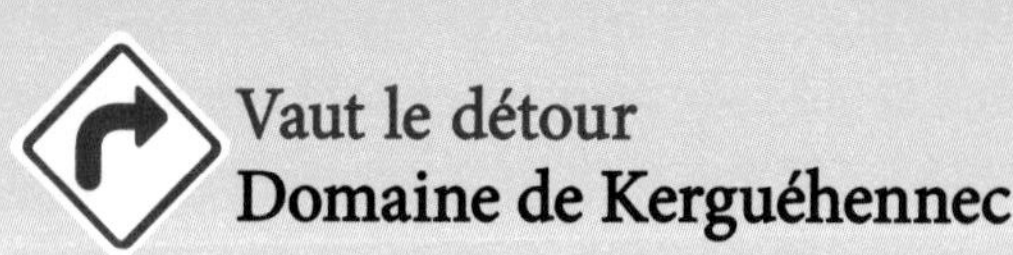

Vaut le détour
Domaine de Kerguéhennec

Situé à 20 km au nord de Vannes, ce magnifique **domaine** (**02 97 60 31 84 ; www.kerguehennec.fr ; Bignan ; tte l'année, horaires variables, consultez le site Internet) GRATUIT** se compose du château et des communs, représentatifs des belles demeures du début du XVIIIe siècle, d'un parc botanique, où l'on trouve un arboretum fourni, et d'un plan d'eau de 11 ha. Transformé en centre d'art contemporain, il accueille d'excellentes expositions ainsi qu'un parc de sculptures, créé en 1986. Ce dernier est l'un des plus importants d'Europe et compte de grands noms de l'art contemporain international.

La Cohue – musée des Beaux-Arts

Art moderne et contemporain

(**02 97 01 63 00 ; www.mairie-vannes.fr ; 10-15 pl. Saint-Pierre ; billet combiné musée des Beaux-Arts et château Gaillard ; tlj 10h-18h juin-sept tarif plein/réduit 6,30/4,30 €, gratuit -18 ans ; tlj 13h30-18h oct-mai tarif plein/réduit 4,50/2,80 €, gratuit -18 ans et dim).** Ce musée renommé – il collabore avec le Centre Pompidou et la Bibliothèque nationale de France – est installé dans les anciennes halles de Vannes, face à la cathédrale. Le lieu vaut le détour, ne serait-ce que pour son architecture du XIIIe siècle tout en voûtes, arcades et piliers de pierre, qui accueillit le Parlement de Bretagne exilé à Vannes entre 1675 et 1690. Le rez-de-chaussée était dédié aux étals du marché (coc'hug, en breton, signifie "halles"), tandis qu'à l'étage siégeait la cour de justice du duc de Bretagne. Les salles sont magnifiques, spacieuses, mettant parfaitement en scène une belle collection permanente d'œuvres modernes et contemporaines. Nombreuses expositions temporaires et visites guidées.

Château Gaillard – musée d'Histoire et d'Archéologie

Du néolithique au médiéval

(**02 97 01 63 00 ; www.mairie-vannes.fr ; 2 rue Noé ; tarifs voir musée des Beaux-Arts ; mi-mai à fin mai tlj 13h30-18h, juin-sept tlj 10h-18h, groupes sur réservation hors saison).** Une riche collection vous attend dans cet hôtel particulier en pierre de taille du XVe siècle qui fut le siège du Parlement de Bretagne de 1456 à 1532. Les collections, réparties sur deux niveaux, rassemblent outils, bijoux et armes retrouvés sur les sites mégalithiques du Morbihan, poteries gallo-romaines et collections du Moyen Âge. À voir également, le cabinet des Pères du désert, qui montre des peintures sur bois représentant des ermites. Le cadre en lui-même est superbe. Il paraît que le sinistre Gilles de Rais aurait séjourné au château... Visites guidées en été.

Cathédrale Saint-Pierre

Architecture religieuse

(**place Saint-Pierre).** Le cœur médiéval de la ville se déploie autour de la massive cathédrale, véritable condensé architectural de toute l'histoire religieuse bretonne. Avec ses 110 m de long, elle est la plus grande de Bretagne. Construite au début du XIe siècle, elle fut achevée au XVe siècle et restaurée au XIXe siècle. Du XIIIe siècle, il reste la tour romane de la façade ; une flèche lui a été adjointe à l'époque romantique. La nef est du XVe siècle (gothique flamboyant), la chapelle ronde est de style Renaissance, le chœur de 1774. On portera aussi attention au buffet d'orgues et au trésor. Dans la salle capitulaire du déambulatoire ont été rassemblées des pièces d'orfèvrerie liturgiques anciennes, notamment

ı rarissime coffre de mariage du
lᵉ siècle. En sortant par le portail nord,
: style flamboyant, orné de niches
›ritant les douze apôtres, on pourra
nprunter la rue des Chanoines pour se
ndre vers l'imposante porte Prison.

orte Prison et quartier aint-Patern Quartier historique

ette porte fortifiée, anciennement
›pelée porte Patern et alors
anquée de deux tours, prit son nom
:tuel au XVIIIᵉ siècle car elle servait
fectivement de prison sous la
évolution. Elle fut amputée de l'une
: ses tours à la fin du XIXᵉ siècle.
ne fois franchi la porte – totalement
novée en 2011 –, vous voilà dans le
/mpathique quartier Saint-Patern,
ui se situe sur l'emplacement de
ancienne Darioritum : c'est le plus
ncien quartier de Vannes. Autrefois
eu de débauche, occupé par les
nneurs et les artisans au Moyen Âge,
ui reste aujourd'hui un caractère
:anaille", puisque c'est là que se
›ncentrent la plupart des bars en
›gue. On y trouve de belles maisons
pans de bois, et surtout l'**église aint-Patern** (1727) qui porte le nom du
·emier évêque de Vannes et contient
es retables des XVIIᵉ et XVIIIᵉ siècles.
le est l'une des étapes du pèlerinage
·o Breiz – un tour de Bretagne apparu
ı Moyen Âge en l'honneur des sept
ıints fondateurs de la Bretagne. La
·éfecture (1865), tout au bout de
rue Francis-Decker, montre sur
›n fronton Nominoë, souverain de
retagne, et Alain Barbetorte, duc de
retagne ; elle est dotée d'un joli parc
l'anglaise. En face, on peut voir la
elle façade hétéroclite de l'immeuble
'etits-Fers" construit à la fin du
Xᵉ siècle, qui abritait une quincaillerie.

A RABINE

ne sympathique promenade boisée
e 4 km au départ du port, le long de
rivière de Vannes, vous emmène
squ'à la **presqu'île de Conleau**,
ıx portes du golfe du Morbihan.
attaché à la côte par un gué à la fin
du XIXᵉ siècle, ce lieu de villégiature
où l'on venait "prendre les bains" a
même eu son casino. La pointe possède
un bassin d'eau de mer ouvert, une
plage de sable, et propose une vue
imprenable sur **Port-Anna** et ses
sinagots. Les maisons bourgeoises,
les pins et le spectacle des barques
de pêche amarrées près des voiliers
rendent l'endroit attrayant. Les
Vannetais s'y ruent le week-end. De
sa cale, on embarque pour l'île d'Arz
(p. 247). En chemin, vous croiserez
d'anciennes maisons de marchands à
pans de bois, le couvent des carmes,
devenu le conservatoire de musique, la
gare maritime, le chantier Multiplast,
ainsi que l'**Aquarium** (**☎ 02 97 40 67 40 ; www.aquariumdevannes.fr ; 21 rue Daniel-Gilard ; tarif plein/réduit 13/8,90 €**) et le **Jardin aux papillons** (**mêmes coordonnées et tarif que l'Aquarium**). Attention, le parking de
150 places à l'entrée de Conleau est
payant du 1ᵉʳ avril au 30 septembre.

Activités

Navix - Compagnie des Îles Sorties sur le golfe

(**☎ 02 97 46 60 00 ; www.navix.fr ; gare maritime, parc du Golfe ; ⏲ avr-sept**). Navix
organise des croisières commentées
sur le golfe du Morbihan (adulte/
enfant 21,50/14 €), avec ou sans
escale sur les îles, ainsi que des
croisières gourmandes (adulte/enfant
60,60/38,50 €). Également des
liaisons avec Belle-Île-en-Mer (A/R
adulte/enfant 30/21,60 €, gratuit
-4 ans), Houat ou Hoëdic (A/R adulte/
enfant/-4 ans 37/25,50/5,70 €).

Compagnie du Golfe – Les Bateaux de l'île d'Arz Sorties sur le golfe

(**☎ 02 97 67 10 00 ; www.compagnie-du-golfe.fr ; embarcadère de Conleau ou gare maritime ; ⏲ juil-sept**). Tours du golfe commentés,
avec ou sans escale. La compagnie
effectue également plusieurs liaisons
quotidiennes vers l'île d'Arz et Belle-Île-en-Mer (voir les chapitres relatifs à ces
deux îles p. 247 et p. 222).

 Où se loger

Hôtel Le Bretagne Bien placé **€**

(**02 97 47 20 21 ; www.hotel-lebretagne-vannes.com ; 36 rue du Méné ; ch 52-60 € selon saison, petit-déj 7 € ; tte l'année ;**). Ce petit hôtel propre, bien situé dans une rue commerçante (la porte Prison est à 100 m), propose 12 chambres à la déco certes un peu vieillotte mais chaleureuse, dont certaines avec vue sur les remparts. Le triple vitrage assure un calme rare en centre-ville, et l'accueil est très sympathique.

La Villa Kerasy Hôtel de charme **€€€**

(**02 97 68 36 83 ; www.villakerasy.com ; 20 av. Favrel-et-Lincy ; ch à partir de 119 €, ste à partir de 299 € ; fermé mi-nov à mi-déc et jan ;**). Un goût de Compagnie des Indes imprègne ces murs raffinés où la décoration invite au voyage sous toutes ses formes : montants de lits anciens (excellente literie), bois exotiques, objets chinés aux antipodes... La clientèle de cet hôtel de charme jouit d'un spa, de soins ayurvédiques, d'un salon de thé, d'un jardin japonais, d'un room-service indien et de toute l'attention du personnel. Luxe, calme et volupté dans les 15 chambres à thème dont certaines ont un jardin privé, et une suite ; on oublie vite qu'on est près de la gare. Spa et salon de thé ouverts aux non-résidents.

 Où se restaurer

Du Coq à l'Âne Bistrot à vins **€€**

(**02 97 42 56 74 ; 17 pl. du Général-de-Gaulle ; plats 10 € déj, 12 € dîner, formules midi 13-17,50 € ; lun-sam**). Installé face à la préfecture, ce petit établissement sert des plats privilégiant les produits phares du marché accompagnés d'une belle sélection de vins. Au zinc convivial ou en terrasse, savourez tajine de poisson ou de viande, burger maison, pétoncles farcis, tartes fines, rillettes de sardine, huîtres, ainsi que de délicieux fromages et viandes.

À gauche : remparts de la vieille ville de Vannes (p. 239)
Ci-dessous : cathédrale Saint-Pierre (p. 239) vue de la place Henri-IV, à Vannes
(À GAUCHE) DIANA MAYFIELD/LONELY PLANET IMAGES © ; (CI-DESSOUS) BETHUNE CARMICHAEL/LONELY PLANET IMAGES ©

'erroirs Belle cuisine **€€**
**02 97 47 57 52 ; www.terroirs-
:staurant.com ; 22 rue de la Fontaine ;
lats 6,50-19 €, formule déj 13,50, menus à partir
e 24 € ; fermé sam midi, dim et lun).** C'est
ans un cadre assez intimiste (mais
n peu sombre au rez-de chaussée)
ue l'on savoure une cuisine délicate,
ù les plats traditionnels se révèlent
râce à un assaisonnement exotique (la
rochettes de gambas sauce mangue
t curry est un vrai régal). À la carte, un
in est suggéré pour chaque plat (vin au
erre proposé également). Un très bon
apport qualité/prix.

.e Roscanvec Gastronomique **€€€**
**02 97 47 15 96 ; roscanvec.com ; 17 rue des
alles ; formules midi à partir de 25 €, menus
partir de 47 € ; du mar soir au dim midi).**
)ans une vieille demeure du centre
istorique, Thierry Seychelles propose
ne cuisine puissante et subtile, à prix
bordable pour le déjeuner. Parmi
:s délices servis, les plats à base
'huîtres et de crustacés remportent
toujours un franc succès. Quant aux desserts maison... miam ! Réservation indispensable.

Où prendre un verre

Le Vin à l'Heure Bar à vins
(02 97 54 22 24 ; 20alheure.online.fr ; 4 pl. Bir-Hakeim ; 12h-14h et 18h-1h, fermé dim et lun midi). Belle sélection de vins, accompagnés d'assiettes de charcuteries ou de fromages corses. Le cadre, avec ses tables soutenues par des tonneaux de vin, ses chaises de bistrot, son beau comptoir en zinc et ses grands tableaux d'ardoise, donne envie de s'y attarder pour dîner d'une salade composée ou d'une pièce du boucher.

Les Valseuses Bar-concerts
(09 81 26 86 15 ; 10-12 rue Porte-Poterne ; tlj juin-sept 11h-2h, 17h-2h et fermé mar hors saison). Tout près des remparts, une ambiance très conviviale vous attend dans cette maison

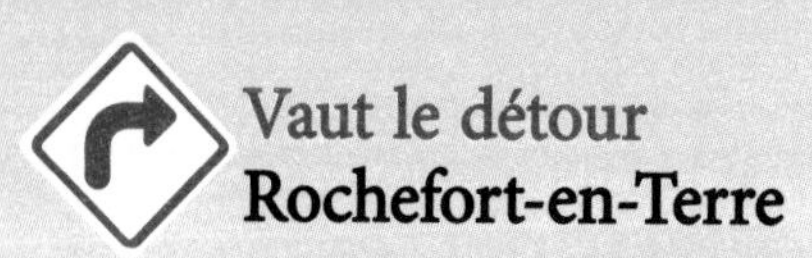

Vaut le détour Rochefort-en-Terre

Établie sur un éperon rocheux, Rochefort-en-Terre (www.rochefortenterre-tourisme.com) est située à 38 km au nord-ouest de Vannes. Estampillé "Petite cité de caractère", le bourg est très visité en saison. Au détour de ses coquettes ruelles anciennes, vous découvrirez des maisons à encorbellement du XVIe, du XVIIe et du XVIIIe siècle au cachet incroyable et agrémentées de jolies plantes et fleurs. Plusieurs artisans d'art ont d'ailleurs élu domicile dans le bourg. N'oublions pas le château (fermé pour une durée indéterminée) dont le parc arboré est librement accessible en été, ni Notre-Dame-de-la-Tronchaye, jolie église du XIIe siècle devenue collégiale au XVe siècle, conjuguant arts roman et gothique.

en pierre, agrémentée d'une agréable terrasse. On y organise des concerts (jazz, rock, bossa...) et on y propose des "tapas à la bretonne", des plateaux apéro ou du terroir, des rillettes de saumon maison...

Renseignements

Kiosque culturel **(quai Éric-Tabarly, esplanade du port ; mar-dim 14h-18h ; entrée libre).** Sur la rive droite du port, ce bel espace accueille des expositions de toutes sortes, souvent liées aux événements culturels organisés par la ville.

Les Lavoirs – Service du patrimoine **(02 97 01 64 00 ; Les Lavoirs, 15 rue Porte-Poterne ; visites tarif plein/réduit 5,50/3,50 €, gratuit -18 ans).** Visites guidées et thématiques (1 heure 30) de la vieille ville ou des fortifications, toute l'année. Le Service du patrimoine anime aussi un **Point Info Culturel** situé face à la cathédrale Saint-Pierre.

Office du tourisme **(02 97 54 57 22 ; www.tourisme-vannes.com ; quai Éric-Tabarly, esplanade du port)**

Wi-Fi Vannes bénéficie du label "Ville Internet" : de nombreux points d'accès Wi-Fi sont disponibles en ville.

Comment circuler

Bus

Les bus de Vannes Kicéo **(www.kiceo.fr)** sont nombreux, avec des lignes urbaines et périurbaines. Infos et plans en ligne ou au kiosque Infobus **(02 97 01 22 23 ; pl. de la République ; lun-ven 8h30-12h30 et 13h30-18h30, sam 8h30-12h30 et 14h-17h, fermé sam après-midi juil-août).**

La navette gratuite Navet'Ocea **(10h à 19h lun-sam, juil-déc)** suit un parcours en ville intra-muros (Le Port-République-Closmadeuc-J. Le Brix-Mené-Porte Poterne-Porte Saint-Vincent).

Une autre navette gratuite **(10h à 19h tlj juil-août, lun, mar, jeu, ven 9h30-19h30, mer et sam 9h-19h30, dim 13h30-19h30)** circule l'été, tous les jours, et vous emmène à Conleau.

Vélo

Vannes propose un service de vélos confortables et robustes en libre-service dans 25 stations réparties à travers la ville : Vélocéa **(02 97 01 22 33 ; www.velocea.fr ; 4 premières heures gratuites, puis 1 € l'heure supp).** Abonnement obligatoire : une journée 1 €, une semaine 5 €... Attention, ces cycles ne sont pas adaptés aux sentiers côtiers mais destinés à une utilisation citadine. Des vélos avec assistance électrique sont également proposés.

ÎLES DU GOLFE

Île aux Moines (Enizenac'h)

C'est la star du golfe ! D'une superficie de 310 ha, l'île aux Moines est la plus grande et la plus peuplée de la "petite mer". On la compare souvent à un vaste jardin en

ochefort-en-Terre (ci-contre)

CÉCILE HAUPAS/FOTOLIA ©

orme de croix : camélias, eucalyptus, nimosas, hortensias parsèment le paysage. Très boisée – on reste songeur n découvrant le bois des Soupirs, le bois d'Amour, le bois des Regrets –, elle affiche des jardins exubérants de cyprès, palmiers, orangers, citronniers, figuiers et même quelques oliviers. Vous l'aurez compris, l'île aux Moines est dépaysante et invite à une douce flânerie, à seulement 5 minutes en bateau du continent. Devenue une commune en 1792, l'île prospère grâce à l'élevage, à la pêche et au cabotage. Au XIXe siècle, les Îlois arment une importante flotte de commerce. Les hommes s'embarquent pour la pêche au thon jusque dans le golfe de Gascogne. Les derniers bateaux et leurs capitaines disparaissent dans les années 1950. Vous serez certainement séduit par les maisons cossues qui font le décor, et qui sont bien souvent des résidences secondaires de continentaux. En été, des milliers de visiteurs débarquent (la population est alors multipliée par 10). C'est en vous promenant hors saison que vous découvrirez l'authenticité sereine des lieux, marquée çà et là par des vestiges préhistoriques.

À voir

Locmiquel Bourg historique

Depuis le port, la rue Neuve puis la petite rue des Escaliers grimpent jusqu'au bourg, carrefour des routes qui mènent aux 4 pointes de l'île. On y voit de belles maisons de granit ornées de linteaux et de frontons sculptés (ce sont celles des armateurs ou des capitaines au long cours des XVIIe et XVIIIe siècles) et des maisons basses blanchies à la chaux (celles des pêcheurs). Couvertes de chaume ou d'ardoise, certaines sont ceintes de hauts murs. Flânez dans les ruelles et les venelles où mille détails rappellent la vocation maritime de l'île. On repère l'imposante **église Saint-Michel**, du XIXe siècle, grâce à sa tour carrée blanche. Elle recèle un buste de saint Vincent Ferrier (patron de Vannes) datant du XVe siècle, des ex-voto et, dans le chœur, des boiseries provenant de Sainte-Anne-d'Auray. De l'esplanade, on a une belle vue sur le golfe. En contrebas, vous parviendrez à la jolie plage de Port-Miquel.

Cromlech de Kergonan Site mégalithique

Au centre de l'île, juste avant le bar Aloa, vous trouverez le cromlech (alignement circulaire de menhirs) de Kergonan, au diamètre impressionnant ; avec ses 90 m, il est l'un des plus grands d'Europe. Ses 24 blocs qui se dressent vers le ciel seraient liés au double cromlech de l'îlot d'Er Lannic. Dans une ancienne ferme juste à côté se tient une **exposition** (**10h-12h et 15h-18h, fermé jeu**) GRATUIT dédiée au patrimoine archéologique, historique et naturel de l'île. Un peu plus loin, vous croiserez le calvaire du hameau de Kerno, d'anciennes fermes (l'île eut jusqu'à 30 laboureurs) et un petit dolmen. À l'ouest, la plage du Goret, avec sa digue de pierre encore utilisée par divers bateaux, est idéale si vous êtes avec des enfants. À la sortie du hameau de Kerno, un sentier part vers l'est pour rejoindre un très agréable chemin côtier qui fait le tour de la pointe sud de l'île.

Activités

La **randonnée** est le meilleur moyen de découvrir toutes les richesses naturelles, archéologiques et architecturales de l'île, dont on peut faire le tour en une journée, par un sentier côtier de 17 km, interdit aux vélos. Il permet de rejoindre la pointe sud, et couvre également une partie de la pointe nord. Trois circuits (jaune 5 km jusqu'au Trec'h, rouge 6 km jusqu'à Brouhel, bleu 10 km jusqu'à Penhap) vous emmènent à chaque pointe. Pour retourner au bourg de n'importe quel point de l'île, il suffit de suivre les flèches vertes.

Une carte est disponible à la mairie ou à l'office du tourisme. Le **Conservatoire du littoral** (**06 79 34 77 00 ; www.conservatoire-du-littoral.fr ; adulte/enfant 3/1 €**) organise des randonnées de 2 heures en juillet-août à Penhap.

Renseignements

Office du tourisme (**02 97 26 32 45 ; www.ileauxmoines.fr ; le port**). Vous trouverez au bourg un bureau de poste, un supermarché, des commerces, une pharmacie et un distributeur de billets rue de la Mairie.

Depuis/vers l'île aux Moines

Bateau

Plusieurs compagnies desservent l'île aux Moines.

Izenah croisières (**02 97 26 31 45, 02 97 57 23 24 ; www.izenah-croisieres.com ; quai Port-Blanc ; aller-retour adulte/enfant 4,70/2,50 €, -4 ans gratuit, vélo 3,70 € ; tte l'année**). Départ de Baden toutes les 30 minutes (traversée 5 min), en juillet et août de 7h à 22h, de septembre à juin de 7h à 19h30. Propose également plusieurs formules, comme une croisière commentée

Île aux Moines

KIKABU/FOTOLIA ©

dans le golfe le matin, puis une escale sur l'île aux Moines – uniquement d'avril à septembre adulte/enfant 21/10 €).

Navix-Compagnie des Îles (02 97 46 60 00 ; www.navix.fr ; aller-retour direct Port Navalo-Île aux Moines adulte/enfant/-4 ans 16/9 €/gratuit du 10 juillet au 29 août, mer, jeu et ven, aller-retour direct Vannes-Île aux Moines adulte/enfant/-4 ans 16/9 €/gratuit ; tte l'année). Assure en saison des liaisons pour l'île au départ de Vannes, de Port-Navalo, de Locmariaquer, du Bono, d'Auray et de La Trinité-sur-Mer (seulement de mi-juillet à fin août pour ces deux derniers ports). La traversée dure 45 min au départ de Vannes. Croisières sur le golfe avec escale à l'île aux Moines.

La Compagnie du Golfe (02 97 67 10 00 ; www.compagnie-du-golfe.fr ; gare maritime, Parc du Golfe à Vannes ; aller-retour adulte/enfant 25/17 €, -4 ans gratuit ; horaires et jours de traversée : consultez le site). Au départ de Vannes et de Port-Navalo, croisières commentées sur le golfe avec escale à l'île aux Moines.

Golfe Croisières (02 97 57 15 27 ; www.golfecroisieres.com ; quai de Penn-Lannic ; adulte/enfant 18/10 €, -4 ans gratuit ; horaires et jours de traversée : consultez le site). Au départ de Larmor-Baden, cette compagnie propose notamment des tours du golfe avec escale sur l'île aux Moines.

Le Passeur des Îles (02 97 49 42 53 ou 06 22 01 67 72 ; www.passeurdesiles.com ; Kerners ; aller-retour adulte/enfant 13,50/7 €, -4 ans 3 €, vélo 5 € ; juin-sept lun, jeu et dim départ 10h30 retour 17h ; tlj juil à mi-sept). Dessert l'île aux Moines depuis Port-Navalo (Kerners).

Comment circuler

Minibus

Découvrez l'île aux Moines en une heure à bord d'un minibus (06 88 17 24 23 ; tarif 13 €, 5-10 ans 10 € ; le port) ; le circuit est commenté. Départ du port tlj à 11h15, 14h, 15h15, 16h30 en saison.

Vélo

Vous trouverez des loueurs de vélos au port, juste en arrivant. Tandem, carriole pour enfants, siège et casque pour bébé sont aussi proposés à la location. P'tit Louis (02 97 26 35 21 ; www.locationdevelosptitlouis.com ; le port ; 3,30 €/h, 10 €/j, tandem 17,40 €/demi-journée ; 9h-18h30 en saison, fermé oct-jan) est notre loueur préféré, toujours disponible et souriant !

Un 50e parc naturel régional en France

Créé le 30 septembre 2014, le parc naturel régional du Golfe du Morbihan s'étend sur 30 communes et compte 17 000 ha d'espaces maritimes parsemés d'îles. Il est destiné à assurer la protection et la mise en valeur du patrimoine culturel et de la richesse écologique du territoire concerné. Pour en savoir plus, consultez le site www.golfe-morbihan.fr/le-projet-de-PNRGM.

Île d'Arz (Enez Arh)

Aussi plate qu'une limande, l'île d'Arz (*enez arh* signifie "île de l'ours" en breton), timide et paisible, a gardé son côté perdu que doit lui envier, surtout en saison, sa proche voisine, l'île aux Moines. Quelques marais, des prés et des criques, royaume des oiseaux, entourent un joli village au cœur de l'île, situé à 2 km du port. L'île a donné à la mer plusieurs dynasties de marins (on l'appelle souvent "l'île aux capitaines"). Les plages, magnifiques, attirent les touristes l'été. Si vous en avez la possibilité, essayez de venir hors saison : vous goûterez ainsi à la quiétude des lieux et à ce je-ne-sais-quoi de farouche qui constitue tout le charme de l'île.

Le **sentier côtier** de 18 km qui fait le tour de l'île est une superbe promenade. La carte que vous fournira la mairie montre trois itinéraires : un circuit bleu (9 km, 2 heures 30) qui longe la côte ouest puis la partie sud-est, un circuit vert (7,5 km, 2 heures) qui longe la côte est, et un circuit rouge (5 km, 1 heure 30) qui traverse l'île du nord au sud. Vous trouverez par ailleurs des loueurs de vélos sur l'embarcadère de Béluré.

MARIE DUFAY ©

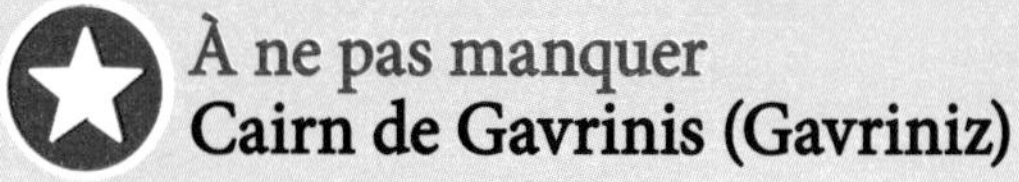

À ne pas manquer
Cairn de Gavrinis (Gavriniz)

Le monument mégalithique de l'île de Gavrinis, au sud de Larmor-Baden, est un dolmen sous cairn (c'est-à-dire recouvert de pierres sèches) construit 3 500 ans avant J.-C. et sans doute destiné au culte des morts. À cette époque, l'île était encore rattachée au continent, la mer étant plus basse. D'un diamètre de 50 m, haut de 6 m, il est célèbre pour ses splendides gravures représentant haches, arcs et flèches, chevrons, crosses ou serpents qui ornent la petite chambre funéraire et la galerie qui y mène. Bien qu'elles soient étudiées depuis un siècle et demi, leur signification reste mystérieuse. On est saisi devant la beauté esthétique de cette œuvre d'art universelle, qui a inspiré entre autres le peintre William Turner ou le sculpteur Henry Moore. La technique, le style et la qualité de construction de ce cairn, considéré comme l'un des joyaux du néolithique, n'ont pas d'équivalent.

Outre ce trésor, cette petite île sauvage de 15 ha offre aux visiteurs un panorama unique du golfe du Morbihan. On observe sans difficulté hérons, aigrettes et goélands, ainsi que le ballet des barges ostréicoles.

INFOS PRATIQUES

Des **trajets en bateau avec visite du cairn** (☎ 02 97 57 19 38 ; traversée 15 minutes, 9h30-12h30 et 13h30-18h30 ; tarif plein/réduit/8-17 ans 14,40/12/6 €, gratuit -8 ans) sont organisés au départ de la cale de Pen-Lannic sur la commune de Larmor-Baden. Si l'on accède à l'île par ses propres moyens, les tarifs de visite sont alors un peu moins chers. Dans les deux cas, la réservation est obligatoire. Le **Passeur des Îles** (☎ 02 97 49 42 53 ou 06 22 01 67 72 ; www.passeurdesiles.com ; embarcadère de Port-Navalo ; tarif A/R + visite adulte/enfant 8-17 ans/-8 ans 23/14 €/8 € ; 🕒 lun-ven juil-août départ 14h retour 15h45, mar et ven avr-juin et sept départ 9h30/9h45 retour 11h30) propose aussi des liaisons en juil-août-sept depuis Locmariaquer (cale du Guilvin) et Port-Navalo (Arzon).

Renseignements

Il n'y a pas de distributeurs automatiques de billets sur l'île, pensez-y avant d'embarquer ! Dans le bourg, une supérette (**02 97 44 32 36 ; mar-sam 9h-12h15 et 16h-19h, dim 9h-12h15, fermé jeu après-midi**) fait office de boulangerie-presse.

Depuis/vers l'île d'Arz

Bateau

Bateaux-bus du Golfe (**02 97 44 44 40 ; www.ile-arz.fr ; aller-retour adulte/enfant 10,20/5,60 €, gratuit pour les -4 ans**). Service de navettes pour l'île d'Arz au départ de Barrarac'h, à Séné (toute l'année), de Conleau (jan-mars et oct-nov) et de la gare maritime de Vannes (avr-sept). Quand la billetterie de l'embarcadère est fermée, les tickets s'achètent directement à bord. On peut emporter son vélo (12 € A/R).

La Compagnie du Golfe (**02 97 67 10 00 ; www.compagnie-du-golfe.fr ; gare maritime, Parc du Golfe à Vannes ; aller-retour adulte/enfant 25/17 €, -4 ans gratuit ; horaires et jours de traversée : consultez le site**). Croisières commentées au départ de Vannes et de Port-Navalo (avril à octobre) avec escale sur l'île d'Arz.

Navix-Compagnie des Îles (**02 97 46 60 00 ; www.navix.fr ; gare maritime et pl. des Lices à Vannes ; aller-retour direct Port-Navalo-Île d'Arz adulte/enfant/-4 ans 17/9,50 €/gratuit, aller-retour direct Vannes-Île d'Arz adulte/enfant/-4 ans 9/5,30 €/gratuit ; horaires et jours de traversée sur le site**). Assure des escales sur l'île de mi-juillet à mi-septembre, au départ de la gare maritime de Vannes. En juillet et août, croisières commentées dans le golfe avec une escale sur l'île d'Arz. Également départs de Port-Navalo et de Locmariaquer.

Izenah Croisières (**02 97 26 31 45 ; www.izenah-croisieres.com ; Port-Blanc, Baden ; aller-retour adulte/-12 ans 10/8 €**). Propose des liaisons directes au départ de Port-Blanc tlj sauf le samedi, ainsi que des croisières commentées sur le golfe avec escale sur l'île d'Arz, tlj d'avril à septembre (A/R adulte/-12 ans 21/10 €, gratuit -4 ans).

Le Passeur des Îles (**02 97 49 42 53 ou 06 22 01 67 72 ; www.passeurdesiles.com ; Port-Navalo ; aller-retour adulte/enfant 4-18 ans/enfant -4 ans 16/9/3 €, vélo 5 € ; juin et sept mer et jeu départ Locmariaquer 9h30 Port-Navalo 9h45 retour 17h ; juil-août lun-mar-jeu-dim mêmes horaires**). Dessert l'île depuis Locmariaquer et Port-Navalo.

Comment circuler

Transport Iledarais (**02 97 44 30 82 ; rue des Oiseaux**). Un taxi collectif assure à chaque arrivée d'un passeur le transport jusqu'au bourg (2 € l'aller). Une remorque attelée permet de transporter les objets volumineux. Les taxis partent du bourg un quart d'heure avant le départ du bateau.

PRESQU'ÎLE DE RHUYS

Le pire et le meilleur du golfe du Morbihan semblent s'être concentrés dans la presqu'île de Rhuys. Située à environ 25 km au sud de Vannes, elle se déploie d'est en ouest entre le golfe, au nord, et l'océan Atlantique, au sud. Sur cette virgule de terre, les paysages sauvages et modelés par la mer côtoient une urbanisation parfois outrancière. Falaises, plages et marais préservés ménagent néanmoins des espaces de toute beauté et vous découvrirez, fièrement posté à la pointe ouest de la presqu'île, Port-Navalo, petit port où l'on aime à observer le passage des bateaux avec, pour arrière-plan, la pointe de Kerpenhir, de l'autre côté du golfe. Non loin, Arzon et le port du Crouesty – un port artificiel créé dans les années 1970 pour pallier le manque de mouillage dans la région – se partagent les faveurs des touristes qui viennent pour les plages et les infrastructures modernes. Avant d'y parvenir, vous verrez, au centre de la presqu'île, Sarzeau, qui tire avantage de sa position géographique, car elle s'étend des eaux du golfe au nord à celles de l'océan au sud. Elle présente le visage d'une petite ville plutôt résidentielle et balnéaire, qui compte sur sa commune le château de Suscinio, l'une des merveilles du patrimoine breton. Au sud, Saint-Gildas-de-Rhuys, dont l'église abbatiale impose sa superbe présence depuis le XIe siècle, s'enorgueillit de quelques belles plages.

À voir

SARZEAU (SARZHAV)

Château de Suscinio Château

(02 97 41 91 91 ; www.suscinio.info ; tarif avec audioguide plein/réduit/8-17 ans 7,50/6,50/2,50 €, gratuit -8 ans, forfait famille 16 € ; tlj 10h-19h avr-sept, tlj 10h-12h et 14h-18h fév-mars et oct, tlj 10h-12h et 14h-17h nov-jan). Résidence des ducs de Bretagne du XIIIe au XVe siècle, le château est situé à environ 4 km au sud-est de Sarzeau, près de l'océan. Après 30 ans de travaux, il a retrouvé son allure de forteresse, avec ses tours, ses remparts, son chemin de ronde et son pont-levis qui enjambe les douves. À l'origine un manoir de chasse, il est transformé en forteresse au XVe siècle et délaissé quand François II de Bretagne (1435-1488) part s'installer à Nantes, où naît sa fille Anne de Bretagne (1477-1514). S'ensuit une longue période de déclin, avant que le château ne soit finalement classé monument historique en 1840. La visite souligne l'austère beauté de cette demeure de la fin du Moyen Âge, notamment dans la salle des banquets ou les appartements de la duchesse. En été, des spectacles son et lumière en plein air s'y déroulent, retraçant l'histoire du château et de la Bretagne.

Pointe de Penvins Point de vue

En poursuivant jusqu'à cette pointe, au sud-est de Sarzeau, vous trouverez une petite chapelle qui fait face à l'horizon et un joli point de vue sur de grandes étendues de sable blanc appréciées des kitesurfeurs. Continuez vers l'ouest, toujours en longeant l'océan, et vous arriverez au Roaliguen et au port Saint-Jacques et la plage de Kerfontaine.

ARZON (ARZHON-REWIZ), PORT-NAVALO ET LE PORT DU CROUESTY

Cairn du Petit-Mont Site mégalithique

(06 03 95 90 78 ; www.patrimoine-morbihan.info ; au sud du Crouesty ; tarif plein/étudiant/8-17 ans 6,60/5,50/3,30 €, gratuit -8 ans ; tlj 11h-18h30 juil-août, jeu-mar 14h30-18h30 avr-juin et sept). Implanté sur un promontoire qui marque la côte méridionale de la presqu'île de Rhuys, ce cairn magnifiquement mis en valeur a été construit vers 4600 av. J.-C. On peut y voir deux chambres funéraires au décor pariétal (haches, écussons, crosses, signes cunéiformes) assez abondant. La troisième chambre funéraire a été détruite durant la Seconde Guerre mondiale pour laisser place à un blockhaus qui sert désormais de lieu d'exposition.

On peut y accéder via un chemin côtier qui passe par la **chapelle du Croisty** (XIXe siècle), à l'entrée du port. La légende veut qu'au VIe siècle on ait retrouvé la dépouille intacte de saint Gildas dans une barque échouée non loin de là. Entrée libre, tous les jours en été, de 17h à 19h.

Moulin de Pen Castel Art contemporain

(02 97 53 88 06 ; www.moulin-pen-castel.fr ; rue de Keravello, Arzon ; mer-sam 10h-12h et 15h-19h, dim 15h-19h juil-août, mer-ven 14h-18h, sam 10h-12h et 14h-18h le reste de l'année). GRATUIT Il est l'un des plus beaux moulins à marée de la région, par sa facture architecturale peu classique : remarquez les éléments du décor (sur les lucarnes, les cheminées etc.). Installé entre l'étang de Pen Castel et les eaux du golfe, il date du XIIe siècle, et accueille aujourd'hui des expositions d'art contemporain.

Tombe du Petit Mousse Promenade

Depuis le phare de Port-Navalo, un sentier côtier s'engage vers le sud, menant à la plage, puis à cette fameuse sépulture : celle d'un noyé, retrouvé en 1859 et demeuré anonyme. Les habitants de la presqu'île continuent de fleurir sa dernière demeure.

SAINT-GILDAS-DE-RHUYS (LOKENTAZ)

Église abbatiale de Saint-Gildas-de-Rhuys Architecture religieuse

(02 97 45 10 79 ; visite guidée sur réservation ; juin-sept). La fondation du monastère par saint Gildas, en 530, fit la prospérité du village. Après sa destruction lors des

DAVID TOMLINSON/LONELY PLANET IMAGES ©

À ne pas manquer Château de Josselin

Nichée dans la vallée de l'Oust, Josselin est une petite cité de caractère qui compte de nombreuses demeures datant du XVe au XVIIIe siècle. Ces maisons à colombages, ou dont les façades sont ornées de sculptures, méritent une visite, tout comme le **château**, posté au bord de la rivière. C'est au XIe siècle que se construit ici une forteresse. Démantelé en 1488 à la suite des affrontements qui opposent les Rohan aux ducs de Bretagne, le château est restauré fin XVe-début XVIe. Richelieu ordonne un second démantèlement pour cause de ralliement des Rohan au protestantisme. Abandonné, le château est de nouveau restauré au XIXe siècle. Vue de la rivière, la façade extérieure de style médiéval, avec ses 3 tours circulaires hautes de 60 m, est assez dépouillée. La façade intérieure, à l'inverse, se caractérise par des dentelles de granit sculptées dans un style gothique flamboyant. Observez, entre les fenêtres, le tympan ajouré. Il arbore les signes distinctifs de la famille de Rohan – leur devise, “A plus” qui signifie “sans plus”, à savoir sans supérieur, et les losanges tirés de leurs armoiries –, ainsi que des hermines, symboles de la Bretagne, et une fleur de lys. L'intérieur du château, encore habité, a été restauré dans le style néogothique. Un jardin à la française fait face à la façade intérieure. Espace pique-nique dans le jardin à l'anglaise, près du cours d'eau.

D'avril à septembre, il est possible d'accéder au clocher de la **basilique Notre-Dame-du-Roncier** (pl. Notre-Dame), un bel édifice de style gothique flamboyant. On y jouit d'une vue panoramique sur la rivière et la façade Renaissance du château.

INFOS PRATIQUES

☎ 02 97 22 36 45 ; www.chateaudejosselin.fr ; pl. de la Congrégation ; visites guidées uniquement, château seul adulte/7-14 ans 8,40/5 €, billet combiné avec musée des Poupées 13,50/8 € ; 🕒 avr à mi-juil et sept tlj 14h-18h, mi-juil à août tlj 11h-18h, oct sam-dim 14h-17h, vacances scolaires 14h-17h, fermé nov-mars

Insolite ! La butte de César

Le **tumulus de Tumiac**, ou butte de César, est situé sur le bord de la route qui mène à Arzon, et mesure 56 m de diamètre et 18 m de haut. Il doit son surnom à une légende qui voudrait que Jules César y ait suivi le déroulement d'une bataille navale contre les Vénètes (Celtes). Au sommet de la butte, on jouit d'une magnifique vue sur le golfe et ses îles, ainsi que sur la baie de Quiberon et les îles du large au sud et à l'ouest. Le tumulus comportait une chambre funéraire aux parois gravées, ainsi que de nombreux objets mégalithiques (colliers de jaspe, haches, poteries) qui sont exposés aux musées de Vannes (voir p. 240) et de Carnac (voir p. 231).

invasions normandes, l'église fut rebâtie au XIe siècle, comme en témoignent encore le transept et le chœur qui datent de cette époque et sont de beaux exemples d'architecture romane. Le célèbre philosophe et théologien Pierre Abélard (1079-1142) en fut l'abbé de 1125 à 1132. Il y aurait rédigé ses lettres à Héloïse, *Histoire de mes malheurs*. L'intérieur de l'église présente des chapiteaux sculptés aux décors géométriques et renferme un trésor comprenant des objets d'orfèvrerie en or, en argent, parfois sertis de pierres précieuses, ainsi qu'un bras reliquaire du XIVe siècle.

Musée des Arts, Métiers et Commerces — Musée

(**☎ 02 97 53 68 25 ; www.musee-arts-metiers.com ; Largueven, au bord de la D780 ; adulte/enfant 6/4 € ; 🕒 tlj sauf dim après-midi 10h-12h et 14h-19h juil-août, mar-dim 14h-19h le reste de l'année, fermé en jan sauf pour les groupes**). En entrant, on est tout de suite plongé dans l'atmosphère d'une école du début du XXe siècle : pupitres, encriers, porte-plumes et buvards… Trente boutiques et ateliers parfaitement reconstitués font l'objet de visites, nostalgiques pour les plus âgés, surprenantes pour les plus jeunes. Arts et traditions populaires (meubles, dentelles et costumes), qui font également l'objet de cours ou de démonstration, complètent le tableau. Le musée se trouve sur la D780, au nord de Saint-Gildas-de-Rhuys.

Activités

PLAGES

Les **plages** sont plutôt situées sur la rive sud de la presqu'île. À Sarzeau, les plages de Saint-Jacques, du Roaliguen, de Landrézac et de Penvins sont surveillées en juillet-août, ce qui n'est pas le cas de celles de Suscinio et de Kerfontaine. En revanche, certaines disposent de fauteuils Hippocampes à l'attention des personnes à mobilité réduite (renseignements auprès des postes de secours des plages surveillées). Du côté d'Arzon, les plages du Fogeo, de Kerjouanno et de Kerver (surveillées tout l'été) seront parfaites pour lézarder et faire trempette. La plage de Port-Navalo et celle, minuscule, de Port-Sable, sont très fréquentées en saison. La commune de Saint-Gildas-de-Rhuys, qui occupe la partie la plus au sud de la presqu'île, est également bordée de très jolies plages.

Vous trouverez de nombreux prestataires sur la presqu'île pour tous types d'**activités nautiques**.

RANDONNÉES

Le **sentier côtier** est uniquement réservé aux piétons. Le TopoGuide®, très complet, *Balades et randonnées,* en vente (6 €) dans les offices du tourisme de la presqu'île, qui détaille les 16 circuits balisés, vous sera très utile. Également téléchargeable sur le site Internet de la Maison du tourisme ou directement auprès des offices du tourisme

Château de Suscinio (p. 250), Sarzeau

MURIEL CHALANDRE-YANES BLANCH ©

de la presqu'île, le plan des randonnées cyclistes.

SORTIES EN MER

Navix – Compagnie des Îles Croisières

(**02 97 46 60 00 ; www.navix.fr ; avr-sept, horaires et jours de traversée : consultez le site**). Organise, au départ de Port-Navalo, un tour du golfe, avec escales sur l'île aux Moines et sur l'île d'Arz (adulte/enfant 29/19 €, gratuit -4 ans), ainsi que des liaisons directes pour l'île d'Arz ou l'île aux Moines.

La Compagnie du Golfe Croisières

(**02 97 67 10 00 ; www.compagnie-du-golfe.fr ; horaires et jours de traversée : consultez le site**). Croisières commentées au départ de Port-Navalo avec ou sans escale sur l'île aux Moines ou l'île d'Arz (sans escale adulte/enfant 23/15 €, gratuit -4 ans ; avec escale adulte/enfant 25/17 €, gratuit -4 ans), ainsi que des liaisons pour Belle-Île en saison.

La Betelgeuse Sorties en mer

(**06 62 38 39 87 ; www.labetelgeuse.com ; port du Crouesty ; avr-oct**). Ce vieux gréement embarque des passagers pour des balades vers le golfe du Morbihan, la rivière d'Auray, l'île de Houat ou l'île d'Hoëdic (demi-journée/journée adulte 34/48 €, enfant -12 ans 24/38 €). Organise aussi des sorties "coucher du soleil-apéro" (adulte/enfant -12 ans 25/15 €).

Où se loger

PORT-NAVALO

Hôtel Glann ar Mor Hôtel €

(**02 97 53 88 30 ; www.glannarmor.fr ; 27 rue des Fontaines ; s/d/t 63-82/66-85/76-96 € selon saison ;**). Une légère odeur de renfermé vous accueille à l'arrivée, mais après le sas d'entrée, ce petit hôtel familial se révèle sympathique. Bien placé, dans une rue tranquille de Port-Navalo, il propose des chambres fonctionnelles assez plaisantes si l'on n'est pas trop pointilleux sur la déco !

PORT DU CROUESTY

Hôtel Le Crouesty Hôtel €€

(**02 97 53 87 91 ; www.hotellecrouesty.com ; rue Croisty, face au port de plaisance ; d 86-229 € selon ch et saison ; mi-fév à mi-nov ;**). Des chambres claires, lumineuses, très

Vaut le détour Le Faouët et ses environs

Dès le début du XIXe siècle, Le Faouët a séduit les peintres, attirés par son ambiance rurale et son patrimoine comme le montrent les collections du **musée du Faouët** (02 97 23 15 27 ; www.museedufaouet.fr ; 1 rue de Quimper ; tarif plein/réduit 4,50/2,50 €, gratuit -13 ans ; tlj 10h-12h et 14h-18h juil-août, mar-sam 10h-12h et 14h-18h dim 14h-18h avr-juin et sept-nov), qui occupe l'ancien couvent des Ursulines. Les œuvres (dessins et gravures, peintures, sculptures) sont autant de chroniques de la vie quotidienne du Faouët entre 1845 et 1945. Les impressionnantes **halles**, bâties en 1542 au centre du village, ont toujours été un important lieu de négoce, surtout lors des grandes foires aux bestiaux. Restaurées à maintes reprises, elles font la fierté du Faouët. Un marché s'y tient les 1er et 3e mercredis du mois.

En périphérie, découvrez les magnifiques exemples d'art local que sont la **chapelle Sainte-Barbe** (jeu-mar 9h30-12h30 et 14h-18h30 juil-août, jeu-mar 10h-12h et 14h-17h30 sauf lun matin avr-juin et sept-oct, sam-lun 14h-16h30 reste de l'année), de style gothique, bâtie à flanc de ravin en surplomb de la rivière Ellé, et la **chapelle Saint-Fiacre** (tlj 9h30-12h30 et 14h-19h juil-août, tlj 10h-12h et 14h-18h avr-juin et sept-oct, sam-dim 14h-18h, lun 13h30-16h15 reste de l'année), également de style gothique, célèbre pour son magnifique jubé séparant le chœur de la nef. Depuis Le Faouët, on accède à la première en empruntant la D769 sur 3 km en direction de Gourin ; si vous voulez y aller à pied (1,7 km), prenez la rue des Halles, puis le chemin du Nabelour et la route de Sainte-Barbe. La seconde se situe à environ 2,5 km au sud du village (direction de Quimperlé).

À 15 km à l'est du Faouët, au centre du petit village de Kernascléden vous trouverez l'un des joyaux de l'art gothique flamboyant breton. La voûte et les murs de l'**église de Kernascléden**, édifiée durant la seconde moitié du XVe siècle, sont ornés de splendides fresques de la même époque qui valent à elles seules le détour. On peut notamment y voir la représentation d'une danse macabre, rappelant à tous, riches ou pauvres, l'inéluctabilité du trépas.

spacieuses pour les plus chères, et de petites touches de couleur savamment dosées. Ce n'est pas le meilleur emplacement pour qui souhaite le calme, mais l'adresse est très centrale. Grande terrasse et chaises longues côté jardin.

Miramar Crouesty – Resort Thalasso & Spa Hôtel **€€€**
(02 97 53 49 13, 02 97 53 49 00 ; www.miramarcrouesty.com ; rue du Petit-Mont ; d 146-334 € selon ch et saison, petit-déj 20 € ; menus à partir de 44 €, menu enfant 16 € ; P). Récemment rénové, le bâtiment, qui a la forme d'un grand paquebot, comprend une piscine panoramique d'eau de mer chauffée et un spa. Il propose des cures classiques, jeunes mamans, minceur, jambes légères, etc. Les chambres, spacieuses, donnent sur l'océan ou le lac et possèdent toutes une terrasse privative et une décoration similaire d'inspiration marine. Hammam, salle de fitness, etc. Restaurant (sur réservation) et bar accessibles également aux non-résidents.

Où se restaurer et prendre un verre

PORT-NAVALO

Crêperie La Sorcière Crêperie **€**
(02 97 53 87 25 ; www.creperie-lasorciere-portnavalo.fr ; 59 rue des Fontaines ; crêpes et galettes 2,60-10,80 € ; mar-dim, fermé nov-jan). La meilleure crêperie de la presqu'île arbore une carte assez simple (seulement

quelques spécialités) avec des galettes et des crêpes belles et bien garnies. Le cadre en vieilles pierres est très chaleureux, même si c'est assez bruyant. Quelques salades composées également. Adresse prisée, pensez à réserver.

Le P'tit Zéph Poissons, bar à huîtres **€€**
(**02 97 49 40 34 ; www.bar-ptitzeph.fr ; 1 rue du Phare ; plats à partir de 22 €, menus à partir de 26 € ; mer-dim, fév-Toussaint et vacances scolaires).** La qualité et l'inventivité des plats (à la carte ou à l'ardoise), ainsi que l'emplacement justifient des prix un peu élevés. Lors de notre venue, nous nous sommes notamment régalés de saint-jacques poêlées aux pâtes fraîches. Cadre sympathique. Réservation recommandée car l'endroit est vite complet.

Le Grand Largue Gastronomique **€€€**
(**02 97 53 71 58 ; www.grandlargue.fr ; 1 rue du Phare ; formule déj 29 €, plats à partir de 27 €, menus à partir de 39 € ; mer-dim, mi-fév à déc).** Un restaurant gastronomique immanquable sur le port, qui jouit d'une solide réputation dans le secteur pour la qualité de sa cuisine, mais également pour la vue extraordinaire qu'il ménage. Le porcelet de lait farci au foie gras et le homard étuvé dans un beurre cru sauce armoricaine et girolles devraient envoûter les gourmets. L'ambiance et la clientèle sont toutefois un peu pincées.

PORT DU CROUESTY

Le Marcellin Bar-pub-discothèque
(**06 78 95 29 01 ; www.lemarcellin.com ; 20 quai des Cabestans ; tlj 22h30-5h en saison, le week-end hors saison).** Plus bar de nuit que discothèque, Le Marcellin, idéalement placé sur le port et face à la capitainerie, est l'endroit où faire la fête passé 1h du matin. DJ programmés tous les soirs. Excellente ambiance. Réservé aux plus de 20 ans.

Renseignements

Maison du tourisme de la presqu'île de Rhuys (**02 97 26 45 26 ; www.rhuys.com ; Saint-Colombier, intersection des routes de Nantes et de Vannes (D780), avant Sarzeau).** Fournit un plan utile pour se repérer sur la presqu'île, parsemée de multiples hameaux.

Office du tourisme de Sarzeau (**02 97 41 82 37 ; www.tourisme-sarzeau.com ; rue M.-J.-Coudrin).** Organise des sorties ornithologiques et culturelles notamment.

Office du tourisme Arzon-Port-Navalo-Port du Crouesty (**02 97 53 69 69 ; www.crouesty.fr ; Maison du port, au rond-point du Crouesty)** Plan des circuits aménagés pour les vélos sur toute la presqu'île de Rhuys et carte indiquant les chemins côtiers. Borne d'accès Internet.

Point infos tourisme de Saint-Gildas-de-Rhuys (**02 97 45 31 45 ; rue Saint-Goustan)**

Comment circuler

Bateau

On peut facilement rejoindre Locmariaquer, de l'autre côté du goulot, en empruntant le **Passeur CML Latitude 56** (**06 43 67 47 26 ; embarcadère de Port-Navalo ; juil-août)** ou le **Passeur des Îles** (**02 97 49 42 53, 06 22 01 67 72 ; www.passeurdesiles.com).** Le bateau effectue la liaison tous les jours en saison (aller-retour adulte/4-12 ans/-4 ans 8/5/1 €, vélo 5 €), et de manière régulière en septembre. D'autres trajets sont organisés au départ de Port-Navalo, notamment vers l'île aux Moines et l'île de Gavrinis.

Vélo

Pour louer un vélo sur la presqu'île, adressez-vous à **Abbis Location** (**02 97 53 64 64, 06 82 59 48 15 ; www.abbis-location.fr ; 7 allée des Ducs-de-Bretagne, Sarzeau ; tlj 9h30-18h30 en saison et vacances scolaires, sur réservation hors saison).** Comptez 12 €/jour pour les adultes et 8 €/jour pour les enfants. Autre agence au port du Crouesty.

La Loire-Atlantique

La Loire-Atlantique porte en elle le nom d'un fleuve et d'un océan, qui ont souvent présidé au destin des villes et modelé les paysages. De Nantes à Guérande en passant par Saint-Nazaire et les célèbres stations balnéaires de la Côte d'Amour, les villes et les monuments rappellent le Moyen Âge, la Renaissance, la Belle Époque et les grandes heures du commerce maritime autant que la Seconde Guerre mondiale. Sauvage, un brin artificielle lorsqu'elle est façonnée par l'homme, la région raconte une autre histoire dans ses salines, ses forêts et ses canaux. La baie de La Baule, longue plage de sable fin de 9 km, en est le porte-drapeau, avec une surprenante marqueterie d'atmosphères, d'habitats et de paysages, qui s'ouvrent sur la Côte sauvage.

Casiers de pêche dans le port du Croisic (p. 290)

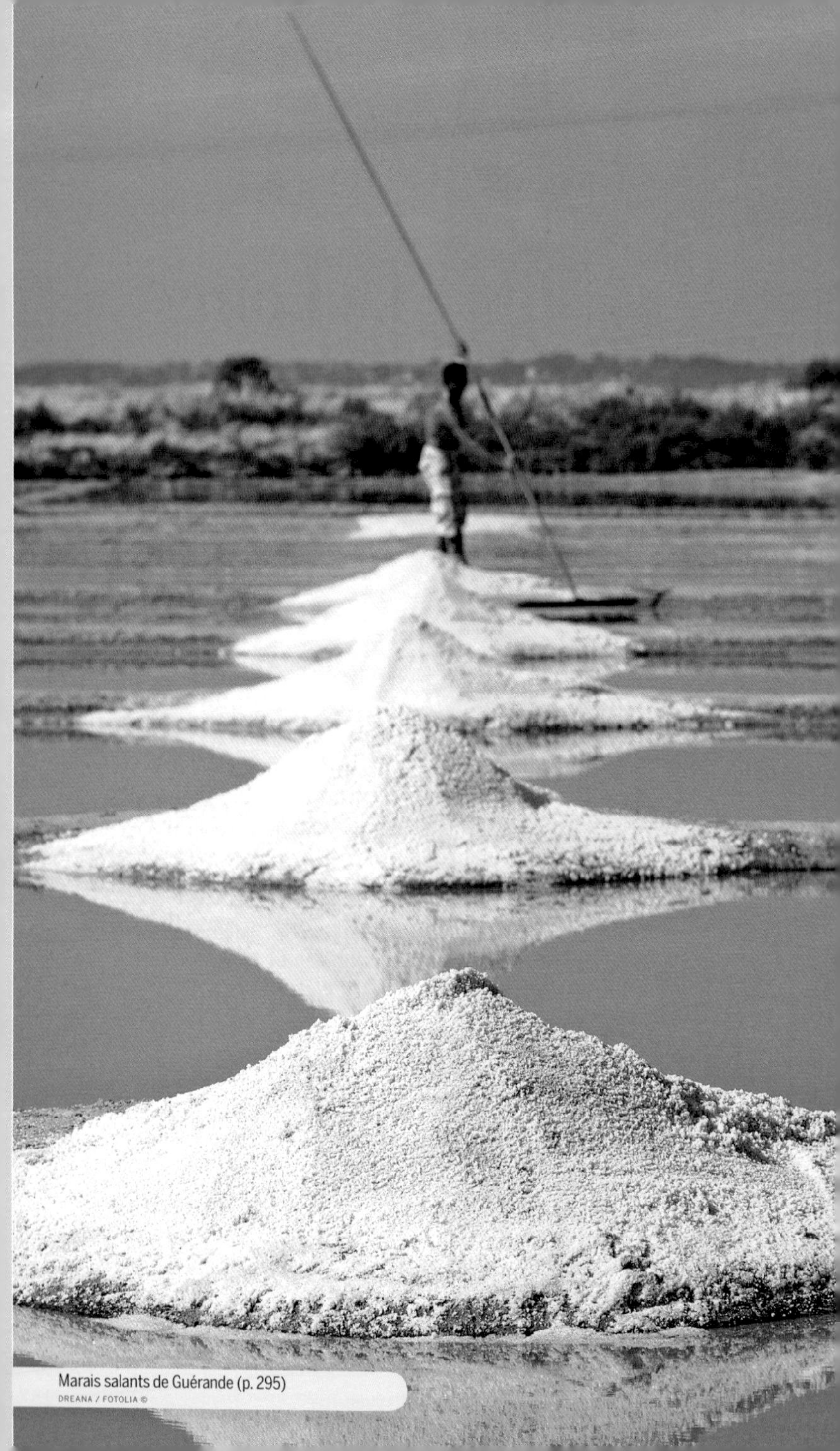

Marais salants de Guérande (p. 295)
DREANA / FOTOLIA ©

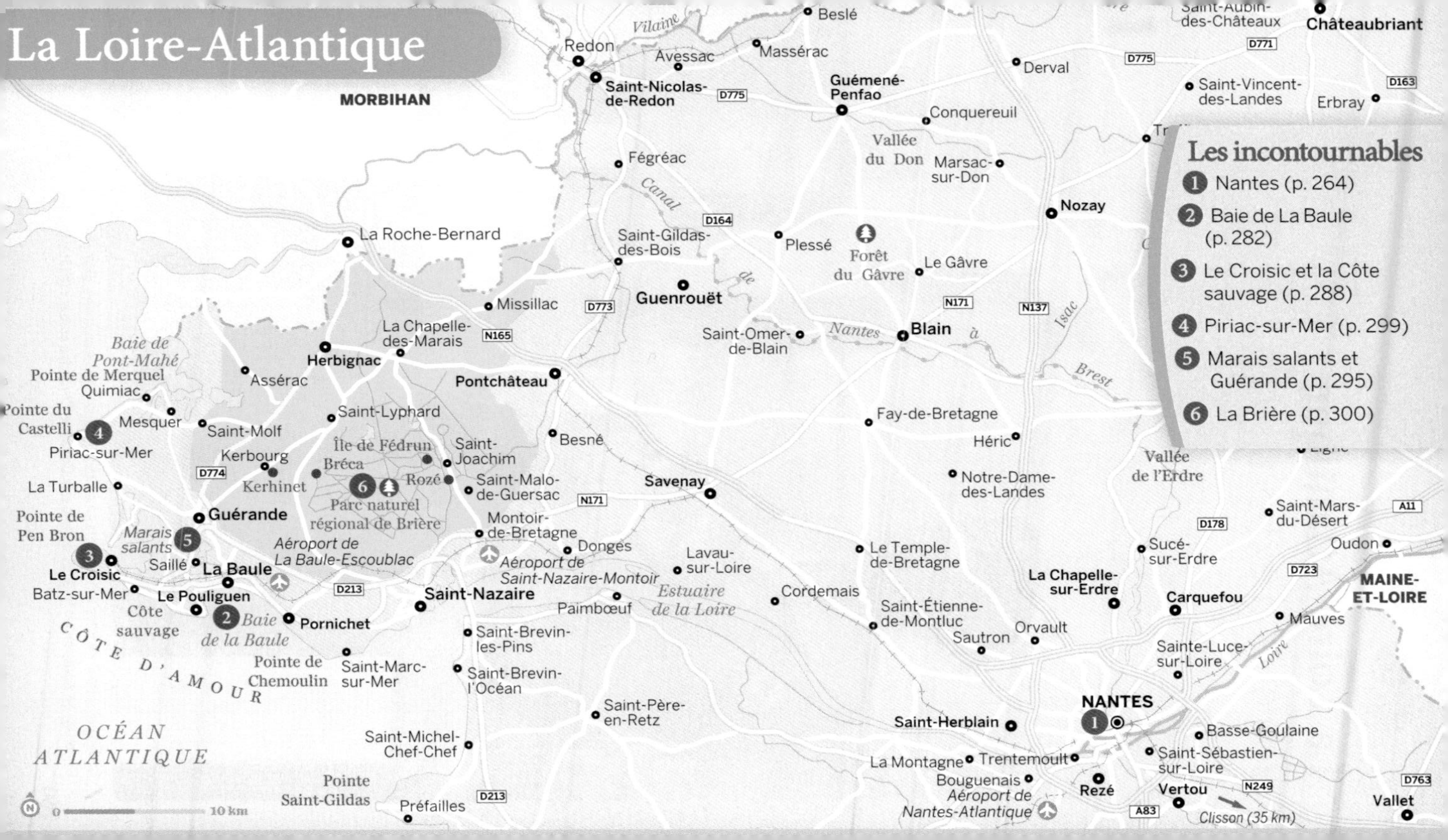
La Loire-Atlantique
Les incontournables
1 Nantes (p. 264)
2 Baie de La Baule (p. 282)
3 Le Croisic et la Côte sauvage (p. 288)
4 Piriac-sur-Mer (p. 299)
5 Marais salants et Guérande (p. 295)
6 La Brière (p. 300)
MORBIHAN
MAINE-ET-LOIRE
OCÉAN ATLANTIQUE
CÔTE D'AMOUR
Redon
Saint-Nicolas-de-Redon
Avessac
Masserac
Beslé
Vilaine
Guémené-Penfao
Conquereuil
Derval
Saint-Aubin-des-Châteaux
Châteaubriant
Saint-Vincent-des-Landes
Erbray
Vallée du Don
Marsac-sur-Don
Nozay
Fégréac
Canal de Nantes à Brest
Saint-Gildas-des-Bois
Plessé
Forêt du Gâvre
Le Gâvre
Guenrouët
Saint-Omer-de-Blain
Blain
Isac
La Roche-Bernard
Missillac
La Chapelle-des-Marais
Herbignac
Pontchâteau
Baie de Pont-Mahé
Pointe de Merquel
Quimiac
Asserac
Pointe du Castelli
Mesquer
Saint-Molf
Saint-Lyphard
Piriac-sur-Mer
Kerbourg
Kerhinet
Île de Fédrun
Bréca
Saint-Joachim
Rozé
Saint-Malo-de-Guersac
Parc naturel régional de Brière
Besné
Fay-de-Bretagne
Héric
Notre-Dame-des-Landes
Vallée de l'Erdre
La Turballe
Pointe de Pen Bron
Guérande
Marais salants
Le Croisic
Saillé
La Baule
Aéroport de La Baule-Escoublac
Montoir-de-Bretagne
Donges
Aéroport de Saint-Nazaire-Montoir
Savenay
Lavau-sur-Loire
Le Temple-de-Bretagne
Batz-sur-Mer
Le Pouliguen
Saint-Nazaire
Paimbœuf
Estuaire de la Loire
Cordemais
Saint-Étienne-de-Montluc
Côte sauvage
Baie de la Baule
Pornichet
Saint-Brevin-les-Pins
Saint-Brevin-l'Océan
Pointe de Chemoulin
Saint-Marc-sur-Mer
Saint-Père-en-Retz
Saint-Michel-Chef-Chef
Pointe Saint-Gildas
Préfailles
Sautron
Orvault
La Chapelle-sur-Erdre
Sucé-sur-Erdre
Saint-Mars-du-Désert
Oudon
Carquefou
Mauves
Sainte-Luce-sur-Loire
Loire
NANTES
Saint-Herblain
La Montagne
Trentemoult
Bouguenais
Aéroport de Nantes-Atlantique
Rezé
Vertou
Basse-Goulaine
Saint-Sébastien-sur-Loire
Vallet
Clisson (35 km)
D775
D771
D163
D164
D773
N165
N171
N137
D774
D213
D178
A11
D723
N249
A83
D763
0
10 km

La Loire-Atlantique
Paroles d'expert

Ci-dessus : statue de Jules Verne avec la grue Titan de l'île de Nantes en arrière-plan, placette de la butte Sainte-Anne (p. 274).
Ci-contre en haut : le Nid (p. 279), dans la tour Bretagne. **Ci-contre en bas :** théâtre Graslin (p. 280).

Ma sélection

Nantes

PAR JEAN BLAISE, CRÉATEUR DE FESTIVALS ET DIRECTEUR DU "VOYAGE À NANTES" (VOIR P. 44)

STÉPHANE BELLANGER ©

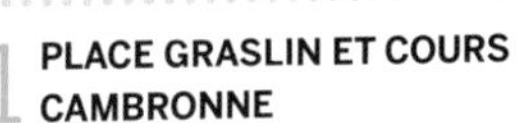

1 PLACE GRASLIN ET COURS CAMBRONNE

Lieu d'histoire et de vie, le cours Cambronne (p. 270) respire le calme et la sérénité, avec ses beaux magnolias et ses bancs qui attirent les étudiants. Il est à deux pas de la place Graslin (p. 270), récemment relookée avec sa fontaine sans bassin, au ras du sol, et son théâtre, un monument emblématique pour la plupart des Nantais.

2 BUTTE SAINTE-ANNE

Il faut se rendre sur la placette (p. 274) ornée de la statue de Nemo et de Jules Verne enfant, dans la rue de l'Hermitage, pour découvrir une belle vue sur la Loire et la pointe de l'île de Nantes. De là, vous apercevrez l'ancien hangar à bananes, qui abrite notamment la HAB Galerie (p. 273) et ses expos pointues d'art contemporain – comme celle de Huang Yong Ping à l'été 2014, ou la première exposition française de Tatzu Nishi, créateur du dragon du square Mercœur (p. 277), à l'été 2015 – en accès libre.

3 LE NID

Prenez de la hauteur pour comprendre la géographie de la ville, son évolution avec les comblements de la Loire et de l'Erdre. C'est un graphiste de talent, Jean Julien, Nantais vivant à Londres, qui a conçu ce bar (p. 279) au sommet de la tour Bretagne.

4 PASSERELLE VICTOR-SCHŒLCHER

Cette passerelle dessinée par Bernard et Clotilde Barto conduit de la ville du XVIIIe siècle au Nantes contemporain : celui des défis architecturaux de l'île de Nantes (p. 271). Découvrez les Machines de l'île (p. 272) et son éléphant articulé, et le Carrousel des mondes marins.

Suggestions d'itinéraires

Historique, culturelle, parfois façonnée par l'homme, sauvage en ses confins, la Loire-Atlantique permet de concilier les aspirations des contemplatifs autant que des sportifs, des adeptes du farniente et des noctambules autant que des amateurs d'art, d'histoire et d'architecture.

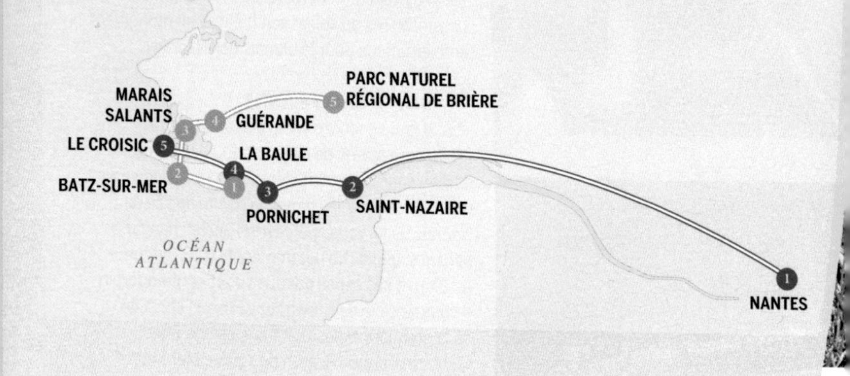

DE LA BAULE AU PARC NATUREL RÉGIONAL DE BRIÈRE

ENTRE TERRE ET MER

Passez une journée de détente à ❶ **La Baule**, sur le célèbre croissant de sable blond de sa baie. Le lendemain, rejoignez ❷ **Batz-sur-Mer**, localité tournée vers les loisirs balnéaires et l'exploitation ancestrale du sel. Visitez son musée des Marais salants avant d'emprunter la D774 qui, en direction de Guérande, traverse les ❸ **marais salants**. La vision des salines sous le soleil déclinant a quelque chose de féerique. Consacrez votre troisième jour à ❹ **Guérande** la médiévale, pour découvrir ses remparts et remonter les siècles au fil de ses ruelles. Le quatrième jour, cap sur le ❺ **parc naturel régional de Brière**, paradis naturel tissé de canaux, de marais et de roselières. Déjeunez au marché du terroir à Kerhinet (chaque jeudi en saison), à moins de réserver une table à la surprenante Mare aux Oiseaux, du chef Éric Guérin, l'un des meilleurs restaurants de la presqu'île au cœur de la Brière.

DE NANTES AU CROISIC

LA LOIRE-ATLANTIQUE EN TRAIN ET À VÉLO

Cet itinéraire suit la mythique ligne de chemin de fer qui, au XIXe siècle, désenclava la façade atlantique. Consacrez vos deux premiers jours à ❶ **Nantes**, où l'histoire et la créativité vous guettent à chaque coin de rue, du château des Ducs de Bretagne à la très contemporaine île de Nantes. Gagnez ensuite ❷ **Saint-Nazaire** et revivez, l'espace d'une journée, les grandes heures des paquebots transatlantiques. Faites un détour par la célèbre plage de Monsieur Hulot, à Saint-Marc. À partir de là, troquez votre billet de train pour enfourcher votre vélo et suivre la piste Vélocéan ou le chemin côtier à pied. Cap d'abord sur ❸ **Pornichet**, en passant par Sainte-Marguerite pour découvrir de superbes exemples de villas Belle Époque. Rejoignez ensuite ❹ **La Baule**, la mythique station balnéaire, pour profiter des joies de la plage, des sports nautiques et de la voile. Puis continuez jusqu'au Pouliguen et terminez votre voyage au ❺ **Croisic**, point d'orgue de la Côte sauvage et port de pêche traditionnel, dont les maisons d'armateurs témoignent du riche passé maritime.

Brière (p. 300)

Découvrir la Loire-Atlantique

NANTES (NAONED)

Ville bourgeoise, ville ouvrière, on ne sait ce qui domine à Nantes aujourd'hui. Plutôt un entre-deux, où la culture populaire et la conscience de l'environnement occupent une large place. Nantes ne se repose pas sur son patrimoine ancien et ne se laisse pas dominer par la nostalgie de sa gloire économique passée. Si elle en préserve les grands témoins – la réhabilitation des infrastructures portuaires de l'île de Nantes le montre bien –, c'est en regardant l'avenir en face, et en s'y faisant une jolie place. Gagnée par la joie de vivre, elle accorde une grande importance à l'art, aux fêtes et à la poésie urbaine, dont les meilleurs représentants restent encore la troupe Royal de Luxe (voir p. 274), les Machines de l'île (voir p. 272) ou les œuvres d'art et les installations ludiques disséminées dans la ville durant l'été du Voyage à Nantes (voir p. 44).

Le château des Ducs de Bretagne
D. R. ©

À voir

AUTOUR DE LA CATHÉDRALE ET DU CHÂTEAU

Cathédrale Saint-Pierre-et-Saint-Paul Gothique flamboyant **(☎0892 464 044 ; www.cathedrale-nantes.cef.fr ; pl. Saint-Pierre ; visite guidée possible ; été tlj 8h30-19h, hiver jusqu'à 18h30 ; Duchesse-Anne).** GRATUIT Ce bel édifice commencé en 1434 ne fut réellement achevé qu'à la fin du XIXe siècle. Après avoir admiré sa façade (décor sculpté des portails en tuffeau, une pierre tendre et blanche des bords de Loire), ne vous privez pas d'une visite de l'intérieur pour contempler sa nef majestueuse (elle monte jusqu'à 37 m de hauteur), ses vitraux (essentiellement contemporains) et ses sculptures Renaissance. Le tombeau de François II, en marbre, est un chef-d'œuvre du XVIe siècle : les statues d'angle, représentant les vertus cardinales (Prudence, Tempérance, Force et Justice), comme les gisants du duc et de son épouse Marguerite de Foix ont été sculptés par Michel Colombe. Les grandes orgues de la cathédrale sont du XVIIe siècle. Les **cryptes**

(entrée par le jardin de la Psalette ; entrée libre ; hiver sam 10h-12h30 et 15h-18h, dim 15h-18h, été sam 10h-12h30 et 15h-18h, mar-dim 15h-18h, fermé jours fériés) éclairent la visite en retraçant l'histoire de la cathédrale (notamment l'incendie de 1972 et sa restauration achevée en 1985) et en exposant son Trésor.

Château des Ducs de Bretagne Palais Renaissance

(0811 46 46 44 ; www.chateaunantes.fr ; 1 pl. Marc-Elder ; entrée libre cour et remparts ; visite guidée possible ; tlj sauf jours fériés 10h-19h, juil-août 9h-20h, nocturne sam jusqu'à 23h ; ; Duchesse-Anne). GRATUIT S'il évoque, de l'extérieur, une forteresse médiévale de granit avec son pont-levis, ses remparts crénelés et ses sept tours, ce château fait assurément songer à un palais de la Renaissance lorsque l'on pénètre dans la cour. Restauré (et de belle manière) il y a quelques années, le palais en tuffeau coiffé d'ardoises fut construit par le duc François II au XVe siècle sur le site d'un ancien château dont il reste une tour, celle du vieux donjon (XIVe siècle) ; son embellissement fut poursuivi par Anne de Bretagne et des modifications dans l'enceinte du château eurent lieu jusqu'au XVIIIe siècle, d'où une disparité évidente des styles. Parmi les éléments les plus notables : les décors sculptés des fenêtres du Grand Logis, la façade du Grand Gouvernement et la tour de la Couronne d'Or coiffée de deux flèches. Le bâtiment dit du Harnachement accueille des expositions temporaires. Le chemin de ronde sur les remparts est entièrement accessible. Café-restaurant (02 51 82 67 04) dans la tour du Vieux Donjon et la cour.

Musée d'histoire de Nantes Dans le château

(0811 46 46 44 ; www.chateaunantes.fr ; musée tarif plein/réduit 5/3 €, exposition temporaire 7/5 €, billet combiné 9/6 €, gratuit -18 ans, audioguide ou visioguide 3 € ; sept-juin tlj sauf lun 10h-18h, juil-août tlj 10h-19h, fermé jours fériés). Installé dans le palais ducal, ce musée est une réussite, en particulier pour la beauté des objets et des œuvres présentés, qui dressent un "portrait de la ville" aux époques cruciales de son histoire. Autres bons points : la scénographie attrayante, l'accessibilité aux enfants et la clarté des textes explicatifs. Le parcours est à la fois thématique et chronologique : une visite indispensable. Grandes expositions thématiques temporaires.

Musée des Beaux-Arts et chapelle de l'Oratoire Peintures et sculptures

(02 51 17 45 00 ; www.museedesbeauxarts.nantes.fr ; 10 rue Georges-Clemenceau ; musée nomade jusqu'à l'achèvement des travaux en 2016 ; Duchesse-Anne). Sa collection du XIIIe au XXIe siècle comprend des pièces exceptionnelles : *Le Songe de saint Joseph* de Georges de La Tour, *Portrait de Madame de Senonnes* de Dominique Ingres, *Nu jaune* de Sonia Delaunay ou *Sister Piece of When I am Pregnant* d'Anish Kapoor... Durant les travaux (réouverture prévue pour fin 2016), le musée se fait nomade. Certaines œuvres sortent des réserves le temps des expositions estivales du Voyage à Nantes (voir p. 44) et migrent vers d'autres lieux : le Passage Sainte-Croix, l'école d'architecture ou le Temple du Goût (renseignez-vous auprès de Nantes Tourisme pour les éditions à venir). Mais c'est surtout la **chapelle de l'Oratoire** **(02 51 17 45 42 ; www.museedesbeauxarts.nantes.fr ; pl. de l'Oratoire ; 5/3 € tarif plein/réduit, gratuit 1er dim du mois sauf juil-août et jeu après 18h ; sept-juin tlj sauf mar 10h-18h, jeu jusqu'à 20h, juil-août tlj 10h-19h, fermée jours fériés)**, toute proche du musée, qui accueille les expositions d'envergure toute l'année (comme celle consacrée à Fernand Léger à l'été 2014). La chapelle est à quelques rues du château en traversant la place du Maréchal-Foch – une esplanade dont la particularité est d'accueillir une **statue de Louis XVI**, monument rarissime en France.

Jardin des plantes Arbres remarquables et serres

(02 40 41 65 09 ; bd de Stalingrad ou pl. Sophie-Trébuchet ; Gare-SNCF). Envie de voir à quoi ressemble un rosier à tige

Nantes

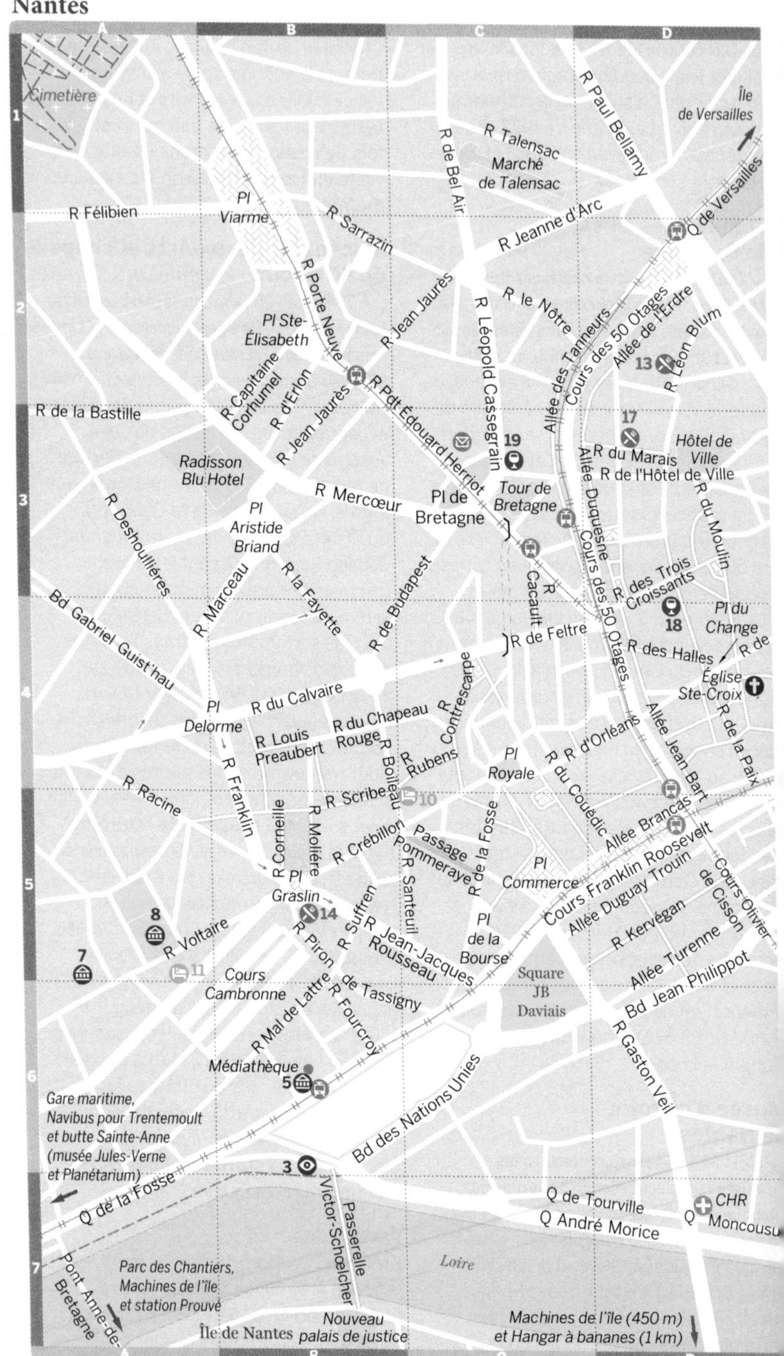

Cimetière
Île de Versailles
R Paul Bellamy
R Talensac
Marché de Talensac
R de Bel Air
R Félibien
Pl Viarme
R Sarrazin
R Jeanne d'Arc
Q de Versailles
R Porte Neuve
R Jean Jaurès
R Léopold Cassegrain
R le Nôtre
Allée des Tanneurs
Cours des 50 Otages
Allée de l'Erdre
R Léon Blum
13
Pl Ste-Élisabeth
R Capitaine Corhumel
R d'Erlon
R Pdt Édouard Herriot
R de la Bastille
17
19
Hôtel de Ville
R du Marais
R de l'Hôtel de Ville
Allée Duquesne
Radisson Blu Hotel
R Mercœur
Pl de Bretagne
Tour de Bretagne
R du Moulin
R Deshoullières
Pl Aristide Briand
R Cacault
R des Trois Croissants
18
Pl du Change
R la Fayette
R de Budapest
R Marceau
Bd Gabriel Guist'hau
R de Feltre
R des Halles
R de
Église Ste-Croix
R Contrescarpe
Pl Delorme
R du Calvaire
R du Chapeau Rouge
R Louis Preaubert
R Boileau
R Rubens
Pl Royale
R d'Orléans
R du Couëdic
Allée Jean Bart
R de la Paix
R Racine
R Franklin
R Scribe
10
R Corneille
R Molière
R Crébillon
Passage Pommeraye
R de la Fosse
Allée Brancas
Cours Franklin Roosevelt
Pl Commerce
Allée Duguay Trouin
Cours Olivier de Clisson
Pl Graslin
14
R Suffren
R Santeuil
Pl de la Bourse
R Kervégan
8
R Voltaire
R Piron
R Jean-Jacques Rousseau
Allée Turenne
7
11
Cours Cambronne
R Mal de Lattre de Tassigny
R Fourcroy
Square JB Daviais
Bd Jean Philippot
R Gaston Veil
Médiathèque
5
Bd des Nations Unies
Gare maritime, Navibus pour Trentemoult et butte Sainte-Anne (musée Jules-Verne et Planétarium)
3
Q de la Fosse
Passerelle Victor-Schœlcher
Q de Tourville
Q André Morice
CHR
Q Moncousu
Loire
Pont Anne-de-Bretagne
Parc des Chantiers, Machines de l'île et station Prouvé
Île de Nantes
Nouveau palais de justice
Machines de l'île (450 m) et Hangar à bananes (1 km)

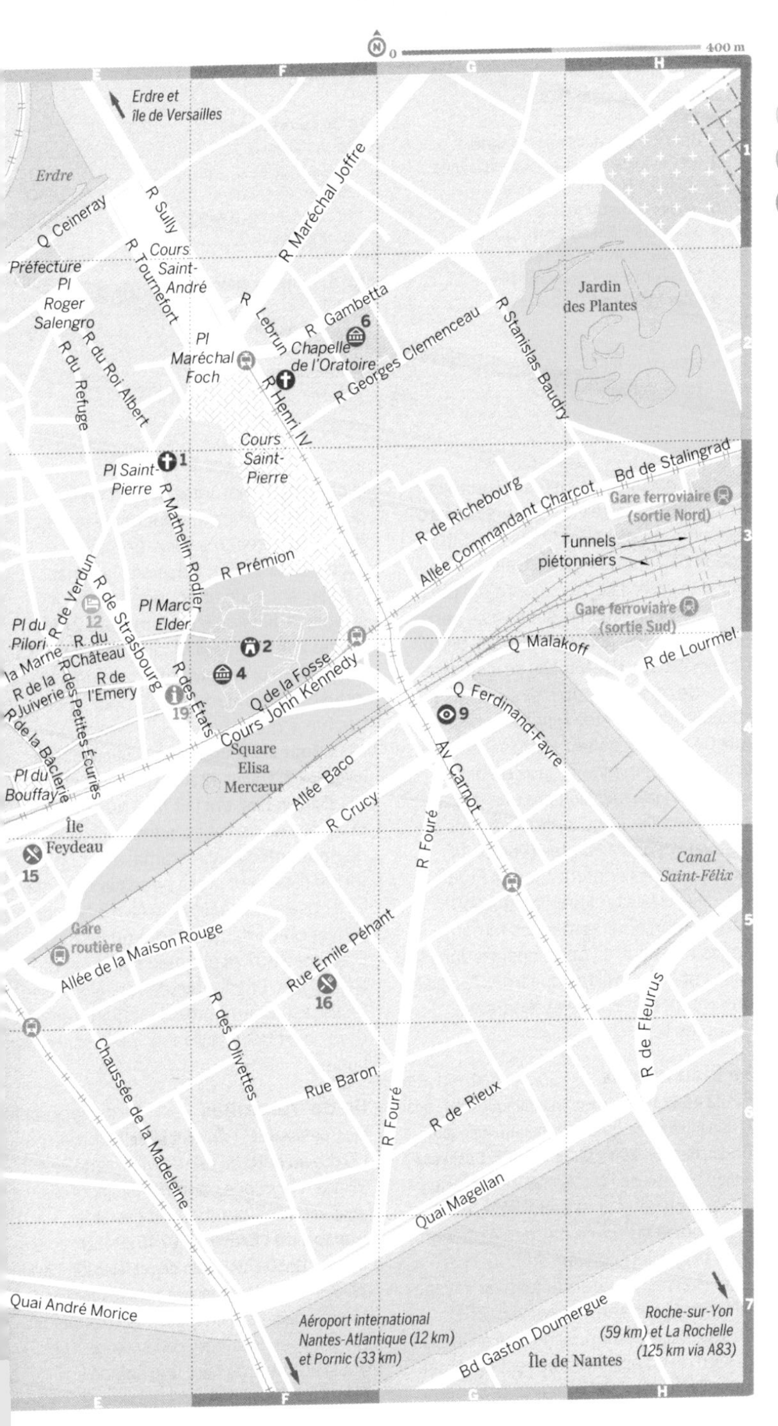

400 m
Erdre et île de Versailles
Erdre
Q Ceineray
R Sully
R Maréchal Joffre
Préfecture
Pl Roger Salengro
R Tournefort
Cours Saint-André
R Lebrun
R Gambetta
Chapelle de l'Oratoire
R Georges Clemenceau
R Stanislas Baudry
Jardin des Plantes
R du Refuge
R du Roi Albert
Pl Maréchal Foch
R Henri IV
Cours Saint-Pierre
Pl Saint-Pierre
R Mathelin Rodier
R de Richebourg
Allée Commandant Charcot
Bd de Stalingrad
Gare ferroviaire (sortie Nord)
Tunnels piétonniers
Gare ferroviaire (sortie Sud)
R Prémion
R de Verdun
R de Strasbourg
Pl Marc Elder
Pl du Pilori
la Marne
R du Château
R de la Juiverie
R des Petites Écuries
R de l'Emery
R des États
Q de la Fosse
Cours John Kennedy
Q Malakoff
R de Lourmel
Q Ferdinand-Favre
R de la Bâclerie
Pl du Bouffay
Square Elisa Mercœur
Allée Baco
R Crucy
R Fouré
Av Carnot
Île Feydeau
Canal Saint-Félix
Gare routière
Allée de la Maison Rouge
Rue Émile Péhant
R des Olivettes
R de Fleurus
Chaussée de la Madeleine
Rue Baron
R Fouré
R de Rieux
Quai Magellan
Quai André Morice
Aéroport international Nantes-Atlantique (12 km) et Pornic (33 km)
Bd Gaston Doumergue
Île de Nantes
Roche-sur-Yon (59 km) et La Rochelle (125 km via A83)
1 2 4 6 9 12 15 16 19
E F G H

Nantes

À voir et à faire
1 Cathédrale Saint-Pierre-et-Saint-Paul E3
2 Château des ducs de Bretagne F4
3 Mémorial à l'abolition de l'esclavage ... B7
4 Musée d'Histoire de Nantes F4
5 Musée de l'Imprimerie B6
6 Musée des Beaux-Arts F2
7 Musée Thomas-Dobrée A5
8 Muséum d'histoire naturelle A5
9 Tour LU et Lieu unique G4

Où se loger
10 Hôtel Pommeraye C5
11 Hôtel Voltaire Opéra A5
12 Okko Hotel E3

Où se restaurer
13 À l'Ardoise D2
14 La Cigale B5
15 La Poissonnerie E5
16 Les Chants d'avril F5
17 Pickles D3

Où prendre un verre et sortir
18 Le Cercle rouge D4
Le Lieu Unique ..... (voir 9)

Renseignements
19 Nantes Tourisme E4

ailée, un parterre de cistes ou un tulipier de Virginie ? Mettez le cap vers ce parc magnifique, créé sous Louis XIV. Situé à deux pas du musée des Beaux-Arts, face à la gare, il abrite aujourd'hui plus de 11 000 espèces végétales. Les **serres** (**mer 15h15, jeu 12h30, ven 15h, sam 15h, 16h, 17h, dim 10h, 11h, 15h, 16h, 17h**) se visitent avec un guide (plantes tropicales, cactus et succulentes, plantes méditerranéennes). Aux beaux jours, une "plage verte" avec transats à disposition (jeux de ballon possibles) permet de faire une pause en pleine ville. Depuis deux éditions de l'estival Voyage à Nantes (voir p. 44), l'auteur et dessinateur Claude Ponti est invité à laisser libre cours à son imagination pour semer ses fameux poussins et autres personnages dans les allées et les parterres du jardin. Fraîcheur de l'enfance, surprise et tendresse assurées !

Le Lieu unique — Centre d'arts

(**02 40 12 14 34 ; www.lelieuunique.com ; quai Ferdinand-Favre ; lun 11h-minuit, mar-sam 11h-3h, dim 15h-20h ; Gare-SNCF/Duchesse-Anne**). Le site de l'ancienne biscuiterie LU, au bord du canal Saint-Félix, a été transformé en scène nationale et centre d'art polyvalent, ouvert en 2000 par Jean Blaise, créateur du festival Voyage à Nantes (voir son interview p. 261). L'espace exposition, consacré à l'art, au design ou à l'architecture, est en accès libre. Pour aller au Lieu unique depuis le château, empruntez le pont en face de l'arrêt de tramway Duchesse-Anne ; depuis la gare ferroviaire, prenez la sortie Gare-Sud et traversez le canal. Restaurant, café et boutique/librairie sur place, ainsi que le **Hammam Zeïn** (**nantes.zeinorientalspa.fr**), qui étonne par sa décoration orientalisante dans un espace industriel. Voir aussi p. 279 pour la vie nocturne du lieu.

La **tour LU** (**entrée par la boutique du Lieu unique ; 2 €, gratuit -12 ans ; mar-sam 12h30-19h, dim 15h-19h**), qui fait face aux tours du château, permet d'admirer la ville de haut grâce au gyrorama, une plate-forme rotative installée dans la coupole, et d'observer le soir venu *Nymphéa*, une œuvre créée dans le cadre du festival Estuaire 2007 et projetée sur le canal Saint-Félix. La montée de l'escalier, assez facile, est agrémentée d'un diaporama et d'un court documentaire, intéressant, sur l'usine.

Île de Versailles — Jardin japonais

(**quai de Versailles ; Saint-Mihiel**). Bordée par l'Erdre au nord du centre-ville, cette île est joliment occupée par un jardin japonais, avec rocailles, bambous et cascades. La **maison de l'Erdre** (**02 40 29 41 11 ; lun, mer-ven 11h30-17h45, sam-dim et fêtes 10h-12h et 15h-17h45 de mi-jan à mi-nov, horaires décalés de 15 min le reste de l'année**) permet d'en savoir plus sur l'écosystème de la rivière. Il est aussi possible de faire une balade sur l'Erdre en bateau ou en canoë (voir p. 276).

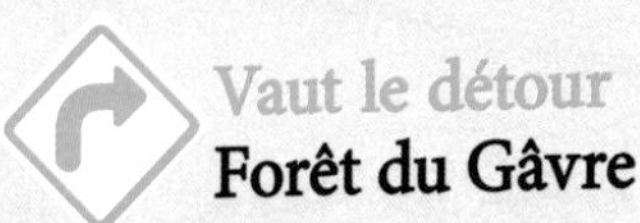

Vaut le détour
Forêt du Gâvre

À une quarantaine de kilomètres au nord de Nantes, la plus vaste forêt domaniale de Loire-Atlantique (près de 4 500 ha) offre un refuge au cerf, le plus grand mammifère de la forêt, au sanglier, au chevreuil (*gavr* en celte signifie chèvre ou chevreuil), mais aussi à des chauves-souris et à de nombreuses espèces de papillons. Exploitée en partie pour la production de bois, elle est couverte de chênes – certains très anciens –, de hêtres, de merisiers, et aussi de pins. Elle a autrefois appartenu aux ducs de Bretagne, et ce dès le XIIIe siècle. On lui doit la création du village du Gâvre, où les habitants vivaient du travail du bois (sabotier, charbonnier, bûcheron, cerclier...). Avec son mélange de feuillus, de résineux, de landes, et ses sentiers aménagés, la forêt du Gâvre est un lieu de promenade très agréable.

Musée Benoist – Maison de la forêt (☎ 02 40 51 25 14 ; maisondelaforet44.free.fr ; 2 route de Conquereuil, Le Gâvre ; musée adulte/6-17 ans 4/2 €, sorties nature 5/3 € ; ⌚ avr-nov sam-dim et jours fériés, tlj lors des vacances scolaires 14h30-18h30). Cette belle maison du XVIIe siècle abrite un espace pédagogique consacré à la forêt et à son écosystème, et une partie davantage orientée sur les traditions populaires. Sous les combles, les vieux métiers du bois sont bien évoqués. Visites ludiques pour les enfants. La maison propose un riche programme de sorties nature (Nuit de la chouette, Qui vit dans cette mare ? Traces des animaux, Brame du cerf, Marches nocturnes...) – réservation indispensable. Des découvertes de la forêt sont aussi programmées le jeudi à 14h30. Située au nord-ouest du bourg du Gâvre, après La Maillardais, la jolie **chapelle Magdelaine** mérite le détour. Fondée au XIIe siècle, à la même époque que les maladreries (lieux d'accueil des lépreux) de Saint-Lazare dont Marie-Madeleine était la sainte patronne, elle abrite une crédence d'origine, ainsi qu'une statue polychrome du XVe siècle représentant la Vierge de Notre-Dame-de-Grâce.

La forêt se situe entre la vallée de l'Erdre, à l'est, et celle de la Vilaine, à l'ouest. Que vous veniez de Blain, du Gâvre, de Guémené-Penfao ou de Plessé, les routes convergent vers le carrefour central de la Belle-Étoile, où vous pourrez vous garer. Un **kiosque** donnant les principales informations utiles s'y trouve.

QUARTIER BOUFFAY ET ÎLE FEYDEAU

Cœur médiéval de la ville, le quartier Bouffay s'articule autour de la place homonyme et des rues piétonnes environnantes, bordées de maisons à pans de bois, d'hôtels particuliers de guingois et de nombreuses terrasses de bars et de restaurants. Admirer la belle **église Sainte-Croix** (⌚ lun-sam 9h-19h, dim 10h-19h), remarquable pour son beffroi, qui accueille la plus lourde cloche de la ville (plus de 4 tonnes), et son architecture mêlant gothique flamboyant et baroque.

Le **passage Sainte-Croix** (☎ 02 51 83 23 75 ; www.passagesaintecroix.fr ; ⌚ mar-sam 12h-18h30 ; accès gratuit, activités et conférences payantes), entre la rue de la Bâclerie et la place Sainte-Croix, traverse l'ancien prieuré et s'ouvre sur un jardin. Il accueille expositions, conférences et spectacles.

Lieu de naissance de Jules Verne, l'**île Feydeau**, coupée en deux par la rue Kervégan, n'est plus une île depuis le comblement de la Loire durant l'entre-deux-guerres. C'est ici que les riches armateurs du XVIIIe siècle avaient fait édifier leurs hôtels particuliers, dont on peut admirer, encore aujourd'hui, les

Passage Pommeraye (ci-dessous)

D. R.

façades blanches, parfois très penchées, les balcons en ferronnerie et les beaux mascarons (visages sculptés dans les linteaux ou sur la clé de voûte), aux expressions amusées ou inquiétantes.

QUARTIER GRASLIN ET QUAI DE LA FOSSE

La même architecture se retrouve sur le **quai de la Fosse**. De là, on gagne aisément à pied le superbe **cours Cambronne**, qui évoque la cour du Palais-Royal parisien et débouche à quelques mètres de la **place Graslin** et de son théâtre néoclassique. Remontez la rue Racine pour découvrir un bel exemple d'architecture Art déco au n°14, l'immeuble de la Compagnie générale d'accidents, conçu par l'architecte Henri Vié en 1932. La **rue Crébillon**, qui relie le quartier Graslin à la place Royale, est jalonnée de commerces chics. Faites un détour en chemin par le **passage Pommeraye** (www.passagepommeraye.fr), classé monument historique. Ce passage couvert sur trois niveaux, construit en 1843 – et rénové pour la première fois de février 2014 à l'été 2015 –, est coiffé d'une verrière et s'organise autour d'un large escalier. Ses galeries accueillent de nombreuses boutiques et un agréable salon de thé, La Passagère. Jacques Demy y a tourné certaines scènes de son film *Lola*.

Mémorial à l'abolition de l'esclavage Parcours commémoratif

(www.memorial.nantes.fr ; quai de la Fosse ; Médiathèque). Ce mémorial hautement symbolique, conçu en 2012 par l'artiste Krzysztof Wodiczko et l'architecte Julian Bonder, rappelle que Nantes a tiré sa richesse de la traite négrière (XVIIIe-XIXe siècles). Le parcours piétonnier s'étend au niveau de la Loire, entre le pont Anne-de-Bretagne et la passerelle Victor-Schœlcher, face au nouveau palais de justice, là où accostaient les navires négriers à leur retour des Antilles. Sur le quai, 2 000 plaques sont insérées dans le sol et portent les noms de 1 710 expéditions négrières parties de Nantes, ou rappellent les escales africaines puis caribéennes des navires nantais ; des textes évoquent la lutte contre l'esclavage. Chaque année en mai, la ville commémore l'abolition de l'esclavage.

Musée de l'Imprimerie
Art typographique

(☎ 02 40 73 26 55 ; www.musee-imprimerie.com ; 24 quai de la Fosse ; 6/3,50 € adulte/scolaire-étudiant ; ⏲ lun-sam 10h-12h et 14h-17h30, dim 14h-17h30, juil-août lun-ven seulement, visite guidée tlj 14h30). Vous aimez l'odeur de l'encre et regrettez déjà l'époque du "plomb" et la puissance des presses à bras ? Posez votre e-book et courez visiter ce musée accolé à la médiathèque Jacques-Demy, et ses nombreuses collections – poinçons et matrices, lettrines et bois gravés, presses et autres machines manuelles ou mécaniques. Ponctuée de maniements et d'essais (impression et taille douce notamment), la visite très vivante est menée par des ouvriers typographes qui connaissent leur métier sur le bout des doigts et vous en parlent avec passion. Il est aussi possible de suivre des ateliers d'art graphique (lithographie, taille douce, enluminure, reliure...) pour adultes et enfants.

Museum d'Histoire naturelle
Sciences de la terre et du vivant

(☎ 02 40 41 55 00 ; www.museum.nantes.fr ; entrée square Louis-Bureau ; tarif plein/réduit 3,50/2 €, gratuit -18 ans, sept-juin gratuit le 1er dim du mois ; ⏲ tlj sauf mar 10h-18h, fermé jours fériés ; 🚊 Médiathèque). Aménagé dans un remarquable bâtiment du XIXe siècle, il héberge des collections permanentes récemment rénovées – la collection de bois, la galerie des sciences de la Terre (minéraux), la galerie de zoologie et le vivarium –, ainsi que des expositions temporaires en partie liées à l'actualité scientifique.

Musée Thomas-Dobrée
Fermé pour travaux

(☎ 02 40 71 03 50 ; 18 rue Voltaire ; ⏲ fermé pour travaux au moins jusqu'en 2016 ; 🚊 Médiathèque). Ce musée porte le nom d'un armateur nantais, collectionneur passionné, mort en 1895. Thomas Dobrée fit construire ce "palais de brique", qui semble s'inspirer de l'architecture médiévale anglo-saxonne, pour abriter une collection hétéroclite de manuscrits et d'œuvres d'art, ainsi qu'une relique d'Anne de Bretagne : son cœur. L'édifice, devenu musée départemental, accueille aussi un **musée d'Archéologie** qui possède de très belles pièces.

L'ensemble muséographique est actuellement fermé pour travaux – au point mort lors de nos recherches – mais vous pouvez découvrir son étonnante architecture en parcourant le jardin qui l'entoure.

Parc de Procé
Parc à l'anglaise

(accès rue des Dervallières ou bd des Anglais). Ce superbe parc à l'anglaise, où coule la Chézine, dévoile aux promeneurs ses vastes pelouses, ses massifs d'hortensias et de dahlias, ses arbres vénérables (rangée de séquoias et de cèdres), un étang et une mare, un kiosque et un petit manoir, ainsi qu'une "plage verte" à la belle saison. Un superbe endroit, au charme un peu rétro et légèrement éloigné du centre historique, pour une balade ou pour profiter du temps qui passe.

ÎLE DE NANTES

Ancienne zone industrielle, l'île de Nantes, vaste territoire enserré par deux bras de la Loire, est l'un des grands projets d'urbanisme nantais du XXIe siècle. Les chantiers se succèdent et l'île, résolument tournée vers l'avenir, est désormais placée sous le signe de la création.

Les amateurs d'architecture contemporaine pourront découvrir le nouveau **palais de justice** (quai François-Mitterrand), conçu en 2000 par Jean Nouvel et aisément accessible par la passerelle Victor-Schœlcher (dessinée par les architectes Bernard et Clotilde Barto). Derrière le palais de justice, la rue La Noue-Bras-de-Fer compte plusieurs curiosités architecturales et créations artistiques : le *Mètre à Ruban* de Lilian Bourgeat (devant le bâtiment Aethica), l'immeuble Coupechoux surnommé "Manny" et l'œuvre de l'atelier Van Lieshout *L'Absence*, près de l'École nationale supérieure d'architecture de Nantes, face à la Loire.

Parc des Chantiers Esplanade et jeux
(www.iledenantes.com ; accès par le pont Anne-de-Bretagne ; Chantiers-Navals). Le parc englobe le site des anciens chantiers navals. Classées monuments historiques, deux grues imposantes – la jaune, symbole de la construction navale, et la grise, évocation de l'activité portuaire d'autrefois – rappellent aujourd'hui le travail accompli ici, tout comme les cales de lancement des bateaux. Le parc comprend plusieurs jardins (avec jeux pour enfants et espaces de détente), ainsi qu'une esplanade parfaite pour faire du roller, et une passerelle pour longer la Loire au niveau de l'eau. On y trouve les vestiges du pont transbordeur, détruit en 1958, qui reste inscrit dans la mémoire des Nantais. Deux entrepôts, les Nefs, ont été dévolus aux Machines de l'île, l'un pour accueillir la galerie des Machines, l'autre pour l'atelier de construction.

Machines de l'île Animaux mécaniques
(0810 12 12 25 ; www.lesmachines-nantes.fr ; Les Chantiers, bd Léon-Bureau ; galerie des Machines, voyage en éléphant tarif plein/réduit 8/6,50 € ; tlj en saison, voir le site Internet pour les horaires précis ; Chantiers-Navals). Les Nefs, les anciens ateliers de chaudronnerie des chantiers navals, qui accueillent les Machines de l'île drainent une foule de visiteurs, avides de découvrir de près le fabuleux bestiaire, conçu par François Delarozière et Pierre Orefice et fabriqué par une imposante équipe d'ouvriers et d'ingénieurs – des animaux articulés, en bois et en fonte, qui sont aussi la marque du Royal de Luxe (voir l'encadré p. 274). Le clou de la visite : une balade sur le dos de l'éléphant qui barrit et arrose la chaussée d'un jet de sa trompe (30 minutes jusqu'au Carrousel des mondes marins, au bord de la Loire) ou, depuis février 2014, sur la fourmi géante (galerie des Machines). Une branche prototype de l'"arbre aux hérons", un projet exceptionnel actuellement à l'arrêt faute de financement, est accessible au-dessus du café-librairie.

À gauche : la grue Titan (ci-dessous), sur l'île de Nantes.
Ci-dessous : l'éléphant articulé des Machines de l'île (ci-dessous)
(À GAUCHE) THOMAS PAJOT / FOTOLIA © ; (CI-DESSOUS) D. R. ©

Le **Carrousel des ıondes marins** (vacances :olaires, sam-dim et mer 14h-18h ; mode ·rain visite avec un tour tarif plein/réduit /6,50 €, tour supp 3 €, mode découverte site commentée, sans accès aux animaux rticulés, 6,50/4 € ; tlj en saison, voir le te Internet pour les horaires précis) est n impressionnant manège haut de 5 m sur trois niveaux, inauguré en ıillet 2012, qui convie à un voyage ous-marin évoquant les mondes naginés par Jules Verne, avec engins 'exploration et créatures réelles u légendaires qu'il est possible de ıanœuvrer.

Les animaux articulés du **manège 'Andréa** (www.lesmanegesdandrea.com ; €/tour, 10 €/6 tours), sur l'esplanade, articipent du même imaginaire. Et our cause : ils ont été réalisés par les rtisans des Machines. Hippocampe, utruche, licorne ou poisson-globe omplètent le bestiaire fabuleux du :arrousel.

Hangar à bananes Expos et sorties (www.hangarabananes.com ; quai des Antilles). Le long du quai des Antilles, une promenade mène à un ancien entrepôt où se succèdent lieux d'exposition, bars, restaurants, cafés-concerts, salles de spectacle comme le **Théâtre 100 Noms** (02 28 20 01 00 ; theatre100noms.com), ou galeries d'art. Dédiée à l'art contemporain, la **HAB Galerie** GRATUIT programme 3 ou 4 expositions annuelles, souvent remarquables comme celle de l'artiste chinois Huang Yong Ping à l'été 2014, auteur de *Serpent d'Océan* (une œuvre pérenne d'Estuaire, située au large de Saint-Brevin-les-Pins) et artiste retenu pour Monumenta 2016 à Paris.

Le long du fleuve, *Les Anneaux*, une œuvre de Daniel Buren et de Patrick Bouchain créée à l'occasion d'Estuaire 2007, souligne la perspective de l'estuaire de la Loire. À contempler la nuit, lorsque les anneaux sont illuminés.

Insolite ! La saga des géants de la troupe Royal de Luxe

Cette compagnie de théâtre de rue, créée en 1979 par Jean-Luc Courcoult, s'est fixée à Nantes à l'automne 1989, lorsque la municipalité a alloué à la troupe un immense entrepôt. Depuis lors, Royal de Luxe a beaucoup voyagé (tournées en Europe, en Amérique latine et en Afrique de l'Ouest), mais fait régulièrement vivre de sacrées expériences aux Nantais – ainsi, en juin 2014, une grand-mère haute de 7,50 m a investi le hall du théâtre Graslin pour une sieste… avant de partir se promener en ville, accompagnée d'autres marionnettes géantes.

Depuis son *Géant tombé du ciel* (présenté au Havre en 1993, en tournée en 1994), la troupe invite le public à entrer dans un univers parallèle, incarné essentiellement par le Géant, le Petit Géant (un enfant noir de 6 m de haut né en 1998) et la Petite Géante (nièce du Géant, apparue pour la première fois en 2005 avec le spectacle *La Visite du sultan des Indes sur son éléphant à voyager dans le temps*). En faisant déambuler ses personnages articulés et son merveilleux bestiaire (girafe, éléphant, lamproie…) dans les rues, c'est à une réflexion originale sur l'espace urbain et sur l'interpellation du public par les artistes que travaille la troupe. Des saltimbanques qui ont la poésie chevillée au corps ! À chaque sortie, l'émotion mêlée d'étonnement est au rendez-vous.

Pour en savoir plus, consultez leur site : www.royal-de-luxe.com.

GARE MARITIME, BUTTE SAINTE-ANNE ET TRENTEMOULT

Maillé-Brezé — Musée naval

(☎ 09 79 18 33 51 ; www.maillebreze.com ; quai de la Fosse ; visite complète adulte/étudiant/enfant 4-11 ans 8/6,50/4 € ; ⏲ tte l'année, consultez le site ou téléphonez pour les horaires des visites qui varient chaque mois ; 🚋 Gare-Maritime). Hommage aux chantiers navals, cet escorteur d'escadre, à quai depuis 1988, a été transformé en musée naval. Visites guidées (1 heure pour la visite de bord, 30 minutes supplémentaires avec la salle des machines).

Belem — Voilier

(www.fondationbelem.com ; quai de la Fosse ; 🚋 Chantiers-Navals). Nantes est aussi l'un des ports d'attache du *Belem*, le célèbre et magnifique trois-mâts mis à l'eau pour la première fois en 1896. Ce navire-école, classé monument historique, a inauguré son nouveau ponton en 2009. Vous pouvez suivre son programme de navigation (sur le site Internet) et le visiter quand il rentre au port !

Butte Sainte-Anne — Vue sur la Loir[e]

(accès par la rue de l'Hermitage). Depuis la petite esplanade Bruneau où se dressen[t] les statues de Nemo et de Jules Verne enfant observant son personnage, s'éten[d] le plus beau **point de vue** de la ville : le regard embrasse le fleuve, l'île de Nante[s] et, au-delà, la commune de Rezé, avec Trentemoult (voir p. 275). Vous pouvez même apercevoir les touches colorées de la **Maison radieuse** (**☎ 02 40 84 43 84 ; www.maisonradieuse.org ; bd Le Corbusier, Rezé 3,50 € ; ⏲ visites individuelles mer 16h et sam matin 9h30 et 11h, sur rendez-vous ; 🚋 Espace-Diderot, 🚌 74, 37, 31 ou 38**), bâtiment construit par Le Corbusier, sur l'autre riv[e] de la Loire, et dont une partie se visite.

Musée Jules-Verne — Musé[e]

(☎ 02 40 69 72 52 ; www.nantes.fr/julesverne/acc_2.htm ; 3 rue de l'Hermitage ; tarif plein/réduit 3/1,50 € ; ⏲ 10h-12h et 14h-18h, fermé mar, dim matin et jours fériés, 10h-18h juil-août,

e scaphandrier de Royal de Luxe (ci-contre) en exploration dans les rues de Nantes

LOONAPHIL/FOTOLIA ©

uf mar et jours fériés ; Gare-Maritime). Ce musée retrace la vie de l'auteur de *Vingt Mille Lieues sous les mers*, né à Nantes n 1828, et souligne son influence et son énie de précurseur. La collection et la cénographie plairont aux jeunes ados omme les adultes désireux de renouer vec l'imaginaire de leur enfance.

lanétarium Musée

02 40 73 99 23 ; www.nantes.fr/le-anetarium ; 8 rue des Acadiens ; tarif plein/duit 6/3 € ; lun-ven 9h-12h30 et 13h30-18h, m 14h-18h, se renseigner pour les vacances olaires ; Gare-Maritime). Proche du musée Jules-Verne, ce lieu est parfait our plonger la tête dans les étoiles urant une heure. Bon à savoir : chaque imanche à 14h, la séance Planète out'Choux est particulièrement adaptée ux plus petits (4-6 ans, 45 minutes). a réservation des séances est ecommandée.

rentemoult Quartier de charme

Navibus depuis la gare maritime). Face à la utte Sainte-Anne, sur l'autre rive de la oire et dans la commune de Rezé, cet ncien village de pêcheurs est l'occasion 'une agréable balade aux beaux jours : traversez la Loire grâce à la navette fluviale depuis la gare maritime (avec un ticket de bus), musardez dans les rues aux maisons basses et pittoresques, puis attablez-vous pour un repas de poisson ou de fruits de mer. À l'heure du déjeuner ou le soir aux beaux jours, Trentemoult se donne des airs de guinguette en bord de Loire. Notez aussi le marché bio du samedi matin, quai Surcouf, à quelques minutes à pied du débarcadère.

Activités

L'Erdre se jette dans la Loire à Nantes, au niveau du canal Saint-Félix, près de la tour LU. Au XXe siècle, d'importants travaux ont modifié son cours dans le centre-ville (elle a ainsi été comblée pour donner naissance au cours des Cinquante-Otages).

Les berges de l'Erdre se prêtent à d'agréables **promenades à pied ou à vélo** pour sortir un peu du centre historique. Rendez-vous près de l'île de Versailles (p. 268) pour démarrer le parcours – un chemin de halage et des sentiers suivent la rive gauche sur 6 km jusqu'au **parc de la Chantrerie (route de Gachet ; Beaujoire et 72, 76).** Ce vaste parc qui longe l'Erdre sur 900 m se situe au nord-est de Nantes, assez loin du centre. Autre atout : sa **ferme d'éveil** (**mai-juin et sept-15 oct dim uniquement 10h-12h30 et 14h30-18h ; gratuit)** est l'occasion d'une agréable sortie avec des enfants, qui pourront découvrir le potager et les animaux (vaches, chèvres, ânes...), faire du vélo sur les sentiers et s'ébattre sur les aires de jeux. Renseignez-vous aussi auprès de la maison de l'Erdre (voir p. 268).

Il est aussi possible de faire des sorties en bateau, du canoë ou d'effectuer de courtes croisières, en général au départ de l'île de Versailles – contactez **Ruban Vert** (**02 51 81 04 24 ; www.rubanvert.fr ; île de Versailles ; avr et oct sam-dim 10h-19h, mer 14h-19h et vacances scolaires lun-ven 14h-19h, mai-juin et sept lun-ven 14h-19h, sam-dim et jours fériés 10h-19h, juil-août tlj 10h-19h ; Saint-Mihiel ou Pont de la Motte Rouge)** pour louer un bateau électrique sans permis –, ou de visiter l'ancien port de Nantes, sur la Loire.

Vous pouvez également suivre l'une des croisières entre Nantes et Saint-Nazaire sur l'estuaire de la Loire (voir aussi l'encadré p. 278).

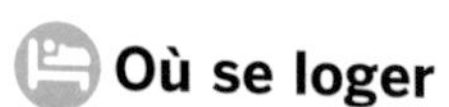

Où se loger

Hôtel Voltaire Opéra — Charme €€

(**02 40 73 31 04 ; www.hotelvoltaireoperanantes.com ; 10 rue Gresset ; d à partir de 65 €, petit-déj 9,80 € ; ; Médiathèque)**. Un hôtel à l'emplacement enviable à deux pas de la place Graslin et du cours Cambronne. Accueil très sympathique et chambres récemment rénovées et bien équipées, à la déco simple et chic. Bon petit-déjeuner buffet.

Hôtel Pommeraye — Chambres d'artistes €€

(**02 40 48 78 79 ; www.hotel-pommeraye.com ; 2 rue Boileau ; d 59-169 €, petit-déj 10,40 € ; P ; Médiathèque)**. Un hôtel deux étoiles original, dans un immeuble ancien refait à neuf, situé à un jet de pierre du passage Pommeraye. Habillées de taupe, orange, parme ou gris, les 50 chambres avec sdb immaculée sont spacieuses et protégées du bruit extérieur. Autres bons points : son engagement vert (label Clé verte) et le choix d'un petit-déjeuner local et responsable. L'hôtel accueille régulièrement des artistes en résidence et a notamment donné carte blanche à 4 d'entre eux pour créer leur décor dans les chambres 308, 309, 207 et 208. Tarif variables selon l'époque de l'année et l'actualité du calendrier nantais.

OKKO Hotel — Hôtel design €€€

(**02 52 20 00 70 ; nanteschateau.okkohotels.com ; 15 bis rue de Strasbourg ; ch 125-195 € selon période avec petit-déj et aperitivo ; ; Duchesse-Anne)**. Désireux d'associer confort contemporain, beauté de la décoration et chaleur d'un accueil visiblement très attentif, ce tout nouvel hôtel quatre étoiles, à deux pas du château et des rues piétonnes, associe le design épuré des chambres à des parties communes chaleureuses (coin lounge, ordinateurs à disposition, grande table dans la cuisine ouverte avec *aperitivo* offert). Ses 80 chambres, visant une clientèle d'affaires, forment chacune un espace compact de 18 m², très bien conçu, avec lit *king size*, coin bureau, TV et sdb très étudiée (douche à l'italienne, miroir anti-buée...). Les tarifs les plus élevés concernent les mardi et jeudi.

Où se restaurer

À l'Ardoise — Cuisine de saison €€

(**02 40 47 54 51 ; 11 rue Léon-Blum ; menus déj/soir 11-14/21-24 €, plat midi/soir 8/15,50 € ; mar-ven déj, mer-sam soir ; 50-Otages)**. Une parfaite petite table, d'esprit juvénile ! La carte suit les saisons et change très souvent. Le menu du jour est d'un bon rapport qualité/prix, et celui du soir plus travaillé. Joli cadre, avec pierres apparentes, et quelques tables dehors aux beaux jours. Accueil charmant. Mieux vaut réserver.

Pickles — Cuisine créative €€

(**02 51 84 11 89 ; www.pickles-restaurant.com ; 2 rue du Marais ; menus déj 2/3 plats 14/18,50 €, soir 25/28 €, menu enfant midi/soir 7,50/12,50 € ; mar-ven déj, mer-sam soir ; 50-Otages ou Bouffay)**. L'une des

Art contemporain à Nantes

Le festival d'art contemporain Estuaire a laissé de nombreuses traces dans la ville lors de ses trois éditions (2007, 2009 et 2012), tout comme le Voyage à Nantes et certaines de ses oeuvres pérennes, telles le monstre marin du square Mercœur. Presque toutes les œuvres sont en accès libre. D'autres sont disséminées sur les rives de la Loire, à Saint-Nazaire ou près du rivage à Saint-Brevin-les-Pins.

- *Nymphéa*, d'Ange Leccia, installation vidéo dans les eaux du canal Saint-Félix (le soir)
- *Les Anneaux*, de Daniel Buren et Patrick Bouchain, devant le Hangar à bananes, île de Nantes (illuminés le soir)
- *L'Absence*, par l'atelier Van Lieshout (www.absence-nantes.fr), île de Nantes
- *Air*, œuvre sonore de Rolf Julius, créée par la résille métallique de l'immeuble Coupechoux, derrière le palais de justice, île de Nantes
- *Péage sauvage*, Observatorium, Petite Amazonie, quartier Malakoff
- *L'Île flottante*, de Fabrice Hyber, canal Saint-Félix
- *Lunar Tree*, de Mrzyk & Moriceau, square Maurice-Schwob (butte Sainte-Anne)
- *Changing Room* de Leandro Erlich et *Portail 0°-90°, portail 8°-98°* de François Morellet, exposées dans l'hôtel de région, île de Nantes
- *De temps en temps*, par François Morellet, sur le bâtiment Harmonie Atlantique, près du pont Anne-de-Bretagne
- *Le Pendule*, de Roman Signer, Rezé (Navibus depuis la gare maritime de Nantes)

ernières adresses nantaises originales, ont la renommée ne cesse de grandir. on chef d'origine britannique, Dominic uirke, n'hésite pas à chahuter les aveurs et appuie sa créativité culinaire ur des produits de grande qualité, dont connaît la provenance (régionale de référence). Le Pickles réunit donc une quipe d'expérience qui n'hésite pas discuter avec les clients, un cadre moderne très agréable, avec vue sur les uisines, et des prix accessibles – du oup, la réservation est impérative ! On 'y est régalé d'un menu 3 plats à 18,50 € vec une entrée à base de chorizo-œuf arfait fumé-purée courge et gingembre, uivi d'un poisson du jour accompagné de iz gluant et curry vert et, en dessert, un élice coing-hibiscus-perle de coco.

Les Chants d'Avril Bistronomie **€€**

(**02 40 89 34 76 ; 2 rue Laennec ; formules déj 18,50-22 €, soir 25 € ; lun-ven midi, jeu-ven soir ; Duchesse-Anne-Château).** Christophe François excelle dans le choix de ses produits et compose une assiette avec une maestria renversante. Son menu mystère vous conduit sur des chemins peu empruntés, au gré de son inspiration et des produits de saison. De beaux exemples avec la nage des saint-jacques, girolles et crème de potiron ou le mi-cuit de thon sur purée de patate douce. L'accord mets et vins est orchestré par Véronique, qui aime dénicher les crus de caractère auprès des producteurs locaux. Accueil charmant et salle dans son jus, avec des peintures classées, dans le quartier du Champ-de-Mars.

Découvrir l'estuaire de la Loire

Difficile à contenir, la Loire a souvent présidé au destin des villes de la région et a modelé le paysage environnant. Nantes a ainsi dû surmonter nombre de difficultés pour accéder à sa situation de premier port de France au XVIIIe siècle : le fleuve, peu profond, régulièrement envasé et ensablé, compte de nombreuses îles qui rendent l'accès à la cité ligérienne problématique. Aussi, dès les années 1600, des avant-ports – Port-Launay (Couëron), Le Pellerin, Paimbœuf et Saint-Nazaire – eurent pour vocation de décharger les cargaisons des gros navires pour les recharger sur de plus petites embarcations qui pouvaient rejoindre Nantes plus aisément. En parallèle, des "petits ports" s'installèrent le long d'étiers ou de bras du fleuve, acheminant les produits de la campagne environnante.

Entre Nantes et Saint-Nazaire, trois zones distinctes composent l'estuaire : une partie endiguée jusqu'à Couëron (rive nord) et au Pellerin (rive sud), très industrialisée ; de Couëron à Lavau-sur-Loire (sur la rive nord), le fleuve arrose des marais formant un territoire où la biodiversité est très riche, même si les activités humaines ne disparaissent jamais complètement ; enfin, au-delà de Lavau, l'influence de la mer est bien présente et la houle est plus forte – la jolie Paimbœuf, sur la rive sud, marque l'entrée de l'estuaire dans sa partie maritime.

Partout dans les zones humides de part et d'autre du fleuve, la flore et la faune sont abondantes et diversifiées, profitant des eaux douces et salées.

L'estuaire, idéalement, se découvre en bateau. Vous pouvez vous adresser à :

Compagnie Marine et Loire (☎ 02 40 69 40 40 ; www.marineetloire.fr ; gare maritime, Nantes ; 🚊 Gare-Maritime ; 🕒 tte l'année, hors saison sur réservation ; adulte/enfant 35/24 € ; P). Programme des croisières avec guide conférencier. Départ de Nantes ou Saint-Nazaire.

Croisière Estuaire (☎ 02 40 75 75 07 ; www.estuaire.info ; rens. accueil Nantes.Tourisme 9 rue des États, Nantes ; 🕒 avr-oct). Permet de découvrir au fil de l'eau les œuvres d'art disséminées lors des trois éditions du festival Estuaire.

Ligue pour la protection des oiseaux de Loire-Atlantique (LPO ; ☎ 02 51 82 02 97 ; loire-atlantique.lpo.fr ; 1 rue André-Gide, Nantes). Sorties nature avec guide naturaliste.

La Cigale Brasserie classée €€
(☎ 02 51 84 94 94 ; www.lacigale.com ; 4 pl. Graslin ; petit-déj complet 15 €, brunch 27 €, menus déj 15-25,60 €, soir 18-27,50 € ; 🕒 tlj 7h30-0h30 ; 🚊 Médiathèque). Cette institution du quartier Graslin doit à son beau décor Art nouveau un classement aux monuments historiques. Agréable carte brasserie et plateau de fruits de mer. Autant privilégier le moment du petit-déjeuner ou celui du goûter pour admirer les faïences vernissées en toute quiétude.

La Poissonnerie Poisson et fruits de mer €€
(☎ 02 40 47 79 50 ; www.lapoissonnerie.fr ; 4 rue Léon-Maître ; formule déj 18-21 €, plat du jour 15 €, menus 29-58 € ; 🕒 mar-sam midi et soir ; 🚊 Bouffay). Sur l'île Feydeau, cette excellente adresse pour des plats de poisson (mais pas seulement...) vient de changer de propriétaires. On y retrouve des sardines marinées aux algues et leur brioche wakamé-citron, suivies d'un filet de barbue et jus de coques au safran et, bien sûr, les classiques plateaux de fruits de mer.

SÉBASTIEN KRZYZANOWSKI ©

Où prendre un verre et sortir

.a culture bar est très présente à Nantes. .es adresses suivantes ne sont qu'une élection. Vous trouverez de nombreux ›ars et cafés autour de la place Bouffay ›t sur le quai des Antilles dans l'île de ‹lantes.

.e Cercle Rouge Bar
(02 40 20 16 50 ; 27 rue des Carmes ; nuscadet 2,20 € ; lun-sam 8h-minuit ; Place-du-Cirque). Un bon lieu de rendez-›ous, avec sa grande terrasse donnant ›ur une rue piétonne et une belle salle où 'ameublement et la déco évoquent les ınnées 1950-1970, comme un hommage ıu film noir de Melville. La clientèle est de ous les âges, plutôt trentenaire et assez *ırty* le soir. On peut y boire des bières ırtisanales locales du Bouffay, titrant 5 ›t 7°.

.e Lieu ınique Café-concert, spectacles
(02 40 12 14 34 ; www.lelieuunique.com ; ıuai Ferdinand-Favre ; 2 rue de la Biscuiterie ; bière 2 €, ti-punch 5 € ; lun 11h-20h, mar-jeu 11h-2h, ven-sam 11h-3h, dim 15h-20h ; Gare-SNCF/Duchesse-Anne). Le Lieu unique (voir aussi p. 268) draine toujours un public nombreux à chaque concert ou spectacle. Transats et tables dehors aux beaux jours, le long du canal Saint-Félix.

Le Nid Café panoramique
(02 40 35 36 49 ; 32e ét de la tour Bretagne, pl. de Bretagne ; café 1,70 €, accès gratuit pour le panorama ; mer-ven 14h15-2h, sam 10h-2h, dim 10h-12h ; Bretagne). Ce bar original a été conçu par Jean Jullien, un artiste nantais qui vit à Londres, pour l'édition 2012 du Voyage à Nantes (voir p. 44). Outre son emplacement (au sommet d'une tour de bureaux assez laide du centre-ville), le panorama offert sur Nantes et l'estuaire (vous êtes à 140 m au-dessus de la Loire !), le café séduit par sa déco attendrissante : un long cou d'oiseau enserre fauteuils et tables-œufs, tandis que les ailes gardent le comptoir. Des affiches aux murs détournent les lieux phares de la ville. Prix sages à la carte (jus, boissons chaudes, bières, vins et planches apéro). Accès handicapé.

Si vous aimez... les paysages fluviaux

Si vous aimez les paysages fluviaux et les promenades le long des chemins de halage, ne manquez pas :

1 **SUCÉ-SUR-ERDRE**

Petit port fluvial plein de charme, à 20 km de Nantes.

2 **LA LOIRE JUSQU'À OUDON**

Remontez la Loire jusqu'à Oudon et son donjon médiéval. De là, des balades à vélo sont possibles le long du Hâvre.

3 **CLISSON ET LA VALLÉE DE LA SÈVRE NANTAISE**

Pour découvrir un petit coin de Toscane au bord de la Sèvre nantaise et associer visites culturelles au plaisir du canoë-kayak ! Sans oublier les dégustations de muscadet dans les villages alentour.

4 **LE CANAL DE NANTES À BREST**

240 km navigables de Nantes au lac de Guerlédan et des chemins de halage bien entretenus, qui se prêtent à des promenades à pied et à vélo (voir p. 39).

Théâtre Graslin Théâtre et opéra
(**☎ 02 40 69 77 18 ; place Graslin ; www.angers-nantes-opera.com ; Médiathèque**). Dominant la place de son architecture néoclassique de la fin XVIIIe siècle, le théâtre accueille dans sa salle à l'italienne les représentations de l'Angers-Nantes Opéra.

Renseignements

Nantes Tourisme (**☎ 0892 464 044, 0,34 €/min ; www.nantes-tourisme.com ; 9 rue des États ; juil-août tlj 9h-19h, sept-juin lun-sam 10h-18h, dim et jours fériés 10h-17h ; Duchesse-Anne-Château**). Le personnel peut réserver des visites guidées (**tarif plein/réduit/-12 ans 7-9/4-6/0-2 € selon les thèmes**) ou vous fournir un pass touristique (**24/48/72 heures tarif plein 25/35/45 €, réduction 10% sur site Internet, 4-17 ans et étudiant 17/24/31 €**). Ce forfait permet un accès libre aux transports en commun ainsi qu'aux sites et monuments ; il comprend une visite commentée de la ville, ainsi que diverses réductions.

Station Prouvé/Accueil Nantes Tourisme (**Prairie-au-Duc, parc des Chantiers, île de Nantes ; juil-août tlj 9h-19h, vacances scolaires mer-dim 14h-17h, sinon ven-dim 14h-17h ; Chantiers-Navals ou 58**). Information culturelle et touristique dans une ancienne station-service "itinérante", dessinée par l'architecte Jean Prouvé dans les années 1960.

Depuis/vers Nantes

Avion

L'aéroport Nantes-Atlantique (**☎ 02 40 84 80 00 ; www.nantes.aeroport.fr ; www.rennes.aeroport.fr**) est situé à 12 km au sud-est de la ville, à Bouguenais. Des vols directs rejoignent plusieurs villes en France (Paris, Lyon, Lille, Nice, Montpellier, Strasbourg, Marseille ou Bordeaux) et à l'étranger. Pour rejoindre l'aéroport, une navette (**20 minutes ; 7,50 € ; lun-sam 5h30-23h, dim et jours fériés 6h15-23h**) part de la sortie sud gare de Nantes.

Train

Le TGV relie la gare de Nantes (**27 bd Stalingrad**) à Paris en un peu plus de 2 heures en moyenne, via Le Mans et Angers. Il existe aussi des liaisons directes avec Bordeaux, Lyon, Toulouse ou Lille.

Comment circuler

Bus et tram

Le centre-ville est assez concentré et l'on rejoint facilement les principaux sites à pied. Vous utiliserez sans doute plus aisément le tramway que le bus. Les transports en commun sont gérés par la Tan (**☎ 02 40 44 44 44 ; www.tan.fr**). Le ticket classique (1,50 €, 2 € auprès des conducteurs, 14 € les 10) est valable 1 heure ; un ticket 24h (4,60 €) permet de se déplacer sur tout le réseau TAN et TER (ticket famille 4 personnes : 7,50 €).

En centre-ville, l'Espace transport Commerce (**2 allée Brancas ; Commerce**) est ouvert du lundi au samedi de 7h30 à 19h30. Vente de tickets, plans et horaires.

ramway Circule le soir jusqu'à 0h30 en emaine, 2h30 le samedi. Dans la nuit du jeudi u vendredi et du samedi au dimanche, le ervice Luciole prend le relais et dessert les eux de sortie jusqu'à 7h15.

avibus (ticket ordinaire ; tte l'année auf 1er mai). Deux lignes sont en service : ous pouvez traverser la Loire et rejoindre rentemoult au départ de la gare maritime (ttes s 10 min en semaine, 20 min le week-end) et n passeur vous fait franchir l'Erdre entre Port-oyer et Petit Port Facultés.

'axi

llô Taxi Nantes Atlantique (02 40 69 22 2 ; www.allo-taxis.com). Les taxis sont rares le oir et la nuit ; prévoyez un transport alternatif.

'élo

icloo (01 30 79 33 44 ; www.bicloo. antesmetropole.fr). Réseau de vélos en libre ervice, accessible tous les jours de 4h à 1h emise des vélos 24h/24). Louer un deux-roues vec une carte bancaire se fait auprès d'une orne des stations d'accueil et d'abonnement. existe des abonnements courts (1, 3 ou 7 jours our 1, 3 ou 5 €).

étours de Loire (02 40 48 75 37 ; www. ocationdevelos.com ; gare routière Baco, allée laison-Rouge ; mai-sept). Vélos à l'heure, à la urnée, à la semaine ou au mois.

AINT-NAZAIRE SANT-NAZER)

ourgade de pêcheurs jusqu'au milieu du IXe siècle, Saint-Nazaire fut choisie dans s années 1860 pour accueillir les lignes ansatlantiques régulières vers l'Amérique entrale. C'est également à cette époque ue débuta la grande aventure de la onstruction de paquebots. Durant la econde Guerre mondiale, tout changea : s Allemands entreprirent la construction 'une gigantesque base sous-marine pour éparer et ravitailler leurs sous-marins ngagés dans la bataille de l'Atlantique. es bombardements alliés sur la ville et le ays alentour furent terribles et laissèrent aint-Nazaire presque intégralement étruite. Les vestiges de la Seconde Guerre mondiale sont toujours visibles dans cette ville contemporaine, dont l'histoire moderne reste intimement liée à celle de la construction navale et aux industries.

À voir et à faire

Base sous-marine Histoire maritime
(02 28 540 640 ; visite libre, visite guidée possible juil-août tarif plein/réduit 6/3 €). Édifiée par les Allemands entre 1941 et 1944, la base sous-marine a durablement modifié le visage de la ville. Après des années d'abandon, l'imposante masse de béton – qui comprend 14 alvéoles sur une longueur totale de plus de 300 m – est devenue un lieu culturel et de loisirs, à la faveur d'une politique de reconquête urbaine. Une passerelle donne accès au **jardin du Tiers Paysage**, aménagé sur le toit de la base par Gilles Clément, qui permet d'embrasser du regard toute la ville. La base accueille désormais le centre d'interprétation **Escal'Atlantic (tarif plein/réduit 13/6,50 € ; tte l'année)** qui fait revivre la grande époque des paquebots de légende.

C'est un tout autre univers qui vous attend dans les entrailles de **L'Espadon (02 28 540 640 ; écluse fortifiée, av. de la Forme-Ecluse, port ; adulte/4-18 ans 9/4,50 € ; tte l'année)**, sous-marin armé en 1960 et amarré depuis 1985 dans le port de Saint-Nazaire. Les ambiances sonores restituent de façon réaliste les conditions de vie – très exiguës ! – à bord.

Plage de Monsieur Hulot Sable et cinéma
Si Saint-Nazaire compte une vingtaine de plages, la plus réputée est indéniablement celle qui a vu Jacques Tati installer ses caméras en 1951 pour le tournage des *Vacances de monsieur Hulot*. Située à Saint-Marc-sur-Mer, au sud de la ville, elle est sous la surveillance d'une statue en bronze d'Emmanuel Debarre qui rend hommage à cet éternel héros lunaire du cinéma.

Où se restaurer

Le Skipper Brasserie **€€**
(02 40 22 20 03 ; 1 bd René-Coty ; plats 17-19 € ; fermé sam midi et dim ;).

À la barre de cette brasserie au décor contemporain, Krzysztof Frankowski, ex-international de foot qui s'est illustré au FC Nantes dans les années 1980. La carte qui change avec les saisons privilégie les produits de la mer. Bien situé sur le port.

Le Centre Saveurs du monde **€**
(☎ 02 40 91 90 22 ; 2 rue du Commandant-Charcot, Saint-Marc-sur-Mer ; plats 10-13 € ; 🚌 40 ou 45). Très agréable, ce café d'habitués aux multiples casquettes, près de la plage de Monsieur Hulot, sert des plats d'inspiration africaine, indienne ou thaïe. On y sirote un verre et, avec un peu de chance, on y écoute d'excellents concerts (hors saison uniquement). Bon point : les enfants s'y restaurent comme les grands, en version réduite et moins épicée (plats 6 €).

Renseignements

Office du tourisme (☎ 02 40 22 40 65 ; www.saint-nazaire-tourisme.com ; 3 bd de la Légion-d'Honneur). Dans la base sous-marine, au niveau du repère 9A face à l'esplanade Ruban bleu.

BAIE DE LA BAULE

Pornichet (Pornizhan)

Aux portes de la Côte d'Amour, Pornichet amorce l'exceptionnel triptyque balnéaire qui se déploie autour de la baie. L'ancien village de pêcheurs et de sauniers a vu, comme ses consœurs, son destin changer au XIXe siècle avec l'arrivée du chemin de fer et des premiers touristes venus profiter des plaisirs marins. Pornichet plaît avec sa vie de village balnéaire, centrée le matin autour de son marché couvert et, l'après-midi, le long de ses plages très étendues, de Sainte-Marguerite à La Baule.

À voir et à faire

Pour vous imprégner de l'**architecture balnéaire** du XIXe siècle de la ville, flânez autour de l'**hôtel de ville**. Poursuivez la visite du côté de **Sainte-Marguerite**, un site et une plage pleins de charme que l'on peut rejoindre en voiture ou à pied en empruntant le chemin côtier qui part de la pointe du Bé en direction de Saint-Nazaire (il faut compter 12 km pour la rejoindre). Vous découvrirez au passage le paysage dunaire de la plage de Bonne-Source et la pointe de Congrigoux. De la jolie crique de Sainte-Marguerite, la vue porte sur des îlots au large, notamment la Pierre percée, une réserve protégée pour les oiseaux marins.

Si vous êtes amateur de remise en forme, le **Relais Thalasso Baie de la Baule** (☎ 02 40 11 33 11 ; www.relaisthalasso.com) est situé dans le château des Tourelles, devant la plage de Bonne-Source.

Plage de Monsieur Hulot
ŒUVRE D'EMMANUEL DEBARRE, PHOTO PACKSHOT/FOTOLIA

Où se restaurer

.e Récif Resto de plage **€€**

02 40 61 61 20 ; plats midi 9-19 €, soir 20-0 € ; fermé mar-jeu hors saison, fermé déc-jan). 'loigné du centre de Pornichet, et comme solé sur son coin de paradis, Le Récif est un des plus agréables restaurants de lage de la baie, avec sa terrasse et ses ransats sur le sable (bien pour l'apéro u pour patienter avant le dîner). En été, est impératif de réserver plusieurs jours l'avance. Ambiance nonchalante et uisine réjouissante (carte simple le midi, lus élaborée le soir) : curry rouge de ambas, lieu jaune sur salade d'agrumes, enne aux coques...

.e Loup ;alé Galettes et produits de la mer **€**

02 40 61 35 70 ; 128 bd des Océanides ; carte utour de 15-35 € ; fermé mar juil-août, fermé 1ar-jeu hors saison, ouvert Pâques-sept). En lein centre, sur le front de mer, cette gréable salle aux murs lambrissés et aux ables en bois est connue pour sa carte 1ventive, travaillée avec des produits ner et terre ultrafrais (galettes et crêpes, nais aussi poissons et produits de la 1er) : salade de pousses d'épinards et le langoustines, sardines servies sur des linis de sarrasin...

Renseignements

ffice du tourisme (**02 40 61 33 33 ; www. ornichet.fr ; 3 bd de la République).** Publie un uide intitulé *Rêves de villas* (5 €).

.a Baule (Ar Baol)

;'imagine-t-on qu'en 1879, lors de inauguration de la ligne ferroviaire ;aint-Nazaire-Le Croisic, La Baule 'était encore qu'un lieu-dit presque lésert, composé de dunes instables t inondables ? Bon chic bon genre, a Baule étonne à plusieurs titres. Si son ront de mer a plus que souffert d'une rbanisation massive, la ville conserve, u milieu des pins, de belles villas ourgeoises du début du XXe siècle. côté d'adresses luxueuses, une belle hôtellerie milieu de gamme permet de bénéficier des attraits de l'une des plus prestigieuses stations balnéaires de la façade atlantique. Car La Baule, c'est d'abord une longue plage de sable blond le long de la baie qui est considérée par beaucoup comme l'une des plus belles d'Europe – il s'agit d'ailleurs de la baie du Pouliguen, abusivement appelée baie de La Baule, du nom de sa plus fameuse station. Rien d'étonnant à ce que la perle de la Côte d'Amour soit le paradis du farniente et des sports nautiques.

À voir

Le **centre-ville** s'ordonne autour de la place du marché, de l'avenue du Général-de-Gaulle, axe commerçant et perpendiculaire au front de mer, et de l'avenue De-Lattre-de-Tassigny. À l'ouest, le très résidentiel et chic **quartier Benoît** semble dominé par l'empire Lucien Barrière, avec son casino et ses hôtels de luxe. Le quartier de **La Baule-les-Pins** se situe plus à l'est. L'avenue Louis-Lajarrige, bordée de nombreux commerces, en est l'axe principal. La **forêt communale d'Escoublac** s'étend au nord-est. Le quartier du **Guézy**, enfin, borde le haut de Pornichet. Le **Remblai** est la promenade qui court le long de l'océan – ne parlez surtout pas ici de front de mer !

Villas Architecture balnéaire

Prenez la peine de vous éloigner du Remblai pour apprécier le patrimoine architectural de cette station pionnière dans le domaine du tourisme balnéaire. Des villas aux influences variées se fondent dans la forêt maritime, rivalisant de charme et de fantaisie. Ces superbes demeures, de styles flamand et anglo-normand du début du XXe siècle, Art nouveau, basque ou d'influence mauresque, s'ouvrent sur l'océan ou sur de luxuriants jardins plantés de tamaris roses, d'acacias ou de palmiers. L'office du tourisme vend un guide sur des balades architecturales à La Baule (5 €).

Activités

ÉQUITATION

La balade à cheval sur la plage, tôt le matin ou en soirée, est un must à La Baule ! L'office du tourisme (voir p. 286) vous donnera les coordonnées des centres équestres aisément accessibles.

PLAGES

Impressionnante, somptueuse, la longue **plage de La Baule** s'étire à n'en plus finir. Le lieu de séjour, le club de plage et/ou l'école de voile déterminent souvent le choix de la plage. Pour plus de tranquillité cependant, et pour profiter d'un sable extrêmement doux et fin, préférez la plage Benoît (au-delà du casino et des hôtels Lucien Barrière) et celle de La Baule-les-Pins, proche de l'avenue Louis-Lajarrige.

En six endroits, en général près des postes de secours, l'accès à la plage est facilité pour les personnes à mobilité réduite – procurez-vous la carte indiquant ces emplacements à l'office du tourisme.

RANDONNÉES

Trois sentiers pédestres sont balisés sur la commune, pour des circuits de 2 heures 30 en moyenne. L'office du tourisme distribue un petit dépliant gratuit les détaillant. La **forêt d'Escoublac** représente un agréable lieu de promenade.

THALASSOTHÉRAPIE

Les amateurs s'adresseront au centre **Thalgo La Baule** (02 40 11 99 99 ; www.lucienbarriere.com ; av. Marie-Louise). Outre les cures, il propose des soins à la carte.

VOILE ET AUTRES SPORTS NAUTIQUES

Vous aurez l'embarras du choix pour pratiquer la voile et la planche à voile. Affiliée à la Fédération française de voile, **Latitude Voile** (02 40 60 57 87 ; www.latitude-voile.com ; avr-oct) organise des stages dès l'âge de 7 ou 10 ans sur catamaran et windsurf/planche à voile, ainsi que des locations de matériel.

Créé par le navigateur Bruno Peyron, l'**Espace Voile Peyron** (02 40 11 10 81 ; www.espacevoilepeyron.com ; sur la plage face au 4 bd Hennecart ; stages 135-180 € selon support ; mars-nov) offre une gamme quasi complète d'activités nautiques.

Outre leurs activités de glisse, **Les Passagers du Vent** (02 40 11 13 51 ; www.lespassagersduvent.fr ; face au rond-point de l'av. de Saumur ; avr-sept), qui programme également d'autres sports de glisse (ski nautique, flyfish et wakeboard), propose des cours et des stages sur Optimist, catamaran et planche à voile.

Où se loger

La Baule est une destination balnéaire appréciée, et l'hébergement reste onéreux en saison. Les *people* et les plus fortunés fréquentent ces trois adresses mythiques que sont Le Royal, le Castel Marie-Louise et l'Hermitage, qui se côtoient dans le quartier Benoît, le plus huppé de la station.

La Palmeraie Hôtel €€
(02 40 60 24 41 ; 7 allée des Cormorans ; s/d/f 69-115/79-140 /119-160 € selon confort et saison, petit-déj 9 € ; tte l'année ; dans le hall). Certes, les chambres sont parfois bien vétustes (travaux de rénovation, en cours lors de notre passage), mais cet hôtel deux étoiles environné de palmiers, au calme et à deux pas de l'océan, dégage du charme. La jolie terrasse sous la pergola, en haut des marches, avec ses tables et chaises colorées, y contribue grandement, tout comme l'accueil souriant et l'ambiance familiale. Pour les fanas des années 1970, les chambres les plus anciennes ont un mobilier en rotin. Restaurant sur place. Hôtel inaccessible aux personnes handicapées.

Villa Argos Chambres d'hôtes €€
(02 40 19 17 82 ; www.lavilla-argos.fr ; 5 av. du Général-Rodes ; ch avec petit-déj 124-134 € en saison, 78-98 € hors saison ; tte l'année ;). Les très aimables Véronique et Dominique Doucelin vous accueillent dans leur maison du quartier Benoît, à 200 m de la plage au sable le plus fin de La Baule. Les 3 chambres avec accès indépendant

JEAN-BERNARD CARILLET ©

peuvent former un ensemble pour famille ou amis ! Kitchenette à disposition.

Villa Cap d'Ail Hôtel de charme **€€**
(☎ 02 40 60 29 30 ; www.villacapdail.com ; 145 av. de-Lattre-de-Tassigny ; s/d/f 67-88/72-144/124-155 € selon confort et saison, petit-déj 10,50 € ; ⏲ tte l'année ; @ ⓦ). Un hôtel estampillé trois étoiles, où l'on se sent vite comme chez soi. Entourée d'un jardin, cette belle maison bourgeoise de 1927 – l'un des plus anciens hôtels de La Baule – possède des chambres douillettes et contemporaines entièrement rénovées (les plus coûteuses possèdent balcon et/ou balnéo). Location de vélos possible. Comptez 15 minutes à pied pour rejoindre la plage.

 Où se restaurer

Season's Bistronomie sur la plage **€€**
(☎ 02 40 60 71 68 ; www.seasons-labaule.com ; plage Benoît, face à l'av. du Jardin-Public ; menu midi 26 €, sinon 29,50-59 €, plats 21-29,50 €, salades 11-17,50 € ; ⏲ midi et soir sauf lun). L'un des musts en bord de plage : une cuisine originale et de haute volée, sur la très chic plage Benoît. La carte du Season's est désormais élaborée par le très talentueux Éric Guérin, chef étoilé de La Mare aux Oiseaux (voir p. 303).

Le Billot Cuisine du marché **€€**
(☎ 02 40 60 00 00 ; place du Marché ; plat du jour 10,90 €, formule midi 2/3 plats 14,90/18,90 € ; ⏲ mar-sam). Les propriétaires, un jeune couple, détournent Le Billot de sa prédilection première (la viande) pour diversifier la carte. On s'y régale désormais d'une cuisine du marché talentueuse, où figurent un poisson du jour, des huîtres en provenance de Kercabellec et toujours d'excellentes pièces carnées (presa de cochon ibérique, tartare de bœuf, etc.). Produits frais et tour de main élégant pour cette table à l'emplacement idéal, avec une grande terrasse devant les halles centrales, au cœur de La Baule.

14 Avenue Pêche du jour **€€**
(☎ 02 40 60 09 21 ; www.14avenue-labaule.com ; 14 av. de Pavie ; formules midi 2/3 plats 18/24 €, menu 41 € ; ⏲ mer midi-dim midi). Une adresse discrète derrière l'hôtel Royal, jouant une partition très agréable avec produits régionaux ultra-frais et pêche

du jour exceptionnelle. Lors de notre passage, le chalut permettait au chef de cuisiner un pavé de thon rouge aux épices cajun, un turbot sauvage de l'île d'Yeu ou des sardines grillées de La Turballe. Qui plus est, les desserts sont à tomber ! Réservation recommandée.

Où sortir

Le quartier du **casino (www.casino-labaule.com ; 24 esplanade Lucien-Barrière)** et l'avenue du Général-de-Gaulle regroupent l'essentiel de l'animation nocturne au cœur de La Baule.

Villa La Grange — Boîte de nuit

(02 51 75 01 91 ; www.la-grange.com ; chemin de la Nantaise ; juil-août tlj sauf dim 23h-6h, Pâques-sept sam et veille de jours fériés ; 15 €). Sur la route de Guérande, cette adresse est fréquentée par la jeunesse dorée depuis… 1964. Navette gratuite au départ de la place des Salines, à La Baule.

Achats

Le **marché central (9h13h tlj vacances scolaires, sinon fermé lun et mer)**, à deux pas de l'avenue Général-de-Gaulle, est un grand moment d'animation (et haut lieu de socialisation) de la ville, d'autant que les halles couvertes viennent d'être restaurées. Quelques boutiques gourmandes ont aussi pignon sur rue.

Le Fondant Baulois — Pâtisserie

(02 40 23 16 05 ; www.lefondantbaulois.com ; 131 av. du Général-de-Gaulle ; mar-sam 10h-13h et 15h-19h, dim 15h-19h). Ce gâteau au chocolat fondant inventé par un épicier baulois a la particularité de se conserver des semaines – sa recette, tenue secrète, a suscité bien des imitations… et autant de procès.

Manuel — Confiserie

(02 40 60 20 66 ; 2-4 av. du Général-de-Gaulle ; tlj fév-nov). Inventées en 1937, les niniches de la confiserie Manuel sont le pendant du célèbre fondant baulois en terme de notoriété. Le magasin de La Baule, sur le Remblai, date des années 1950. Aujourd'hui, on y fabrique toujours à la main, et de façon artisanale, ces tendres sucettes, déclinées en 20 parfums naturels. Également glaces et gauffes (la chantilly est maison !).

Renseignements

Office du tourisme (02 40 24 34 44 ; www.labaule.fr ; 8 pl. de la Victoire ; hjuil-août tlj 9h30-19h30). Visites guidées thématiques d'avril à octobre, à effectuer à pied, à vélo ou en minibus (4-15 €). Connexion Wi-Fi possible (1 heure gratuite).

Comment circuler

Train touristique

Un **petit train touristique (02 40 60 78 88 ; www.trains-touristiques.fr ; adulte/enfant 6/4,50 € aller-retour sans descendre)** circule entre La Baule et Pornichet et marque 10 arrêts. En juillet-août, un train fait aussi la navette entre La Baule et Le Pouliguen et un autre longe la Côte sauvage jusqu'au Croisic.

Vélo

Une piste cyclable longe le front de mer depuis Pornichet jusqu'au casino de La Baule, puis se poursuit vers Le Pouliguen. L'ancienne voie ferrée reliant La Baule à Guérande a par ailleurs été transformée en itinéraire Vélocéan qui conduit jusqu'à Piriac-sur-Mer, au nord de la presqu'île guérandaise.

Location de cycles Michel Chaillou (02 40 60 07 06 ; www.chailloulocation.com ; 3 pl. de la Victoire ; demi-journée adulte/enfant 8,50-10/7,50-8 € selon modèle ; tlj 10h-12h15 et 14h-19h avr-oct, fermé dim-lun nov-mars).

Rent La Baule/ADA (02 40 11 17 00 ; av. Georges-Clemenceau). Tout près de la gare de La Baule-Escoublac.

Le Pouliguen (Ar Poulgwenn)

Le Pouliguen ferme en beauté l'immense croissant de sable blond de la baie de La Baule. Cet ancien port de pêche s'est orienté avec succès vers le tourisme et la navigation de plaisance tout en conservant une atmosphère typique, assez éloignée des fastes de La Baule.

Le Pouliguen fait la transition entre a zone balnéaire et les plages, à l'est, et les landes et le chaos rocheux de la Côte sauvage, qui commence à la pointe de Penchâteau et court vers l'ouest en direction de Batz-sur-Mer et du Croisic.

À voir et à faire

Port et vieille ville — Promenade

La **promenade du port** est un classique. Des baraques vendant souvenirs et confiseries y étaient déjà installées au début du siècle dernier. Des jeux et des manèges confèrent aux quais des airs de fête foraine.

La vieille ville s'ordonne autour de la place du marché. L'**église Saint-Nicolas** date de la fin du XIXe siècle, comme la majorité de ses vitraux. La statuaire comprend une statue en bois doré de la Vierge de 1629. À l'ouest de la ville, au niveau de l'anse Toullain, se situe l'un des plus anciens monuments du Pouliguen, la **chapelle de Penchâteau** (passage Sainte-Anne). Édifiée au XVe siècle, elle possède une belle charpente et une rosace de style gothique flamboyant, et contient des statues anciennes. Elle est en réalité dédiée à saint Julien-l'Hospitalier. La croix, devant, est plus récente. Elle proviendrait de l'ancienne église paroissiale.

De la pointe de Penchâteau à la baie du Scall — Promenade

Contrairement à Pornichet et à La Baule, Le Pouliguen présente un littoral tourmenté et la grève laisse apparaître à marée basse une succession de grottes. La **grotte des Korrigans**, la plus célèbre et la plus accessible (par un escalier), se situe juste avant la baie du Scall. On entre d'un côté et on sort de l'autre – une escapade qui plaît beaucoup aux enfants. Un **sentier côtier** part de la pointe de Penchâteau, et se poursuit jusqu'à Batz-sur-Mer (baie du Scall), voire jusqu'au Croisic le long d'un chemin d'une dizaine de kilomètres ; il se double d'une piste cyclable à double voie jusqu'à Batz-sur-Mer. Pour récupérer ce sentier côtier à pied depuis le centre, il faut attendre la marée basse et parcourir la distance (1 km tout au plus) qui sépare l'anse de Toullain de la pointe en question. C'est l'occasion de passer en contrebas de jolies villas.

Musée Bernard-Boesch — Galerie d'art

(02 51 75 75 75 ; 35 rue François-Bougouin ; 10h-12h et 15h-19h). GRATUIT La visite de cette villa typique des années 1930 vaut aussi pour le cadre : la terrasse permet d'embrasser toute la baie de La Baule du regard. Bernard Boesch, lui-même architecte et peintre, a légué ses biens et sa villa à la municipalité, qui l'a transformée en galerie d'art, doublée d'une résidence d'artistes.

Le Pouliguen
LOTHARINGIA / FOTOLIA ©

Cercle nautique La Baule-Le Pouliguen-Pornichet Nautisme
(02 40 42 32 11 ; www.cnbpp.fr ; 77 rue François-Bougouin, pointe de Penchâteau). Ce club nautique a formé des navigateurs émérites (en particulier les frères Peyron et Pajot). Stages toute l'année.

Plage du Nau Sable fin
Cette petite étendue de sable très fin, donnant sur les eaux de la baie de La Baule, est appréciée des familles.

Où se loger et se restaurer

Les Goélands Chambres d'hôtes €€€
(02 40 24 20 17 ; www.chambresd'hotes-labaule.fr ; 2 impasse de la Torre ; d avec petit-déj basse/haute saison 99-130/110-155 € ; mars-nov ; P). Des chambres d'hôtes de charme à la pointe de Penchâteau, à la sortie du Pouliguen mais au commencement de la Côte sauvage, magnifique. Belle villa, décoration design et accueil chaleureux. Prêt de vélos.

Les Bains du Nau Face à la mer €€
(02 4042 24 31 ; plage du Nau ; plats 15-19 €). Pour manger les pieds dans le sable ou presque sur la plage du Nau. Un joli cadre, surtout le soir, pour une cuisine à forte consonance marine (bar grillé à l'anis et à l'aneth, wok relevé de saint-jacques et gambas, sardines grillées...).

Renseignements

Office du tourisme (02 40 42 31 05 ; www.tourisme-lepouliguen.fr ; port Sterwitz)

CÔTE SAUVAGE

Batz-sur-Mer (Bourc'h-Baz)

Entre marais salants et océan, Batz-sur-Mer cultive le double visage d'une localité tournée vers les loisirs balnéaires aussi bien que l'exploitation ancestrale du sel, dont elle revendique fièrement l'activité. Elle coupe aussi la Côte sauvage qui se poursuit vers Le Croisic.

À voir

Église Saint-Guénolé Patrimoine
Ce bel édifice en granit date de la fin du XVe siècle. Sa **tour** (adulte/enfant 1,80/0,80 € ; avr-juin et sept tlj 9h30-12h30 et 14h-18h30, juil-août tlj 9h30-13h et 14h-18h30) culmine à 70 m au-dessus de la mer. De Pâques à fin septembre, vous pouvez monter au sommet pour profiter d'un panorama unique embrassant toute la presqu'île et, bien entendu, les salines.

Tout proche, la **chapelle du Mûrier**, en ruine, fut élevée au XVe siècle après une épidémie de peste. En 1820, un ouragan l'endommagea fortement. Malgré son absence de toiture, elle reste impressionnante.

Musée des Marais salants Écomusée
(02 40 23 82 79 ; pl. Adèle-Boucher ; adulte/étudiant et 13-18 ans/6-12 ans 4/3/2 € ; juil-août tlj 10h-19h, juin et sept et vac. scol. mar-dim 10h-12h30 et 14h-18h, jusqu'à 17h hors vac. scol., fermé 15 jours jan). Après des travaux d'aménagement, le musée dévoile depuis l'été 2013 une scénographie toute contemporaine sur près de 800 m². Sa visite est primordiale pour comprendre la méthode de production du sel et le particularisme des marais salants. La collection évoque la vie des paludiers, avec la reconstitution d'intérieurs traditionnels, dans une approche à la fois historique, technique et humaine.

Grand Blockhaus Musée et lieu historique
(02 40 23 88 29 ; www.grand-blockhaus.com ; 12 route du Dervin ; tarif plein/5-12 ans 7/5,50 € ; vac scol de fév tlj 10h-18h, avr-nov tlj 10h-19h). Difficile de passer à côté de cet imposant blockhaus sur le bord de la route côtière entre Le Pouliguen et Batz. Ancien poste de commandement du mur de l'Atlantique, il renferme un musée consacré à la poche de Saint-Nazaire, et plus généralement à la Seconde Guerre mondiale. Des vitrines exposent des objets apportés par des témoins de l'époque. Une échelle

ermet de monter aux différents ostes d'observation, dont le plus levé procure une impressionnante ue à 360° des environs.

Moulin de la Falaise Patrimoine

(02 40 23 72 46 ; visite guidée, renseignements l'office du tourisme). Également sur la oute du Croisic, ce moulin produit oujours de la farine de sarrasin (en ente sur place). Édifié au XVIe siècle sur coteau de Guérande, il est démonté t remonté à Batz en 1925. Rénové en 992, il illustre le procédé ancestral de ansformation du grain en farine. Pour visiter, renseignez-vous aussi auprès e l'office du tourisme.

Activités

Pour découvrir les marais salants aux portes de Batz-sur-Mer, vous pouvez contacter un paludier indépendant. Pour un tour en calèche dans les marais salants avec un paludier, contactez **Olivier et Krystel Mouilleron** (06 72 95 9 97 ; 10/5 € adulte/enfant 3-12 ans) – voir aussi l'encadré p. 295.

Côté plages, Batz soutient la omparaison avec ses voisines de a Côte d'Amour. À l'ouest, bordant e Croisic, la **plage Valentin** est la lus grande et accueille l'**école de oile Valentin** (02 40 23 85 28 ; www.coledevoilevalentin.fr ; plage Valentin ; tte année). À l'est s'étend la **plage de la Govelle**, lieu de pratique réputé jusqu'à Pornichet et La Baule pour les sports de glisse, en particulier le surf. Une roisième petite plage, protégée par une digue, se situe davantage à proximité u bourg, celle de **Saint-Michel**.

Entre Batz et Le Croisic, la côte livre un autre aspect. Le littoral est festonné de falaises et de **criques** taraudées par érosion, ce qui lui a valu l'appellation méritée de Côte sauvage. De la pointe de Penchâteau (Le Pouliguen) au Croisic via Batz, un **sentier douanier** doublé d'une **piste cyclable** suit en grande partie la oute côtière et permet de s'imprégner de a magie de ce paysage wagnérien.

Où se loger et se restaurer

Le Lichen de la Mer Vue sur mer €€€

(02 40 23 91 92 ; www.le-lichen.com ; 4 route de la Govelle ; ch 75-260 € saison, 50-150 € hors saison, petit-déj 12 € ; tte l'année ; P @). Cet hôtel trois étoiles construit en 1960 est admirablement situé sur la baie du Manéric, entre la plage de la Govelle et les rochers de la Côte sauvage. Les 17 chambres, pour certaines avec vue pleine mer et/ou en rez-de-jardin, arborent une déco différente selon leur période de rénovation. Grand salon avec billard et cheminée. Les petits-déjeuners se prennent face à l'océan.

Le Derwin Institution €

(allée du Dervin ; galettes 2,10-7,30 €, moules 8,50-12,50 €, plateau de fruits de mer 50 € ; avr-fin oct, fermé mar durant vac. scol., fermé mar-jeu hors vac. scol.). Voilà trois générations que l'on vient dans cette maison posée face à l'océan se régaler de galettes, de fruits de mer (les moules Derwin sont hors pair) ou de saumon fumé artisanal, servi avec des blinis bretons (au sarrasin). Pas de téléphone, donc pas de réservation, si bien qu'il faut souvent faire montre de patience avant de s'attabler. Et pas de paiement par carte bleue non plus... À l'est de Batz, tout près du Grand Blockhaus, sur la route côtière.

Achats

Aux Gourmandises du Marais Produits locaux

(02 40 23 81 30 ; www.auxgourmandisesdumarais.fr ; 9 rue Olivier-Guichard ; avr-sept tlj 9h30-19h, oct-mars tlj 10h-12h30 et 14h30-19h30). Six paludiers, producteurs-récoltants de sel, se sont associés pour vendre leur production (fleur de sel, gros sel, sel fin aromatisé...), mais aussi des produits locaux, dont ceux de la biscuiterie Saint-Guénolé, dans cet espace situé sur la route de Guérande. En saison, visites gratuites des salines sur inscription.

Renseignements

Office du tourisme (☎ 02 40 23 92 36 ; www.ot-batzsurmer.fr ; 25 rue de la Plage). Balades contées dans la commune (gratuites) l'été.

Le Croisic (Ar Groazig)

Bâti sur une péninsule s'avançant sur 5 km dans la mer, Le Croisic voit se livrer un interminable bras de fer entre terre et océan, de laquelle le second sort victorieux. Mais la terre tire sa révérence avec panache, alternant grottes, criques et falaises. Le Croisic dévoile ainsi un triple visage : le cachet d'un port de pêche typiquement breton, les joies des activités nautiques et l'attrait d'une architecture diversifiée – maisons anciennes à pans de bois, petites demeures de pêcheurs ou hôtels particuliers des armateurs.

À voir

Centre-ville Patrimoine architectural

Le centre-ville du Croisic atteste son riche passé maritime aux XVIe et XVIIe siècles, quand le commerce du sel et la pêche à la morue à Terre-Neuve faisaient les beaux jours du port et enrichissaient de nombreux armateurs. La Grande-Rue, les rues Saint-Christophe, du Pilori et Saint-Yves, et la place Dinan vous dévoileront les plus belles déclinaisons de cette architecture.

Port de pêche Patrimoine

Chalutiers au mouillage, retours de pêche, empilements de casiers sur les quais : le port de pêche, au cœur de la ville, constitue à lui seul un spectacle permanent, même s'il connaît des jours difficiles. La flotte croisicaise se compose aujourd'hui d'une trentaine de bateaux, ramenant langoustines, coquilles Saint-Jacques, crevettes, tourteaux, soles, bars, etc. La criée aux petites heures du matin est interdite au public (contrairement à celle de La Turballe qui se visite sur réservation, voir p. 297).

Océarium du Croisic Musée océanographique

(☎ 02 40 23 02 44 ; www.ocearium-croisic.fr ; adulte/3-12 ans 12,50/9,50 €, tarifs préférentiels à l'office du tourisme ; ⌚ mi-avr à fin tlj juin 10h-19h, juil-août tlj 10h-20h, févr-mars et sept-oct tlj 10h-13h et 14h-19h, déc 14h-19h, fermé jan). L'océarium ravira petits et grands. Plusieurs espaces sont dédiés à différent environnements (lagon, île d'Yeu pour la faune atlantique, Cyclades, bassin des manchots du Cap...), mais les émotions des plus petits seront au top près du bassin tactile (on peut y toucher des étoiles de mer, des bernard-l'hermite ou des crabes), dans le tunnel transparent (il conduit au cœur d'un vaste aquarium dans lequel évoluent raies, petits requins tortues...), auprès d'une colonie de manchots (repas 11h, 15h et 17h) ou du bassin des requins d'Australie et, bien sû dans l'espace lagon, pour découvrir les poissons-clowns.

Activités

CONCHYLICULTURE

La presqu'île du Croisic faisant rempart contre la houle et le vent, on y pratique la conchyliculture, l'ostréiculture et la mytiliculture. Le traict du Croisic – on devrait dire les traicts, car il en existe en fait un grand et un petit, séparés des marais salants par une digue – permet à la mer de pénétrer à l'intérieur entre le port et la pointe de Pen-Bron, sur la commune de La Turballe. De juin à septembre, des **visites d'entreprises conchylicoles et du traict** sont organisées par l'office du tourisme.

PLAGES

Les deux principales plages du Croisic sont celles de **Saint-Goustan**, la plus longue – située au nord-ouest de la presqu'île, au bout du port – et celle de **Port-Lin**, plus petite et plus enserrée, familiale par excellence – orientée au sud et située au sud-est. Cette dernière accueille en été un **club de plage** (☎ 06 37 48 42 31, 06 61 99 73 08 ; club-mickey-le-croisic.blogspot.com ; ⌚ juil-août) avec école de natation et jeux pour les enfants (à partir de 3 ans). Le littoral ne s'y prêtant pas vraiment, Le Croisic ne compte pas d'école de voile. La plus proche est celle de Batz-sur-Mer (voir p. 289).

LOTHARINGIA / FOTOLIA ©

›ROMENADES

›our profiter de la diversité des paysages lu Croisic, un **tour de la presqu'île** ,'impose. Un dépliant de l'office du ourisme détaille un parcours de 7 km, à aire à pied ou à vélo, qui part du Mont-.énigo pour faire une boucle jusqu'au ›ort de plaisance. Trois autres circuits ;ont proposés.

SORTIES EN MER

Jeune Ariane — Vieux gréement

06 99 36 68 24, contact Christophe Le ›icard Ducroux ; www.jeuneariane.com ; Pâques-Toussaint). Sortie en mer à la ournée ou sur plusieurs jours à bord l'un cotre pilote – voilier des pilotes de ›ort – de 1977. Comptez 75-90 € par ›ersonne la journée en mer, dans la ›aie du Croisic, parfois accompagnée l'un naturaliste, d'un historien ou d'un :onteur.

Toison d'Or — Pêche en mer

06 87 15 70 32, contact Marc Burgot ; toison. r ; adulte/enfant 35/20 €, location canne à noulinet 7 €). Du 1er mai au 30 septembre, ous les jours sur réservation.

Navix – Compagnie des Îles — Liaisons maritimes

(02 97 46 60 00 ; www.navix.fr ; place d'Armes, ponton de l'Estacade). En juillet-août, la compagnie assure des départs quotidiens depuis Le Croisic (via La Turballe) pour les îles de Houat, Hoëdic et Belle-Île-en-Mer. Le bateau part vers 8h pour un retour vers 20h-20h30. Vous passez une bonne partie de la journée sur les îles : 10h15-19h à Hoëdic, 11h-18h20 à Houat et 10h05-18h45 sur Belle-Île. Un aller-retour dans la journée coûte 35,90/23,30/5,70 € par adulte/4-17 ans/-4 ans pour Hoëdic, 39,10/26,40/5,70 € pour Houat, 42/28,40/5,60 € pour Belle-Île. Réservation conseillée.

Où se loger et se restaurer

L'Estacade — Hôtel-restaurant €€

(02 40 23 03 77 ; www.lestacade.net ; 4 quai du Lénigo ; d 75-92 € selon le confort et la vue ; tte l'année ;). Bien placé en centre-ville, sur les quais, cet hôtel trois étoiles loue 15 chambres rénovées (2 donnent sur le port). Le restaurant du rez-de-

chaussée affiche une carte alléchante (palourdes du Traict farcies au beurre de baratte demi-sel à la bretonne, à faire suivre d'un blanc de saint-pierre rôti, avec asperges, morilles et jus de volaille, par exemple).

Chez Émile Terre et mer **€**

(02 28 54 07 95 ; 7 quai d'Aiguillon ; galettes 4,10-12,50 € ; tlj, restauration midi lun-ven, midi et soir sam-dim). Une petite adresse sans prétention pour se restaurer à prix sages de galettes ou de poissons et fruits de mer issus de la pêche locale ou de la pêche à pied pour les coques et les moules. Service continu.

Le Bistrot de la Poissonnerie Fruits de mer **€**

(02 40 60 55 71 ; 8 quai de la Petite-Chambre ; assiettes apéro 8 €, autres assiettes 7,50-18 € ; tlj, restauration midi lun-ven, midi et soir sam-dim). Pour qui veut prendre un verre, en journée ou le soir, et se régaler de langoustines, d'huîtres du Croisic ou d'un crabe (à décortiquer), c'est l'adresse parfaite ! L'assiette du pêcheur (un demi-crabe, 3 huîtres, bigorneaux, palourdes et langoustines) est copieuse et ultra-fraîche. Cette ancienne poissonnerie est devenue un bar atypique (cocktails et vins au verre), avec des viviers dans la salle, une agréable terrasse sur le quai, des prix sages, un accueil naturel et charmant.

L'Océan Gastronomie **€€€**

(02 40 62 90 03 ; www.restaurantlocean.com ; plats 25-60 € ; plage de Port-Lin). Avec une terrasse surplombant les rochers de la Côte sauvage, il possède un emplacement de rêve qui rivalise avec la qualité de sa cuisine. Sa carte est en grande partie dédiée aux produits de la mer, avec pour spécialité emblématique le bar en croûte de sel. Son Bistrot de l'Océan voisin possède une aussi jolie vue, et présente une carte plus simple certes (cotriade ou saint-pierre à la plancha), mais plus accessible financièrement – comptez 15-28 € pour les plats.

À gauche : Côte sauvage, Le Croisic (p. 290).
Ci-dessous : paludier dans les marais salants de Guérande (p. 295)
(À GAUCHE) PACKSHOT / FOTOLIA © ; (CI-DESSOUS) A. DREAN / FOTOLIA ©

Le Fort de l'Océan Table étoilée **€€€**

02 40 15 77 77 ; www.hotelfortocean.com ; pointe du Croisic ; menu du marché sam midi 34 €, menu de dégustation 55-88 € ; sept-juil mer-dim le soir et sam-dim midi, juil-août mar-dim le soir et sam-dim midi, fermé jan et de mi-nov à mi-déc). Isolé sur la pointe du Croisic, à l'opposé du port et de la vieille ville, ce fort transformé en Relais & Châteaux accueille l'une des tables les plus originales de la presqu'île. Le chef Guillaume Brisard n'a pas son pareil pour dresser une ode au homard (menu à 72 €) et n'hésite pas à marier le foie gras aux bigorneaux en l'accompagnant d'une gelée aux algues ! Cadre exceptionnel et voyage gustatif assuré.

Renseignements

Office du tourisme (02 40 23 00 70 ; www.tourisme-lecroisic.fr ; 6 rue du Pilori). Visites (6 €, gratuit -12 ans) thématiques commentées par un historien d'art : patrimoine, conchyliculture, environnement, salines...

PRESQU'ÎLE DE GUÉRANDE

Guérande (Gwenrann)

Certains, tentés par l'hyperbole, l'appellent la "Carcassonne de l'Atlantique". Le centre historique de Guérande est en effet entouré de magnifiques remparts médiévaux. Mais la ville, postée à la limite nord des marais salants, doit sa notoriété au sel. Exploité dans les environs depuis les Celtes, il constitue un label porteur pour cette ville, par ailleurs pleine de charme et de caractère. Au cœur de la presqu'île, Guérande préside bien à la destinée de ce "pays blanc", celui des paludiers et des marais salants.

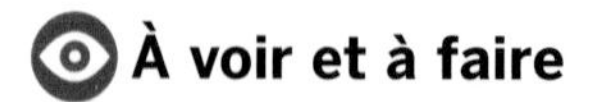

À voir et à faire

Ville médiévale Patrimoine

C'est d'abord le patrimoine architectural de cette ville fortifiée qui ravira les visiteurs, à commencer par les **remparts**, dont les parties les plus anciennes remontent à 1343. Le **chemin de ronde** permet de découvrir les fortifications, tours et portes, dont la monumentale **porte Saint-Michel**, reconnaissable à ses deux tours, qui servit de résidence au gouverneur de Guérande après le rattachement de la Bretagne à la France en 1532. Au nord, la porte Vannetaise et, à l'ouest, la porte Bizienne, sont moins impressionnantes.

Intra-muros, flânez dans les ruelles, riches en boutiques d'artisans. La rue Saint-Michel, la place Saint-Aubin, la rue du Pilori, la rue Bizienne et les venelles avoisinantes vous feront remonter plusieurs siècles en arrière. L'ensemble est dominé par la **collégiale Saint-Aubin** (**tlj 9h-18h**), dont les origines datent du VIe siècle. Elle a, bien entendu, subi de multiples remaniements au cours de son histoire. Il est possible d'accéder à ses **balcons** (**visite guidée, voir l'office du tourisme ; accès interdit aux -10 ans**), d'où l'on jouit d'une belle vue sur la presqu'île et les marais salants.

L'office du tourisme organise des visites commentées de la ville (6/3 € adulte/enfant, inscription préalable nécessaire) selon quatre grands thèmes : la cité médiévale, les églises, les remparts ou la cité romanesque.

Musée de la Poupée et du Jouet ancien Musée

(**02 40 15 69 13 ; 23 rue de Saillé ; adulte/6-10 ans 3,50/2,50 € ; mai-fin oct tlj 10h30-13h30 et 14h-19h, hors saison voir l'office du tourisme**). Installé au rez-de-chaussée d'une demeure de la vieille ville, ce musée un peu exigu compte une riche collection de poupées anciennes et de mobilier miniature de toute beauté. Les vitrines recréent les modes de vie et les scènes de leur époque (1810-1950), et l'on apprend que les poupées servaient, à l'origine, à éduquer moralement les enfants et non à jouer.

Château de Careil Manoir breton

(**02 40 60 22 99 ; www.careil.com ; route de La Baule à Guérande ; visite classique adulte/5-12 ans 6/5 € ; visite classique juin-août tlj 11h et 14h-18h, se renseigner pour les autres visites**). Au village de Careil, à environ 4 km au sud-est de Guérande, ce château a une histoire mouvementée (il fut au XIVe siècle un site défensif, au XVIe un lieu-refuge pour les protestants, au début du XXe une auberge frivole...), illustrée lors d'une visite classique, ou bien sous forme de jeu (pour les 6-8 ans et 9-12 ans) avec personnages en costumes d'époque, ou encore lors d'une visite aux chandelles.

Maison des Paludiers Écomusée

(**02 40 62 21 96 ; www.maisondespaludiers.fr ; 16 rue des Prés-Garnier, Saillé ; exposition adulte/enfant -12 ans 4,90/3,50 €, visite de saline adulte/enfant -12 ans 7,30/5,10 € ; écomusée fév-nov, visite de saline avr-sept**). Située dans le village paludier de Saillé, au cœur des marais salants, la maison propose une exposition sur la technique de production du sel et les quatre saisons du paludier. Visites des salines d'avril à septembre.

Terre de Sel Coopérative

(**02 40 62 08 80 ; www.terredesel.fr ; route des Marais-Salants, Pradel ; visite adulte/enfant/forfait famille à partir de 7/4/19 € ; juil-août tlj 9h30-19h30, printemps et automne tlj 10h-18h, hiver tlj 10h-13h et 14h-17h30**). Au sud de Guérande, en bordure des marais, ce grand espace ouvert par la coopérative de producteurs Les Salines de Guérande a une vocation commerciale – la vente de nombreux produits –, mais également pédagogique avec un espace d'exposition et surtout les visites de salines (sorties classiques de 1 heure 30 ; sorties à thème de 3 heures hors saison). Réservez.

À ne pas manquer
Marais salants

Au cœur d'un triangle formé par Guérande, La Baule et Le Croisic s'étendent les **marais salants** les plus septentrionaux d'Europe : un univers magique de près de 2 000 ha, qui prend la forme d'une immense marqueterie de damiers liquides se confondant avec l'horizon. Depuis plus de 1 500 ans, les paludiers ont aménagé le milieu naturel pour en faire un marais saumâtre. Le spectacle de la récolte du sel, dans la lueur du soleil déclinant, est un sujet d'inspiration inépuisable pour les peintres et les photographes.

Les paludiers produisent un sel haut de gamme : l'appellation "sel de Guérande" (gros sel et fleur de sel) a acquis une incontestable notoriété auprès des restaurateurs. Les salines forment en outre un site naturel et protégé, et un biotope privilégié pour de multiples espèces, notamment les oiseaux, et les plantes, comme la salicorne.

L'accès aux salines est interdit, sauf dans le cadre de visites guidées. Vous pouvez opter pour une visite menée directement par un producteur, comme celles proposées par **Philippe Constant** (02 40 15 64 28, 06 72 01 83 78 ; www.lemulondepenbron.com ; route de Pen-Bron, Guérande ; adulte/-18 ans 5/3 €, gratuit enfant -10 ans ; juil-août lun-sam visites à 11h, le reste de l'année sur rdv), ou bien vous adresser à Terre de Sel (voir p. 294) et la Maison des Paludiers (voir p. 294), à Guérande, ou au musée des Marais salants (voir p. 288), à Batz-sur-Mer.

Pour une découverte des marais en calèche, adressez-vous à **Olivier et Krystel Mouilleron** (voir p. 289), basés à Batz-sur-Mer, ou à l'**Attelage breton en marais salants** (06 26 45 25 58 ; adulte/enfant 10/7 € ; Pâques à fin sept), à La Turballe.

INFOS PRATIQUES

La **route de Guérande** (D774) traverse les marais salants, de Batz-sur-Mer à Guérande, via Saillé.

La baie de Pont-Mahé

À la pointe extrême de la presqu'île guérandaise, la portion de côte dépendant de la petite commune d'Assérac a été classée Natura 2000. C'est de fait un littoral préservé, et plutôt secret, avec plusieurs sites remarquables : marais salants du Mès, pointe de Pen-Bé et baie de Pont-Mahé. Pour des informations touristiques, contactez le **Point Info d'Assérac** (02 40 01 76 16 ; pl. Olivier-Guichard).

Les **marais salants du Mès**, 350 ha entre Mesquer, Saint-Molf et Assérac, complètent les salines de la presqu'île guérandaise. Ils sont alimentés par le **traict de Pen-Bé**. Ce bras de mer, bordé par six plages, se prête tout particulièrement à l'ostréiculture et est aussi un haut lieu pour la pêche à pied.

Plus au nord, la **baie de Pont-Mahé** est aussi classée Natura 2000, notamment pour son cordon dunaire. Très proche des côtes morbihannaises (on aperçoit les falaises dorées de Pénestin), cette longue plage de sable, parfaite pour les familles car l'eau n'y est pas très profonde, est un paradis de calme et de nature. C'est aussi un spot de glisse (surf et kitesurf).

Sur place, entre le sable et la pinède, **Les Pieds dans l'eau** (02 51 10 21 20 ; plage de Pont-Mahé, Assérac ; menu 17,50 € ; mi-juin à sept tlj, hors saison mer-dim midi et soir) est une adresse bien agréable : on y mange simplement mais le cadre est exceptionnel – surtout le soir quand la plage est déserte. À la carte : poisson et fruits de mer essentiellement.

Où se loger et se restaurer

Hôtel Roc Maria — Deux étoiles €€

(02 40 24 90 51 ; www.hotel-creperie-rocmaria.com ; 1 rue du Vieux-Marché-aux-Grains ; ch 58/67 € basse/haute saison, petit-déj 7,30 € ; fermé 3 sem après le 11 nov et 15-30 jan ;). Seul hôtel à l'intérieur de la cité médiévale, installé dans une belle maison ancienne, le Roc Maria séduira les amateurs de vieilles pierres. Il compte 9 chambres avec meubles anciens et sdb refaites. Il se double d'une crêperie qui ne désemplit pas.

Hôtel des Remp'arts — Deux étoiles €€

(02 40 24 90 69 ; www.hoteldesremparts.com ; 14 bd du Nord ; ch à partir de 49/59 € basse/haute saison, petit-déj 8 € ;). Face aux remparts, tout près de la porte Saint-Michel, une adresse à retenir pour son charme atypique et son délicieux bistrot (ci-dessous). Cet hôtel rénové de façon pimpante loue 8 chambres, dont 4 (avec baignoire) donnant sur les remparts et 4 (avec douche) regardant la cour intérieure.

Bistrot des Remp'arts — Cuisine du marché €

(02 40 24 90 69 ; www.hoteldesremparts.com 14 bd du Nord ; plat du jour 9,50 € ; lun-sam midi). Le bistrot de l'hôtel des Remp'arts est aussi sympathique pour le cadre que dans l'assiette. Côté décor, du bric-à-brac qui multiplie les clins d'œil (la carte se cache dans un petit album de Tintin) et le charme gai et discret. Pour la cuisine, des plats simples, ensoleillés et savoureux comme la délicieuse salade de bœuf thaï, parfumée et ultra-fraîche (13 €). Un excellent rapport qualité/prix, l'accueil en prime.

La Tête de l'Art — Cuisine créative €€

(02 40 88 53 40 ; www.restaurantlatetedelart.fr ; manoir de la Porte-Calon ; plat du jour midi 10,90 €, plats 19-22 € ; juil-août mar-sam midi et soir, fermé dim, lun et mar soir hors saison ; P). À l'entrée de Guérande (suivez

la rue Saint-Michel puis le faubourg Saint-Michel, avant de prendre à droite à la fourche jusqu'à l'ancien manoir). Plats, déco et esprit, tout respire ici la modernité, avec une aisance indéniable dans l'art d'accommoder les saveurs. À l'ardoise lors de notre venue : un tartare de bar à l'huile de sésame et glace de wasabi, des côtes d'agneau poêlées sur leurs galettes de pommes de terre, tomates et menthe fraîche ou encore un filet de saint-pierre et légumes de saison. Côté dessert, de belles compositions, comme le fameux Paris-Guérande ou la tarte fine aux fruits rouges ! Panier de jeux et coloriages pour les enfants. Le nom l'affiche : l'art contemporain est à l'honneur (expos régulières à l'étage).

Renseignements

Office du tourisme (0820 150 044 ; www.ot-guerande.fr ; 1 pl. du Marché-au-Bois). Visites découverte de la ville programmées d'avril à octobre, auxquelles s'ajoutent des visites-spectacles et à thème hors saison. Renseignez-vous aussi sur les billets à tarif réduit proposés par l'office du tourisme. Accès Wi-Fi.

La Turballe (An Turball)

Une vocation maritime, résolument tournée vers la pêche : à La Turballe, le retour au port d'un bateau enveloppé d'une myriade de goélands et rempli de poissons, est toujours un grand moment. Voilà ce qui la distingue sensiblement de ses consœurs balnéaires de la presqu'île guérandaise, même si ses 11 km de littoral offrent aussi de belles plages de sable fin très appréciées des familles, et une pointe naturelle protégée, celle de Pen-Bron, long massif dunaire planté, en retrait du littoral, d'une forêt de pins.

Deux circuits de **randonnée** sont balisés, dont l'itinéraire est distribué gratuitement par l'office du tourisme : l'un offre un panorama des marais salants (9 km) et l'autre permet de randonner à l'ombre des chênes (10 km).

À voir

Port de pêche et criée — Patrimoine vivant

Il constitue un spectacle à part entière et peut se visiter par l'intermédiaire de la Maison de la pêche (ci-dessous) ou de l'office du tourisme. La flottille colorée se compose de 80 navires environ, pour près de 300 marins en activité. Remarquez sur le terre-plein Garlahy l'imposant chariot élévateur, pouvant charger jusqu'à 260 tonnes, qui effectue remontées et mises à l'eau des bateaux. Tôt le matin, la **criée** (lun-ven vers 5h30) du centre de marée entre en effervescence : le poisson débarqué est mis aux enchères, puis immédiatement expédié vers les clients de l'Hexagone ou de toute l'Europe. Une galerie est réservée aux visiteurs.

Maison de la pêche — Écomusée

(02 40 11 71 31 ; musee-laturballe.fr ; adulte/enfant 2/1 € ; juil-août tlj 10h-12h30 et 15h-18h, juin, sept et vacances scolaires lun-ven 10h-12h30 et 14h30-18h, sam-dim 15h-18h). Géré par l'association "Au gré des vents" et situé au-dessus du centre de marée, ce musée permet de retracer l'histoire de cette activité locale. En saison, la maison propose différents **ateliers et visites** : découverte du sardinier *Au Gré du Vent* (une visite impressionnante, qui permet de comprendre l'existence menée par les marins-pêcheurs le temps des campagnes en mer), tour du port et de la criée, cours de matelotage pour une initiation aux nœuds marins, atelier du P'tit Mousse consacré à la réalisation d'une maquette – la Maison de la pêche et l'office du tourisme fournissent horaires précis et tarifs et gèrent les réservations. Côté terre, la Maison de la pêche propose aussi la visite guidée du **moulin de Kerbroué** (lieu-dit Les Quatre Routes, sur la route de Saint-Molf), un moulin à vent du XVIe siècle.

Pointe de Pen-Bron — Site naturel

Les attraits de La Turballe ne se limitent pas à son port. Au sud de la commune, face au Croisic, se trouve en effet l'étonnante pointe de Pen-Bron, composée de bois de pins et de dunes. Ce site naturel protégé, fréquenté par de nombreuses espèces d'oiseaux, ferme le traict du Croisic, grand bassin d'eau de mer qui alimente les marais salants. En saison, l'accès en voiture est interdit à partir d'un certain point (sauf pour les patients du centre marin et les clients de l'hôtel trois étoiles). En revanche, une piste cyclable et un sentier piéton permettent de la parcourir. L'office du tourisme propose une visite guidée de ce cordon dunaire.

Belvédère de l'église de Trescalan

Point de vue

(**02 40 11 88 00 ; 1 €, gratuit -10 ans ; juil-août tlj 14h30-17h30).** Pour une vue sur la presqu'île et un paysage allant de l'embouchure de la Loire à celle de la Vilaine, prenez de la hauteur en grimpant les 110 marches qui permettent d'accéder à ce belvédère, haut de 33 m.

Où se loger et se restaurer

Villa Bon Vent

Chambres d'hôtes €€

(**06 12 99 69 98 ; villabonvent.free.fr ; 10 quai Saint-Pierre ; s/d avec petit-déj 65-81 € selon la saison ; tte l'année ;**). Cette belle maison de granit sur le port, qui abrite aussi la terrasse de la Sardine (voir ci-dessous), cache un univers personnalisé, l'intérieur d'une maison bohème, où les tableaux ornent les murs au même titre que les photos de famille et les livres innombrables. Trois jolies chambres avec parquet et vue sur la mer vous attendent. La première bénéficie d'une douche, avec toilettes sur le palier. Les deux autres chambres, chacune avec sa propre tonalité (bleu d'un côté, gris et rouge de l'autre), possèdent leur propre sdb.

La Sardine

Café terrasse €

(**06 12 99 69 98 ; 10 quai Saint-Pierre ; planches 6 € avec une boisson ; juil-août tlj 10h-14h30 et 17h-22h30, fermé mer hors saison, fermé de mi-oct à Pâques).** Emplacement superbe sur le port pour ce bar atypique, au rez-de-chaussée de la villa Bon Vent. Du petit-déjeuner à l'apéro, cette terrasse à l'esprit alternatif vit au rythme de la météo (elle est fermée les jours de mauvais temps) et l'on y déguste des en-cas terre ou mer (charcuteries, rillettes de poisson...) sur des tables à la décoration unique.

Le Terminus

Gastronomie €€€

(**02 40 23 30 29 ; 18 quai Saint-Paul ; laturballe.free.fr/restaurant-terminus ; formule midi 16 €, menus 28-57 €, menu enfant 2/3 plats 9/14 € ; tlj vac. scol., fermé mar, mer et dim soir hors saison ; accès handicapé rue Nicolas-Appert).** Face au port, dans une belle salle confortable, le restaurant

La Turballe
LAURELY / FOTOLIA ©

de Xavier Chevalier joue une partition haut de gamme, centrée sur les poissons et les fruits de mer tout en se permettant des incursions sur la terre ferme. Lors de notre passage, le foie gras croustillant et sa joue de mangue côtoyait les samosas de homard, avec piment, citronnelle et coriandre frais, ou l'escalope de turbot sauvage rôtie aux palourdes.

Renseignements

Office du tourisme (02 40 23 39 87 ; www.laturballe.info ou www.tourisme-laturballe.fr ; pl. Charles-de-Gaulle). Indispensable pour réserver vos visites du port. Connexion Wi-Fi (30 minutes gratuites).

Piriac-sur-Mer (Penc'herieg)

Cette coquette station balnéaire aux allures d'authentique village breton sait prendre le visiteur dans ses filets. À l'extrémité ouest de la presqu'île guérandaise, elle offre un littoral de 9 km qui distille un charme puissant, en alternant criques de sable et rochers découverts à marée basse. Si l'on vient d'une station plus ostentatoire comme La Baule, on appréciera d'autant plus l'allure paisible de Piriac, restée à échelle humaine, qui avait su aussi séduire Alphonse Daudet, Honoré de Balzac, Gustave Flaubert et Émile Zola. Ses ruelles au nom évocateur, bordées de maisons de granit et éclairées de massifs d'hortensias et de roses trémières, y sont sans doute pour beaucoup.

À voir et à faire

Vieille ville Promenade

Rien ne vaut une petite balade dans le bourg, dont on fera rapidement le tour. De belles demeures en granit des XVIIe et XVIIIe siècles témoignent du passé prospère de Piriac, à l'époque où elle menait des campagnes de pêche vers Terre-Neuve. Aujourd'hui, la plaisance a pris le pas sur la pêche. Les maisons de pêcheurs qui s'élèvent dans le centre et le long de la mer, joliment entretenues et fleuries, font leur effet et vous vous laisserez volontiers envahir par l'atmosphère harmonieuse des ruelles piriacaises. Dans sa brochure, l'office du tourisme détaille un circuit pédestre.

Maison du patrimoine Écomusée

(02 40 15 59 71 ; www.patrimoinepiriac.fr ; 3 pl. Henri-Vignioboul ; 2 €, gratuit -12 ans ; juil-août tlj 15h-19h et jeu-ven 10h-12h, avr-juin et sept sam-dim et jours fériés 15h-18h). Une visite à la Maison du patrimoine vous permettra de découvrir certains aspects de l'histoire locale, comme la pêche à la sardine, les costumes et coiffes ou la présence protestante en presqu'île guérandaise. Des expositions temporaires sont organisées chaque année.

Plages Baignade et farniente

Côté plage, celle de **Saint-Michel** est la plus centrale et accueille en saison un club de plage pour les enfants. Au nord, la **plage Pors er Ster**, très courue, offre un point de vue sur l'**île Dumet**, la seule île maritime de Loire-Atlantique. Par sa position stratégique à l'embouchure de la Vilaine, elle fut le témoin de batailles navales importantes. Au sud, le littoral se montre plus rocheux. La **plage de Lérat** est agréable (mais non surveillée) ; on peut s'adonner à la pêche à pied dans les rochers à marée basse sur ces deux plages.

Côte sauvage Randonnée

La côte alterne criques, plages, roches et falaises ocre rongées par l'érosion, dont une bonne partie présente un profil rugueux et déchiré, plein de recoins et de criques. Empruntez le **sentier des Douaniers** pour découvrir les nuances de ce paysage étonnant. À la **pointe du Castelli**, au sud du port de plaisance, vous bénéficierez d'un spectacle de toute beauté, qui invite toutefois à la prudence en raison des falaises. Pour la découvrir à pied, une boucle de randonnée de 12 km, soit environ 2 heures 45 de marche, est balisée depuis la plage Saint-Michel et le port de Lérat. Elle suit le sentier des Douaniers, et traverse ensuite la campagne.

Où se loger et se restaurer

Hôtel de la Plage Face à la mer €

(02 40 23 50 05 ; www.hoteldelaplage-piriac.com ; 2 pl. du Lehn ; s 46/52 € haute/basse saison, d 59-80/51-70 €, petit-déj 8 € ; tte l'année ;). À deux pas de la plage Saint-Michel, cet hôtel à la façade blanche et rouge propose 15 chambres coquettes (y compris des familiales, accueillant jusqu'à 4 personnes), dont la décoration a été pensée par les charmants propriétaires à partir de photographies d'une artiste de la région. Avec le placard recelant des jouets d'enfants, la terrasse et le bar, on a l'impression d'une vaste maison familiale. L'été, une petite brasserie permet de se restaurer midi et soir. L'hiver, le restaurant est ouvert aux clients le week-end.

La Vigie Brasserie €

(02 40 60 39 62 ; www.restaurant-la-vigie.fr ; 1 quai de Verdun ; formules 20,50-27,50 €, plats 12,50-21,50 € ; tte l'année ;). Une carte à l'esprit brasserie pur et dur (huîtres, noix de saint-jacques à la plancha, choucroute de la mer, tête de veau, tartare de bœuf, filet mignon, entrecôte), mais avec quelques pointes d'originalité dans les suggestions du jour, le tout à déguster les yeux posés sur le petit port de Piriac. La salle ne désemplit pas le soir en été.

Où prendre un verre

Vercoquin Institution

(06 61 95 80 05 ; www.levercoquin-piriac.com ; 10 rue de Kéroman ; galopin 2 € ; 11h-1h45). Ce café minuscule et sombre, adossé à une petite terrasse dans la cour, a tout du repaire de loups de mer, la convivialité en plus. Une institution pour prendre un verre au cœur des ruelles piriacaises. Concerts.

HPP et Royal Canot Café-concert

(02 40 60 14 41 ; 3 quai de Verdun ; 9h-2h). Un bel emplacement, face au port pour ce bar-restaurant qui programme des concerts en plein air, à l'heure de l'apéro aux beaux jours.

Renseignements

Office du tourisme (02 40 23 51 42 ; www.piriac.net ; 7 rue des Cap-Horniers)

PARC NATUREL RÉGIONAL DE BRIÈRE

Voici un paradis naturel à la lisière de l'océan. Deuxième marais de France après la Camargue, la Brière s'étend sur 20 000 ha. À mille lieues du tohu-bohu des plages de la côte, ce site naturel tissé de canaux, de marais et de roselières est enveloppé d'un silence rassérénant (plus volontiers hors saison, malgré tout). Cette mosaïque unique est un espace privilégié pour l'avifaune et la flore. Elle évolue au fil des saisons, présentant tantôt un visage coloré avec iris et nénuphars en pagaille, tantôt une figure plus sombre, celle des tourbières noires et des pâturages noyés sous les eaux. L'habitat présente aussi un caractère exceptionnel. Sous l'égide du parc naturel, les chaumières, typiques de l'architecture briéronne, ont été superbement restaurées.

À voir

Village-musée de Kerhinet

Écomusée et patrimoine rura

(02 40 66 85 01 ; www.parc-naturel-briere.com ; avr-juin et mi-sept à fin sept tlj 14h30-18h30, juil à mi-sept tlj 10h30-13h et 14h30-18h30). GRATUIT Entre Saint-Lyphard et Guérande, ne manquez pas ce village préservé. Vous y découvrirez ce qui fait la particularité de l'habitat de Brière : la chaumière (la région rassemble 60% des chaumières de France). À l'initiative du parc, les maisons en ruine ont peu à peu été restaurées depuis 1973. Autour d'une voie centrale, 18 chaumières – dont 2 seulement sont encore réellement habitées – abritent pour l'une un hôtel-restaurant, pour l'autre la Maison du tourisme (voir p. 303) et une boutique d'artisanat, pour une autre encore un intérieur typique du XVIIIe siècle. Un sentier d'interprétation explique l'histoire du village et de l'architecture

traditionnelle briéronne. Tous les jeudis en été se tient un marché aux produits du terroir où il est possible de se restaurer (voir p. 303) – incontournable ! L'ensemble fait un brin touristique, mais la restauration de ces chaumières est superbe et, à certaines saisons, elles semblent tout droit sorties d'un conte pour enfants.

Maison de la mariée — Musée d'histoire populaire

(**02 40 66 85 01 ; www.maisondelamariee.com ; île de Fédrun ; adulte/-12 ans 4/2,50 € ; avr-juin et mi-sept à fin sept tlj 14h30-18h30, juil à mi-sept tlj 10h30-13h et 14h30-18h30**). La Maison de la mariée, installée au n°130 de l'île de Fédrun, retrace l'histoire de l'usine de Saint-Joachim où les femmes de la région confectionnaient jusqu'à la Seconde Guerre mondiale des couronnes de mariée et des globes de mariage.

Chaumière briéronne — Patrimoine rural

(**île de Fédrun ; mêmes horaires que la Maison de la mariée**). GRATUIT Cette autre chaumière de Fédrun, au n°180, est un espace d'exposition dédié aux femmes de Brière.

Réserve naturelle des marais de Brière — Réserve ornithologique

(**02 40 66 85 01 ; site de la réserve Pierre-Constant, Saint-Malo-de-Guersac ; 6,50/4 € adulte/enfant ; de mi-juin à mi-sept tlj 8h-20h**). Au port de Rozé, à Saint-Malo-de-Guersac, cette réserve est dédiée aux oiseaux du marais, dont on découvre les spécificités le long d'un sentier. La visite est adaptée aux enfants, puisqu'un livret leur est remis pour résoudre une énigme en se mettant dans la peau d'un elfe des marais ou d'un naturaliste. Les aventuriers partent aussi équipés d'un audioguide et d'une lunette binoculaire, Sherlock Holmes en serait jaloux.

Activités

La meilleure façon de découvrir les marais de Brière consiste à faire une **promenade en barque**. Divers prestataires proposent des balades guidées en chaland manœuvré à la perche. Les deux principaux ports de départ sont ceux de Bréca et de l'île de Fédrun. Les balades durent de 45 minutes à 1 heure, et il faut compter en moyenne 8 € par adulte, et 4 € pour les enfants

Brière

de 3 à 12 ans. En haute saison, évitez le port de Bréca, qui vous semblera très touristique avec les nombreux prestataires présents sur le site – en particulier le jeudi, jour du marché paysan. Préférez des ports comme La Chaussée Neuve, Les Fossés Blancs ou Rozé. Venir au printemps permet d'admirer les prés couverts d'iris en fleur.

Vous obtiendrez auprès de l'office du tourisme une liste de prestations ayant reçu la marque qualité du parc naturel régional. Certains associent cette promenade en barque à une **balade en calèche**. Pour cette double formule, on vous demandera autour de 14/6 € pour les adultes/enfants.

Le cadre bucolique et intime de la Brière se prête à merveille à la **randonnée pédestre**. Un GR® fait le tour de la Brière. Comptez 3 jours pour le parcourir en entier. Des sentiers de petite randonnée sont aussi balisés sur le territoire du parc. Attention, la plupart sont inaccessibles en hiver et réellement praticables à partir de la mi-juin. L'office du tourisme vous renseignera sur ces différents sentiers. Il organise aussi des randonnées accompagnées sur la faune et la flore des marais. Un livret-promenade (3 €), qui ne se limite pas à la Brière, et une carte IGN (8 €) sont disponibles à la Maison du parc.

Les **promenades à vélo** sont également une belle option pour découvrir le parc. Quelque 210 km d'itinéraires sont balisés. Des cartes sont disponibles gratuitement à l'office du tourisme. Pour louer un vélo (comptez 8/12 € pour 4 heures/journée), adressez-vous à la Maison du parc à Kerhinet (p. 303), à la **maison d'accueil de Rozé** (**02 40 91 17 80 ; Saint-Malo-de-Guersac**) ou à la Chaumière briéronne sur l'île de Fédrun (p. 301).

Où se loger et se restaurer

Auberge de Kerhinet

Hôtel-restaurant **€€**

(**02 40 61 91 46 ; www.aubergedekerhinet.com ; Kerhinet ; ch 70-75 €, petit-déj 8,50 € ; menus à partir de 19,90 €**). Au cœur du village de Kerhinet, l'auberge occupe une chaumière restaurée. Six chambres à l'arrière, récemment rénovées, et cuisine mettant à l'honneur les produits locaux

Chaumière briéronne

Le marché des producteurs fermiers de Kerhinet

Chaque jeudi en saison (de juillet à mi-septembre environ), le petit village classé de Kerhinet s'anime encore plus que d'habitude. Les visiteurs sont nombreux pour faire leur **marché** (village de Kerhinet ; juil-août jeu 9h-18h) ou s'attabler autour d'une assiette de fromages fermiers avec un verre de vin, d'huîtres chaudes au beurre de salicorne, d'une galette accompagnée de cidre ou d'une volaille rôtie. Les producteurs présents viennent tous de la région : paludiers, fabricants de fromages bio, volaillers, exploitants de la ferme marine de Pen-Bé, éleveurs d'escargots du Croisic, récoltants de miel, vignerons...

(dont les fameuses anguilles et cuisses de grenouilles...).

La Mare aux Oiseaux Gastronomie et hôtel-spa **€€€**
(02 40 88 53 01 ; www.mareauxoiseaux.fr ; 162 île de Fédrun, Saint-Joachim ; ch à partir de 160 €, petit-déj 20 €, supp demi-pension 55 € ; menus enfant 15/22 €, autres menus 45-98 € ; tte l'année ;). Réputée pour le talent de son chef, Éric Guérin, La Mare aux Oiseaux est l'une des meilleures adresses de la presqu'île guérandaise. Installé sur l'île Fédrun, l'hôtel compte 15 chambres et suites, dont les plus originales sont aménagées sur pilotis, ainsi qu'un spa et un espace bien-être. On les rejoint en traversant un petit jardin où une grue couronnée est volontiers taquine. Quant à la cuisine, c'est un véritable poème autour des produits de saison, régionaux de préférence : fondant de thon framboise-livèche-tomate ancienne, suivi d'une tendresse de veau élevé en Brière-dim sum de courgette-melon d'eau-poivre vert, par exemple.

Renseignements

Maison du parc de Kerhinet (02 40 66 85 01 ; www.parc-naturel-briere.fr ; Maison du parc, village de Kerhinet, Saint-Lyphard). Visites libres et guidées (mar-ven 11h30 et 15h, sam-dim 15h, 5 €, gratuit enfant moins de 12 ans) et sentier d'interprétation (accessible aux handicapés). Location de vélos.

TRON VARIA RUMENGOL

Bretagne

En savoir plus

Un pardon (p. 331) dans le Morbihan

La Bretagne aujourd'hui

Avec l'une des diasporas les plus importantes de Français à l'étranger, un "made in Breizh" qui n'en finit pas de s'exporter, et un renouveau celtique au fort capital sympathie, la région rayonne bien au-delà de ses frontières.

Île de Groix

Fréquentation des principaux festivals bretons (en nombre de festivaliers)

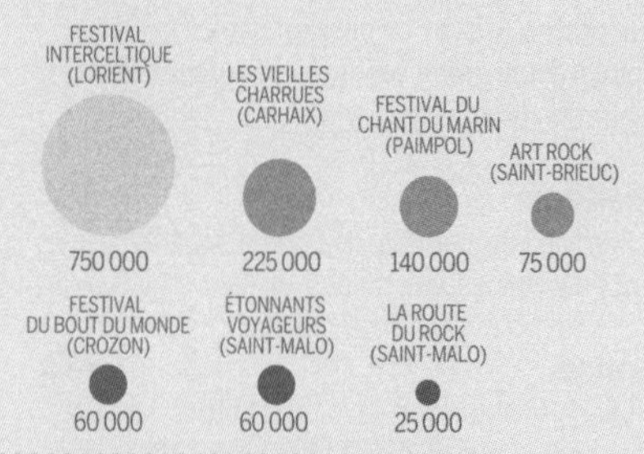

Les principales criées bretonnes (en millions d'euros)

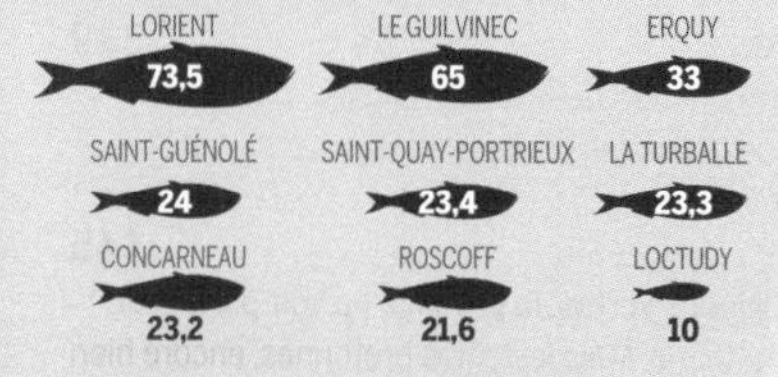

Petit bout de terre excentré, la Bretagne semble bien loin des grandes métropoles européennes. Et pourtant, avec l'une des diasporas les plus importantes de Français à l'étranger (5 à 6 millions de Bretons expatriés), un "made in Breizh" qui n'en finit pas de s'exporter, et un renouveau celtique au fort capital sympathie, la région rayonne bien au-delà de ses frontières.

Urbanisation et croissance démographique

Rurale et maritime, la Bretagne l'est indéniablement. Son réseau urbain se révèle néanmoins particulièrement dense. En dehors des 8 bassins d'agglomération de plus de 30 000 habitants (autour de Rennes, Saint-Malo, Saint-Brieuc, Lannion, Brest, Quimper, Lorient et Vannes), auxquels il faut ajouter Nantes et Saint-Nazaire en Loire-Atlantique, de nombreuses villes petites et moyennes ponctuent la région, notamment le long du littoral. Ces dernières années, un phénomène d'étalement s'est opéré, floutant de plus en plus la frontière entre espace urbain et rural.

SEB HOVAGUIMIAN/FOTOLIA ©

Riche de plus de 3 millions d'habitants, la Bretagne connaît également une croissance démographique supérieure à la moyenne nationale, stimulée par les nouveaux arrivants attirés par son littoral, ses performances économiques et son dynamisme culturel.

Agriculture et pêche, des piliers historiques fragilisés

Première région agricole française et européenne et première région française pour la pêche, la région concentre plus de 16% des emplois français de l'industrie agroalimentaire et 34% des emplois des entreprises de transformation des produits de la pêche. Côté pêche, plus d'un tiers des marins français sont bretons et la région assure 50% de la production ostréicole nationale. Du côté de l'agriculture, le modèle productiviste breton, soutenu à partir des années 1960 par la PAC (politique agricole commune), a longtemps fait figure d'exemple.

Récemment, la concurrence des pays émergeants, le coût des carburants et des investissements, les quotas de pêche et la réforme de la PAC ont fragilisé ces deux piliers : les agriculteurs ont subi une baisse importante de leurs revenus, quand les pêcheurs ont, en l'espace de deux décennies, enregistré une diminution de près de la moitié de leurs effectifs. Autres facteurs importants de remise en question : la pollution générée par l'agriculture intensive, et les dégradations environnementales qui impactent la pêche (voir p. 348).

La Bretagne dans la crise

La région a su mieux que les autres résister à la crise économique qui a touché la France dès 2008. Ses pôles d'excellence – comme l'électronique, les télécommunications, la construction navale – et surtout la forte part de l'emploi tertiaire (3 salariés sur 4) ont permis à la région de conserver un taux de chômage plus faible que la moyenne nationale. La situation s'est néanmoins inversée en 2012. À la suite de la construction et de l'industrie, le secteur agroalimentaire, dont la Bretagne est le premier contributeur national et qui n'affichait jusque-là qu'un léger recul, commença à accuser fermetures de sites et vagues de licenciements. En octobre 2013, la perspective de l'entrée en vigueur de la taxe poids lourds vit naître le mouvement des Bonnets rouges. Après des manifestations d'importance à Quimper et Carhaix-Plouguer, des destructions de portiques écotaxes – et l'abandon de la taxe –, le mouvement se structura autour du leitmotiv "Vivre, décider et travailler en Bretagne". Un slogan qui dit la volonté des Bretons à offrir à leur région un futur plus radieux.

Histoire

Monument mégalithique des Pierres-Plates, Locmariaquer (M

CAROL

La Bretagne s'est sentie distincte de l'ensemble français tout au long de son histoire : des racines celtes, une duchesse devenue deux fois reine de France pour sauver l'indépendance de sa région, un traité d'Union avec la France accepté du bout des lèvres et rarement respecté, une révolution aux répercussions différentes en Bretagne qu'ailleurs, un peuple de marins qui fit voile sur toutes les mers du globe...

L'âge des mégalithes

On sait peu de choses des premiers habitants de l'Armorique, dont la présence est attestée dès le paléolithique Les traces les plus anciennes sont les menhirs et les dolmens disséminés dans l'actuelle Bretagne, dont les plus célèbres sont ceux de Carnac (p. 230). La signification de ces édifices de pierre fait l'objet d'incessantes querelles d'experts. Érigés au néolithique, entre 6000 et 2000 av. J.-C., ils auraient eu

6000-2000 av. J.-C.

Érection de menhirs et de dolmens par les premiers habitants de la péninsule.

une signification religieuse, voire astrologique, et de prestige.

Le néolithique correspond à une période au cours de laquelle l'homme commence à se sédentariser et à développer des méthodes d'élevage et de mise en culture. L'édification de mégalithes correspond à un "marquage de territoire" par des hommes qui s'enracinent dans un espace donné.

Les meilleurs... sites mégalithiques

1 Carnac, p. 230

2 Barnenez, p. 149

3 Locmariaquer, p. 235

4 Gavrinis, p. 248

Au temps de l'Armorique

L'arrivée des Celtes, à partir du VIe siècle av. J.-C., constitue le premier grand événement fondateur de la culture bretonne. Originaire du sud de l'Allemagne, ce peuple conquérant baptise la péninsule Armorique – d'Armor, le "pays de la mer".

Les Celtes semblent avoir pénétré progressivement en Armorique et s'y être intégrés sans heurts avec les populations locales. Parfois décrits comme "les plus raffinés des barbares", ce sont d'habiles techniciens, notamment dans le travail du bois, du fer et de la céramique.

Les Vénètes, groupe celte le plus puissant, notamment sur mer, seront le frein principal à la conquête romaine, commencée vers 125 av. J.-C. L'avancée des légions de César en Gaule marque cependant un point décisif en Armorique, lorsque la flotte vénète est vaincue au large du golfe du Morbihan, en 56 av. J.-C. La défaite annonce le début de quatre siècles de *pax romana* en Bretagne.

Administration, urbanisation, construction de voies complétant le réseau celte préexistant... Rome réalise en Armorique ce qu'elle a fait ailleurs. Il semble cependant que l'Armorique ait réussi à préserver une certaine part de son originalité à cette époque. À plus forte raison à partir de la fin du IIIe siècle, lorsque les problèmes internes des empires romains contribuent à lâcher la bride à la Bretagne.

Intervient alors la deuxième grande vague d'immigration vers la péninsule. Du IVe au VIIe siècle, de nombreux Brittons – nom donné alors aux habitants de l'actuelle Grande-Bretagne, les Celtes de la Britannia romaine – s'implantent en Armorique. Ce mouvement de population trouve vraisemblablement son origine tant dans les problèmes internes que connaît la Britannia, menacée par les Scots d'Irlande, que dans la volonté des Romains de favoriser le peuplement de l'Armorique. Cette époque est aussi celle de l'évangélisation de la Bretagne.

Au VIIIe siècle, le peuple breton, désormais formé, commence à écrire une autre page de son histoire : celle de ses rapports avec l'ensemble français.

VIe siècle av. J.-C.
Immigration celte.

56 av. J.-C.
La victoire romaine sur les Celtes inaugure quatre siècles de *pax romana.*

IVe-VIe siècles
Vagues d'immigration successives depuis l'actuelle Grande-Bretagne.

Les meilleurs... sites médiévaux

1 Dinan, p. 100

2 Vannes, p. 237

3 Le Mont-Saint-Michel, p. 90

La création du royaume de Bretagne

La Bretagne intéresse les rois francs dès le VIIe siècle. Les deux camps alternent victoires et défaites. En 799, Charlemagne soumet la région, mais, en 845, les chefs bretons conduits par Nominoë, battent l'armée franque de Charles II le Chauve. Ce dernier doit signer un traité garantissant la paix entre le royaume franc et une Bretagne en position de force. Par le traité d'Angers en 851, Charles II le Chauve accorde les insignes de la royauté à Erispoë, fils de Nominoë, et lui cède les comtés de Rennes et de Nantes. Les Bretons, dès lors, sont maîtres en Bretagne. Mais, minés par les luttes intestines, ils doivent également faire face aux Normands, qui multiplient raids et pillages en Armorique. La progression des Normands est arrêtée à Dol, en 936, par Alain Barbetorte, qui devient duc de Bretagne l'année suivante.

Ducs en leur royaume

Le terme de duc révèle à lui seul le lien ambigu qui lie la France à la Bretagne. S'ils agissent en souverains, les ducs de Bretagne restent en effet désignés sous un terme qui offre l'avantage de faire peu d'ombre à la couronne de France.

Malgré les tentatives diplomatiques françaises d'alliance, la Bretagne féodale est en place, avec ses paysans, sa noblesse et son clergé déjà puissant.

La guerre de la Succession de Bretagne (1341-1365) éclate lorsque le duc Jean III meurt sans enfant. Deux prétendants s'affrontent : Jean de Montfort, son demi-frère, allié aux Anglais, et Charles de Blois, son neveu par alliance, époux de Jeanne de Penthièvre, plus proche de la couronne de France et soutenu par Bertrand Du Guesclin. La France et le duché de Bretagne entrent en guerre contre l'Angleterre : sièges et attaques sanglantes, comme celle de Quimper, se succèdent, ponctués par des épisodes "héroïques", tel le combat des Trente en 1351, opposant 30 guerriers de chaque camp en un combat fratricide, et par les exploits du chevalier Du Guesclin. En 1365, le traité de Guérande scelle la victoire du clan Montfort et reconnaît Jean de Montfort comme duc sous le nom de Jean IV – il régnera de 1365 à 1399.

Une nouvelle crise survient en 1373, lorsque les liens du duc avec les Anglais lui valent des inimitiés qui le poussent à se réfugier outre-Manche. En 1378, le roi Charles VI en profite pour lui confisquer des terres, soulevant la réaction des Bretons qui rappellent alors leur duc. En 1381, le second traité de Guérande rétablit Jean IV sur le trône ducal, tandis que les partisans des Montfort et des Penthièvre, cette fois unis contre le roi de France, mettent fin à leur ancienne rivalité.

845
Victoire du chef breton Nominoë sur les Francs, qui veulent mettre la main sur la péninsule.

936-937
Alain Barbetorte met fin à l'avancée des Normands et devient duc de Bretagne.

1341-1365
Guerre de la Succession de Bretagne. Opposant deux prétendants au duché, elle entraîne la France et l'Angleterre dans une guerre sur le sol breton.

Mais où s'arrête la Bretagne ?

Cette question lancinante est souvent évoquée face à un découpage administratif tout de sécheresse. En fait, la question des limites de la Bretagne (géographiques, culturelles, historiques, administratives...) est vite tranchée par les Bretons eux-mêmes : certes, il y a moins d'écoles Diwan à Nantes qu'à Rennes, mais la cité ligérienne, avec son château des ducs, est incontestablement une capitale historique bretonne, malgré son classement (artificiel pour beaucoup) au XXe siècle dans la Région des Pays de la Loire.

Petit rappel : en 1790, 5 départements sont créés en Bretagne dans les limites géographiques définies par l'acte d'union de 1532 – la Côte-du-Nord (aujourd'hui Côtes-d'Armor), le Finistère, l'Ille-et-Vilaine, le Morbihan et la Loire-Inférieure (désormais Loire-Atlantique). Ce découpage sera modifié en 1941 par le gouvernement de Vichy, qui sépare la Loire-Inférieure de la Bretagne, un choix entériné en 1955, puis à nouveau en 1972, lors des constitutions des "régions de programme", et qui ne sera pas modifié lors du nouveau découpage des régions décidé en novembre 2014.

Malgré cette crise, on peut dire qu'entre 1365 et 1488, période de la suprématie du clan Montfort, l'autorité du duché de Bretagne ne cesse de se raffermir. Les ducs ne rendent plus qu'un hommage théorique au roi de France. Nantes est alors la capitale du duché : le duc François II, qui règne de 1458 à 1488, décide d'y faire édifier son château à partir de 1466.

Dans la même période, la Bretagne s'affirme aussi sur mer. Les navires bretons approvisionnent notamment l'Angleterre en sel et en vin.

Anne de Bretagne : le cœur et la raison

La Guerre folle des grands seigneurs contre la monarchie, alors que le roi Charles VIII est mineur, va précipiter le sort de la province. La France envoie ses troupes en Bretagne en 1487 et occupe plusieurs villes, dont Nantes. La mort du duc François II annonce la fin du rêve d'une Bretagne indépendante. Les clauses stipulent en effet que l'unique héritière du duché, Anne, ne peut se marier sans l'accord du roi de France. Pour sauver le duché, la duchesse veut convoler, en 1490, avec Maximilien d'Autriche afin d'obtenir la protection du puissant Empire germanique. Sa tentative échoue et elle se résout à épouser Charles VIII en 1491.

Le destin d'Anne de Bretagne est décidément hors pair : elle sera deux fois reine de France. Après la mort (sans descendance) de Charles VIII, elle épouse Louis XII, son successeur, en 1499. Ce second mariage est régi par un contrat qui garantit encore la souveraineté d'Anne de Bretagne sur le duché ; cette union n'engage pas le destin des

1365

Traité de Guérande reconnaissant la victoire du clan Montfort. Jean IV, duc de Bretagne jusqu'en 1399.

XIVe-XVe siècles

Âge d'or du duché de Bretagne.

COUR INTÉRIEURE DU CHÂTEAU DES DUCS DE BRETAGNE À NANTES. D.R. ©

Les meilleurs… musées d'histoire

1 Musée d'Histoire de Nantes, p. 265

2 Musée de la Préhistoire, Carnac p. 231

3 Musée de Bretagne, Rennes, p. 61

États. Il en va autrement à la mort de la duchesse, en 1514.

Sa fille Claude, héritière du duché, épouse François d'Angoulême qui devient roi de France, l'année suivante, sous le nom de François Ier.

Une union troublée

Le 18 septembre 1532, le traité d'Union entre la couronne de France et le duché de Bretagne précise les droits et les privilèges conservés par le duché : les Bretons ne seront soumis qu'aux impôts décidés par les États de Bretagne et jugés par des tribunaux bretons ; seuls des Bretons peuvent, par ailleurs, accéder aux charges ecclésiastiques. La Bretagne, en clair, a droit à la différence, même si elle est dorénavant dirigée par un gouverneur, représentant du roi. En 1554, le parlement de Bretagne, garant historique des libertés bretonnes, est créé. Son siège, d'abord fixé à Nantes, est transféré à Rennes, plus proche de Paris, en 1561.

Les dernières années du XVIe siècle sont troublées par les guerres de Religion. Majoritairement catholique, la Bretagne s'oppose à la venue sur le trône d'un roi protestant, le futur Henri IV. L'édit de Nantes, signé en 1598, garantit la liberté de culte des protestants et met fin au conflit.

Le règne de Louis XIV crée de nouvelles tensions en Bretagne, notamment autour de la question des impôts. En 1675, deux révoltes contre le papier timbré (un impôt indirect obligeant à rédiger certains actes sur un papier payant) sont durement réprimées : la première urbaine, à Rennes ; la seconde, connue sous le nom de révolte des Bonnets rouges, dans les campagnes, avec des revendications plus larges.

Nouveau coup de tonnerre en 1718 : protestant contre des impôts de plus en plus écrasants, des nobles bretons signent, sous le nom de Frères bretons, un pacte réclamant l'application du traité de 1532. Quatre d'entre eux sont décapités à Nantes. L'épisode reste dans l'histoire sous le nom de conspiration de Pontcallec.

Pendant ce temps, sur mer…

Longtemps, la pêche côtière ne constitue qu'une activité secondaire pour les cultivateurs, leur fournissant un revenu d'appoint. La découverte, par des navigateurs, de la richesse des côtes de Terre-Neuve change ce schéma à partir du XVIe siècle. Véritable révolution économique pour certaines régions bretonnes, la pêche à la morue apparaît rapidement comme le nouvel eldorado. Cette aventure est rapidement suivie par l'essor du commerce des toiles, qui marque les premiers pas d'une industrie bretonne.

1487-1488
Guerre folle ; le duc François II est tué à la bataille de Saint-Aubin-du-Cormier.

1488-1514
Anne, duchesse de Bretagne. Elle épouse successivement deux rois de France, tout en continuant à régner sur la Bretagne.

1514
Claude de France, fille de la duchesse Anne et du roi Louis XII, hérite du duché et en transmet peu à peu l'administration au roi François Ier, son époux.

La Compagnie des Indes, créée en 1664 par Colbert, peut, pour sa part, être considérée comme l'un des tremplins vers la navigation commerciale au long cours. Sous ses couleurs, des équipages malouins et lorientais font voile vers Moka et la route du café, vers les étoffes des comptoirs indiens et les épices de l'Orient. Tandis que les navires de la Compagnie se dirigent vers l'est par le cap de Bonne-Espérance, d'autres gros porteurs, armés par de riches négociants, font voile vers l'ouest et le continent américain. Chargés de toiles à l'aller et d'argent au retour, ils ne tardent pas à s'enhardir et à franchir le cap Horn pour gagner Valparaíso ou Concepción, au terme d'un voyage dépassant souvent 250 jours de mer.

Les XVIIe et XVIIIe siècles marquent aussi l'époque de la course. Cette forme de piraterie s'effectue avec la bénédiction de la monarchie. Les corsaires vont livrer une guerre commerciale d'usure aux nations ennemies de la France et piller les cales des navires marchands. Nantais aux abords des Antilles, Malouins dans l'océan Indien, les corsaires ont leurs grandes figures : Duguay-Trouin et Surcouf, tous deux originaires de Saint-Malo.

Nantes, en 1716, a reçu le monopole des navires en provenance des Antilles, ce qui lui vaut le triste titre de premier port négrier de France. La traite des Noirs est l'ignoble corollaire de l'industrie de la canne à sucre, ce nouvel or en provenance des

Enclos paroissial de Pleyben (p. 170)

1532

Traité d'Union entre la France et la Bretagne.

1675

Révoltes populaires et paysannes du papier timbré et des Bonnets rouges.

XVIIe-XVIIIe siècles

Le commerce maritime breton atteint son apogée.

Jacques Cartier, découvreur malouin

C'est un Malouin, Jacques Cartier, qui, en 1534, alors qu'il navigue pour le compte de François Ier, découvre l'embouchure du Saint-Laurent, au Canada. De France, il parvient à Terre-Neuve, puis, de là, explore les îles de la Madeleine et celle d'Anticosti. Il prend possession de Gaspé (actuel Québec) au nom du roi de France, sans aller plus loin à l'intérieur des terres. Lors de sa deuxième expédition, en 1535, il remonte le fleuve jusqu'au Hochelaga (site de Montréal). Cartier effectue une troisième expédition, en 1540, dont le but avoué est l'exploitation et la colonisation des terres découvertes. De retour au pays deux ans plus tard, il commence une vie de bon bourgeois avant de s'éteindre en 1557.

Antilles qui fait fureur dans les salons parisiens. Pour ceux qui la pratiquent, la traite est un commerce et les esclaves une marchandise comme une autre. Chargés de fusils, de poudre, de toiles ou d'alcool, les lourds navires négriers font route vers le Sénégal, l'Angola, le Mozambique ou le Dahomey (actuel Bénin), où ils chargent 3 ou 4 captifs au mètre carré dans un entrepont construit sur place, haut de 1,50 m. Des centaines de milliers d'Africains sont ainsi embarqués fers aux mains et aux pieds pour un bon mois de mer vers les plantations antillaises, où plus de 10% d'entre eux n'arriveront pas.

La Bretagne dans la Révolution et les chouans

La Révolution, en général bien accueillie dans les villes bretonnes, devient vite synonyme de perte des particularismes. Les états de Bretagne sont en effet abolis en novembre 1789. En 1790, par ailleurs, la province est découpée en 5 départements (voir l'encadré p. 311).

À ces bouleversements s'ajoute la question religieuse : la Bretagne est très attachée à son actif et puissant clergé. Or, la majorité des prêtres bretons, soutenus par la population, refusent la nouvelle place que veut leur imposer la constitution civile du clergé. La question militaire, enfin, met le feu aux poudres : au nom du traité de 1532 qui stipule qu'ils ne peuvent être obligés à combattre hors de Bretagne, les Bretons refusent de participer aux guerres de la Convention contre les monarchies coalisées d'Europe, en 1793. Ce contexte particulier mènera à la sanglante révolte des chouans qui, de 1793 à 1799, fera plusieurs dizaines de milliers de victimes. La chouannerie bretonne, à la différence des soulèvements vendéens, est le fait de bandes agissant dans le périmètre de leur commune. La motivation initiale des chouans semble donc être la défense de leurs intérêts propres plutôt que celle du système monarchique en lui-même. La conjuration de La Rouerie, dont l'objectif avoué est de revenir à la

1716
Nantes a le monopole du commerce triangulaire et devient le premier port négrier de France.

1789-1790
La Bretagne perd les institutions de l'Ancien Régime qui garantissaient le respect des clauses du traité d'Union, et est divisée en 5 départements.

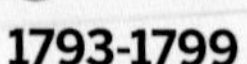

1793-1799
Révolte de la chouannerie.

monarchie et de restituer ses droits à la Bretagne, témoigne elle aussi de la situation particulière de la Bretagne au moment de la Révolution. Les insurgés bretons payèrent leur opposition à la Convention par une lourde répression. Outre l'exécution des chefs chouans, une politique de relative tolérance religieuse et d'exemptions militaires contribua à ramener le calme dans les communes rebelles.

Les meilleurs... châteaux

1 Châteaux des ducs de Bretagne, Nantes, p. 265

2 Château de Brest, p. 162

3 Château de Vitré, p. 70

4 Château de Fougères, p. 68

"Défense de cracher et de parler breton..."

L'un des effets de cette attitude jugée contre-révolutionnaire sera de creuser un fossé entre la Bretagne et la France républicaine. Au début du XIXe siècle, cette région est sans doute un peu plus pauvre et plus enclavée que les autres provinces françaises.

Sur mer, la pêche remplace peu à peu le transport commercial, brutalement freiné par la fin des activités de la Compagnie des Indes, l'arrêt de la traite, la concurrence du chemin de fer et les difficultés de l'industrie des toiles.

Au XIXe siècle, la Bretagne connaît une natalité galopante doublée d'une forte émigration. Plus de 500 000 personnes quittent la région entre 1871 et 1911. L'émigration bretonne se concentre majoritairement sur la région parisienne. La plupart de ces Bretons émigrés n'ont aucune qualification professionnelle et les femmes sont le plus souvent servantes ou bonnes.

Politiquement, la tendance conservatrice, entretenue par un clergé toujours puissant, se heurte à l'anticléricalisme de l'époque. Elle est également réfractaire à une république assimilatrice. La question de la langue fait figure de symbole : il est défendu, dans les écoles, "de cracher et de parler breton" – le breton est officiellement interdit dans les écoles en 1902.

D'une guerre à l'autre...

La Bretagne paie un très lourd tribut à la Première Guerre mondiale – on estime que 120 000 Bretons sont morts dans les tranchées –, un conflit qui a aussi pour effet de stimuler l'économie régionale.

L'entre-deux-guerres voit s'épanouir un mouvement autonomiste. Rappelons que le régionalisme breton est ancien : en 1898 a été fondée l'Union régionaliste bretonne (URB), où s'illustre Anatole Le Braz, suivie, en 1911, par le plus controversé Parti

début du XIXe siècle
Difficultés économiques et déclin du commerce maritime. Les débuts de l'industrialisation ouvrent la porte de la Bretagne au mouvement ouvrier.

fin du XIXe siècle
Avec l'arrivée du chemin de fer, la folie des bains de mer gagne le littoral breton : en 1879, la station balnéaire de La Baule est lancée.

1871-1911
Vague d'émigration des Bretons, vers Paris notamment.

Les meilleurs... ouvrages maritimes défensifs

1 Citadelle Vauban, Belle-Île-en-Mer, p. 223

2 Fort-la-Latte, Fréhel, p. 104

3 Ville close, Concarneau, p. 200

4 Château du Taureau, Carantec, p. 145

national breton (PNB). En 1919, 800 Bretons signent une pétition demandant le renouvellement du traité d'Union de 1532. En 1923, le drapeau breton – le *gwenn ha du*, symbole de l'identité armoricaine – est créé par Morvan Marchal. La contestation se durcit au cours de la décennie suivante (attentats contre le monument symbolisant l'union de la France et de la Bretagne à Rennes et contre le train amenant à Nantes le président du Conseil Édouard Herriot, en 1932).

L'économie, dans le même temps, pâtit de la crise des années 1930. La fermeture de chantiers navals, le chômage, les difficultés des conserveries et de la pêche depuis l'arrivée de la vapeur renforcent le syndicalisme.

Durant la Seconde Guerre mondiale, la région est occupée par l'armée allemande dès juin 1940 et lourdement bombardée tout au long du conflit. En raison de son importance stratégique, le littoral est une zone interdite, soumise au laissez-passer. La main-d'œuvre est réquisitionnée pour accomplir de grands travaux défensifs, comme la construction du mur de l'Atlantique dans le Morbihan notamment.

Les bombardements, terribles, visent les arsenaux, la côte et les villes : allemands sur Rennes en juin 1940, anglais sur Brest, Lorient et Saint-Nazaire en 1940-1941, anglo-américains sur Lorient et, dans une moindre mesure, Nantes en 1942-1943... De mai 1944 à mai 1945, le littoral est pilonné quotidiennement. Les poches de Saint-Nazaire et de Lorient ne sont libérées qu'en mai 1945, alors que Rennes voit arriver les chars américains le 4 août 1944.

Entre résistance et collaboration, la Bretagne agit comme le reste du pays. Dès juin 1940, les navires quittent les ports quand ils le peuvent, et des Bretons rejoignent très tôt Londres, à l'exemple des pêcheurs de l'île de Sein. Les grandes villes connaissent des actions héroïques isolées, en général sévèrement réprimées – comme l'exécution de 48 otages à Nantes, en octobre 1941, après l'assassinat d'un lieutenant-colonel allemand par 3 militants communistes. Les réseaux se mettent essentiellement en place en 1943. Le maquis de Saint-Marcel, dans le centre du Morbihan, est resté dans toutes les mémoires. Certains milieux séparatistes, en revanche, comme le Parti national breton (1931-1944), s'afficheront ouvertement collaborationnistes, mais ils sont coupés de la population et de faible audience.

1898
Création de l'Union régionaliste bretonne, première manifestation de l'autonomisme breton.

1902
Le breton est interdit dans les écoles.

1940-1945
La Bretagne est lourdement bombardée. Plusieurs villes sont complètement détruites. C'est une région sinistrée à la Libération.

Le "quart de la France"

Le 18 juin 1940, le gardien du phare de l'île de Sein assiste au départ de la flotte de la rade de Brest, dont plusieurs bateaux prennent la direction d'Ouessant – la rumeur dit qu'ils rejoignent l'Angleterre où continue le combat. Le même jour, la population, réunie autour de l'un des rares postes de TSF de l'île, capte l'appel du général de Gaulle demandant aux Français qui le peuvent de rejoindre les Forces françaises libres. La décision est bientôt prise : les hommes prendront la mer et rallieront ce général encore inconnu. Ainsi, en 2 départs, les 24 et 26 juin, tous les hommes âgés de 14 à 50 ans – ils seront 124 sur le millier d'habitants que compte alors l'île – s'embarquent sur les bateaux de la flottille de pêche, à destination de l'Angleterre. Quelques jours plus tard, de Gaulle, passant en revue ses troupes et interrogeant ses soldats sur leur provenance, aura alors cette phrase devenue historique : "Mais l'île de Sein, c'est donc le quart de la France !" Après la guerre, de Gaulle tint sa promesse de venir rendre visite à ses compagnons d'armes, fidèles de la première heure. Il débarqua le 30 août 1946 et fut ovationné par la population tout entière. Suprême honneur fait aux Sénans, il remit la croix de la Libération à l'île.

La Bretagne après la guerre

Au lendemain du second conflit mondial, le réseau routier et les voies ferrées s'améliorent, l'industrie et l'agriculture se modernisent. Toutefois, cette évolution ne masque pas les réelles difficultés économiques de la Bretagne, qui doit faire face à la concurrence d'autres régions françaises.

Le régionalisme reste bien vivant, comme en témoignent les premières actions du Front de libération de la Bretagne, en 1965. La colère atteindra son apogée au cours des années 1970 avec la marée noire de l'*Amoco Cadiz* (1978) et le projet de construction d'une centrale nucléaire à Plogoff, à la pointe du Raz. Ces événements cristallisent le mécontentement breton et soulèvent une opposition de plusieurs dizaines de milliers de personnes.

Prenant sa revanche sur des décennies d'assimilation culturelle républicaine, la culture bretonne et celtique est en plein renouveau. La création, à partir de 1977, d'écoles de breton, sous l'impulsion de l'association Diwan, l'émergence de festivals de musique bretonne et l'essor d'initiatives de valorisation du patrimoine maritime illustrent cette tendance.

1978-1980

La marée noire de l'*Amoco Cadiz* et le projet de centrale nucléaire de Plogoff (pointe du Raz) cristallisent le mécontentement.

décembre 1999

Le pétrolier *Erika*, qui a fait naufrage, laisse échapper 10 000 tonnes de fioul lourd au large et le long des côtes du sud de la Bretagne.

2013

La crise économique s'amplifie en Bretagne ; face aux manifestations, le gouvernement renonce à mettre en place la taxe poids lourds.

Culture et patrimoine

Figures du calvaire de Saint-Thégonnec (Finistère, p. 171)

RÉGIS COUTURIE

Au XIXe siècle, on redécouvre le patrimoine culturel breton. Avec la mise en valeur des Antiquités nationales, sous l'impulsion de Prosper Mérimée (1803-1870), alors inspecteur général des monuments historiques, et l'influence de l'art romantique, les artistes se cherchent des racines ailleurs que dans l'Antiquité. La Bretagne, empreinte de mystère avec ses légendes et sa ferveur religieuse, alliées à une architecture gothique remise au goût du jour, ses étranges sites mégalithiques et ses sublimes paysages littoraux, est propice aux aspirations des créateurs. Ce phénomène marque tant la littérature que la peinture ou l'architecture.

Architecture

Mégalithes

La Bretagne abrite l'un des plus importants ensembles mégalithiques du monde. Ce sont des constructions de taille importante réalisées à partir de blocs de pierre brute simplement assemblés et dotés d'une fonction symbolique. Ils ont été érigés au néolithique, entre 6000 et 2000 av. J.-C., sans doute par des agriculteurs sédentaires.

Les menhirs ("pierre longue" en breton) sont de gros blocs de pierre fichés dans le sol, dressés vers le ciel, oblongs ou en forme de dalle, parfois décorés. Le plus grand menhir de Bretagne actuellement debout, le menhir de Kerloas dans le Finistère, mesure 9,50 m de haut ; le Grand Menhir de Locmariaquer (p. 235), aujourd'hui brisé, devait mesurer 20 m. Les plus imposants pèsent 350 tonnes.

Quant à leur signification, quelques hypothèses sont avancées par les spécialistes : culte de la fécondité lié à leur symbolique phallique, représentation d'une divinité, lieu de cérémonie ou délimitation territoriale. Certains estiment qu'ils obéissaient à une fonction cosmique, liée au culte du soleil, ou qu'ils définissaient un système de calendrier. Quand ils sont groupés, ils forment des alignements ou de plus rares cromlechs ("courbe de pierres", autrement dit des cercles ou des demi-cercles). On trouve également des menhirs couronnés d'une croix ou gravés de symboles chrétiens : il s'agit de sites païens "récupérés" par le christianisme.

Les dolmens ("table de pierre" en breton) sont des sépultures collectives constituées d'une dalle de pierre horizontale posée sur des blocs verticaux. Ils sont soit simples (chambre sans couloir, une seule table), soit à couloir (un couloir de longueur variable relie l'entrée à la chambre funéraire) ou en V. Certains étaient agrémentés de motifs décoratifs particulièrement élaborés (crosses, haches, serpents ou idoles), comme à Gavrinis (p. 248). Ils étaient également dotés d'un mobilier funéraire (haches, outils, bijoux), aujourd'hui entreposé dans les musées de la région. L'allée couverte, un type de sépulture apparu plus tard, se compose d'une chambre funéraire aussi allongée que le couloir.

Les dolmens étaient en principe enfouis dans un tumulus, une sépulture funéraire ensevelie, qui se présente sous la forme d'une butte de terre. Certains dépassent 100 m de long. Souvent implanté sur un promontoire, structuré comme un tumulus, le cairn est constitué d'un agencement de pierres sèches, comportant parfois des gradins ; ses parois et ses chambres sont en général richement ornementées.

Architecture religieuse

Art roman

La Bretagne n'est pas une terre de référence pour l'architecture romane, mais offre néanmoins de beaux édifices exposant les éléments les plus caractéristiques de l'art roman. Parmi les constructions de grande ampleur, on distinguera la tour carrée de Saint-Sauveur de Redon, l'abbatiale Saint-Gildas-de-Rhuys (p. 250), l'église Saint-Tudy de Loctudy, la tour d'Hastings à Tréguier (p. 122), les ruines de l'abbaye de Landévennec et les vestiges du cloître de celle de Daoulas (p. 166).

Gothique et dentelles de pierre

Avec l'arrivée du gothique, les églises se transforment. Remplaçant le plein cintre, la croisée d'ogives offre plus de résistance et permet aux édifices de s'élancer en hauteur. Sous influences normande et anglaise, le premier gothique breton donne naissance à la cathédrale de Dol (p. 88) ou à la nef de celle de Saint-Pol-de-Léon (p. 148). Les façades sont sobres, mais l'édifice est prolongé de tours-clochers surmontées de flèches qui accentuent l'effet de verticalité. Le pesant granit breton se découvre une légèreté insoupçonnée, comme en témoigne la tour de la chapelle Notre-Dame-du-Kreisker à Saint-Pol (p. 149). À l'intérieur, la diversité des chapiteaux romans est abandonnée au profit d'une homogénéité apportée par des chapiteaux semblables et simplifiés. Les piliers sont doublés de colonnettes et grimpent vers la voûte. On ajoute aux nefs des niveaux supérieurs appelés triforiums, d'abord aveugles puis ouverts sur l'extérieur. Les piliers supportant la force, les murs se libèrent. Les vitraux invitent peu à peu la lumière, et les rosaces déploient leur magnificence.

Les XVe et XVIe siècles constituent un âge d'or pour la Bretagne : les paroisses s'enrichissent et rivalisent pour afficher leur foi. Le gothique se fait flamboyant (les formes décoratives, ondoyantes, rappellent des flammes). Les édifices, notamment les porches, se parent d'un riche décor, véritable dentelle de pierre. La statuaire se déploie grâce au recours au kersanton, pierre plus facile à travailler que le granit.

Les meilleurs... enclos paroissiaux

1 Pleyben, p. 170
2 Sizun, p. 171
3 Plougastel-Daoukas, p. 166
4 Guimiliau, p. 171
5 Saint-Thégonnec, p. 171

D'autres éléments participent à la richesse des églises bretonnes, y compris les plus modestes. Leur intérieur accueille des boiseries sculptées et peintes, des fresques saisissantes (comme à Kernascléden). La Bretagne compte de splendides jubés, à la fois tribunes et cloisons entre la nef et le chœur, qu'ils soient en bois polychrome ou en pierre.

Enclos paroissiaux

Ils témoignent de la foi bretonne en ces temps de prospérité qui courent jusqu'au XVIIe siècle. Il s'agit d'un ensemble architectural regroupant une église, un calvaire, un ossuaire, un cimetière, un mur d'enceinte et une porte triomphale. C'est un espace clos et sacré, qui remplit un rôle symbolique de rencontre entre le monde des vivants et celui des morts.

Un muret de pierre matérialise la séparation entre l'espace profane et l'espace sacré, et empêche les animaux de fouler le placître (lieu de rassemblement). La porte qui permet de franchir cette clôture se fait arc de triomphe, marquant l'entrée dans le royaume des morts. Vu la superficie réduite du cimetière, les reliques des morts étaient régulièrement exhumées pour faire place aux nouveaux défunts. On prit l'habitude de placer les ossements dans une chapelle close, l'ossuaire, de construction indépendante, et richement décorée.

Mais la pièce maîtresse de l'enclos est le calvaire. Réalisé en kersanton, le calvaire met en scène la passion du Christ et les épisodes de sa vie sous forme de statuettes saisissantes de réalisme, posées sur un socle et surmontées d'une crucifixion. Celui de Plougastel-Daoulas (p. 166) ne compte pas moins de 180 personnages. Un vrai petit théâtre de marionnettes !

L'église complète le dispositif. La hauteur du clocher, et sa composition élaborée, comme la richesse ornementale du porche traduisent l'audace déployée pour impressionner les fidèles... et les paroisses voisines. Leurs intérieurs sont généralement somptueux et le mobilier liturgique particulièrement soigné.

On y reconnaîtra des influences Renaissance, classique, baroque, qui témoignent du rôle de carrefour culturel que pouvait jouer la Bretagne d'alors. La plupart des enclos se trouvent dans le Finistère, les plus significatifs étant ceux de Guimiliau (p. 171), de Saint-Thégonnec (p. 171) et de Sizun (p. 171).

Architecture rurale et meubles bretons

Les maisons traditionnelles de Bretagne varient selon les régions. La partie orientale de la Bretagne privilégie les longères réalisées en grès ou en schiste ; l'Ouest offre des habitations réalisées en granit, plus ramassées, moins exposées au vent. La pierre est la plupart du temps apparente, mais en bord de mer les murs sont enduits à la chaux, ne laissant nus que le tour des fenêtres et les pierres d'angle. Au XIXe siècle, l'ardoise volera la vedette aux toits de chaume, que l'on peut encore admirer dans certains hameaux soigneusement entretenus. Les maisons sont plutôt basses, le toit assez pentu. Les plus riches se font bâtir un étage souvent accessible par un escalier extérieur, comme en témoigne la maison Cornec de Saint-Rivoal, avec son avancée caractéristique de nombreuses maisons finistériennes. Portes et fenêtres sont petites et créées en façade, pas dans les pignons, placés côté au vent.

À l'intérieur, une grande pièce commune rectangulaire, au sol en terre battue : on y cuisine dans la grande cheminée implantée dans l'un des pignons, et l'on y dort dans les fameux lits clos, alignés avec les armoires contre l'un des murs. Dans une pièce commune, ces lits offrent un peu d'intimité et gardent la chaleur. Ce meuble est clos par de simples rideaux ou par des panneaux coulissants, qui peuvent être moulurés et ornés de clous de cuivre. La partie haute est ajourée au moyen de fuseaux pour laisser passer un peu d'air. Devant se trouve un banc faisant office de marchepied pour grimper dans le lit (parfois à étages), mais aussi de coffre et de siège. À côté, l'armoire, massive, est à la fois meuble de rangement et de parade, signe de la richesse accumulée.

Les meilleures... villas balnéaires

1 Dinard, p. 81

2 La Baule, p. 283

3 Pléneuf-Val-André, p. 106

Villas balnéaires

L'émergence du tourisme et la mode des bains de mer lancée par les Britanniques vont modifier la physionomie de certains villages côtiers entre la fin du XIXe siècle et le début du XXe siècle. La plage passe du labeur aux plaisirs, et quelques petits ports de pêche se muent en stations balnéaires mondaines. Une aristocratie fortunée, séduite par la beauté des côtes bretonnes, se fait construire de somptueuses résidences. Les influences sont pour le moins éclectiques : cottage anglais avec bow-windows, maison coloniale, petit château médiéval, pavillon Louis XIII, chalet

Les petits châteaux de ces “Messieurs de Saint-Malo”

Aux XVIIe et XVIIIe siècles, armateurs et corsaires malouins, tels Duguay-Trouin ou Surcouf, amassent des fortunes considérables grâce à la guerre de course et au commerce dans les mers australes. On les surnomme alors les “Messieurs de Saint-Malo”. Souhaitant affirmer leur rang social et pouvoir aussi se reposer, ils se font bâtir des demeures dans l'arrière-pays malouin et sur les bords de la Rance, à distance raisonnable de la cité où ils ont leurs affaires et de la mer, mais jamais tournées vers elle.

Les propriétés s'étendent sur plusieurs hectares, souvent ceintes de hauts murs. Ces maisons de campagne traitées comme de petits châteaux sont appelées malouinières, en référence à la provenance de leurs propriétaires. Elles sont bâties de toute pièce ou édifiées sur la base d'anciens manoirs remis au goût du jour. Leur plan est simple, ramassé, quadrangulaire. La façade est classique, très régulière, d'une sobriété austère, influencée par l'architecture militaire. Les murs enduits s'animent à peine, autour des fenêtres et aux angles, de pierres apparentes en granit de Chausey.

Les propriétés s'agrémentent d'un jardin à la française. Depuis les salons, il offre sa perspective au regard ; de l'extérieur, il met en valeur le logis. Il se prolonge parfois par un parc boisé.

L'austérité de la façade disparaît à l'intérieur, souvent somptueux : murs lambrissés, marbre de Carrare, porcelaine des Indes, ameublement raffiné, ici des chambres tendues de cuir de Cordoue, là des boiseries en chêne de Norvège.

Les meilleurs... châteaux forts

1 Fort-la-Latte, p. 104

2 Fougères, p. 68

3 Vitré, p. 70

4 Josselin, p. 251

montagnard, villa italienne, villa Art déco, voire demeure néobretonne. Pas d'unité architecturale, juste une extravagante liberté, osant le mélange des styles. Vous pourrez les admirer à La Baule (p. 283) et à Dinard (p. 81), où un musée relate même le développement de la station.

Peinture

L'école de Pont-Aven et les impressionnistes

C'est bien entendu Pont-Aven (p. 203), petite localité du Finistère Sud, qui vient immédiatement à l'esprit lorsque l'on évoque la présence des peintres en Bretagne. Au XIXe siècle, cette région, à l'écart du développement industriel et qui reste repliée sur ses traditions, a attiré nombre d'artistes en quête d'authenticité, parmi lesquels des impressionnistes. Venus se confronter à de nouveaux paysages, à la lumière et à ses effets changeants, ainsi qu'à l'infinité des couleurs de la Bretagne, ils s'installèrent au Faoüet, à Locronan, à Douarnenez ou à Concarneau. Ainsi, Jean-Baptiste Camille Corot (1796-1875), peint *L'Entrée de la chapelle Sainte Suzanne à Mur de Bretagne* (vers 1850, musée du Louvre, Paris), Eugène Boudin (1824-1898), *Le Port de Camaret* (1872, musée d'Orsay, Paris), et Claude Monet (1840-1926), lors d'un séjour à Belle-Île en 1886, *Les Rochers de Belle-Île* (musée d'Orsay, Paris). Quand Paul Gauguin (1848-1903) vient s'installer à Pont-Aven pour la seconde fois, en 1888, il y retrouve Émile Bernard (1868-1941) avec qui il avait commencé à expérimenter de nouvelles façons d'aborder leur art, le synthétisme : une simplification générale qui vise à montrer l'essentiel, que ce soit dans les tons, peints sans modelés, comme dans la composition. De cette période

Les manoirs bretons, témoins de la prospérité d'une époque

Le visiteur est souvent surpris de la quantité de manoirs qu'il croise en terres bretonnes. Nombre d'entre eux ont été bâtis entre le XIVe et le XVIIe siècle, témoins de la prospérité économique de cette époque. Ces maisons sont la résidence de nobles la plupart du temps, mais aussi de quelques bourgeois : tisserands, marchands. Elles peuvent également être au cœur de domaines agricoles de riches paysans. On dote ces solides bâtisses résidentielles d'éléments défensifs (murs d'enceinte, échauguettes...) : il s'agit d'en imposer, tout en protégeant ses biens.

Le domaine comporte en général une chapelle et d'autres constructions qui assoient le statut des propriétaires tout en lui procurant des revenus : un vivier, un moulin, une pêcherie, un four, etc. Dernier élément constitutif : le colombier. Pouvoir en construire un à pied (isolé) était le privilège du seigneur ayant droit de haute justice, le nombre de boulins (nichoirs à pigeons) étant proportionnel à l'étendue de son fief ; les autres étaient souvent intégrés au corps de bâtiment, la partie supérieure des murs recevant les boulins.

naîtront des œuvres fortes et symboliques, comme les *Paysannes bretonnes* (1894, Paris, musée d'Orsay) de Gauguin, *Le Gaulage des pommes* (1890, musée des Beaux-Arts de Nantes) de Bernard. Des œuvres de ce dernier sont visibles au musée des Beaux-Arts de Brest, notamment *Portrait de l'artiste* (1890) et *Bord de mer en Bretagne* (1891). D'autres créateurs des nouveaux mouvements picturaux de l'époque (nabis, fauves, expressionnistes) comme Maurice Denis (1870-1943) dont on peut admirer le tableau *Régates à Perros-Guirec* (1892) au musée des Beaux-Arts de Quimper, ou encore Paul Sérusier (1864-1927) dont les œuvres *Solitude* (1891, musée des Beaux-Arts de Rennes) et *Les Blés verts au Pouldu* (1890, musée des Beaux-Arts de Brest) prolongent la relation privilégiée des peintres avec la Bretagne. Au XXe siècle, les artistes continuent, mais dans une moindre mesure, à venir en Bretagne pour travailler, comme Marcel Gromaire à Carnac, Matisse, Hélion, et Vasarely à Belle-Île.

Les meilleures... cathédrales

1 Tréguier, p. 121

2 Saint-Pol de-Léon, p. 147

3 Dol-de-Bretagne, p. 88

Si une visite au musée d'Orsay à Paris, par exemple, permet d'admirer des peintures bretonnes de Gauguin, il est également possible de voir des œuvres de réputation internationale dans les différents musées de la région décrits au fil de ce guide.

Des peintres bretons traversés par les courants

Les mouvements comme l'impressionnisme, le fauvisme et les nabis firent bien entendu des émules parmi les artistes bretons, comme Maxime Maufra (1861-1918) dont le superbe *Pont-Aven, ciel rouge* (1892, musée des Beaux-Arts de Rennes) constitue un bel exemple. Il ne faut pas oublier Max Jacob (1876-1944), peintre et poète quimpérois, dont une partie de la production est conservée au musée des Beaux-Arts de Quimper. Citons d'autres grands noms du monde de l'art du XXe siècle, Bretons d'origine : Pierre Tal-Coat (1905-1985), l'une des figures de la Galerie Maeght et de la non-figuration, Raymond Hains (1926-2005), acteur du nouveau réalisme dont les affiches lacérées ont fait la renommée, et Jacques Villéglé, né en 1926 à Quimper, autre plasticien du nouveau réalisme de stature internationale.

Actuellement, c'est l'affichiste Alain Le Quernec (né en 1944 au Faouët) qui représente presque à lui seul le dynamisme de l'art en Bretagne. Sa production engagée, dont vous avez certainement vu au moins une réalisation, comme l'affiche d'*Amnesty International* (1978), s'attaque à divers fronts notamment la politique et les luttes sociales (affiches contre la marée noire, pour Solidarnosc, etc.).

Galeries et musées de qualité sont nombreux en Bretagne et s'attachent, de plus en plus, à mettre en valeur les artistes des siècles passés comme ceux du nouveau millénaire. À vous de les découvrir !

La Bretagne, terre d'écrivains

Chateaubriand et les grandes voix du XIXe siècle

L'écrivain romantique François-René de Chateaubriand (1768-1848) est incontestablement le plus illustre talent de la littérature bretonne (voir encadré p. 324). Dans *Mémoires d'outre-tombe*, l'auteur évoque longuement son enfance passée au château de Combourg. Félicité de Lamennais (1782-1854), originaire de Saint-Malo, entré dans les ordres, s'est fait connaître par ses thèses prônant la subordination du pouvoir temporel au pouvoir spirituel, développées notamment dans *De la religion*

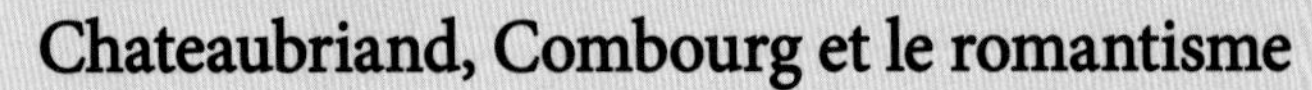

Chateaubriand, Combourg et le romantisme

"C'est dans les bois de Combourg que je suis devenu ce que je suis", confie l'auteur des *Mémoires d'outre-tombe*, né en 1768 à Saint-Malo. Son père, grand armateur enrichi dans la traite des Noirs, acquit le château de Combourg en 1761. C'est dans cette austère demeure féodale que la vocation littéraire de François-René, forgée par les paysages et les atmosphères dont il s'imprègne, s'affirme. De ces premiers émois, transfigurés sous une prose lyrique, naîtra, des années plus tard, un mouvement littéraire et un style d'écriture : le romantisme. Personnage complexe, brillant et visionnaire, à la fois en prise directe avec les brusques mutations de son époque et à l'écoute des tourments de son imaginaire, Chateaubriand trouva les mots justes pour redéfinir le lien passionnel et l'alchimie mystérieuse qui unissent l'homme et la nature, et les sentiments souvent exaltés qui en découlent. Combourg joua le rôle d'une toile de fond pour son imaginaire, d'un catalyseur fécond de ses élans romantiques. L'écrivain s'éteignit en juin 1848 et fut enterré à Saint-Malo.

considérée dans ses rapports avec l'ordre politique et social. Son idéal humanitaire en fait un précurseur du catholicisme social et de la sociale démocratie. Le philosophe Ernest Renan (1823-1892), né à Tréguier, s'est également intéressé de près à la religion, notamment dans ses rapports avec la science. *La Vie de Jésus* (1863), son œuvre majeure, cherche à concilier christianisme et rationalité, ce qui scandalisa l'Église catholique mais eut un retentissement considérable en Europe. Son intérêt pour sa Bretagne natale a également été constant jusqu'à ses *Souvenirs d'enfance et de jeunesse* (1883). Le symboliste Auguste Villiers de l'Isle-Adam (1838-1889), originaire de Saint-Brieuc, s'est lui signalé par ses contes fantastiques comme *L'Ève future* ou *Contes cruels*. Victor Segalen (1878-1919), médecin de la marine, écrivain-ethnologue et grand voyageur, est né à Brest, mais l'essentiel de son œuvre porte sur l'Orient et la Polynésie. L'auteur des *Immémoriaux* et de *Stèles* est mort, assez mystérieusement, dans la forêt d'Huelgoat, alors qu'il se promenait.

Chantres du pays Breizh

Pays tour à tour pittoresque ou démystifié, misérable ou idéalisé, perdu ou appelé à un renouveau, la Bretagne a engendré une pléiade d'auteurs dont l'œuvre reste indissociable de ce terroir. Le Rennais Paul Féval (1817-1887), mieux connu pour ses romans de cape et d'épée (*Le Bossu*), a choisi la Bretagne comme cadre à plusieurs de ses romans (*Le Loup blanc*, *La Fée des grèves*).

La figure qui se détache est celle de Pierre-Jakez Hélias (1914-1995). Ce Quimpérois a ému de très nombreux lecteurs, en 1975, avec son livre de souvenirs, *Le Cheval d'orgueil*, considéré comme un document ethnologique de première importance sur la vie des paysans bigoudens au début du siècle. Dans ce même courant de l'enracinement terrien se situe Charles Le Quintrec (1926-2008), dont les poèmes (*Les Temps obscurs*, *La Source et le secret*...) et les romans (notamment *Les Enfants de Kerfontaine*) exaltent la foi chrétienne, le folklore, la nature et son Morbihan natal. Plus récemment, Jean Rohou, professeur de littérature à Rennes, a connu un formidable succès de librairie avec *Fils de ploucs*, qui relativise beaucoup de clichés sur la Bretagne et prend une distance ironique par rapport à sa fameuse celtitude.

Parmi les écrivains majeurs du XXe siècle, citons l'auteur prolétarien Louis Guilloux 1899-1980), dont la plupart des livres se situent à Saint-Brieuc, sa ville natale. *Sang oir* (1935), le destin tragique d'un professeur de philosophie, est considéré comme on chef-d'œuvre.

.es visiteurs inspirés

a Bretagne n'a pas inspiré que les écrivains nés sur son sol. Balzac (*Les Chouans* n 1829, *Béatrix* en 1839), Mérimée (ses *Notes d'un voyage dans l'ouest de la France*, n 1836, relatent sa découverte des mégalithes), Flaubert (*Par les champs et par* *s grèves*, récit d'un voyage à pied en 1847 en compagnie de Maxime Du Camp), aint-Pol Roux (ce Provençal est devenu le poète de Camaret, où il s'installe à la fin du IXe siècle), Apollinaire (dans *Le Guetteur mélancolique*, recueil posthume de 1952), imenon (dans *Le Chien jaune*, paru en 1931, le jeune commissaire Maigret enquête Concarneau, ville dont l'auteur donne un autre portrait dans *Les Demoiselles de* *oncarneau*, 1935) et Julien Gracq (ce prosateur éblouissant, qui fut professeur 'histoire-géographie à Quimper et à Nantes, évoque notamment la Bretagne dans *ettrines*), entre autres, ont livré de belles pages sur la région.

.es poètes

)epuis les bardes mythiques de l'ancienne Armorique, les paysages bretons ont oujours fait bon ménage avec la lyre d'Orphée. Chez les romantiques, on citera uguste Brizeux (1803-1858), originaire de Lorient, qui a notamment laissé une rande épopée rustique, *Les Bretons*, inspirée de sa région natale. On distinguera ristan Corbière (1845-1875), de Morlaix, révélé par Verlaine, qui rendit hommage aussi ien à la Bretagne et aux marins qu'à l'Italie du Sud, d'une voix toujours désespérée t ironique à la fois (*Amour jaunes*, *Gens de mer*...). Théodore Botrel (1868-1925), hansonnier né à Dinan, est l'auteur de la célèbre chanson *La Paimpolaise* (1895). e folkloriste Anatole Le Braz (1859-1926) fut aussi un poète primé plusieurs fois ar l'Académie française. Il a su restituer avec force et sincérité la poésie des récits retons, notamment dans *La Légende de la mort chez les Bretons armoricains*. Max Jacob (1876-1944), né à Quimper, est proche d'Apollinaire et de Picasso (Max acob est également peintre). Son recueil iconoclaste et avant-gardiste *Le Cornet à* *és*, paru en 1917, aura une grande influence sur les surréalistes. René-Guy Cadou 1920-1951), de la région nantaise, a su trouver dans les paysages de la Brière la nétaphore de son amour pour sa femme (*Hélène ou le Règne végétal*, 1952). Dans e panorama, Armand Robin (1912-1961) occupe une place à part. Fils de paysans auvres de Plouguernével, devenu traducteur polyglotte, cet auteur rare et méconnu notamment laissé deux ouvrages majeurs, *Ma vie sans moi* (1940) et *Le Temps qu'il* *ait* (1942), une épopée lyrique dans les paysages de son enfance. Plus récemment, éonard Xavier Grall (1930-1981) fit entendre mieux qu'un autre la voix des marins et artagea les revendications des autonomistes bretons. C'est ce qui l'opposa à Pierre akez Hélias, qu'il percevait comme un "colonisé". Son *Cheval couché* (1977) est une éaction virulente contre le dolorisme du *Cheval d'orgueil*. Citons enfin Paol Keineg, galement dramaturge, né en 1944 à Quimerc'h, qui est peut-être à la cause bretonne e qu'un Aimé Césaire fut à la négritude. *Le Poème du pays qui a faim*, paru en 1967, fit e lui le chef de file de la jeune littérature bretonne. Des positions qui le firent exclure e l'Éducation nationale...

Récits de mer

)uverte sur le monde par tous ses ports, la Bretagne a inspiré de nombreux romans naritimes. S'il n'est pas breton, le plus célèbre peintre de la mer reste sans doute ierre Loti (1850-1923) ; la vie des marins et la Bretagne lui ont inspiré parmi ses plus

beaux textes, comme *Mon frères Yves* (1883) et *Pêcheurs d'Islande* (1897). On songe aussi, bien sûr, aux nombreuses productions d'Henri Queffélec (1910-1992) comme *Frères de la brume*, *Un recteur de l'île de Sein*... Dans le genre, *Armen*, paru en 1967, est le récit poignant d'un gardien de phare, Jean-Pierre Abraham. On peut aussi rattacher à cette veine *Le Nabab* (1982), de la Morbihannaise Irène Frain (née en 1950), récit d'un petit mousse breton devenu nabab en Inde au XVIIIe siècle. Enfin, dans cette littérature foisonnante, on distinguera le prolifique Michel Le Bris, né à Plougasnou en 1944, un auteur fasciné par Stevenson et dont plusieurs ouvrages sont nourris d'histoires de marins et de pirates (*Les Flibustiers de la Sonore* ou *D'or, de rêve et de sang*). Il est aussi à l'origine du mouvement des "écrivains voyageurs" et créateur du festival Étonnants Voyageurs de Saint-Malo.

Le polar armoricain

Le roman policier connaît une étonnante vitalité en pays de Bretagne. Parmi les grands maîtres du genre se distingue Hervé Jaouen, né en 1946 à Quimper, et qui se partage aujourd'hui entre Finistère et Irlande. Il est l'auteur de polars déjantés comme *La Mariée rouge* (1979), qui se passe en pays bigouden, et d'une kyrielle de titres fleurant bon sa Bretagne : *Pleure pas sur ton biniou*, *Au-dessous du calvaire*... Chez Jean-François Coatmeur (né en 1925), les intrigues policières sont un prétexte pour dépeindre une société malade et fouiller les âmes torturées de ses personnages. Il a donné une vingtaine de romans dont *Les Sirènes de minuit*, *La Nuit rouge* et *Des feux sous la cendre*. Citons encore Gérard Alle, journaliste, romancier et spécialiste de la Bretagne rurale, auquel on doit des titres comme *Il faut buter les patates (2001)*. Il dirige depuis 2008 "Les Enquêtes de Léo Tanguy", une collection de romans policiers se déroulant exclusivement en Bretagne. Reprises en mai 2014 par les éditions La Gidouille, "Les Nouvelles Enquêtes de Léo Tanguy" voient le héros délaisser peu à peu l'Armorique pour d'autres régions de l'Hexagone.

La Bretagne est pop

En dehors du seul cadre de la musique celtique (voir p. 330), elle-même très variée et métissée, la Bretagne a vu éclore de nombreux talents en tout genre. S'il est un chanteur à la bretonnité fermement chevillée au corps, c'est bien Christophe Miossec. Ce Brestois né en 1964 a même fini par en incarner le caractère à la fois rugueux et mélancolique... Il émerge dans les années 1990, au milieu de la nouvelle vague de la chanson française. Son album *Finistériens* a été réalisé avec un autre Brestois fameux, Yann Tiersen. De formation classique et multi-instrumentiste, celui-ci s'est orienté vers le rock et atteindra la notoriété avec son album *Le Phare* (1998), aux litanies envoûtantes, et surtout la BO du film *Amélie Poulain*.

Dominique A, autre figure-phare de la nouvelle scène française, a percé à Nantes dès les années 1980. C'est un chanteur-compositeur exigeant et prolifique, aux orchestrations minimalistes et à la voix sublime, dont les textes poétiques sont marqués au coin d'un romantisme sombre. Quant à Étienne Daho, il est issu de la vague rock qui submerge Rennes, autre ville-campus, au début des années 1980. Daho le dandy en incarnera la face pop, tandis que Marquis de Sade, groupe de *new wave* mené par Philippe Pascal, en sera le côté sombre. L'émergence de ce qui est désormais appelé le rock rennais doit beaucoup à la création, par une bande d'étudiants sous influences anglo-saxonnes, des TransMusicales, en 1979, un petit festival régional devenu national et désormais franchement européen.

Morlaix, quant à elle, a une vraie affinité avec les musiques électroniques, notamment grâce au festival Panoramas, de même que Brest qui, avec le festival Astropolis, a organisé les premières soirées techno de Bretagne.

Le renouveau celtique

Gwenn-ha-du

DJIGGIBODGI.COM/FOTOLIA ©

Longtemps considérée avec dédain, la culture bretonne connaît, à partir de la seconde moitié du XIXe siècle, un regain d'intérêt – ou plutôt une révélation – et la "bretonnité" devient peu à peu une fierté.

Ce phénomène s'inscrit dans le mouvement plus vaste, et plus ancien, de redécouverte et de revendication de l'héritage celte, en Irlande, en Écosse, au pays de Galles et même aux États-Unis. La grande vague de transformation qui gagna la Bretagne au sortir de la Seconde Guerre mondiale sonna le réveil de ce patriotisme breton, entraînant une véritable effervescence culturelle. Cette affirmation identitaire, soutenue certes par des groupes régionalistes, autonomistes, très minoritaires, ne rime pas avec un quelconque passéisme. Toutes ses manifestations affichent d'ailleurs une vitalité et un caractère festif très communicatifs.

Une langue retrouvée mais en recul

La langue bretonne *(ar brezhoneg)* est un constituant essentiel de l'identité bretonne. Paradoxalement, sa pratique est en net recul et le breton n'est presque plus utilisé. La relative résistance du breton dans les campagnes s'est effondrée dans les années 1950-1960 avec l'ouverture de l'agriculture et l'abandon de la transmission familiale de la langue. Pourtant, le breton est aujourd'hui perçu positivement. Mais chez les jeunes générations, son apprentissage résulte d'une démarche volontariste. Il s'accomplit au sein d'associations et d'organismes culturels, voire dans le système scolaire, comme dans les écoles Diwan ("germe"), où le cursus se déroule en breton. L'option "breton" existe au bac. La demande est importante, mais son enseignement demeure très marginal (2% du public scolaire).

Le mouvement en faveur du breton se traduit dans la vie publique (signalisation routière bilingue, publicité, institutions culturelles...), les médias, le théâtre et, bien entendu, par la musique et le chant, plus marginalement par la littérature (voir ci-contre).

Breton et gallo

Rattaché à la famille des langues celtiques, qui se subdivisent en langues gaéliques (irlandais, écossais, manxois sur l'île de Man) et brittoniques (breton, gallois et cornique de Cornouailles, parlé jusqu'au XVIIIe siècle), le breton est aujourd'hui la seule langue celtique parlée sur le continent. Cependant, il n'a jamais été la langue de toute la Bretagne.

Lorsque les Brittons, chassés de Bretagne (l'actuelle Grande-Bretagne), s'établirent en Armorique (la Bretagne d'aujourd'hui) entre le Ve et le VIIe siècle, ils apportèrent leur langue, qui concurrença le gaulois. Dans sa phase d'expansion maximale, au IXe siècle, le breton était parlé à l'ouest d'une ligne Mont-Saint-Michel/Saint-Nazaire. À l'est de cette ligne, c'est le gallo qui avait cours. Il s'agit d'une langue romane dérivée de la langue d'oïl, proche des parlers d'Anjou et du Maine. Également traité avec mépris, il s'est progressivement effacé et a été presque complètement absorbé par le français.

Avec le rattachement à la France (1532), le breton a progressivement reculé devant l'influence du français. Aujourd'hui, on considère que la partition linguistique est délimitée par l'axe Vannes-Plouha (au nord-ouest de Saint-Brieuc). Il existe des variantes dialectales, que l'on classe en deux groupes : le KLT (cornouaillais, léonard, trégorrois) et le vannetais. La partition gallo/breton recouvre la distinction haute Bretagne et basse Bretagne.

Drapeau

Vous verrez le *gwenn-ha-du* flotter partout en Bretagne. Signifiant "blanc et noir", c'est le drapeau breton, dessiné en 1923 par Morvan Marchal, architecte et autonomiste breton. Il comporte 9 bandes horizontales : 4 blanches pour les pays bretonnants (Léon, Cornouaille, Vannetais et Trégor), 5 noires pour les pays gallos (nantais, rennais, briochin, malouin et dolois). Les mouchetures d'hermine rappellent l'ancien duché de Bretagne.

'émergence
'une littérature

1atière de Bretagne
t collecteurs du XIXe siècle

le breton a été écrit avant le français – le premier
xte attesté, le manuscrit de Leyde, fragment d'un
aité de médecine, date sans doute de la fin du
1IIe siècle –, les plus anciennes traces d'une littérature
1 langue bretonne relèvent d'une tradition orale.
e ce patrimoine perdu demeure une réputation
uropéenne à travers les diverses adaptations de
"matière de Bretagne" : la légende du roi Arthur,
s romans de la Table ronde, la quête du Graal (voir
encadré p. 331) ou encore le mythe de Tristan et
eut. La Bretagne au Moyen Âge désigne le monde
eltique dans son ensemble et cette "matière" est
ommune à l'Armorique et à la Grande-Bretagne. Elle
st la consignation d'une littérature colportée par des
onteurs ou des jongleurs. C'est sur le territoire français
u'elle a été en grande partie composée, notamment
ar Chrétien de Troyes (v. 1135-v. 1183) ou par Marie de
rance (1154-1189). Mais c'est le moine gallois Geoffroy
e Monmouth (v. 1100-1155) qui popularisa, avant
150, des personnages comme le roi Arthur et Merlin
Enchanteur.

C'est encore par la tradition orale que le breton
ccède au rang de langue littéraire. À la fin du
VIIIe siècle, l'Europe est gagnée par la déferlante

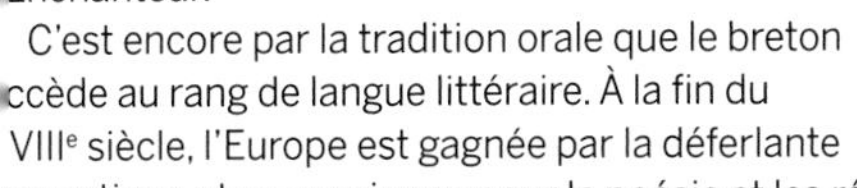

omantique et se passionne pour la poésie et les récits populaires. En France, la
retagne et son légendaire celte sont bientôt l'objet d'un véritable engouement.
ette celtomanie va entraîner, à partir de 1815-1820, une entreprise de collecte du
atrimoine oral de la part d'écrivains et de folkloristes, qui vont vulgariser cette
ttérature, la faire connaître à un plus large public et mettre en valeur l'histoire
e la Bretagne.

L'événement fondateur, qui consacrera l'originalité et l'ancienneté de la tradition
oétique de langue bretonne, fut la parution, en 1839, du *Barzaz Breiz*, d'Hersart
e La Villemarqué (1815-1895). Ce jeune aristocrate breton y présente par ordre
hronologique des légendes, des contes et des chants collectés pendant plusieurs
nnées en basse Bretagne et en fait une sorte de fresque historique de la Bretagne.
t pour la première fois, un ouvrage breton obtient une audience internationale.

Les meilleurs...
rendez-vous de la musique celtique

1 Festival interceltique de Lorient, p. 332

2 Festival de Cornouaille, Quimper, p. 43

4 Festival du chant de marin, Paimpol, p. 44

5 Saint-Patrick, le 17 mars. Saint Patrick, évangélisateur de l'Irlande, est célébré dans tous les pays de tradition celtique.

Ine littérature bretonnante

e réveil celtisant se concrétise par l'apparition d'une littérature en breton, souvent
evendicatrice et rejetant le romantisme. Le Brestois Roparz Hemon (1900-1978)
era le chantre du destin national de la culture bretonne. Plusieurs revues (*Gwalarn,*
Liamm) se succèdent et relaient cette littérature. On peut citer le conteur Pierre-
akez Hélias (voir aussi p. 324), dont le fameux *Cheval d'orgueil* a été d'abord rédigé en
reton (*Marc'h al lorc'h*), et la poétesse trégorroise Anjela Duval (1905-1981). Bien qu'il
it très peu écrit en breton, le "barde" libertaire et nationaliste Glenmor (1931-1996) fut
n poète à part entière et une figure de proue de la "colère bretonne" des années 1970.
armi les auteurs vivants, on peut mentionner le Cournouaillais Koulizh Kedez (né en

1947), berger, poète et traducteur en breton, ou Bernez Tangi, né en 1949 à Carantec, poète, chanteur et peintre.

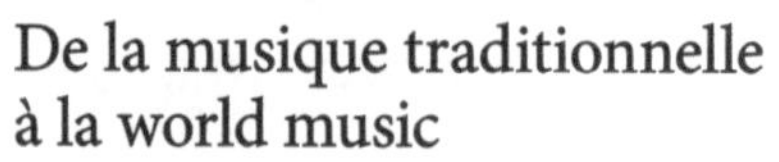

De la musique traditionnelle à la world music

Portée par la vague du celtisme, la musique est le secteur culturel qui manifeste la plu grande vitalité en Bretagne, où l'on compterait aujourd'hui plus de dix mille musiciens traditionnels.

Bagadoù et sonneurs

L'ensemble instrumental de base est le bagad, orchestre inspiré du *pipeband* écossai ou irlandais. Il se compose de cornemuses (binious), de bombardes et de batteries. La harpe celtique, la vielle, le violon, la clarinette et l'accordéon diatonique complèter éventuellement l'ensemble. Il existe environ 80 formations musicales de ce type en Bretagne.

Bien avant l'apparition des *bagadoù*, la musique bretonne s'organise autour du couple de "sonneurs" (les joueurs de biniou et de bombarde), qui traditionnellement animaient fêtes et mariages.

Danses et festoù-noz

La musique traditionnelle est en Bretagne inséparable de la danse, ou plutôt des danses, puisque la région en dénombrerait plus de 400 ! Gavotte, *plinn*, *fisel*, *en-dro*, *hanter-dro*, ridée..., chaque "pays" a sa danse, qui se décline en de très nombreuses variantes. Elles forment la pierre angulaire des *festoù-noz* ("fêtes de nuit"), sortes de bals populaires qui rythment l'été. Traditionnellement, ces bals ponctuaient les travaux agricoles, signaient la fin d'une importante tâche collective ou célébraient les mariages et les fêtes païennes ou religieuses. Ils se déroulaient le plus souvent de jour *(fest-deiz)* et en extérieur. Néanmoins, pour certaines dates, comme les feux de la Saint-Jean, ancienne fête celtique, ces fêtes se déroulaient la nuit et c'est surtout sous cette forme-là qu'elles abondent aujourd'hui. Avec le renouveau celtique, elles connaissent en effet un très fort engouement, aussi bien auprès des Bretons que des touristes.

La vague folk et la nouvelle scène

Alan Stivell (né Alain Cochevelou en 1944) a joué un rôle décisif dans ce mouvement souvent politisé et revendicateur à l'origine. D'abord en réintroduisant la harpe celtique, qui avait sombré dans l'oubli, puis en modernisant profondément la musique bretonne, dans laquelle il a introduit guitare, basse et synthé.

Dans les années 1980, le chanteur Denez Prigent séduit d'abord le public rock en chantant a cappella avec un magnifique sens du tragique, puis s'essaie à des mélanges techno, avant de revenir aux concerts à voix nue.

Une génération formée à coups de concours de chants et de *festoù-noz* fait son apparition dix ans plus tard. Cette troisième vague d'artistes nés dans les années 1970 est plus décomplexée et beaucoup moins politisée. Le groupe Ar Re Yaouank ("Nous sommes les jeunes") en est le porte-drapeau. Storvan, Skolvan ou Carré Manchot font danser des Bretons de toutes générations. Ces musiciens tentent toutes sortes d'expériences et métissent le répertoire traditionnel avec de multiples influences. Dan Ar Braz, l'ancien guitariste d'Alan Stivell, obtient en 1993 un Disque d'or pour son ambitieux *Héritage des Celtes,* où il réunit soixante-dix musiciens bretons (dont Yann-Fañch Kemener, Gilles Servat et les sonneurs du Bagad de Quimper), mais aussi

Nom de code : Arthur

La légende arthurienne est sans doute le mythe celte le plus populaire de Bretagne. Pourtant, la plupart des aventures qu'il rapporte se déroulent en Grande-Bretagne, même si l'on a tenté, dès le XIe siècle, de le localiser en Armorique, essentiellement dans la forêt de Paimpont (Brocéliande) et même si certains épisodes, notamment ceux concernant Lancelot, se situent sur le continent.

Le roi Arthur a peut-être existé, à la fin du Ve siècle ou au début du VIe siècle, dans le sud de l'Écosse. Chef militaire des Brittons (Celtes), il aurait organisé la défense de la Grande-Bretagne face aux envahisseurs saxons et serait mort dans ce combat. Selon la légende, Arthur est le fils d'Uter Pendragon et de la reine Ygerne, et a été instruit par l'enchanteur Merlin. Seul capable d'arracher l'épée d'Excalibur, il devient roi, exemplaire, de Bretagne. Par souci d'égalité, il réunit ses plus valeureux chevaliers autour d'une table ronde. Un siège cependant reste vide, car il est réservé au chevalier au cœur pur qui trouvera le Saint-Graal. Sur le conseil de Merlin, Arthur lance en effet ses chevaliers à la recherche de cette coupe sacrée, dans laquelle le Christ a bu lors de la Cène et qui aurait recueilli son sang.

Cette quête a donné naissance à d'inépuisables récits d'aventures mêlées de merveilleux, où s'illustrèrent notamment Perceval le Gallois, Gauvain et Lancelot du Lac. La geste de Lancelot est surtout connue grâce à Chrétien de Troyes. Ce héros, élevé par la fée Viviane, est l'archétype du chevalier courtois, au service indéfectible de sa dame, la belle Guenièvre, femme du roi. Cet amour adultère causera sa perte, ainsi que la chute du monde arthurien, et l'empêchera de trouver le Saint-Graal. Seul son fils, Galaad le Pur, aura ce privilège.

La forêt de Brocéliande garde en particulier le souvenir de Merlin et de ses amours avec Viviane. Alors que l'Enchanteur y effectue une retraite, il rencontre Viviane, la Dame du Lac, et succombe à ses charmes. Viviane lui soutire tous ses secrets et, devenue fée, l'enferme dans un cercle magique fait d'air (au Val sans Retour). Merlin accepte cette captivité amoureuse. Selon la légende, il y serait toujours enfermé…

cossais ou gallois. Parallèlement, le développement de festivals musicaux, tel le Festival nterceltique de Lorient (p. 332), a achevé de donner ses lettres de noblesse à cette nusique.

ardons et jeux bretons

ardons et troménies

ien que de nombreux pardons – fêtes patronales – soient tombés en désuétude, engouement pour les traditions en a remis plusieurs à l'honneur, au point que ertains deviennent parfois plus folkloriques que véritablement religieux. Lors de es manifestations originales de la dévotion populaire, les fidèles célèbrent le saint atron de l'église ou de la chapelle locale. Parmi les plus courus (de mai à octobre), e manquez pas ceux de Sainte-Anne-d'Auray, de Sainte-Anne-la-Palud, le pardon e saint Yves à Tréguier (voir p. 43), celui de Notre-Dame-du-Folgoët (voir p. 152) ou ncore la Grande Troménie de Locronan (voir p. 43). Le Tro Breiz est également un èlerinage très ancien qui retrouve aujourd'hui une nouvelle vogue.

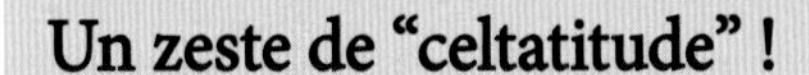

Un zeste de “celtatitude” !

Chaque année, le **Festival interceltique de Lorient** (FIL ; 02 97 21 24 29, billetterie 02 97 64 03 20 ; www.festival-interceltique.com ; 11 espace Nayel) réunit des milliers de chanteurs, de danseurs, de musiciens, de plasticiens de Bretagne, d’Irlande, d’Écosse, du pays de Galles, de Cornouailles, de Galice, des Asturies, de l’île de Man, etc., pendant dix jours au début du mois d’août. Le monde celte fait la fête ainsi depuis quarante ans, avec un succès croissant. Non, il n’y a pas que des bombardes, des chapeaux ronds et des kilts ! Jazz, rock, électro, œuvres symphoniques, chants traditionnels, entre autres, occupent différents sites, comme le port de pêche ou l’hôtel Gabriel. Des milliers de personnes sont au rendez-vous à chaque édition pour entendre et voir les Bagadoù, la grande parade des nations celtes et pour écouter, entre autres participants, Mìsia, Carlos Nuñez, Luz Casal, Goran Bregovic ou le bagad de Lann-Bihoué. Un bistrot littéraire ou encore un marché interceltique de produits artisanaux complètent le tout. Si après ça vous ne vous sentez pas l’âme un tout petit peu celte...

Les jeux bretons

Nombre d’entre eux se pratiquaient jadis lors des pardons. Ils sont l’objet d’une ferveur retrouvée. Le plus connu est un jeu de force, le *gouren*, la lutte traditionnelle bretonne. Il est même enseigné à l’école de la République, gage de sa popularité. Quant à la *soule*, ancêtre du rugby (l’invention de ce dernier ne serait peut-être pas anglaise...), il fut interdit dès le XIXe siècle car jugé trop violent. Les deux équipes qui s’affrontaient devaient attraper, à peu près à n’importe quel prix, une balle et la rapporter dans leur camp. Parmi les autres jeux figurent les quilles, les boules ou les palets, qui font plus appel à l’adresse qu’aux muscles. On les voit réapparaître les jours de fête de village et ces disciplines connaissent aujourd’hui de plus en plus de licenciés.

Costumes et coiffes

Vous ne les verrez quasi plus que dans les musées, lors de pardons ou à l’occasion de rassemblements celtiques et de certains *festoù-noz*. Les costumes traditionnels sont étonnamment diversifiés ; on dénombre plusieurs dizaines de modes vestimentaires et des centaines de variantes. C’est un symbole d’appartenance à une commune, à un terroir, à une paroisse. Leur richesse décorative est telle qu’ils ont inspiré de nombreux peintres et photographes, au point de faire figure de symboles de la Bretagne. Les broderies sont somptueuses, les dentelles finement ouvragées. Le regard est bien sûr accroché immédiatement par les coiffes des femmes, qui rivalisent d’ornementation. La coiffe bigoudène, portée à Pont-l’Abbé, et celle de Pont-Aven sont les plus célèbres.

La cuisine bretonne

Plateau de fruits de mer

JEAN-BERNARD CARILLET ©

Terre de saveurs iodées par excellence et pays de cocagne, la région ravira les fins palais ou, tout simplement, les amateurs de produits ultrafrais. Ceux qui font attention à leur ligne consommeront à l'envi coquillages, crustacés et poissons, aliments qui possèdent des qualités nutritionnelles remarquables !

Fruits de mer

La région est une véritable corne d'abondance en matière de fruits de mer : moules, huîtres, bigorneaux, bulots, amandes, praires, palourdes, coquilles Saint-Jacques, crevettes (roses et grises), étrilles, cigales de mer, araignées de mer, tourteaux, langoustines et, bien sûr, le fameux homard breton !

Un plateau de fruits de mer se déguste avec du pain de seigle et du pain de froment, du beurre salé, du citron et de la mayonnaise, le tout arrosé d'un bon vin blanc. Vous pouvez aussi simplement demander une assiette de fruits de mer (par exemple des langoustines royales, qui sont les plus charnues et aussi les meilleures). Les produits d'une fraîcheur absolue, comme le homard, ont un prix et sont parfois facturés au poids dans les restaurants. Comptez au moins 60 € (plus pour du homard) le plateau de fruits de mer pour deux personnes. Bien souvent, vous verrez le vivier d'où proviennent les crustacés qui vous seront servis.

La Bretagne est l'une des principales régions productrices de moules et d'huîtres. Il est possible de se régaler directement chez les producteurs qui parfois installent quelques tables et chaises en extérieur. Les huîtres sont classées en 12 grands crus (l'Aven Belon, la Cancale, la Paimpol, la golfe du Morbihan, la Quiberon, la rivière d'Étel, la Penerf, la Croisicaise, la rivière de Tréguier, la Morlaix Penzé, la Nacre des Abers et la Rade de Brest) répartis entre la Bretagne Sud et la Bretagne Nord, auxquels il faut ajouter un cru à part, la "plate" de Belon. Chacune possède des saveurs propres. La plus connue est la Cancale. Quant aux grands centres mytilicoles, ils se trouvent dans la baie de Saint-Brieuc, à Paimpol, à Pénestin et à Saint-Cast-le-Guildo. Il s'agit de moules de bouchot – élevées sur des pieux de chêne.

Poissons

Les poissons, en provenance directe des criées, tiennent en Bretagne le haut du pavé culinaire. Celui dont la chair est la plus estimée est le délicieux bar de ligne (autrement dit pêché à la ligne et non au chalut, notamment par les "ligneurs" du raz de Sein). Sole, lotte, sardine, rouget, merlan, lieu noir (ou colin), thon, maquereau, turbot, tacaud, merlu, cabillaud (qui devient morue après avoir été salé), saint-pierre, cuisinés simplement et accompagnés d'un peu de beurre, sont de pures merveilles. Le congre et la vieille sont utilisés principalement dans les soupes. De temps à autre, vous trouverez la cotriade au menu des restaurants. Sorte de bouillabaisse bretonne, elle est préparée avec différents poissons du jour (dorade, sardine, maquereau, congre, merlu...), des légumes (pommes de terre, ail, oignon, parfois des poireaux) et cuite dans un court-bouillon. À l'origine, elle était cuisinée à bord des bateaux avec la "part de pêche" des équipages, ou directement sur le port au retour de pêche. Presque chaque port possède d'ailleurs sa propre recette (variantes dans les légumes et les poissons, mais la pomme de terre reste l'ingrédient essentiel). La cotriade est surtout populaire dans le Morbihan et sur la côte d'Émeraude. Parmi les plats de poissons les plus servis dans les restaurants, vous trouverez la lotte à l'armoricaine (queues de lotte, oignons, ail, échalote, beurre demi-sel, muscadet, tomates).

Les dernières conserveries artisanales de Bretagne, comme La Belle-Îloise ou La Quiberonnaise, proposent des produits de qualité qui font le bonheur des amateurs de sardines à l'huile, de filets de maquereau ou de thon germon. Les ateliers de fumaison vendent aussi des produits de qualité.

La mer étant omniprésente en Bretagne, on oublie parfois les poissons de rivière qui sont pourtant bien présents sur les tables de la région. Truite, saumon, anguille, brochet sont les rois des eaux douces et attirent de nombreux pêcheurs. Le brochet au beurre blanc est notamment apprécié dans la région de Nantes.

Viandes et charcuteries

On peut recommander l'agneau de pré-salé, élevé dans la baie du Mont-Saint-Michel, ainsi que le "coucou", une race de poule typique de la région de Rennes. Côté charcuterie, l'andouille artisanale de Guémené-sur-Scorff, à base d'abats de porc, se différencie de celle de Vire par ses chaudins de porc (ou boyaux de porc) qui sont enroulés les uns sur les autres et qui forment des cercles concentriques à la coupe. Utilisée aussi dans la garniture de crêpes, c'est un véritable délice. L'andouille artisanale de Baye, dans le Finistère Sud, est légèrement différente, car elle est fumée au bois de hêtre. Les pâtés bretons sont eux aussi réputés pour être savoureux.

Le *kig ha farz* est un plat traditionnel que l'on consomme surtout dans le Finistère Nord. Il s'agit d'un pot-au-feu associant divers légumes (chou, carottes, navets, céleri, ignons), du porc (lard et saucisse), du bœuf et du blé noir. Il s'accompagne d'une auce appelée lipig, à base d'oignons bien cuits baignant dans du beurre doux fondu. 'idéal est d'accompagner ce plat d'un bon cidre brut. Autres spécialités du terroir : lard nantais (couenne, foie, poumon et côtelettes de porc, carottes, oignons, navets t bouquet garni), le porché de Dol, un plat mijoté de la région de Dol de Bretagne mélange d'os, de couenne, de pieds et d'oreilles de porc, carottes et bouillon), le agoût de pré-salé (épaule d'agneau de pré-salé, carottes, navets, pommes de terre, etits pois), la bardatte (chou entier farci de viande de lapin), le lapin au muscadet et poulet en croûte de sel de Guérande.

ruits et légumes

a Bretagne est l'une des premières régions agricoles françaises. Les parcelles naraîchères viennent parfois mordre le littoral, comme dans le Haut-Léon. L'artichaut amus, l'oignon rosé de Roscoff, les carottes nantaises, les endives de Kerlouan, le oco de Paimpol (haricot demi-sec), les choux-fleurs, les pommes de terre, les petits ois ne forment qu'un aperçu de la diversité des productions. Une bonne partie de ces gumes, de qualité, bénéficient d'un label. Certains agriculteurs ont créé de nouvelles ultures, comme celles de la tomate ou du crosne.

Goûtez quelques bonnes spécialités à base de légumes comme le *kouign patatez* gâteau de pommes de terre gratiné au four préparé avec du beurre salé), le *farz aled* (gâteau de pommes de terre avec lardons, raisins secs et pruneaux) originaire 'Ouessant, les artichauts farcis au crabe ou au lard ou encore un grand classique, les etits pois à la nantaise (petits pois frais, petits oignons blancs, tomates et bouquet arni).

Les fruits les plus cultivés en Bretagne sont la pomme et la délicieuse fraise de lougastel, au sud de Brest. Essayez ce petit en-cas : sur une tranche de pain frais, nettez un peu de beurre salé et des fraises, c'est un régal ! À Redon et alentour, c'est marron (une variété de châtaigne assez grosse) qui est à l'honneur dès l'automne et ui accompagne certains plats de viande.

lantes marines et algues

es plantes marines sont surprenantes. La salicorne et le fenouil de mer (appelé aussi erce-pierre ou encore criste-marine) sont des plantes sauvages qui poussent en ord de mer. La tige charnue de la première ressemble à un haricot vert et se cueille u printemps et au début de l'été. Elle peut se consommer crue en salade, ou revenue

Blé noir en Bretagne

Importé d'Asie à l'époque des croisades, le sarrasin (qui définissait aussi l'étranger de confession musulmane), ou blé noir, a fait son apparition en Bretagne au XVIe siècle. Cette plante, utilisée pour confectionner bouillies, crêpes, galettes et bière, n'était pas soumise à la dîme du clergé à la différence du froment. On l'appelait d'ailleurs la céréale du Tiers-État ou du peuple. Aujourd'hui, le sarrasin est importé le plus souvent de Russie ou de Chine, mais, depuis 1989, un groupement de plus de 200 producteurs a créé un label "blé noir tradition Bretagne", dont un tiers des récoltes est issu de la filière bio. Pour mieux comprendre leur démarche : www.blenoir-bretagne.com.

à la poêle avec de l'ail et du beurre. Vous en trouverez vendues en pots, préparées à la manière des cornichons. Du fenouil de mer, on utilise essentiellement les feuilles qui ont un petit goût piquant et aromatisent souvent les vinaigrettes. Il existe 500 espèces différentes d'algues dont quelques-unes sont comestibles. Parmi elles, la dulse (ou laitue de mer), la nori et le wakamé (espèce cultivée). On peut les manger fraîches, séchées ou en conserve. Excellentes pour la santé, elles sont de plus en plus cuisinées par les restaurateurs bretons.

Beurre salé

Le beurre salé, que l'on ne consomme avec autant d'engouement dans aucune autre région, trouve son origine dans les arcanes administratives de l'Ancien Régime. La Bretagne n'était pas, alors, soumise à l'impôt sur le sel, la gabelle, et pouvait donc user et abuser de ce précieux "or blanc", qu'elle produisait par ailleurs, à Guérande notamment, et qui servait à conserver les aliments – en particulier le beurre. De nombreuses spécialités sucrées sont estampillées "pur beurre" en Bretagne.

Crêpes et galettes

Symboles bretons, les crêpes et les galettes furent consommées dès le XIVe siècle. La crêpe est préparée à base de froment, la galette à partir de sarrasin (ou blé noir). Sachez que certains Bretons appellent galettes les crêpes, qu'elles soient au froment ou au sarrasin ! Les crêpes sont associées aux garnitures sucrées, les galettes aux salées. Le sarrasin a été introduit au retour des croisades.

Les garnitures se composent de produits du terroir : beurre, jambon, œuf, fromage, andouille, fruits de mer, etc. La galette-saucisse, souvent vendue à emporter, est un en-cas très apprécié dans la région depuis fort longtemps (normalement la galette est froide et la saucisse chaude). La plus classique des galettes associe jambon, œuf et fromage, tandis que les "spécialités" présentent des garnitures souvent très originales (confiture d'oignons de Roscoff et algues par exemple).

Une bonne crêpe n'est pas préparée à l'avance, mais cuite à la commande, souvent sous les yeux des clients, sur une grosse plaque chauffante (un *billig*). Parmi les innombrables crêperies, les excellentes adresses se font rares, la surfréquentation touristique incitant les restaurateurs à privilégier le rendement.

Pâtisseries, biscuits et friandises

On trouve sur la table du petit-déjeuner des crêpes, mais aussi du quatre-quarts, un gâteau simple et rapide à faire (les quatre ingrédients, œufs, sucre, beurre et farine, sont présents en quantités égales en poids). Même s'il n'est pas breton à l'origine, il est ici confectionné avec du bon beurre artisanal ; c'est donc en Bretagne qu'il est le meilleur ! Le gochtial, autre mets du matin, est un succulent pain brioché à la mie dense et moelleuse que l'on vend nature, avec des raisins secs ou avec des pépites de chocolat, surtout consommé à Vannes et dans la presqu'île de Rhuys. Le pastechou de Léon est un pain doux avec des pruneaux, moins sucré que la brioche.

Le kouign-amann (littéralement gâteau au beurre), originaire de Douarnenez, est un gâteau particulièrement reconstituant, composé de beurre, de farine de froment et de sucre. Ce péché mignon, à la croûte bien dorée et caramélisée, se déguste tiède. Le gâteau breton est un gros biscuit très dense, sec, riche en beurre et en jaunes d'œufs, dont la croûte est ornée de croisillons, qui se conserve très longtemps. Il se mange accompagné de crème anglaise ou de glace à la vanille. Quant au fameux far breton, c'est un entremets qui ressemble à un flan et incorpore souvent des pruneaux.

Vous pourrez aussi goûter les chocards d'Yffiniac, dans les Côtes-d'Armor (gros chaussons de pâte feuilletée fourrés à la compote de pomme parfumée à la cannelle).

es beignets bretons à base de pommes qui ont un petit goût bien particulier grâce à la pâte qui est préparée avec du cidre, les craquelins de Dinan, de Saint-Malo et de Binic, es galettes de Saint-Guénolé (Batz-sur-Mer), de Pont-Aven, de Saint-Michel, les traou nad (Pont-Aven) et les immanquables Petit beurre de LU.

Autre dessert tout en fraîcheur, le crémet de Nantes est préparé à base de fromage blanc crémeux obtenu à partir de lait caillé, auquel on associe de la crème fraîche et ussi des fraises de Plougastel.

Parmi les autres douceurs bretonnes, citons le salidou, ce caramel au beurre salé originaire de Quiberon, les berlingots nantais, les niniches de Quiberon (sorte de ucettes), les papates de Saint-Malo (pâte d'amande), et la confiture de lait (mélange le lait et de sucre cuit).

Boissons

Boissons alcoolisées

Boisson vedette, le cidre, à base de jus de pomme fermenté, est roi dans les crêperies. l en existe de multiples sortes – fermier, artisanal, bouché, etc. Le plus renommé est celui de Fouesnant, dans le Finistère Sud, qui bénéficie d'un label AOC garantissant a qualité. Toujours à base de pomme mais aussi d'eau-de-vie de cidre, le pommeau le Bretagne, à la belle couleur ambrée (AOC depuis 1997), est surtout consommé à apéritif.

La Bretagne brasse d'excellentes bières artisanales et l'on compte une vingtaine l'établissements produisant plus de 80 bières différentes. Typées et originales, elles levraient séduire les amateurs. Vous en trouverez de toutes sortes (blanches, blondes, mbrées, brunes, bio, etc.). Citons notamment la Coreff, la Dremmwel, la Lancelot, la elenn Du, la Tri Martelod, la Duchesse Anne...

Le fameux chouchen est le nom breton de l'hydromel, qui passait pour la boisson es dieux à l'époque des Celtes. Il titre environ 18° et s'obtient par fermentation de

Kouign-amann

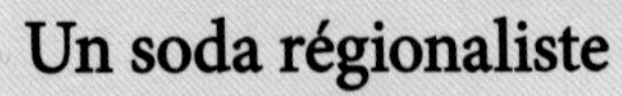

Un soda régionaliste

Il existait déjà un "Zam Zam Cola" en Iran, un "tuKola" à Cuba, un "Cola Turka" en Turquie, il fallait bien qu'il y ait un Breizh Cola en Bretagne ! Créé en 2002 par Phare Ouest, une filiale de la brasserie Lancelot, qui produit des bières comme la Duchesse Anne et la Telenn Du, ce soda "alternatif" (www.breizhcola.fr) vous sera régulièrement proposé (en version "light" et à la stévia également). Nous vous laissons juge pour ce qui est de la saveur.

miel mélangé à de l'eau. Le lambig est une eau-de-vie titrant 50° d'alcool, obtenue à partir du cidre.

Côté vin, le muscadet est un vin blanc sec, qui s'accorde bien avec les fruits de mer, produit en partie dans le pays nantais. Il bénéfice d'une AOC depuis 1937. Le gros plant est un vin blanc sec (un peu plus léger que le muscadet) produit à partir du cépage "folle blanche". Il bénéficie d'une appellation d'origine vin de qualité supérieure (AOVDQS).

Boissons sans alcool

Souvent, si vous demandez de l'eau en bouteille à table, on vous apportera automatiquement de la Plancoët. C'est une eau minérale produite dans les Côtes-d'Armor.

Le lait ribot, autre boisson prisée en Bretagne, est un lait légèrement fermenté qui se consomme froid. Servi dans une bolée (petit bol avec une anse), il accompagne idéalement crêpes et galettes à la place du cidre. Il existe même une tarte au lait ribot.

Enfin, dans presque toutes les crêperies on vous proposera, comme alternative au cidre, du jus de pomme fermier.

Activités sportives

Pratique du catamaran

MARIE DUFAY ©

Quelle plus belle façon de découvrir la Bretagne que la voile, les sports de glisse, la randonnée, le cyclisme, la plongée sous-marine, le parapente ou le kayak ? Grâce à des structures et à un encadrement de qualité, les loisirs sportifs, sur terre ou sur l'eau, constituent l'un des principaux attraits touristiques de la région. Ils permettent d'approcher une nature intacte dans d'excellentes conditions de sécurité.

Sports de glisse

Les sites du littoral breton assouviront toutes vos envies de grands espaces ou de montée d'adrénaline. Char à voile, speed-sail, surf, kitesurf et planche à voile bénéficient de lieux de pratique exceptionnels sur toute la côte, où vous pourrez louer du matériel, vous initier ou approfondir vos connaissances auprès de moniteurs agréés.

Planche à voile et funboard

Des spots bien ventés sont disséminés tout le long du littoral de la Bretagne, ce qui en fait l'une des destinations incontournables aux yeux des véliplanchistes. Les plus confirmés peuvent pratiquer le funboard, une planche à voile plus

petite, plus technique, que l'on utilise dans du force 4 et plus, afin de partir au planning et de ressentir des sensations de glisse vraiment étonnantes. Les vitesses en funboard peuvent monter jusqu'à 70 km/h et autorisent figures et sauts dans les vagues. On conseille d'attendre l'âge de 12 ans pour commencer la planche à voile ; toutefois, des écoles de plus en plus nombreuses initient les petits en douceur sur des planches au gréement ultraléger, destinées aux 5-9 ans. La **Fédération française de voile** propose des cours dans ses écoles et ses clubs affiliés ; retrouvez leurs coordonnées sur www.ffvoile.net.

Surf

Il suffit de longer la côte après une tempête pour voir les plages et les criques envahies de surfeurs. Avec ses centaines de kilomètres de côtes très découpées et ses grandes plages aux orientations différentes, exposées à tous les vents, la Bretagne est très réputée auprès des amateurs de sports de glisse. Deuxième région française pour la pratique du surf après l'Aquitaine, elle compte 14 clubs réunis sous l'égide de la **Fédération france de surf** (FFS ; www.surfingfrance.com), ainsi que 9 écoles appartenant au réseau **Écoles de surf de Bretagne** (ESB ; www.ecole-surf-bretagne.fr), gage d'un enseignement de qualité. De nombreux clubs et centres nautiques accueillent débutants et confirmés et proposent des prestations à la carte, du cours personnalisé au stage à la semaine, en passant par la location de matériel.
L'automne est la saison idéale pour se jeter à l'eau. En hiver, n'oubliez pas une bonne combinaison intégrale, des chaussons, des gants, une cagoule et des bouchons d'oreille pour éviter les otites. Ne partez pas sans connaître les conditions météorologiques (www.surf-report.com). Les spots les plus célèbres sont dans l'ouest du Finistère, qui capte le mieux la houle. À vous de découvrir les plus confidentiels, qui se cachent jusque dans les îles (Belle-Île, Groix, les Glénan, Ouessant, Molène...). Mais le surf et ses variantes (Bodyboard, stand up paddle) se pratiquent sur toutes les côtes où l'on trouve des vagues hautes et des déferlantes, notamment sur la presqu'île de Quiberon, sur la presqu'île de Crozon, à Saint-Malo, à Brest, en passant par le cap Fréhel, Perros-Guirec et Le Conquet. N'oubliez pas le respect dû aux surfeurs locaux, qui n'hésiteront pas à vous remettre à votre place si vous débarquez en terrain conquis !

Kitesurf

La griserie d'un sport de glisse qui se pratique tant sur l'eau qu'en l'air, ça vous tente ? Debout sur une planche, les pieds calés dans des *footstraps*, on se fait tracter par un cerf-volant qu'on dirige avec les bras. Figures, sauts jusqu'à 15 m, pointes de vitesse, vous reviendrez rompu mais heureux sur la plage. Les spots les plus recherchés correspondent à des hauts-fonds où les vagues déroulent régulièrement en se creusant. Les grandes plages offrant des espaces dégagés sont idéales. Si la période estivale permet de profiter des vents thermiques, les autres périodes permettent d'accéder à des zones de pratique interdites en été. Les côtes ventées et les longues plages de sable dépourvues d'obstacles de la presqu'île de Quiberon et de la baie d'Audierne sont très attrayantes pour les kitesurfeurs. À Saint-Malo ou dans l'aber-Wrac'h, on vous enseignera également tout ce que vous devez savoir avant de vous jeter à l'eau. Mieux vaut prendre des cours avant de se lancer seul dans une telle activité ! Les Écoles françaises de kitesurf (EFK), labellisées par la **Fédération française de vol libre** (FFVL ; federation.ffvl.fr), sont les mieux à même d'accompagner les nouveaux pratiquants. Consultez son site Internet pour une liste des écoles.

Char à voile et speed-sail

À marée basse, les vastes étendues de sable plat et lisse des plages bretonnes, exposées au vent, forment un lieu de pratique privilégié toute l'année. Chaussez vos lunettes et votre casque de protection, gonflez la voile de votre bolide et accélérez jusqu'à 90 km/h sur la longue étendue de sable devant vous ! L'apprentissage en club permet d'acquérir les gestes de sécurité indispensables et les bases pour réaliser les manœuvres (s'arrêter, virer sans se retourner). Il n'y a pas d'âge pour pratiquer ce sport accessible à tous (certaines écoles de char à voile proposent des stages à partir de 5 ans et affichent une expertise Handisport) : différents modèles permettent d'évoluer de l'apprentissage à la compétition. Tous les clubs de Bretagne sont recensés sur le site de la **Fédération française de char à voile** (FFCV ; www.ffcv.org).

Au rythme de la nature

Cheminer en pleine nature, taquiner le poisson, découvrir les petits villages à vélo, chevaucher dans la lande ou encore explorer la côte et les îles en kayak... La Bretagne vous invite à prendre le temps et à vous faire plaisir. La région est jalonnée de sentiers côtiers, d'itinéraires de randonnée, de parcours thématiques balisés, qu'on arpente seul ou en famille.

Randonnée à pied

On peut parcourir des milliers de kilomètres sur la côte, dans les forêts ou la campagne, sans jamais se lasser de ce patrimoine naturel, culturel et historique. Le sentier des douaniers, ou GR®34, longe une bonne partie du littoral. Il est balisé par la **Fédération française de randonnée pédestre** (FFRP ; www.ffrandonnee.fr). La FFRP a publié plusieurs TopoGuides®, comprenant des cartes et des descriptifs d'itinéraires. Les conseils régionaux des départements éditent également des guides avec des propositions d'itinéraires qui sont généralement offerts ou vendus dans les offices du tourisme. Pour le Morbihan, par exemple, vous trouverez un guide intitulé *Le tour du golfe à pied*. Même chose pour le Finistère qui publie un guide des randonnées. Nos coups de cœur ? La presqu'île de Crozon au printemps, lorsque les landes sont colorées de pourpre, et les falaises vertigineuses du cap Sizun.

Kayak

Le kayak de mer ou de rivière permet de découvrir des sites souvent inaccessibles par voie terrestre et d'approcher en silence la faune. Il se pratique volontiers en famille, dans les abers, les rochers de Ploumanac'h, la ria d'Étel, autour du cap Sizun ou dans le golfe du Morbihan, à la journée ou en bivouac. Les centres nautiques et les Points Kayak Mer vous permettent de vous initier en toute sécurité (à l'heure ou à la demi-journée) ; dans certains cas, vous pouvez également louer un kayak et partir seul, mais vous serez assigné par le loueur à un périmètre restreint. Voir le site www.kayak-bretagne.com pour plus d'informations. Assurez-vous que les conditions météo ne vous joueront pas de vilain tour... Les enfants peuvent pratiquer le kayak de mer dès 10 ans. Consultez le site Internet de la **Fédération française de canoë-kayak** (FFCK ; www.ffck.org) pour une liste des clubs et écoles qui mettent en œuvre les critères de qualité répondant à son label.

Randonnée à cheval

Vous ne résisterez pas à la tentation d'une balade à travers la campagne bretonne ou à un petit galop sur une plage déserte...Des sentiers côtiers sont ouverts aux chevaux, et les enfants adoreront se promener à dos d'âne ou de poney. Les nombreux centres équestres permettent de découvrir autrement le Mont-Saint-Michel, la forêt de Paimpont, l'île de Batz, Ouessant ou Belle-Île. Le site de la **Fédération française d'équitation** (FFE ; www.ffe.com) dresse la liste les itinéraires accessibles et des clubs des environs. Consultez la rubrique "tourisme équestre".

Cyclotourisme

Haut lieu du tourisme vert, la Bretagne dévoile ses plus belles facettes à ceux qui consentent à faire un petit effort. À l'instar de la randonnée pédestre, le cyclotourisme est un excellent moyen de découvrir la Bretagne littorale et de circuler sur les îles. Les routes ne présentent pas de danger particulier et les dénivelés sont peu importants. Dans les stations balnéaires, il est facile de louer un vélo. Les offices du tourisme vous conseilleront des itinéraires. De la balade d'une demi-journée à de longs circuits de 30 ou 60 km, partez sur les petites routes et les sentiers balisés pour jouir des plus beaux panoramas. De nombreux offices du tourisme ont balisé des itinéraires de découverte pour tous les niveaux, grâce auxquels les VTTistes découvrent la campagne bocagère et le petit patrimoine au gré des chemins creux. Pour un voyage au long cours, les véloroutes les attendent. Consultez les volumes *du Tour de la Bretagne à vélo* (Rando éditions, 2008). L'ouvrage *La Bretagne par les voies vertes* (Éditions Ouest-France) est également une bonne source d'informations. La Région Bretagne édite une carte des voies de circulation protégées pour les cyclistes (à imprimer sur le site velo. tourismebretagne.com).

Pêche

À pied, en mer, en rivière, la pêche est indissociable des mœurs bretonnes ! Munissez-vous d'un annuaire des marées, de l'attirail indispensable, prenez conseil auprès des habitants, et à vous le festin ! Des parties de pêche en mer sont organisées un peu partout en Bretagne. La pêche à pied est une activité typique de la Bretagne. Pratiquée aussi bien par les Bretons que par les touristes, elle consiste à récolter des coquillages et des crustacés sur l'estran, autrement dit la zone laissée découverte par la marée basse. Le littoral regorge en effet de petits trésors comestibles, rendus accessibles, à portée de main, l'espace de quelques heures : ormeaux, coques, bigorneaux, crevettes, etc. C'est probablement l'un des meilleurs moyens de se familiariser avec le littoral et sa petite faune. Cette distraction, qui favorise l'observation, plaira également aux enfants ! Attention, le bord de mer est un milieu fragile. Une réglementation sévère (horaires, tailles minimales, quantités maximales...) s'applique à la pêche à pied.

Le grand frisson

Sous l'eau ou en l'air, loin du plancher des vaches, vous attendent d'indicibles plaisirs : la pratique de la plongée ou du parapente est synonyme d'émotion, de passion, et comblera l'explorateur intrépide qui sommeille en vous. Un peu d'équipement, une météo favorable et c'est parti pour le grand frisson. Une façon originale de découvrir entre amis ou en famille les richesses des paysages côtiers de la Bretagne.

Parapente

Les sensations fortes du saut en parapente sont accessibles à tous. Décollez de la dune, jouissez de la tranquillité du vol, de la finesse des trajectoires, avant d'atterrir sur la plage, comme sur le site de La Guimorais, au bord de la Côte d'Émeraude, près de Saint-Coulomb, ou prenez votre envol du Ménez-Hom, la Mecque des parapentistes en Bretagne Sud. La presqu'île de Crozon se découvre également en parapente. Pour plus de renseignements, contactez la **Fédération française de vol libre** (FFVL ; federation.ffvl.fr).

Plongée

Jetez-vous à l'eau ! Si les fonds sous-marins du littoral n'ont rien de tropical, ils présentent, malgré tout, des conditions favorables en saison. La température de l'eau, froide en hiver (aux alentours de 9-10°C), peut monter à 18°C en juillet-août. La période idéale s'étend de juillet à fin septembre, mais l'avant-saison (mai-juin) et le mois d'octobre se prêtent également à la pratique de l'activité. La clarté n'est pas le

Baptême de plongée

Un "baptême" vous permettra de ressentir vos premiers émois subaquatiques. Il s'agit d'une balade sous-marine d'une vingtaine de minutes encadrée de près par un moniteur, dans un site sécurisant. Aucune formalité n'est requise, si ce n'est une autorisation parentale pour les mineurs. Les seules contre-indications sont d'ordre médical. Quant aux enfants, grâce à un matériel adapté, ils peuvent faire un baptême dès 8 ans. Comptez de 40 à 50 €, tout compris.

En matière d'assurance, la situation varie : certains centres imposent de prendre une licence FFESSM (environ 30 €), dans laquelle l'assurance est incluse, d'autres disposent d'une assurance en responsabilité civile qui couvre d'office leurs clients.

point fort des eaux bretonnes, à l'exception de certains secteurs comme les îles au large, notamment les Glénan et Ouessant. Lorsque les conditions sont bonnes, vous pouvez espérer au maximum 20 m de visibilité. Dix mètres sont plutôt la règle.

La configuration des sites sous-marins fait écho au relief terrestre. On trouve aussi bien des tombants abrupts que des plateaux rocheux et des fonds sableux. Des hauts-fonds s'élèvent également ici et là au large des côtes. La plupart des sites sont multiniveaux, mais une proportion non négligeable d'entre eux sont destinés aux confirmés (à partir du niveau 2). Vous pouvez faire votre baptême, des explorations ou des plongées sur épave à Saint-Malo, au cap Fréhel, sur la côte de Granit rose, dans les abers, à Brest, sur l'île d'Ouessant, dans la baie de Douarnenez ou dans les fonds limpides autour des Glénan.

La plupart des centres ouvrent en principe à partir de mars ou avril et cessent leurs sorties en octobre ou en novembre. Pendant l'avant-saison et l'arrière-saison, ils fonctionnent au ralenti, généralement les week-ends et sur demande. La plupart tiennent compte, pour le choix des sites, du jour, des conditions météo, des horaires de marée et des niveaux des plongeurs inscrits. Le tarif du baptême comprend le matériel. Le prix des plongées exploration est modulable en fonction de votre équipement personnel. En général, le tarif de la plongée exploration à l'unité oscille entre 35 et 45 €, matériel et encadrement compris. Il existe des forfaits (généralement de 5 ou 10 plongées), avec un tarif dégressif. La formation au niveau 1, le plus susceptible d'intéresser les touristes en Bretagne, revient en moyenne à 350-400 € (de 8 à 10 séances, soit 4 à 5 jours) selon les centres. Pour trouver un centre, consultez le site de la **Fédération française d'études et de sports sous-marins** (FFESSM ; www.ffessm.fr) ou celui de l'**Association nationale des moniteurs de plongée** (ANMP ; www.anmp-plongee.com).

Voile

Des côtes et des plans d'eau de toutes natures (criques, anses, baies, estuaires, golfes), du vent régulier toute l'année, de nombreux ports équipés, des expositions différentes et un réseau de professionnels compétents pour l'enseignement : la Bretagne est le paradis de la navigation.

Plaisance et croisières à bord de vieux gréements

Les plaisanciers redécouvrent les joies de la navigation à l'ancienne lors de croisières à bord de vieux gréements. Ceux-ci ont failli disparaître des côtes françaises mais

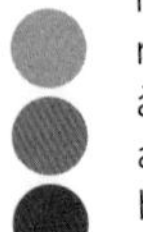

refusant cette fatalité, la Bretagne s'est battue pour sauvegarder son patrimoine maritime ; en témoigne le nombre impressionnant de cotres, gabares ou bisquines, restaurés ou reconstruits à l'identique, qui sillonnent les eaux bretonnes. Des balades à la demi-journée ou à la journée sont proposées aux novices, qui peuvent participer aux manœuvres. Découvrez le monde de la voile traditionnelle en embarquant à bord de ces vieilles coques magiques ou lors des grands rassemblements à Brest, à Paimpol ou à Vannes qui accueillent des millions de visiteurs.

La Bretagne réserve aux navigateurs de belles croisières ; de Saint-Malo aux Sept-Îles, par exemple, le parcours côtier est magnifique et varié. Les ports de Paimpol, Tréguier, Saint-Quay-Portrieux, Morlaix, Concarneau, Lorient, Vannes, La Trinité-sur-Mer et le port du Crouesty font l'objet d'escales fort agréables et sont très bien équipés. Les plus expérimentés trouveront leur bonheur vers la côte des abers, la rade de Brest et l'île d'Ouessant, là où la mer peut se montrer rude mais reste majestueuse. Le golfe du Morbihan, abrité, est idéal pour une navigation au calme. Certaines bases nautiques louent des voiliers, avec ou sans skipper.

Voile légère

L'aventure n'est qu'à quelques mètres de la plage : en Optimist pour les plus petits, sur dériveur ou catamaran pour les plus grands, d'innombrables écoles de voile et structures de location vous permettent de tirer des bords en toute sécurité dans les criques, baies et grèves de Bretagne. Des moniteurs qualifiés enseignent les rudiments de la voile sur divers supports, en toute sécurité. Vous trouverez toujours une formule d'apprentissage ou de perfectionnement à votre convenance. Les Clubs Moussaillons et les Jardins des Mers accueillent spécialement les marins en herbe, pris en charge dès 4 ans. Chaque station balnéaire, ou presque, comme chaque île, est dotée d'une base nautique où l'on pourra s'initier aux joies de la glisse et de la navigation. Renseignez-vous auprès de la **Fédération française de voile** (FFV ; www.ffvoile.fr).

Vous pouvez vous inscrire (ou inscrire vos enfants, à partir de 13 ans) pour un stage à l'**École de voile des Glénans** (☎ 01 53 92 86 00 ; www.glenans.asso.fr) qui se veut accessible aux hommes et aux femmes de tous horizons, dans un constant souci du respect de l'environnement et de l'engagement bénévole. C'est la plus grande école de voile d'Europe. Association à but non lucratif, les Glénans ont su développer un mode d'enseignement unique mettant l'accent sur la pédagogie et la sécurité.

Environnement

Grand cormoran, parc naturel régional de Brière (p. 300)

Clé de voûte de son succès touristique, la Bretagne possède un patrimoine naturel bien préservé, à commencer par son littoral, encore largement épargné de toute urbanisation anarchique. De nombreuses zones sont protégées et sont des paradis écologiques. Ce trésor est pourtant régulièrement menacé par l'activité humaine, que ce soit par la mer ou par la terre, et nécessite une vigilance constante.

Géographie

Examiner la géographie de la Bretagne, c'est déjà tomber sous le charme de la région. Postée au "finistère" occidental de l'Europe, telle la figure de proue du Vieux Continent, cette vaste péninsule s'étire plein ouest, résolument tournée vers le large, bordée au nord par la Manche, au sud et à l'ouest par l'Atlantique. D'une superficie de 27 506 km^2, elle regroupe quatre départements : le Finistère, les Côtes-d'Armor, l'Ille-et-Vilaine et le Morbihan. Si l'on considère la Bretagne historique, il convient d'ajouter le comté de Nantes (en Loire-Atlantique), administrativement rattaché à la Région des Pays de la Loire depuis 1941.

On a coutume de distinguer l'Armor (ou Arvor), le "pays de la mer", autrement dit la Bretagne littorale, où vit la plus grande partie de la population, et l'Argoat, le "pays des bois", la Bretagne de l'intérieur, au

caractère plus sauvage. Pour autant, aucun point de Bretagne n'est distant de plus de 80 km des côtes. L'Argoat comprend de modestes "montagnes", notamment la chaîne des Montagnes Noires, qui s'étend sur 60 km d'est en ouest, et les monts d'Arrée. Contemporain des Vosges, ce relief, appelé Massif armoricain, est apparu à l'ère primaire, voici environ 600 millions d'années. Il s'est aplani à l'ère secondaire.

L'intérieur se présente comme un massif granitique, schisteux ou gréseux, à la topographie vigoureuse faisant alterner des hautes collines ondulées et des plateaux, couverts de landes, entrecoupés de vallées, où font saillie des arêtes schisteuses. La côte, extraordinairement découpée, totalise environ 1 600 km – près de 3 000 km si l'on prend en compte les rias et les îles.

Îles et îlots

La Bretagne totalise à elle seule 67% des îles et îlots français. Très typées, les îles possèdent chacune un fort particularisme. Elles se répartissent entre l'Atlantique, la mer d'Iroise et la Manche. Belle-Île-en-Mer, la plus grande et la plus peuplée (8 563 ha et 5 200 habitants environ – jusqu'à 35 000 en saison), est suivie de Groix (1 770 ha, 2 266 habitants), toutes deux au large des côtes morbihannaises. Les autres se nomment Ouessant, Batz, Moines, Bréhat, Houat, Sein (la plus petite, avec ses 60 ha), Molène, Arz et Hoëdic (la moins peuplée, avec 117 habitants). S'y ajoutent une multitude d'îles et d'îlots non habités, dont le célèbre archipel des Sept-Îles (au large de Perros-Guirec) classé réserve ornithologique et refuge des fous de Bassan, et les îles de Glénan, où se reproduisent les narcisses des Glénan. Pas moins de 4 réserves naturelles – sur les 7 que compte la Bretagne – sont destinées à protéger ce patrimoine naturel exceptionnel, sans compter les réserves biologiques de la très active association Bretagne Vivante (www.bretagne-vivante.org).

Climat

Que de clichés ne colporte-t-on pas sur le climat de la Bretagne, qui serait fait de tempêtes et de pluie incessantes ! La réalité est bien différente. La région est entièrement soumise à l'influence océanique, mais il existe des nuances régionales et des microclimats très marqués, du fait en particulier des courants et vents marins, dont l'influence modère les variations de température.

D'une manière générale, l'hiver est tempéré : les températures moyennes dans les villes côtières et les îles atteignent 6 à 8°C et rivalisent avec celles enregistrées sur la côte méditerranéenne. Les périodes de gel sont rarissimes. En été, la chaleur n'est jamais étouffante, ce qui donne au climat breton une connotation tonique.

L'ensoleillement est très variable. Le littoral du Morbihan bénéficie de la plus forte insolation annuelle, avec une moyenne supérieure à 2 000 heures, équivalente à celle de Bordeaux. Brest, par comparaison, ne jouit que de 1 750 heures de soleil par an environ. Le centre-ouest et le nord sont en règle générale un peu moins favorisés sur le plan climatique. Les îles bénéficient de conditions plus favorables.

Autre élément crucial, qui alimente maints clichés sur le climat breton : les précipitations. Là encore, elles varient considérablement. Les îles sont les moins sujettes à la pluie, ainsi que le littoral de la Bretagne Sud. De façon générale, l'ouest de la Bretagne, en particulier les reliefs comme les monts d'Arrée, connaît plus de précipitations que l'est, vers Rennes notamment.

Faune et flore

La Bretagne est le paradis des naturalistes. La diversité des milieux et des biotopes ainsi que le climat favorisent l'implantation de multiples espèces.

Oiseaux

Exceptionnelle, l'avifaune comprend aussi bien des espèces vivant à l'année que des migrateurs. Sont ainsi recensées 173 espèces nicheuses (selon un inventaire datant de 1995), soit 63% de celles recensées en France. Par leur nombre et leur diversité, les oiseaux de mer constituent un élément original et central du patrimoine naturel de la Bretagne. Parmi les espèces les plus communes, citons les goélands (argenté, brun, marin), le guillemot de Troïl, la mouette tridactyle, la mouette rieuse, le cormoran huppé, le fou de Bassan, la sterne, le tadorne de Belon et, dans une moindre mesure, le macareux moine, qui affectionnent les falaises où ils peuvent nicher. Sur les grèves, à marée basse, vous verrez des huîtriers pie et des gravelots fouir le sédiment à la recherche de coquillages et de vers. Les canards (colvert, souchet, pilet) et les foulques sont les hôtes privilégiés des marais, notamment en Brière. Les sarcelles, les râles d'eau, les bécassines et les busards fréquentent également ce milieu. Les rias et les vasières (zones de vase nue découvertes à marée basse) sont les repaires de prédilection des bernaches cravants, des hérons cendrés, des aigrettes, des chevaliers gambettes, des courlis, des spatules, des huîtriers pie et des avocettes. La plupart de ces espèces sont dites "limicoles" (de "limon"). Elles sont dotées d'un bec long et fin qui leur permet de fouiller le sol meuble pour trouver des coquillages, des crustacés et des vers, ainsi que de longues pattes pour se déplacer facilement sur ce substrat.

Des oiseaux non marins sont aussi emblématiques de la Bretagne : le faucon pèlerin, le grand corbeau, le busard cendré, le crave à bec rouge, etc.

Les meilleurs... endroits où observer les oiseaux

1 Sept-Îles, p. 128

2 Ria d'Étel, p. 219

3 Cap Sizun, p. 187

4 Belle-Île-en-Mer, p. 222

5 Île d'Ouessant, p. 159

6 Parc naturel régional de Brière, p. 300

Plantes

L'existence de microclimats se traduit notamment par une flore spécifique. Ainsi, il n'est pas surprenant de voir des plantes exotiques et des pinèdes qui évoquent un paysage méditerranéen le long du littoral ou sur certaines îles. On ne mentionnera ici que les essences les plus courantes dans la zone côtière.

Sur les dunes poussent des oyats, qui permettent de fixer le sable, des immortelles des sables, des liserons des dunes et des chardons des sables. Dans les vasières, on remarquera la lavande de mer (ou saladelle). Quant à la salicorne, comestible, elle est installée à la limite inférieure des prés-salés et résiste aux fortes salinités. L'ajonc d'Europe et la bruyère forment l'essentiel du couvert végétal des landes. Les taches colorées sur les rochers, jaunâtres, brunâtres ou noirâtres, sont des lichens, associant une algue et un champignon.

Algues marines

Ne soyez pas surpris de voir des taches noirâtres ou brunâtres sur les plages au petit matin : il s'agit souvent d'algues échouées, le goémon. La Bretagne est l'une des régions d'Europe les plus riches en algues. On dénombre plusieurs centaines d'espèces au large des côtes. Leur récolte et leur exploitation sont d'ailleurs des activités ancestrales dans le Finistère Nord, que perpétuent des pêcheurs-goémoniers. Elles sont utilisées dans l'industrie alimentaire pour leurs vertus

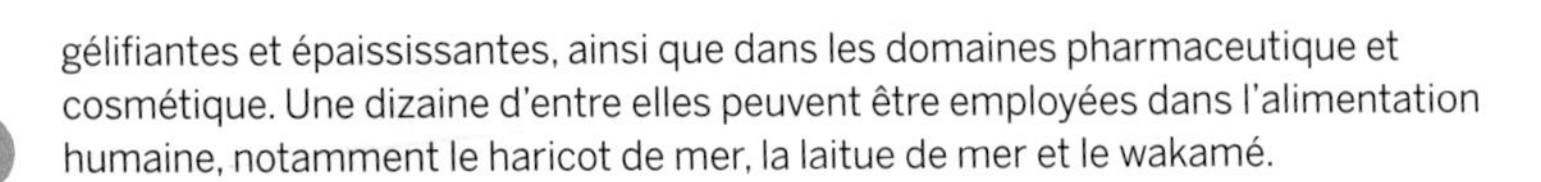
gélifiantes et épaississantes, ainsi que dans les domaines pharmaceutique et cosmétique. Une dizaine d'entre elles peuvent être employées dans l'alimentation humaine, notamment le haricot de mer, la laitue de mer et le wakamé.

Organismes marins

Il est impossible de passer en revue tous les organismes marins qui habitent le littoral breton, tant ils sont nombreux. À marée basse, l'estran rocheux et les grèves permettent d'apercevoir, en plus des algues marines, des éponges, des algues calcaires, divers coquillages (coques, praires, palourdes, couteaux, bigorneaux), des moules, des patelles, des vers, des bernard-l'ermite, des crevettes, des crabes, etc. Une partie de ces animaux est d'ailleurs recherchée lors des parties de pêche à pied. Quant à la faune marine, elle est très abondante. Les fonds sont habités de multiples invertébrés colorés aux formes complexes, dont des gorgones, des corynactis, des anémones, des alcyonaires, des nudibranches, des ascidies, des homards, des galathées, des langoustes, des bryozoaires (roses de mer), des spirographes. Les poissons les plus couramment rencontrés sont les tacauds, les baudroies, les labres, les roussettes, les soles, les merlus, les lieus, les bars et les congres.

Autres espèces

La Bretagne accueille aussi 73 espèces de mammifères, dont le phoque gris, la loutre, le castor, ainsi que des chauves-souris.

Faune et flore protégées et menacées

Parmi les invertébrés protégés, on trouve l'escargot de Quimper et la mulette perlière. L'écrevisse à pattes blanches subit aussi la pollution des cours d'eau. Concernant les oiseaux, on dénombre de nombreuses espèces protégées. Certaines sont particulièrement menacées : le gavelot à collier interrompu, le vanneau huppé ou encore l'œdicnème criard, tous trois liés à la dune, mais aussi le phragmite aquatique ainsi que des petits passereaux nicheurs. Concernant les poissons, la situation est plus sensible à l'est où certaines espèces (truite, chabot, lamproie de Planer) sont en régression voire menacées de disparition, tandis qu'à l'ouest le milieu aquatique conserve bon an mal an son intégrité. Côté flore, quelque 158 plantes sont protégées en Bretagne, alors qu'aucune espèce de flore marine ne fait l'objet de mesure de protection particulière. Pourtant, l'herbier de zostère marine, que l'on peut trouver sur l'estran, est particulièrement sensible aux activités humaines sur le littoral.

Problèmes environnementaux

Les dangers viennent de la mer – les marées noires en sont la plus cruelle illustration – mais aussi de la terre. L'exploitation agricole intensive se traduit par une pollution du sous-sol qui nuit à la qualité de l'eau et, au final, souille la mer. Le développement incessant du nombre d'élevages a provoqué l'augmentation de la quantité de lisier (déjections animales). Les terres saturées et les sols engorgés n'ont plus la capacité de retenir le lisier qui s'écoule dans la mer et facilite la prolifération d'algues. Depuis 1998, on observe cependant une baisse de teneur en nitrates dans les cours d'eau. La qualité des eaux de baignade reste en outre excellente sur la quasi-totalité des côtes bretonnes. L'existence d'instituts de thalassothérapie, ainsi que la surveillance des multiples secteurs ostréicoles disséminés sur l'ensemble du littoral, qui ne tolèrent pas la moindre forme de pollution, garantissent la qualité de l'environnement. Par ailleurs, de nombreux sites bénéficient d'une protection.

Marées vertes

Depuis quelques années, des zones côtières bretonnes se couvrent d'un épais manteau vert. Surnommé "laitue de mer", l'ulve forme ce tapis coloré, véritable nuisance pour le baigneur. En se déposant et en séchant sur le sable, l'algue dégage vite une odeur de putréfaction, envahissant les premières vagues. Le phénomène est loin d'être anecdotique, puisque chaque année des centaines de milliers de mètres cubes de cette algue sont ramassées sur une cinquantaine de sites, la plupart en Bretagne Nord. Les spécialistes sont formels, l'algue prolifère sous l'effet de la chaleur et de la concentration en nitrates. Sur le banc des accusés, l'agriculture intensive, qui utilise avec excès les engrais et les élevages porcins. Les engrais, mélangés aux déjections des porcs, se concentrent dans les cours d'eau, avant de rejoindre la mer ou de polluer les nappes phréatiques. Si l'agriculture est responsable, le véritable coupable ne serait-il pas plutôt l'État qui ferme les yeux sur des ouvertures et des extensions de porcheries non réglementaires ? Malgré la mort d'un cheval, en juillet 2009, sur la plage de Saint-Michel-en-Grève, ou d'une trentaine de sangliers dans le lit du Gouessant en 2011, l'accent est mis sur le ramassage des algues plus que sur la prévention. Les gouvernements successifs hésitent à se confronter aux agriculteurs et à décider des politiques contraignantes. Autre coup dur pour l'État sur ce sujet : la cour administrative d'appel de Nantes l'a condamné sévèrement, lui ordonnant de verser des indemnités pour la prolifération des algues vertes en Bretagne. L'arrêt de la cour reconnaît que "le laxisme et les carences des préfets, qui n'ont pas appliqué les réglementations nationale et européenne, ont bel et bien favorisé la prolifération des algues vertes". Le dossier est loin d'être clos tant les enjeux agricoles et touristiques sont importants.

Les meilleures... côtes sauvages

1 Quiberon, p. 218

2 Crozon, p. 177

3 Cap Sizun, p. 187

4 Belle-Île-en-Mer, p. 222

5 Pointe du Grouin, p. 85

6 Cap Fréhel, p. 104

Marées noires

Les côtes bretonnes, depuis 1967 et l'échouage du *Torrey Canyon* au large des îles Scilly, n'ont pas été épargnées par les marées noires. Le 16 mars 1978, *l'Amoco Cadiz* sombre près du port de Portsall : 230 000 tonnes de pétrole brut se répandent sur 360 km de côtes, polluant 200 000 ha de surface marine. Dernière catastrophe pétrolière en date, celle de l'*Erika*, le 12 décembre 1999. Ce sont alors plus de 10 000 tonnes estimées qui se répandent de Plogoff à Saint-Georges-de-Didonne, touchant 400 km de littoral. L'échouage du *TK Bremen* en 2011 aura heureusement des conséquences plus limitées. Mais l'on pourrait citer des dizaines d'autres accidents ayant entraîné des marées noires d'une ampleur plus ou moins importante.

Chaque année, des milliers de navires, parmi lesquels de nombreux "bateaux poubelles", contournent les côtes bretonnes. La prévention semble aujourd'hui le maître mot pour contrer les déversements d'hydrocarbures. Ces efforts ont été entrepris dès le désastre de *l'Amoco Cadiz* avec la prise de conscience qu'il fallait établir une surveillance constante des côtes, réglementer la circulation des navires, mettre en place des moyens d'intervention d'urgence et créer des organismes de contrôle et d'études comme le Cedre. Ces mesures semblent encore incapables d'enrayer les répercussions désastreuses sur les sites naturels et la faune du littoral.

Erika : Mesquer l'emporte face au goliath Total

Dans la bataille judiciaire qui l'a opposée pendant plus de 10 ans à la société Rina et au groupe Total, Mesquer a finalement obtenu gain de cause... L'affaire était montée jusqu'à la Cour de cassation, qui avait elle-même sollicité la Cour de justice européenne pour des précisions. En 2008, le jugement était rendu : Total (qui, depuis, a fait appel) était bien responsable des déchets (les boulettes d'hydrocarbure) qui ont pollué plus de 400 km de côtes après la marée noire de l'*Erika* en décembre 1999. L'arrêt stipulait que la société italienne Rina devra rembourser à la commune de Mesquer - constituée en partie civile avec une dizaine d'autres communes - les frais de nettoyage de ses plages, consacrant ainsi le fameux principe du pollueur-payeur. Un protocole d'accord a été signé en juillet 2011, et les communes ont enfin obtenu leurs indemnités.

Dans le bilan de chaque marée noire s'inscrit évidemment le nombre d'oiseaux de mer touchés par la pollution. Certaines espèces – les plus dépendantes de la mer – souffrent plus que d'autres, comme le guillemot de Troïl, le pingouin torda ou les plongeons imbrins.

Espaces protégés

De nombreux sites bénéficient de mesures de protection de divers organismes et d'associations : le Conservatoire du littoral (organisme public dont la mission est d'assurer la protection définitive des espaces naturels remarquables situés en bord de mer, grâce à une politique d'acquisition et de réhabilitation) ; la Société pour l'étude et la protection de la nature en Bretagne (SEPNB) ; le parc naturel régional d'Armorique ; le parc naturel régional de Brière et la Ligue pour la protection des oiseaux (LPO).
Des lieux aussi réputés que la pointe du Raz, le cap Fréhel, Ploumanac'h, les dunes d'Erdeven, la pointe du Grouin, les Sept-Îles, la baie de Saint-Brieuc, la Côte sauvage à Quiberon et des dizaines d'autres encore jouissent d'un statut de protection. Quant à l'archipel de Molène, il a reçu l'estampille "réserve de biosphère" de l'Unesco.
La réhabilitation de la pointe du Raz, menacée par le béton et la surfréquentation anarchique, est probablement le plus bel exemple de sauvegarde de l'environnement. Sur d'autres sites très touristiques, comme le sentier douanier à Ploumanac'h, le Conservatoire a mis en place un cheminement et des barrières de protection. D'une manière générale, ne quittez pas le tracé des sentiers pour éviter tout piétinement intempestif de zones sensibles.

Défis environnementaux

Atteinte à la qualité des eaux, marées vertes, bouleversement paysager du bocage, inondations à répétitions ; autant de dégradations environnementales engendrées en grande partie par l'agriculture. À cela s'ajoute l'étalement urbain qui grignote campagnes et littoral. Sans oublier les épisodes désastreux des marées noires, 8 en quarante ans, au nombre desquelles celles, tristement célèbres, de l'*Amoco Cadiz*, de l'*Erika* (des boulettes d'hydrocarbure ont pollué plus de 400 km de côtes après cette marée noire en décembre 1999) et, dernière en date, qui sonne comme une douloureuse piqûre de rappel bien qu'elle se soit avérée de moindre ampleur, celle du *TK Bremen*, échoué à Erdeven fin 2011.

Carnet pratique

Quai du Stellac'h, Saint-Pabu (p. 155)

Infos utiles

Achats

La Bretagne est une région riche de savoir-faire et vous n'aurez aucun problème pour rapporter quelques spécialités locales. Au premier rang de celles-ci, les inévitables faïences de Quimper et ses imitations, les produits à base d'algues (du savon au pâté) ou encore les gâteaux et biscuits pur beurre. Sur le plan vestimentaire, ne manquez pas de faire étape dans l'une ou l'autre des coopératives maritimes situées dans les ports bretons. Vous y trouverez l'ensemble de la panoplie du marin, de la vareuse au bonnet, du pull à rayures au caban. Les prix sont élevés mais la qualité est au rendez-vous. En septembre et à Pâques, les coopératives font souvent des promos sur les collections de fin de saison. Enfin ne manquez pas les produits d'À l'aise Breizh, une bande de joyeux lurons qui a réussi à revisiter le mythe de la Bretagne avec beaucoup d'humour. Aujourd'hui, leur créativité s'exprime à travers de multiples objets : tee-shirts, chaussettes, caleçons, tongs mais aussi arts de la table.

À l'instar de la programmation festivalière dans la région, la production musicale d'artistes bretons est riche et variée. Dans nombre de petits magasins ou même de bars, vous trouverez une sélection de CD, produits pour la plupart sous le label Coop Breizh, que ce soit pour la musique traditionnelle bretonne ou pour des groupes de rock, pop ou jazz.

Même si la Bretagne n'est pas une région de cuisine exceptionnelle, on peut y trouver facilement des spécialités alimentaires à rapporter. C'est le cas des biscuits secs qui ont même leur magasin dédié dans les grands centres touristiques. Il est préférable pourtant de s'approvisionner dans les pâtisseries et boulangeries qui vendent des produits artisanaux, plus fins. Vous en trouverez dans toutes les grandes villes mais aussi dans de plus petites. N'hésitez pas non plus à vous promener sur les marchés locaux. Vous pourrez facilement glisser dans vos bagages des galettes et des crêpes qui se gardent pendant 2 jours au réfrigérateur (dans le bac à légumes et en les sortant de leur emballage plastique). Ces produits se conservent sans problème plusieurs mois au congélateur. Bières artisanales, cidres fermiers ou chouchen s'achètent aussi sur les marchés ou dans des boutiques spécialisées.

Dans les villes portuaires, vous trouverez dans les poissonneries, dans les criées ou même directement sur les quais, au retour des bateaux, tous les produits de la mer : crustacés, coquillages, poissons... difficile de faire plus frais et moins cher. Les conserves de la mer sont évidemment plus faciles à transporter. Les produits sont nombreux et variés, et leur emballage soigné en fait des cadeaux tout désignés. À Saint-Malo ou Paimpol, des fermes marines proposent des produits issus d'une fabrication plus artisanale.

Parler de produits bretons sans évoquer la charcuterie serait une atteinte à l'honneur régional : pâté, saucisse, saucisson, jambon... le choix ne manque pas. L'andouille de Guémené devrait laisser des bons souvenirs aux gourmets. Là encore, préférez les produits de fabrication artisanale, plutôt que ceux vendus en grande surface.

Argent

Aucun problème pour retirer de l'argent dans les distributeurs automatiques de billets (DAB) dans les villes et les bourgs de Bretagne. En revanche, les îles ne sont pas toutes équipées de distributeurs. C'est le cas de Houat et Hoëdic dans le Morbihan, et de Bréhat et des Sept-Îles dans les Côtes-d'Armor. Prévoyez de retirer du liquide avant de vous y rendre.

Les banques, bureaux de change et bureaux de poste acceptent souvent les chèques de voyage.

Pour les voyageurs étrangers

Un séjour en Bretagne est soumis aux mêmes conditions que dans toute autre région française. À ce titre, Belges, Suisses et Canadiens n'ont pas besoin de visa pour une période maximale de 90 jours. Les Canadiens sont limités, quant à eux, à deux séjours de 90 jours par an. Les citoyens canadiens doivent présenter un passeport en cours de validité ; une simple carte d'identité suffit pour les Belges et les Suisses. Pour plus de précisions, ou pour d'autres nationalités, reportez-vous au site officiel du ministère des Affaires étrangères français : www.diplomatie.gouv.fr.

La Bretagne vit au même rythme que le reste de la France. Elle a donc une heure (hiver) ou deux heures (été) d'avance par rapport à l'heure de Greenwich. Lorsqu'il est 14h à Nantes ou à Brest, il est 8h à Montréal. L'heure est la même qu'en Suisse ou en Belgique.

En France, les prises électriques ont deux fiches rondes (220 V, 50 Hz). Les Canadiens auront besoin d'un adaptateur.

AMBASSADES ET CONSULATS ÉTRANGERS EN FRANCE

- **Consulat de Suisse à Nantes** (☎ 02 40 95 00 50 ; 81 rue des Renardières, 44100 Nantes)
- **Consulat de Belgique à Lorient** (☎ 02 97 37 67 10 ; 58 av. de la Perrière, 56100 Lorient)
- **Ambassade du Canada** (☎ 01 44 43 29 00 ; www.amb-canada.fr ; 35 av. Montaigne, 75008 Paris)

AMBASSADES ET CONSULATS DE FRANCE À L'ÉTRANGER

BELGIQUE

- **Ambassade** (☎ 02 548 87 11 ; www.ambafrance-be.org ; 65 rue Ducale, 1000 Bruxelles)
- **Consulat** (☎ 02 548 88 11 ; www.consulfrance-bruxelles.org ; 42 bd du Régent, 1000 Bruxelles)

CANADA

- **Ambassade** (☎ 0613 789 17 95 ; www.ambafrance-ca.org ; 42 Sussex Drive, Ottawa, Ontario K1M 2C9)
- **Consulats Montréal** (☎ 0514 878 43 85 ; www.consulfrance-montreal.org ; 1501 McGill College, 10e étage, bureau 1000, Montréal (QC) H3A 3M8) ; **Québec** (☎ 0418 266 25 00 ; www.consulfrance-quebec.org ; 25 rue Saint-Louis, Québec (QC) G1R 3Y8)

SUISSE

- **Ambassade** (☎ 031 359 21 11 ; www.ambafrance-ch.org ; Schosshaldenstrasse 46, BP 300, 3006 Berne)
- **Consulat général** (☎ 022 319 00 00 ; www.consulfrance-geneve.org ; 2 cours des Bastions, 1205 Genève).

DOUANE

Si vous partez par bateau ou par avion vers un pays non membre de l'UE, vous ne pouvez pas emporter plus de 200 cigarettes, 2 litres de vin (ou autre boisson alcoolisée de moins de 22°) et un litre d'alcool (titrant plus de 22°).

TÉLÉPHONE

Pour appeler la France depuis l'étranger, composez le code d'accès international de votre pays (☎ 00 pour la Suisse et la Belgique, ☎ 011 pour le Canada) suivi de l'indicatif de la France ☎ 33.

Pour appeler l'étranger depuis la France, composez le code d'accès international ☎ 00, suivi de l'indicatif du pays (☎ 32 pour la Belgique, ☎ 41 pour la Suisse, ☎ 1 pour le Canada).

Bénévolat

Les **chantiers internationaux de jeunes bénévoles en Bretagne** (**www.chantierbenevolebretagne.org**) proposent plusieurs chantiers ; fouilles archéologiques, mise en valeur du patrimoine, enjeux environnementaux, aménagement d'équipements. Ils sont ouverts à tous ; certains sont spécialement dédiés aux mineurs (à partir de 14 ans).

Cartes et plans

La carte routière Michelin n°230, au 1/200 000 (1 cm = 2 km) donne une excellente vision d'ensemble de la région et fait apparaître les routes les plus pittoresques. Les cartes IGN (Institut géographique national ; www.ign.fr) sont aussi très utiles. Les cartes n°113 (Brest/Quimper), n°114 (Saint-Brieuc/Morlaix), n°115 (Rennes/Saint-Malo), n°16 (Rennes/Granville)), n°123 (Vannes/Lorient) et n°124 (Nantes/Saint-Nazaire) de la série verte (Top 100), au 1/100 000 (1 cm = 1 km), sont ainsi très pratiques pour se repérer dans le réseau parfois inextricable de hameaux et de petites routes proches du littoral.

Pour la randonnée, vous pouvez vous procurer des cartes encore plus précises éditées par l'IGN, dans les séries orange (1/50 000) ou bleue (1/25 000) : Mont-Saint-Michel/Dol-de-Bretagne n°1215 OT, Saint-Malo/Dinard/Dinan n°1116 ET, Paimpol/Tréguier/Île de Bréhat n°814 OT, Saint-Cast-le-Guildo/Cap Fréhel n°1016 ET, Lannion Perros-Guirec/Les 7 îles/Côte de Granit rose n°714 OT, Île d'Ouessant n°317 OT, Brest/Pointe Saint-Mathieu n°0417 ET, Quimper/Concarneau/îles de Glénan 519 ET, Quimperlé/Pont-Aven 620 ET, Saint-Brieuc n°0916 OT, Erquy/Le-Val-André n°0916 ET, Lorient/île de Groix 720 ET, presqu'île de Quiberon/Auray/Carnac 821 OT, Belle-Île/îles de Houat et d'Hoëdic 822 OT et Vannes/Golfe du Morbihan 921 OT.

Climat

Les ignares vous soutiendront que la région est en permanence en butte aux tempêtes et à la pluie. La réalité est bien différente. D'ailleurs, on rappellera que la côte bretonne s'enorgueillit de multiples instituts de thalassothérapie où les bienfaits vivifiants et régénérateurs du climat ne sont plus à démontrer. On dit souvent en Bretagne que l'on voit passer tous les types de temps en une seule journée. Tout cela pour dire que la région est entièrement soumise à l'influence océanique, mais il existe des nuances régionales et des microclimats très marqués.

Sauf dans le centre de l'Ille-et-Vilaine, où le thermomètre peut descendre bas, l'hiver est tempéré : les températures moyennes dans les villes côtières et les îles atteignent 6 à 8°C et rivalisent avec celles enregistrées sur la côte méditerranéenne. Les périodes de gel sont rares. Au printemps, la végétation est souvent en avance de 2 à 3 semaines par rapport à d'autres régions.

En été, la chaleur n'est jamais étouffante, ce qui donne au climat breton une connotation tonique. L'existence de microclimats se traduit notamment par une flore spécifique. Il n'est pas rare de voir des plantes exotiques et des pinèdes qui évoquent un paysage méditerranéen le long du littoral ou sur certaines îles, par exemple dans le golfe du Morbihan ou sur l'île de Bréhat.

Les amplitudes thermiques annuelles sont plus faibles à l'ouest (9-10°C) qu'à l'intérieur et à l'est, où elles peuvent atteindre 12-13°C. L'ensoleillement est lui aussi très variable. Le centre du Finistère est en règle générale un peu moins favorisé sur le plan climatique. Les îles

Météo France

Météo France (☎ 3250 ; www.meteofrance.com) propose des prévisions, département par département, pour les 7 jours à venir.

Vous pouvez aussi accéder directement aux différents bulletins de Bretagne Sud en appelant le ☎ 08 99 71 02 XX (n° du département concerné ; 1,35 €/appel + 0,34 €/min).

bénéficient de conditions plus favorables.

Autre facteur crucial, qui alimente maints clichés sur le climat breton : les précipitations. Là encore, elles varient considérablement. Les îles sont les moins sujettes à la pluie, ainsi que le littoral, alors que le centre de la Bretagne est souvent plus arrosé.

Désagréments et dangers

La Bretagne est une région dans l'ensemble très sûre, où les risques de vol ou d'agression restent minimes.

La mer présente certains dangers qu'il ne faut pas négliger. Baignez-vous sur les plages surveillées, suivez les conseils des sauveteurs et tenez compte de la signalisation relative à la sécurité (drapeau vert, orange ou rouge). Attention à la baignade dans les criques sauvages, certes tentantes, mais susceptibles d'être balayées par des courants et des lames de fond. Là encore, renseignez-vous sur les éventuels pièges du secteur.

Les marées peuvent aussi jouer de très mauvais tours. En particulier dans les baies où la mer se retire sur plusieurs kilomètres. Ne vous laissez pas piéger ! Renseignez-vous auprès des autres estivants et ne partez jamais seul si vous ne connaissez pas la zone. Faites attention en particulier lorsque vous emmenez avec vous des enfants en bas âge. Si vous vous retrouvez encerclé par la mer, réagissez rapidement et appelez à l'aide. Surtout, gardez en tête les horaires des marées (dépliants gratuits disponibles dans les offices du tourisme et chez les marchands de journaux). Lorsque vous vous promenez sur les sentiers côtiers, parfois en surplomb des falaises, ne vous écartez pas du tracé.

Le phénomène des marées vertes est surtout présent en Bretagne Nord, sur deux zones : la baie de Saint-Brieuc et la baie de Lannion. Le Finistère Sud est également touché, dont parfois la baie de Douarnenez. La plupart des communes affectées par cette pollution ont mis en place un service de nettoyage des plages. Tôt le matin, des tracteurs viennent ramasser des tonnes d'algues pour faire la place nette aux vacanciers. Malheureusement, toutes les étendues sableuses ne sont pas nettoyées et vous serez peut-être obligé de patauger dans cette soupe algueuse.

Conséquence du taux de nitrates élevé, la qualité de l'eau est parfois sujette à caution dans certaines zones de Bretagne. Les femmes enceintes, les bébés et les personnes fragiles peuvent donc éviter l'eau du robinet.

Enfants

La Bretagne, destination "plein air" par excellence, est une région idéale pour passer des vacances avec des enfants. Ils apprécieront bien évidemment les plaisirs liés à la mer, notamment les plages. Les principales d'entre elles sont pourvues de clubs de plage spécialement conçus pour l'accueil des enfants et bénéficiant d'un encadrement compétent. Ceux qui ne savent pas nager peuvent ainsi apprendre la natation dans des petites piscines avant de se jeter dans les vagues. La plupart des activités nautiques, en particulier la voile, leur sont accessibles grâce à l'existence de nombreux stages dès l'âge de 6 ans. Pour les plus grands, dans certaines stations balnéaires, vous trouverez des clubs pour pratiquer des activités nautiques à des prix défiant toute concurrence. Renseignez-vous auprès des offices du tourisme.

Vous trouverez, dans la plupart des régions, des piscines intercommunales équipées de bassin de nage et d'espaces plus ludiques.

Dans les musées, monuments et autres curiosités, les enfants bénéficient de tarifs réduits. Les multiples fêtes traditionnelles et festivals donneront également aux enfants une occasion de s'émerveiller.

Les îles se prêtent à une escapade d'un ou de plusieurs jours. À Houat, Hoëdic, Sein, Batz et Bréhat aucune voiture ne circule. La liberté d'aller et venir constitue un bonheur que partagent petits et grands.

Côté équipements, les hôteliers, les restaurateurs et les propriétaires de chambres d'hôtes ont l'habitude de recevoir les familles et proposent des prestations

adaptées (lit supplémentaire dans les chambres, etc.).
La plupart des restaurants et des crêperies, même haut de gamme, offrent des menus enfant de 6 à 13 € (pour les moins de 10 ou 12 ans).

Handicapés

À l'instar du reste de la France, la Région Bretagne et les départements communiquent de plus en plus sur l'accessibilité pour les personnes handicapées à travers le label "Tourisme et handicap". Il n'est pas rare maintenant de voir des petits hôtels ou des hébergements en chambres d'hôtes mettre ce label en valeur. Pour obtenir la liste des prestations homologuées Tourisme et handicap, et pour télécharger les brochures utiles, vous pouvez vous connecter sur les sites suivants :
Région Bretagne (www.bretagne-accessible.com)
Finistère (www.finistere-accessible.com)
Loire-Atlantique (www.ohlaloireatlantique.com)
Morbihan (www.morbihan.com)

Vous pouvez également contacter l'Association des paralysés de France (APF ; www.apf.asso.fr), qui s'efforce d'orienter dans leurs recherches les visiteurs à mobilité réduite ayant une demande particulière.

Hébergement

La gamme des hébergements est particulièrement diversifiée. Tous les budgets et tous les styles trouveront leur bonheur.

Auberges de jeunesse

Bonne nouvelle pour les voyageurs à petit budget, la Bretagne est l'une des régions françaises les mieux dotées en auberges de jeunesse. Dans le Morbihan, vous en trouverez à Belle-Île-en-Mer, Quiberon et Vannes ; dans le Finistère à Camaret, Concarneau, Groix, Quimper, Brest, Morlaix et Ouessant ; dans les Côtes-d'Armor à Dinan ; en Ille-et-Vilaine à Rennes et Saint-Malo ; en Loire-Atlantique à Nantes.

À quelques exceptions près, elles sont affiliées à la **Fuaj** (**Fédération unie des auberges de jeunesse ; www.fuaj.org**). La carte d'adhésion, obligatoire, coûte 7 € pour les moins de 26 ans et 11 € au-delà. Le niveau de confort et d'équipement varie beaucoup d'une auberge à l'autre. Certaines sont impeccablement tenues, avec parfois des chambres doubles, et bénéficient d'un cadre exceptionnel. D'autres, en revanche, évoquent encore les chambrées collectives des colonies de vacances. Le petit-déjeuner est parfois inclus dans les auberges les plus confortables. Si vous n'avez pas de sac de couchage, vous devrez payer la location des draps (de 3 à 5 €, quelle que soit la durée du séjour). En période estivale, pensez à réserver. Un pass permet d'obtenir une nuit gratuite toutes les 5 nuits payantes.

Camping

Il existe une forte densité de campings, dont les prestations vont du simple une ou deux-étoiles ne proposant que des services élémentaires pour un prix des plus modiques (à peine 3 €), aux quatre-étoiles disposant d'équipements de standing (piscine, parcours aquatique, restauration, laverie, aires de jeux, animations, etc.). La quasi-totalité des campings ouvre en saison uniquement, généralement d'avril à fin septembre. La plupart disposent de mobile homes en location. Une formule originale et très bon marché est le "camping à la ferme". On plante sa tente sur une parcelle d'exploitation agricole, près de la bâtisse principale. Les infrastructures sont, en revanche, plutôt limitées. Le comité régional du tourisme de Bretagne publie un guide fort utile sur le sujet.

Chambres d'hôtes

La Bretagne compte un nombre très élevé de chambres d'hôtes. Beaucoup sont situées dans des maisons néobretonnes, elles-mêmes construites dans des zones urbanisées. En revanche, il existe des chambres d'hôtes agréables et pleines de cachet, souvent au même tarif. Dans cet ouvrage n'ont été retenues que les chambres d'hôtes présentant un véritable intérêt en termes d'originalité ou d'emplacement. Nombre de chambres d'hôtes sont labellisées "Gîtes de France" ou "Clévacances". Cette nomenclature garantit le respect de normes de sécurité et de confort, mais n'est nullement un gage de charme ou de cachet. Souvent, les hébergements qui ont le plus de caractère décident de s'organiser seuls, sans s'affilier à un label.

Les offices du tourisme vous remettront une liste complète des chambres d'hôtes implantées dans leur secteur. Comptez de 45 à 65 € la nuit pour 2 personnes, petit-déjeuner inclus. Dans les manoirs et les châteaux, cette prestation peut monter jusqu'à 150 €.

Gîtes d'étape

Les gîtes d'étape sont des structures prévues à l'origine pour les randonneurs, mais, en principe, ils accueillent tous les visiteurs. Ce sont généralement des bâtiments qui sont gérés par les communes, plus rarement par des particuliers. Il s'agit pour l'essentiel de chambres à partager, avec toilettes et douche communes. Les tarifs sont de l'ordre de 10 à 20 € par personne et selon le confort.

La Bretagne est relativement bien pourvue en gîtes d'étape. La qualité des infrastructures varie d'un gîte à l'autre.

Gîtes et meublés

Bon nombre d'estivants louent un gîte rural à la semaine. Il s'agit souvent de maisons aménagées dans le respect de l'architecture bretonne, en bord de mer ou à la campagne. La location, sur la base d'un contrat, débute en principe le samedi et s'effectue à la semaine.

Les maisons, entièrement équipées, se révèlent idéales pour les familles ou pour ceux qui préfèrent être autonomes.

La plupart des gîtes sont labellisés "Gîtes de France" ou "Clévacances", ce qui garantit le respect des normes. Certains propriétaires louent des meublés en dehors de toute affiliation. Les offices du tourisme tiennent une liste des loueurs saisonniers de leur commune. Ces listes ne sont pas exhaustives. Pour y figurer, le prestataire doit adhérer à l'OT.

Hôtels

Le parc hôtelier est vaste et diversifié et les prix restent raisonnables. La majorité des établissements sont des deux-étoiles de style familial, au confort standard et convenable. Les tarifs sont étroitement liés à l'emplacement (en bord de mer ou non) et au cachet de la station et peuvent ainsi varier de 35 à 80 € la nuit pour une double. En règle générale, ils s'appliquent pour la chambre et la distinction simple/double est assez peu usitée.

Dans les stations balnéaires, les hôtels comprennent souvent un restaurant et certains imposent la demi-pension pendant la période estivale (bien que cette pratique soit illégale). Ils ont un fonctionnement saisonnier, généralement de Pâques à octobre.

Vous remarquerez que nombre de structures hôtelières sont estampillées "Logis de France". Sachez que c'est un gage de respect de normes de confort et de sécurité, mais nullement de charme ou de caractère. La plupart de ces établissements sont familiaux et offrent un confort convenable.

Il existe bien entendu d'excellents hôtels de charme et de caractère, installés dans des manoirs ou des châteaux, au cœur d'un site bucolique.

Le comité régional du tourisme de Bretagne et les comités départementaux du tourisme publient chacun des guides *Hébergements* sur leur territoire respectif. Ces listes ne sont pas exhaustives mais sont fort utiles (voir la rubrique *Offices du tourisme*).

Homosexualité

En 2014, le magazine *Têtu* a dressé un palmarès des villes "gay-friendly" de France. Deux villes bretonnes figuraient parmi les 24 classées : Nantes (3e place) et Rennes (12e). Mis à part les grandes villes, les lieux gays ne sont pas légion en Bretagne : vous trouverez sur le site www.gayviking.com une sélection d'adresses. À noter qu'un petit bourg du Centre Bretagne, Gourin (dans le Morbihan), s'est fait une spécialité de la Festy Gay (Gay Pride à la mode bretonne).

Internet (accès)

De plus en plus d'hôtels, de chambres d'hôtes et de bars possèdent un accès Wi-Fi gratuit. Vous pouvez aussi vous connecter dans les offices du tourisme et, si vous êtes sur la côte, dans les capitaineries de port. Les communautés de communes ont développé des cybercentres qui permettent de se connecter sur des

La Bretagne en bio

Créé à l'initiative du Comité Régional du Tourisme de Bretagne, le site Internet voyagez-responsable. tourismebretagne.com intéressera les visiteurs soucieux de l'environnement et du développement local. Vous y trouverez les activités mais aussi les hébergements et les restaurants engagés dans une politique de développement durable.

ordinateurs en libre-service ou avec son portable.

Offices du tourisme

Des offices du tourisme et des syndicats d'initiative sont implantés dans les villes et sur les sites touristiques. Certains ouvrent toute l'année, d'autres seulement pendant la haute saison.

De plus en plus d'offices du tourisme possèdent leur propre site Internet. Leurs coordonnées sont données dans ce guide.

Les comités régionaux et départementaux du tourisme mentionnés ci-après restent d'excellentes sources d'informations. Vous pouvez aussi vous adresser à la **Maison de la Bretagne** (☎ 01 53 63 11 50 ; www.bretagne.fr ; 8 rue de l'Arrivée, 75014 Paris), à Paris.

Région Bretagne (☎ 02 99 28 44 30 ; www.tourismebretagne.com ; 1 rue Raoul-Ponchon, 35069 Rennes Cedex)

Côtes-d'Armor (☎ 02 96 62 72 01/15, fax 02 96 62 72 25 ; www.cotesdarmor.com ; 7 rue St-Benoît, 22000 Saint-Brieuc)

Finistère (☎ 02 98 76 25 64 ; www.finisteretourisme.com ; 4 rue du 19-Mars-1962, 29018 Quimper)

Ille-et-Vilaine (☎ 02 99 78 47 46/47 ; www.bretagne35.com ; 5 rue du Pré-Botté, 35000 Rennes)

Loire-Atlantique (☎ 0810 04 40 01 ; www.ohlaloireatlantique.com ; 11 rue du Château-de-l'Éraudière, 44306 Nantes)

Morbihan (☎ 0825 13 56 56 ; www.morbihan.com ; allée Nicolas-Le Blanc, BP 408, 56010 Vannes Cedex)

Photographie

Contrairement au Gwenn ha Du (le drapeau blanc et noir breton) les paysages de Bretagne sont un véritable arc-en-ciel de couleurs. Le gris ardoise du ciel, le bleu turquoise de la mer, le rose de la bruyère, le jaune des ajoncs, le violet des hortensias et tant d'autres forment une palette de couleurs que l'on trouve rarement ailleurs. Pourtant toutes ces couleurs ne seraient rien sans la lumière qui change aussi vite que la météo. Un seul conseil, n'oubliez jamais votre appareil photo mais sachez le protéger des averses et de deux ennemis redoutables : le sable et le sel marin.

Téléphone

Les réseaux de téléphonie mobile couvrent l'ensemble du territoire breton même si quelques zones isolées captent mal. C'est le cas par exemple sur certaines îles ainsi que dans des zones de campagne dans le Centre Bretagne.

Des cabines téléphoniques sont installées dans un grand nombre de villages, généralement à proximité des postes et des mairies.

Voyager en solo

Les voyageurs solitaires devront s'attendre à quelques déconvenues, surtout en haute saison, où tout semble avoir été pensé pour les couples et les familles. La tarification en "simple" n'est pas courante. En revanche, les prestataires accoutumés à la fréquentation de randonneurs facturent les nuitées par personne..

Transports

Depuis/vers la Bretagne

Avion

L'**aéroport de Rennes** (**02 99 29 60 00 ; www.rennes.aeroport.fr ; point information lun-ven 5h-22h30, sam 5h-21h30, dim 5h30-22h30**), principal aéroport breton, est situé à environ 10 minutes en voiture du centre-ville (prendre la rocade, puis la sortie n°8, direction Saint-Nazaire). Le terminal est desservi par la ligne de bus n°57 du réseau **Star** (**0811 555 535 ; www.star.fr ; ticket 1,50 € ; lun-ven 5h25-minuit, sam 6h-21h, dim 10h30-minuit**) avec une fréquence de 20 à 30 minutes en semaine (comptez 20 min de trajet depuis le centre-ville). L'arrêt se trouve à 300 m de l'aérogare, à l'intersection des avenues Joseph-Le-Brix et Jules-Vallès.

L'**aéroport Nantes-Atlantique** (**02 40 84 80 00, 0892 568 800, 0,34 €/min ; www.nantes.aeroport.fr**) est situé à 10 km au sud du centre-ville, à Bouguenais. Le service de **navettes TAN AIR** (**Allotan 02 40 444 444 ; www.tan.fr**) vous y amène en moins de 30 minutes (départs depuis la gare ou l'arrêt Commerce en centre-ville ; ticket 7,50 €).

L'**aéroport de Brest** (**02 98 44 14 40 ; www.brest.aeroport.fr ; pl. du 19e RI, Brest**) est situé à environ 5 km du centre de la ville. On y accède par la RN12, direction Morlaix. Des navettes partent de la gare ou de l'office du tourisme et rejoignent l'aéroport en 20 minutes environ (www.bibus.fr ; ticket 1,45 €).

L'**aéroport Lorient-Bretagne Sud** (**02 97 87 21 50 ; www.lorient.aeroport.fr**) est implanté à 7 km à l'ouest du centre-ville, sur la commune de Ploemeur (sur les panneaux, vous verrez indiqué "aéroport de Lann-Bihoué"). Aucun service de bus n'assure la navette entre Lorient et l'aéroport ; si vous n'êtes pas motorisé, vous devrez prendre un taxi.

À Quimper, l'**aéroport de Pluguffan** (**02 98 94 30 30 ; www.quimper.aeroport.fr**), appelé aussi aéroport de Quimper-Cornouaille, se trouve à une dizaine de kilomètres à l'ouest de la ville. La ligne 25 des bus du réseau **QUB** (**02 98 95 26 27 ; www.qub.fr ; ticket 1,20 €**) relie l'aéroport au centre-ville en 30 minutes.

L'**aéroport de Lannion** (**02 96 05 82 22 ; www.lannion.aeroport.fr ; route de Trégastel, Lannion ; comptoir de vente lun-ven 5h30-12h et 14h-19h**) est situé à 5 km du centre-ville. Il est desservi par des liaisons en provenance de Paris-Orly Sud.

Les aéroports de Saint-Brieuc et de Morlaix sont réservés aux voyages d'affaires et celui de Dinard-Saint-Malo ne propose des liaisons que vers le Royaume-Uni.

Quelques compagnies :

Air France (**www.airfrance.fr**). Nombreux vols vers la Bretagne depuis la France et l'Europe, parfois opérés par Hop !, filiale de la compagnie (voir ci-dessous).

Chalair (**www.chalair.eu**). Liaisons directes avec Rennes et Brest depuis/vers Bordeaux.

Eastern Airways (**www.easternairways.fr**). Deux vols quotidiens au moins Lyon-Lorient.

EasyJet (**www.easyjet.com**). Vols depuis/vers Brest depuis Lyon et Nantes depuis Toulouse, Lyon, Nice, Genève et Bâle-Mulhouse.

Hop ! (**www.hop.com**). Vols vers la Bretagne au départ de nombreuses villes françaises (Nice, Marseille, Biarritz, Lille, Lyon...) et européennes, dont Bruxelles et Bâle.

Ryanair (**www.ryanair.com**). Rotations Nantes-Marseille et Brest-Marseille.

Volotea (**www.volotea.com**). Vols vers Nantes et Brest depuis plusieurs villes françaises dont Ajaccio, Bastia ou Montpellier.

Bus

La société **Eurolines** (**www.eurolines.fr**) relie Nantes à Bruxelles, Anvers, Gand, Liège, Mons ou Courtrai et, en France, à Carcassonne, Bayonne et Paris. Elle relie Rennes à Bruxelles, Anvers, Liège, Mons ou Courtrai et, en France, à Paris, Tours, Dijon, Saintes, Bordeaux, Bayonne et Toulouse, entre autres.

Si vous venez de l'étranger

DEPUIS LA BELGIQUE

En avion : Hop ! (www.hop.com) opère des vols directs depuis l'aéroport de Bruxelles-Charleroi vers Nantes, Rennes et Brest.

En train : entre Bruxelles et Nantes ou Rennes, il vous faudra faire un changement dans Paris, avec trajet en métro entre la gare du Nord et la gare Montparnasse. Renseignez-vous auprès de la **SCNB Europe** (www.b-europe.com), de **Capitaine Train** (www.capitainetrain.com) ou de **Voyages SNCF** (www.voyages-sncf.com).

En bus : la société **Eurolines** (www.eurolines.fr) permet notamment de rallier Nantes ou Rennes depuis Bruxelles.

DEPUIS LA SUISSE

En avion : la compagnie low cost **EasyJet** (www.easyjet.com) opère des vols directs vers Nantes depuis Genève et Bâle-Mulhouse. De Bâle, **Hop !** (www.hop.com) assure des vols vers Brest, Lorient et Rennes.

En train : entre Genève et Nantes, il vous faudra faire au moins un changement à Lyon Part-Dieu ou dans Paris (avec trajet en métro entre la gare du Nord et la gare Montparnasse). Renseignez-vous auprès de la **CCF** (www.cff.ch), de **Capitaine Train** (www.capitainetrain.com) ou de **Voyages SNCF** (www.voyages-sncf.com).

DEPUIS LE CANADA

En avion : la compagnie **Air Transat** (www.airtransat.com) propose des vols directs depuis Montréal pour Nantes. Sinon, vous devrez transiter par Paris ou l'Angleterre.

Train

Le **TGV Paris-Rennes** (www.voyages-sncf.com) vous amènera dans la capitale bretonne en 2 heures 10 environ. Pendant l'été et les vacances scolaires, il y a un train toutes les demi-heures au départ de Paris pour Rennes. Certains trains poursuivent leur route jusqu'à Brest, en passant par Saint-Brieuc, Guingamp et Morlaix, ou encore Saint-Malo. Des investissements prévus sur la ligne Paris-Rennes-Brest devraient permettre de faire gagner 45 minutes sur le trajet Paris-Rennes à l'horizon 2017. Pour les destinations du grand Sud, Rennes est relié à Lyon en 4 heures 20 et à Marseille en 7 heures. Au Nord, le trajet Lille-Rennes s'effectue en 4 heures.

Le **TGV Paris-Montparnasse-Quimper** (www.voyages-sncf.com) dessert Rennes, Redon, Vannes, Auray, Lorient, Quimperlé et Rosporden. Le trajet entre la capitale et Quimper dure 4 heures 30, 3 heures 15 vers Vannes, 3 heures 30 vers Auray et 3 heures 50 vers Lorient.

Pour rejoindre la Loire-Atlantique, vous prendrez la ligne **TGV Paris-Montparnasse-Nantes** (2 heures) ou Paris-Montparnasse-Le Croisic (3 heures 15). Saint-Nazaire, Pornichet, La Baule et Le Pouliguen se trouvent sur la ligne Paris-Montparnasse-Le Croisic. Le TGV ne dessert pas systématiquement ces gares intermédiaires. Au départ ou à destination de Nantes, il existe également des liaisons directes avec Bordeaux (4 heures), Lyon (4 heures 30), Lille (4 heures) et Marseille (6 heures).

Il existe des formules intéressantes à prix réduits avec **IDTGV** (www.idtgv.com) vers Brest et Quimper depuis Paris, avec arrêts intermédiaires (Rennes, Saint-Brieuc, Morlaix, Vannes...).

Voiture

La Bretagne est couverte par un réseau routier de qualité qui relie les principales villes. Il est à noter que l'ensemble du réseau constitué de 4 voies est entièrement gratuit (sauf pour la partie Loire-Atlantique). De Paris, prenez l'A11 (l'Océane) qui mène à Chartres, puis au Mans où elle se scinde en deux.

Le tronçon nord (A81) conduit à Rennes (350 km, 3 heures 30). À partir de Rennes, vous emprunterez la voie express N12 qui file vers Saint-Brieuc, Guingamp, Morlaix et Brest (3 heures). Pour Saint-Malo, Dinan et Dinard, empruntez la N137 au départ de Rennes. Toujours de Rennes, on peut suivre la N164 qui traverse l'intérieur de la Bretagne pour rejoindre Brest en passant par Loudéac, Mûr-de-Bretagne et Carhaix.

Le tronçon sud file vers Angers et Nantes. De Nantes, la voie express N165, à deux fois deux voies, mène à Vannes, Lorient, Quimper et s'achève à Brest. La presqu'île guérandaise et la Côte d'Amour (Guérande, La Baule) sont accessibles par une voie express au départ de Nantes.

Autre option si vous vous dirigez vers la côte Nord : passer par la Normandie en suivant l'A13 jusqu'à Caen, puis l'A84 qui rejoint Saint-Malo (400 km, 4 heures). Cet itinéraire se révèle souvent moins encombré que l'option de la 4 voies jusqu'à Rennes, surtout pendant les périodes de grands chassés-croisés. Il a aussi l'avantage d'être moins ennuyeux, tant les paysages sont variés. Le péage pour effectuer un trajet au départ de Paris vous reviendra autour de 30 €.

Au départ de l'est du pays, il est préférable de passer par Paris. Du sud-ouest, prenez la direction de Bordeaux, puis de Nantes.

Passer de la côte Sud à la côte Nord ou inversement est plus compliqué que de longer les côtes. Il faudra vous contenter de départementales ou de nationales classiques, à l'exception des liaisons Nantes-Rennes-Saint-Malo et Quimper-Brest.

Voyages organisés

Les agences vendent généralement deux formules : un voyage en groupe avec un guide accompagnateur et un voyage en liberté avec des hébergements réservés et un carnet de route donné au départ. Certaines agences proposent également des voyages en famille accompagnés.

Allibert (☎ 04 76 45 50 50 ; www.allibert-trekking.com ; Paris ☎ 01 44 59 35 35 ; 37 bd Beaumarchais, 75003 Paris).

Akaoka (☎ 0 825 000 840, 0,15 € TTC/min ; www.akaoka.com ; hameau de la Combe, 30440 Saint-Laurent-Le-Minier).

Chamina Voyages (☎ 04 66 69 00 44 ; www.chamina-voyages.com ; Naussac - BP 5 F Langogne, 48300 Langogne).

Huwans Club Aventure (☎ 04 96 15 10 20 ; www.huwans-clubaventure.fr ; 18 rue Séguier, 75006 Paris).

Terres d'Aventure (Paris ☎ 0825 700 825, 0,15 €/min ; www.terdav.com ; 30 rue Saint-Augustin, 75002 Paris ; Lyon ☎ 04 78 37 15 01 ; 5 quai Jules-Courmont, 69002 Lyon).

Grand Angle (☎ 04 76 95 23 00 ; www.grandangle.fr ; Le Village 38112 Méaudres).

La Burle (☎ 04 75 37 07 83 ; www.laburle.com ; 07510 Sainte-Eulalie).

Nomade (☎ 0825 701 702, 0,15 €/min ; www.nomade-aventure.com ; 40 rue de la Montagne-Sainte-Geneviève, 75005 Paris).

Des petites structures installées en Bretagne proposent également des circuits découvertes (randonnées et/ou balades). C'est le cas de **France Randonnée** (☎ 02 99 67 42 21 ; www.france-randonnee.fr ; 9 rue des Portes-Mordelaises, 35000 Rennes) ou de la **Compagnie des Sentiers Maritimes** (☎ 02 99 78 83 70 ; www.sentiersmaritimes.com ; 2a rue Poullain-Duparc, 35000 Rennes). Pour obtenir d'autres adresses, connectez-vous au site officiel du tourisme en Bretagne www.tourismebretagne.com.

Comment circuler

Bateau

Si les liaisons entre le continent et les îles sont fréquentes et faciles, il existe peu (et c'est dommage) de liaisons inter-îles à l'année, à part celle de Belle-Île-Houat-Hoëdic, et encore moins de liaisons entre villes continentales. Quelle que soit l'île que vous souhaitez rejoindre, réservez toujours votre place bien à l'avance, en particulier pour les jours fériés et l'été. De même, faites-vous confirmer l'horaire du bateau la veille ou le jour du départ. Une avarie ou le mauvais temps peuvent, en effet, retarder ou annuler la traversée. Sur l'île, tout changement d'horaire est signalé généralement par voie d'affichage (à l'office du tourisme ou dans les boutiques).

Pour les liaisons inter-îles, renseignez-vous auprès des compagnies maritimes qui effectuent quelques liaisons ponctuelles.

Pour connaître les détails sur chaque liaison maritime, reportez-vous aux chapitres régionaux concernés. Les principales compagnies sont :

Compagnie Océane (☎ 0820 056 156, 0,12 €/min ; www.compagnie-oceane.fr). Liaisons : de Quiberon vers Belle-Île, Houat et Hoëdic ; de Lorient vers Groix.

Escal'Ouest (☎ 02 97 65 52 52 ; www.bateautaxi-iledegroix.com). Liaisons vers Groix depuis Lorient, Port-Louis et Larmor-Plage.

Compagnie du Golfe (☎ 02 97 67 10 00 ; www.compagnie-du-golfe.fr). Liaisons au départ de Vannes et de Port-Navalo vers Belle-Île et l'île d'Arz

Navix – Compagnie des Îles (☎ 0825 132 100 ; www.navix.fr). Liaisons au départ de Vannes, Port-Navalo, Locmariaquer, Quiberon, Étel, La Turballe, Le Croisic ou Doëlan vers Belle-Île, Houat et Hoëdic, Groix, le golfe du Morbihan et la ria d'Étel.

Penn ar Bed (☎ 02 98 80 80 80 ; www.pennarbed.fr). Liaisons : Esquibien, à 3 km d'Audierne, vers l'île de Sein ; Ouessant toute l'année au départ de Brest, du Conquet et, en été, également de Camaret.

Vedettes de Bréhat (☎ 02 96 55 79 50 ; www.vedettesdebrehat.com). Six à 20 liaisons par jour selon la saison vers Bréhat, depuis la pointe de l'Arcouest.

Vedettes de l'Odet (☎ 02 98 57 00 58 ; www.vedettes-odet.com). Départs de Beg-Meil, Bénodet, Concarneau, Port-la-Forêt, Loctudy et Quimper pour les Glénans.

Vedettes CFTM (☎ 02 98 61 78 87 ; www.vedettes-ile-de-batz.com). Liaison vers l'île de Batz, tous les jours à partir de Roscoff.

Bus

Si vous n'avez pas de voiture pour vous déplacer, le bus constitue une alternative à condition de le combiner avec le train si vous souhaitez rayonner sur plusieurs départements ou pour les longues distances. Chaque département possède une compagnie de bus qui dépend directement du conseil général et qui fait donc office de service public, là où la SNCF s'est désengagée.

CÔTES-D'ARMOR

Réseau Ti'bus (☎ 0810 222 222 ; www.tibus.fr). 22 liaisons sur l'ensemble du département. Certaines sont même interdépartementales. Le prix du billet est unique (2 €) et permet une correspondance dans l'heure qui suit l'oblitération du billet. Une carte valable 30 jours est vendue 40 €. Les vélos sont acceptés dans la limite de 3 (au-delà sur réservation).

La ligne 14 assure des liaisons entre Saint-Malo et Saint-Cast-le-Guildo ; la ligne 13 relie Dinan et Saint-Cast-le-Guildo en passant par Plancoët ; la ligne 2 relie Plevenon et Saint-Brieuc via Fréhel, Erquy et Pléneuf-Val-André ; la ligne 5 relie les villes de Rostrenen à Saint-Brieuc en passant par Quintin ; la ligne 9 relie Saint-Brieuc à Paimpol en passant par Saint-Quay-Portrieux ; elle rejoint la pointe de l'Arcouest, via Ploubazlanec, et dessert les communes de la côte du Goëlo depuis Saint-Brieuc ; la ligne 7 vous permettra de rejoindre Paimpol en venant de Lannion, Tréguier et Lézardrieux ; la ligne 23 relie Saint-Brieuc et Paimpol en passant par les communes de Treguidel et de Lanvollon ; la ligne 4 relie Carhaix à Loudéac en passant par Mûr-de-Bretagne, Caurel et Gouarec ; la ligne 15 relie Lannion et la côte de Granit rose, et dessert Trégastel, Perros-Guirec et Trébeurden ; la ligne 16 assurant la liaison entre Tréguier et Lannion s'arrête à Port-Blanc.

FINISTÈRE

Réseau Penn-ar-Bed (☎ 0810 810 029 ; www.viaoo29.fr). Une quarantaine de lignes parcourt l'ensemble du département. Le prix du billet est fixé à 2 €, sauf pour la ligne Quimper-Brest (2/4/6 € selon la distance). Carte valable 1 mois vendue u prix de 40 € (40/60/80 € our la ligne Quimper-Brest).

De Brest, vous pourrez ejoindre Quimper par la ligne 1, Le Conquet par la ligne 11, andéda par la ligne 20 via annilis, Roscoff et Saint-ol-de-Léon par la ligne 25. e là, vous pourrez longer la aie de Morlaix via la ligne 28. e Brest, la ligne 32 dessert aoulas, laquelle permet galement de rejoindre a presqu'île de Crozon isqu'à Camaret en opérant ne connexion au Faou par a ligne 34. La presqu'île e Crozon est également acilement accessible depuis Quimper via la ligne 37. e Quimper, vous pourrez ejoindre Douarnenez par la gne 51, le cap Sizun jusqu'à a pointe du Raz via la ligne 53 t Concarneau via la ligne 43, ù vous pourrez prendre a ligne 47 pour rejoindre uimperlé via Pont-Aven.

Plusieurs lignes ermettent de rejoindre les nclos paroissiaux dans les erres ainsi que les monts 'Arrée et les Montagnes loires, notamment la gne 60 (Morlaix-Quimper ia Huelgoat, Brasparts t Pleyben) et la ligne 62 Carhaix-Châteaulin le ouillot-Quimper via Pleyben).

LLE-ET-VILAINE

éseau Illenoo (☎ **0810 35 0 35 ; www.illenoo-services. r**). Une vingtaine de lignes ui partent le plus souvent u centre de la métropole e Rennes. Il existe 4 zones arifaires et les prix des billets arient de 2,50 € à 5,70 €.

La ligne 16 relie Saint-Malo à Saint-Briac-sur-Mer n passant par Dinard et aint-Lunaire ; la ligne 7 relie Dinard à Rennes en passant par Dinan et Bécherel. Les bus relient Fougères à Vitré (ligne 13) et à Rennes (ligne 9a) d'où partent de nombreuses correspondances.

> ## Transports publics
>
> Site des transports collectifs en Bretagne, www.breizhgo.com permet de trouver rapidement un itinéraire dans la région.

LOIRE-ATLANTIQUE

Réseau Lila (☎ **0825 087 156, 0,15 €/min ; lila.loire-atlantique.fr**). Propose 45 lignes régulières qui sillonnent la région. Tarif unique 2,40 € (tarif réduit 1,20 €), carnet 10 tickets 21 €, carte mensuelle 68 €, tarif -26 ans 48 €.

La ligne E relie Saint-Nazaire au Croisic via La Baule et Batz-sur-Mer, ainsi que Guérande. La ligne J relie La Baule à Piriac-sur-Mer et dessert Guérande et La Turballe.

Pour la Brière vous avez le choix entre les Ty'Bus de la compagnie **Stran** (☎ **02 40 00 75 75 ; www.stran.fr**) qui desservent plusieurs communes dont celles de Saint-André-des-Eaux, Saint-Joachim, Saint-Nazaire et Pornichet, et les bus du réseau **Lila** qui desservent Missillac, Herbignac, Saint-Lyphard, Assérac ou Saint-Molf, ainsi que les communes de Saint-Nazaire, Guérande, La Baule et Pornichet.

MORBIHAN

Réseau Tim (☎ **0810 10 10 56 ; www.morbihan.fr**). 18 liaisons sur l'ensemble du département. Tarif unique 2 €, carte 10 voyages valable 6 mois 15 €, carte mensuelle jeunes -26 ans 32 €, carte mensuelle 42 €.

La ligne de bus 1 du réseau assure le transport entre Vannes, Auray et Quiberon, et marque un arrêt à Plouharnel, Penthièvre et Saint-Pierre-Quiberon. La ligne 18 qui fait le trajet entre La Trinité-sur-Mer et Port-Louis s'arrête à Carnac, tout comme la ligne 1. La ligne 16 fait le trajet entre Auray et Lorient, la ligne 5 Baud-Vannes marque un arrêt à Auray. La ligne 6 relie Larmor-Baden et Auray. La ligne 7 relie Vannes à Port-Navalo en passant par Sarzeau, Saint-Gildas-de-Rhuys, le port du Crouesty et Arzon. Les lignes 16 et 18 desservent aussi les localités de la Ria d'Étel.

Train

La couverture ferroviaire régionale en Bretagne par les **TER** (**TER Bretagne ;** ☎ **0800 880 562 ; www.sncf.com/fr/trains/ter ; renseignements lun-ven 7h-20h, sam 10h-17h**) est inégale. Si les liaisons Rennes-Brest et Rennes-Quimper permettent de desservir de nombreuses communes, en revanche, plusieurs lignes ont été fermées depuis 50 ans et remplacées par des liaisons en autocar.

La ligne Rennes-Brest traverse les villes de Lamballe, Saint-Brieuc,

Guingamp, Plouaret-Trégor, Morlaix, Landivisiau et Landerneau.

La ligne Rennes-Quimper traverse les villes de Vannes, Auray, Lorient, Quimperlé et Rosporden.

Étonnamment, il n'existe pas de liaison ferroviaire rapide entre Rennes et Nantes ; comptez au mieux 1 heure 30 de trajet.

Il existe quelques lignes régionales secondaires qui se révèlent extrêmement pratiques comme le "Tire-Bouchon" entre Auray et Quiberon (en saison seulement ; voir p. 221).

Transports urbains

BUS, TRAMWAY

Il existe des services de bus urbains dans les villes suivantes : Rennes, Nantes, Fougères, Saint-Malo, Vitré, Dinard, Saint-Brieuc, Dinan, Lannion, Lamballe, Morlaix, Landerneau, Brest, Quimper, Douarnenez, Quimperlé, Concarneau, Vannes, Lorient, Pontivy, Carnac, Auray.

Rennes est la seule ville de Bretagne à disposer d'un métro, le VAL ; et Nantes et Brest ont un tramway.

TAXIS

Toutes les grandes villes et agglomérations de taille moyenne comptent des services de taxis, notamment au départ des gares ferroviaires et des aéroports.

Rennes : **Taxis Rennais** (☎ 02 99 30 79 79, www.taxisrennais.fr)

Brest : **AAA Taxis Brestois** (☎ 0 298 806 806, www.taxi806.com)

Vannes : **Radio Taxi Vannetais** (☎ 02 97 54 34 34 ; www.radiotaxisvannetais.com)

Nantes : **Allo Taxi Nantes Atlantique** (02 40 69 22 22, www.alloradiotaxi.com)

Vélo

Même si la météo ne se prête pas toujours à une découverte de la Bretagne à vélo (à cause de la pluie et surtout du vent), sa pratique se développe de plus en plus. Bonne nouvelle, les acteurs institutionnels (région, département et communauté de communes) ont décidé de passer à l'action, avec l'aide le plus souvent de fonds européens, en construisant des itinéraires sécurisés. À terme, la Bretagne devrait proposer près de 2 000 km de circuits entièrement protégés, dont 1 000 km en voies vertes (voir p. 38). À l'heure actuelle, la Bretagne, sur l'ensemble du territoire, compte 1 500 km dont la voie bleue, le long du canal de Nantes à Brest. Il existe également quelques voies entre la côte et l'intérieur de la Bretagne. En revanche, les choses s'avèrent plus compliquées pour les amateurs de cyclotourisme qui voudraient longer la côte. Ce sont en effet les zones les plus urbanisées, et la constitution d'un réseau de pistes cyclables protégées est souvent un casse-tête pour les communes.

Les itinéraires de VTT sont les plus nombreux et permettent de faire des boucles de plusieurs dizaines de kilomètres pour explorer l'arrière-pays. Renseignez-vous auprès des offices du tourisme pour obtenir les itinéraires.

LOCATION

Il y a des loueurs de vélos dans la plupart des centres touristiques et dans certaines grandes villes, où les systèmes de vélos en libre-service deviennent par ailleurs de plus en plus courants. Généralement, vous aurez le choix entre VTT et vélo de ville. Comptez de 8 à 12 € pour une location à la journée et de 40 à 50 € pour la semaine. Les coordonnées des prestataires figurent dans les parties régionales. Sinon, Nantes, Vannes, Quimper, Lorient et Rennes disposent de vélos en libre-service, respectivement Bicloo, Vélocéa, Vélo-QUB, VéLo an Oriant et LE vélo-STAR.

Voiture et moto

La voiture et la moto sont les moyens de transport les plus adaptés à la découverte de la Bretagne. Tout est prévu pour le confort du conducteur : le réseau routier est dense et le fléchage des sites et infrastructures touristiques est excellent. De plus, les voies rapides sont entièrement gratuites ! Enfin, avec un véhicule, on accède à toutes les richesses du littoral, alors que bus et train ne desservent pas toutes les localités. Seul point noir : les bouchons dans les zones balnéaires en haute saison et les difficultés pour se garer à cette époque.

LOCATION

Si vous ne disposez pas de véhicule, vous trouverez sur place, dans les gares et dans le centre des grandes villes, des sociétés de location. Renseignez-vous au préalable sur les prestations ncluses dans le prix (kilométrage illimité ou non, taxes, assurance, rachat de franchise, etc.) et sur votre responsabilité en cas de problème. Mieux vaut en tout état de cause souscrire une assurance complète (renseignez-vous auprès de votre propre assureur ; si vous possédez une carte bancaire Premier, demandez des précisions sur la couverture incluse) couvrant les bosses et éraflures que vous risquez de faire à la carrosserie. Toutes les grandes enseignes sont en général représentées dans les principales villes. N'hésitez pas à faire jouer la concurrence. Quelle que soit la période, il est préférable de réserver. Souvent, les tarifs sur Internet sont plus avantageux qu'aux guichets. Outre les loueurs cités ci-après, une autre solution consiste à contacter avant votre départ les agences en ligne **Autoescape** (☎ 0899 87 65 00 ; www.autoescape.com), **Locationdevoiture** (☎ 0800 733 333, numéro vert gratuit ; www.locationdevoiture.fr) ou **Easycar** (☎ 0800 640 7000 ; www.easycar.fr) qui permettent de comparer les tarifs et de réserver en ligne.

Les sites Internet des sociétés citées ci-après répertorient les différentes agences situées en Bretagne, où vous pourrez louer un véhicule :

Ada (☎ 3659, 0,12 €/min ; www.ada.fr)

Avis (☎ 0821 230 760, 0,12 €/min ; www.avis.fr)

Budget (☎ 0825 003 564, 0,15 €/min ; www.budget.fr)

Europcar (☎ 0825 358 358, 0,15 €/min ; www.europcar.fr)

Hertz (☎ 0825 800 900 ; www.hertz.fr)

Rent a car (☎ 0891 700 200, 0,25 €/min ; www.rentacar.fr)

Sixt (☎ 0820 00 74 98, 0,14 €/min ; www.sixt.fr)

En coulisses

Un mot des auteurs

MURIEL CHALANDRE-YANES BLANCH

Sillonner la Bretagne fut une aventure pleine de surprises, de grains et de rayons de soleil, de langoustines – royales ! – et de fars bretons, de sourires charmeurs et de mines renfrognées ! Je tiens à remercier toute l'équipe parisienne pour sa confiance et son soutien, en particulier Didier Férat, Nicolas Benzoni et Dominique Spaety, ainsi que mes co-auteurs et toutes les personnes sur place qui, avec un enthousiasme communicatif, m'ont conseillée. Enfin un immense merci à mes parents, toujours sur le pont, prêts à partir, et à Eduardo qui sait mieux que quiconque me faire sourire. Je dédie ce livre à Guy Laffont, soleil rieur de mon enfance.

OLIVIER CIRENDINI

Merci à Christophe, Pascale et Anna pour leur accueil et leurs conseil, ainsi qu'à Guy Prigent pour sa disponibilité.

BÉNÉDICTE HOUDRÉ

Merci à toutes les personnes croisées sur place qui ont, parfois en quelques mots, éclairé mon travail de terrain et communiqué leur amour de leur région et leur passion pour leur métier. À Nantes, merci à Jean Blaise et à Katia Forêt, du Voyage à Nantes, pour leur disponibilité. À Paris, merci à toute l'équipe LP, en particulier à Didier Férat pour sa confiance, à Nicolas Benzoni pour son précieux travail d'orfèvre et à Dominique Spaety pour son aide constante.

CAROLE HUON

Merci à tous les amis bretons pour leurs précieux conseils et les bons moments partagés en chemin, en particulier à Candice, Christophe, Benjamin et Pierre. Merci également au personnel des offices du tourisme. Enfin, un immense merci à toute la super équipe édito de Lonely Planet.

Crédits photographiques

Photographie de couverture : Menhirs de Menec,Carnac. Joe Cornish/Getty Images
Photographie de dos : Plage d'Herlin, Belle-Île-en-mer. Brigitte Merle/Photononstop

À propos de cet ouvrage

Cet ouvrage est la deuxième édition du guide *Bretagne*. Il a été écrit et mis à jour par Muriel Chalandre-Yanes Blanch, Olivier Cirendini, Bénédicte Houdré et Carole Huon. Ont également collaboré à la précédente édition de cet ouvrage les auteurs suivants : Jean-Bernard Carillet, Christophe Corbel, Laurent Courcoul, Régis Couturier, Marie Dufay, Hervé Milon et Véronique Sucère.

Direction éditoriale Didier Férat
Coordination éditoriale Nicolas Benzoni
Responsable prépresse Jean-Noël Doan
Maquette Alexandre Marchand
Cartographie Martine Marmouget (Afdec)
Couverture Annabelle Henry
Fabrication Céline Premel-Cabic
Photogravure Axiome
Merci à Sylvie Rabuel pour sa relecture attentive et à Pierre Gallotta pour son travail de référencement. Merci également à Dominique Spaety et à toute l'équipe du bureau de Paris. Enfin, merci à Clare Mercer, Joe Revill, Sarah Nicholson et Luan Angel du bureau de Londres, ainsi qu'à Andy Nielsen, Darren O' Connell, Chris Love, Sasha Baskett, Angela Tinson, Jacqui Saunders, Ruth Cosgrave et Glenn van der Knijff du bureau australien.

VOS RÉACTIONS ?

Vos commentaires nous sont très précieux et nous permettent d'améliorer constamment nos guides. Notre équipe lit toutes vos lettres avec la plus grande attention. Nous ne pouvons pas répondre individuellement à tous ceux qui nous écrivent, mais vos commentaires sont transmis aux auteurs concernés. Tous les lecteurs qui prennent la peine de nous communiquer des informations sont remerciés dans l'édition suivante, et ceux qui nous fournissent le renseignements les plus utiles se voient offrir un guid

Pour nous faire part de vos réactions, prendre connaissance de notre catalogue et vous abonner Comète, notre lettre d'information, consultez not site Internet : **www.lonelyplanet.fr**

Nous reprenons parfois des extraits de notre courrier pour les publier dans nos produits, guides ou sites web. Si vous ne souhaitez pas que vos commentaires soient repris ou que votre nom apparaisse, merci de nous le préciser. Pour connaître notre politique en matière de confidentialité, connectez-vous à : **www.lonelyplanet.fr/confidentialite/index.cfm**

NOTES

NOTES

Index

A

Les cartes sont indiquées en **gras**

B

C

D

E

Les cartes sont indiquées en **gras**

I

J

K

Les cartes sont indiquées en **gras**

L

M

N

P

Les cartes sont indiquées en **gras**

Q

R

S

T

V

Comment utiliser ce guide

Ces symboles vous aideront à identifier les différentes rubriques :

- À voir
- Activités
- Cours
- Circuits organisés
- Fêtes et festivals
- Où se loger
- Où se restaurer
- Où prendre un verre
- Où sortir
- Achats
- Renseignements/ transports

Ces symboles vous donneront des informations essentielles au sein de chaque rubrique :

- Numéro de téléphone
- Horaires d'ouverture
- Parking
- Non-fumeurs
- Climatisation
- Accès Internet
- Wi-Fi
- Piscine
- Végétarien
- Menu en anglais
- Familles bienvenues
- Animaux acceptés
- Bus
- Ferry
- Métro
- Subway
- Tube (Londres)
- Tramway
- Train

La sélection apparaît dans l'ordre de préférence de l'auteur.

Les pictos pour se repérer :

GRATUIT Des sites libre d'accès

Les adresses écoresponsables

Nos auteurs ont sélectionné ces adresses pour leur engagement dans le développement durable – par leur soutien envers des communautés ou des producteurs locaux, leur fonctionnement écologique ou leur investissement dans des projets de protection de l'environnement.

Légende des cartes

À voir
- Plage
- Temple bouddhiste
- Château
- Église/cathédrale
- Temple hindou
- Mosquée
- Synagogue
- Monument
- Musée/galerie
- Ruines
- Vignoble
- Zoo
- Centre d'intérêt

Activités
- Plongée/snorkeling
- Canoë/kayak
- Ski
- Surf
- Piscine/baignade
- Randonnée
- Planche à voile
- Autres activités

Où se loger
- Hébergement
- Camping

Où se restaurer
- Restauration

Où prendre un verre
- Bar
- Café

Où sortir
- Spectacle

Achats
- Magasin

Renseignements
- Poste
- Point d'information

Transports
- Aéroport/aérodrome
- Poste frontière
- Bus
- Téléphérique/ funiculaire
- Piste cyclable
- Ferry
- Métro
- Monorail
- Parking
- S-Bahn
- Taxi
- Train/rail
- Tramway
- Tube
- U-Bahn
- Autre moyen de transport

Routes
- Autoroute à péage
- Autoroute
- Nationale
- Départementale
- Cantonale
- Chemin
- Route non goudronnée
- Rue piétonne
- Escalier
- Tunnel
- Passerelle
- Promenade à pied
- Promenade à pied (variante)
- Sentier

Géographie
- Refuge/gîte
- Phare
- Point de vue
- Montagne/volcan
- Oasis
- Parc
- Col
- Aire de pique-nique
- Cascade

Population
- Capitale (pays)
- Capitale (État/province)
- Grande ville
- Petite ville/village

Limites et frontières
- Pays
- Province/État
- Contestée
- Région/banlieue
- Parc maritime
- Falaise/escarpement
- Rempart

Hydrographie
- Rivière
- Rivière intermittente
- Marais/mangrove
- Récif
- Canal
- Eau
- Lac asséché/salé/ intermittent
- Glacier

Topographie
- Plage/désert
- Cimetière (chrétien)
- Cimetière (autre religion)
- Parc/forêt
- Terrain de sport
- Site (édifice)
- Site incontournable (édifice)

Christophe Corbel

Du plus longtemps qu'il se souvienne, Christophe a toujours passé du bon temps en Bretagne… dans la maison de sa grand-mère, bretonne de cœur, pleine de cousins piaillant comme des moineaux. Elle savait mieux que personne surveiller les nuages sous le soleil ou pêcher la crevette grise à l'aide de son pousseux. À cette époque, on se baignait deux fois par jour, il n'y avait pas encore d'algues vertes, on attrapait vigoureusement les lançons les soirs de pleine lune, on faisait 10 km à vélo pour aller manger les meilleures galettes des Côtes-du-Nord… Plus tard, Christophe a compris que la Bretagne ne se résumait pas à une maison, une plage, un village, une gare SNCF et à sa grand-mère. Bref, que la Bretagne, c'est comme un pays… En dehors de la Bretagne, Christophe aime voyager dans des endroits où le soleil et les nuages se partagent le ciel… question d'habitude.

Régis Couturier

Comme tout bon Parisien, Régis n'est pas né à Paris, mais en Ariège. Il a bien un temps habité à Vannes, mais il n'était pas encore en âge de boire du chouchen, et a surtout grandi en Charente-Maritime, l'autre pays des huîtres. Comme tout bon Parisien encore, il est venu passer de nombreux week-ends en Bretagne, de l'île de Sein à la forêt de Brocéliande, en passant par Crozon, Plougoulm, Glomel ou Morlaix. Mais c'est à l'occasion de ce guide qu'il a vraiment découvert l'Armorique, et a été gagné au charme nonpareil de ses lumières versatiles, de ses paysages contrastés et du caractère trempé de ses habitants. Après des études de Lettres et un Erasmus en Écosse, Régis commence à travailler pour Lonely Planet en 1999 en éditant des guides. Ce qu'il continue de faire entre deux voyages, quand il ne se mêle pas d'en écrire ou qu'il ne pas pige dans la presse en tant que secrétaire de rédaction.

Marie Dufay

Marie passe son enfance à Paris, mais sa vie bascule à 8 ans lors de ses premières vacances bretonnes : la mer devient son élément, son obsession. À 14 ans, elle fait son premier stage de voile à l'archipel des Glénan. Ses diplômes de langues et d'ethnologie en poche, elle écume les îles du littoral français, des Caraïbes, de l'océan Indien, avant de poser son sac à Concarneau où elle devient journaliste et photographe maritime. À 29 ans, elle part sur son voilier de 8 mètres sillonner la Méditerranée pendant 3 ans. Le Finistère est toujours son port d'attache, où elle continue de collaborer à la presse nautique et touristique entre deux virées au large. Marie travaille régulièrement avec Lonely Planet (*Bretagne Nord*, *Bretagne Sud*, *Côte d'Azur*, *La Guadeloupe en quelques jours*…).

Bénédicte Houdré

C'est le cœur qui d'abord l'a menée jusqu'à l'estuaire de la Loire ! Bénédicte partage la vie d'un Nantais et de fréquents séjours dans la cité ligérienne lui font apprécier la personnalité de cette ville, dynamique et séduisante. Après des études d'histoire et de sciences de l'information, et un passage au sein de quelques rédactions, Bénédicte opte pour l'édition. Elle entame une collaboration régulière avec Lonely Planet en 1999. Auteur de guides (*Lille en quelques jours*, *La Villette et le Nord-Est parisien*, *Bretagne Sud*, *Normandie*, *Pays de la Loire*), elle travaille également comme éditrice.

Carole Huon

Bretonne d'origine et de cœur, Carole a passé une enfance rythmée par la cueillette des champignons et les parties de pêche avec les vieux loups de mer, sur fond d'essences forestières et d'odeurs de goémon, entre la campagne rennaise et le très sauvage sillon du Talbert. Après des études d'histoire à Rennes, elle part à la quête d'autres menus plaisirs : plusieurs mois en Irlande d'abord, aux portes du Connemara, puis en Argentine, au Chili et en Bolivie, pour des projets relatifs à l'édition. Elle se découvre alors une vraie passion pour les voyages et les grands espaces, qui la mèneront jusqu'en Mongolie. Après un détour à Paris au sein de l'équipe éditoriale de Lonely Planet, Carole a voulu retrouver ses grands espaces d'origine. Elle habite aujourd'hui dans le Morbihan, face à la mer. Carole travaille régulièrement pour Lonely Planet en tant qu'éditrice.

Les guides Lonely Planet

Une vieille voiture déglinguée, quelques dollars en poche et le goût de l'aventure, c'est tout ce dont Tony et Maureen Wheeler eurent besoin pour réaliser, en 1972, le voyage d'une vie : rallier l'Australie par voie terrestre via l'Europe et l'Asie. De retour après un périple harassant de plusieurs mois, et forts de cette expérience formatrice, ils rédigèrent sur un coin de table leur premier guide, *Across Asia on the Cheap*, qui se vendit à 1 500 exemplaires en l'espace d'une semaine. Ainsi naquit Lonely Planet, dont les guides sont aujourd'hui traduits en 12 langues.

Nos auteurs

Muriel Chalandre-Yanes Blanch

C'est lors de ses vacances d'enfant que Muriel a goûté (et bu la tasse !) aux vagues bretonnes pour la première fois. Charmée par la Bretagne Sud, sa famille parisienne est venue s'y installer quelques années plus tard. Depuis, après des études de langues et d'histoire de l'art, et de longs voyages pour aller voir entre autres Persépolis, le Metropolitan Museum, l'Alhambra et la mer Morte, Muriel quitte régulièrement Paris pour prendre l'air sur les côtes bretonnes et sur celles de Cuba, autre pays de sa famille. Quelques années dans l'édition d'art et les revues artistiques, en France et à l'étranger, précèdent sa collaboration régulière avec Lonely Planet.

Olivier Cirendini

Journaliste et photographe indépendant, Olivier collabore régulièrement aux pages Voyage de plusieurs titres de la presse magazine. Voyageant pour le travail et le plaisir, des Kerguelen au grand Nord norvégien et de l'Atacama aux montagnes du pays hmong, il a signé une vingtaine de titres de la collection Lonely Planet en français, dont Madagascar, Corse, Réunion, île Maurice, et Québec. Il est également l'auteur de Marrakech itinéraire, en collaboration avec le dessinateur Jacques Ferrandez (éd. Casterman-Lonely Planet).

Plus d'auteurs

L'Essentiel de la Bretagne

2e édition

Dépôt légal Avril 2015

ISBN 978-2-81614-747-6

Imprimé par IME by ESTIMPRIM, Baume-les-Dames, France

Réimpression 03, avril 2016

En Voyage Éditions | un département